Tara Duncan
Le Continent interdit

Du même auteur

Tara Duncan. Les Sortceliers, Seuil, 2003
Tara Duncan. Le Livre interdit, Seuil, 2004
Tara Duncan. Le Sceptre maudit, Flammarion, 2005
Tara Duncan. Le Dragon renégat, Flammarion, 2006

Sophie Audouin-Mamikonian

Tara Duncan
Le Continent interdit

Flammarion

© Flammarion, 2007
ISBN : 978-2-0812-0084-5

À mon mari Philippe, à mes filles Diane et Marine,
qui donnent tout simplement et chaque jour une
nouvelle dimension au mot Amour.
À toi Maman, pour avoir réussi à aimer mes dragons
(c'était pas gagné...).

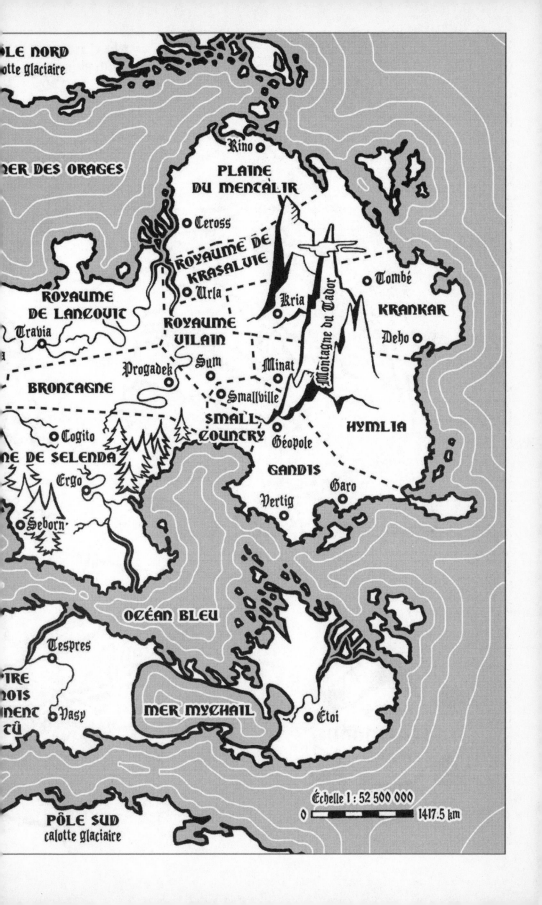

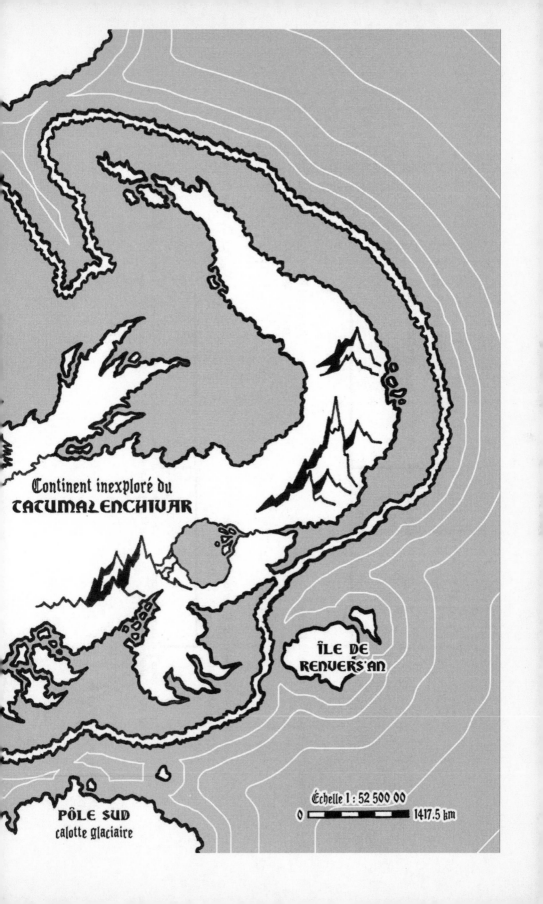

DYNASTIE DUNCAN AU LANCOVIT
ÉTABLI LE 25 FAICHO 5015 (DATE D'AUTREMONDE)

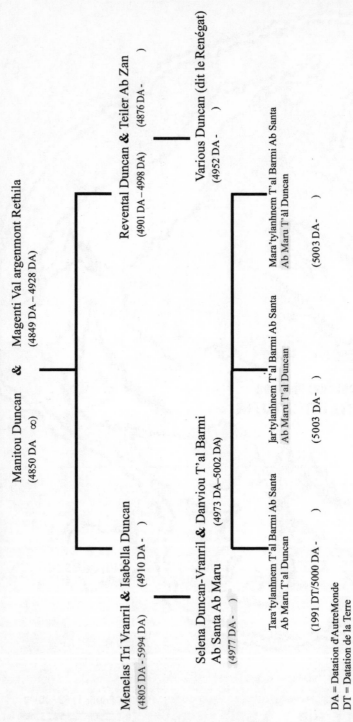

Manitou Duncan   &   Magenti Val argenmont Rethila
(4850 DA   ∞)   (4849 DA – 4928 DA)

Menelas Tri Vranril & Isabella Duncan
(4805 DA - 5994 DA)   (4910 DA -   )

Revental Duncan & Teiler Ab Zan
(4901 DA – 4998 DA)   (4876 DA -   )

Various Duncan (dit le Renégat)
(4952 DA -   )

Selena Duncan-Vranril & Danviou T'al Barmi
Ab Santa Ab Maru   (4973 DA–5002 DA)
(4977 DA -   )

Tara'tylanhnem T'al Barmi Ab Santa
Ab Maru T'al Duncan

(1991 DT/5000 DA -   )

Jar'tylanhnem T'al Barmi Ab Santa
Ab Maru T'al Duncan

(5003 DA -   )

Mara'tylanhnem T'al Barmi Ab Santa
Ab Maru T'al Duncan

(5003 DA -   )

DA = Datation d'AutreMonde
DT = Datation de la Terre

DYNASTIE T'AL BARMI AB SANTA AB MARU, EMPIRE D'OMOIS
ÉTABLI LE 25 FAICHO 5015 (DATE D'AUTREMONDE)

Demiderus « Poing de feu », fondateur de l'empire d'Omois

(- 2984 DT -)

Descendants cinq mille ans plus tard

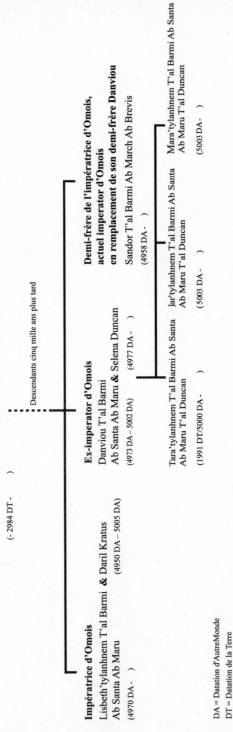

Impératrice d'Omois
Lisbeth'tylanhnem T'al Barmi **&** Daril Kratus
Ab Santa Ab Maru   (4950 DA – 5005 DA)
(4970 DA -)

Ex-imperator d'Omois
Danviou T'al Barmi
Ab Santa Ab Maru **&** Selena Duncan
(4973 DA – 5002 DA)   (4977 DA -)

**Demi-frère de l'impératrice d'Omois,
actuel imperator d'Omois
en remplacement de son demi-frère Danviou**
Sandor T'al Barmi Ab March Ab Brevis
(4958 DA -)

Tara'tylanhnem T'al Barmi Ab Santa
Ab Maru T'al Duncan

(1991 DT/5000 DA -)

Jar'tylanhnem T'al Barmi Ab Santa
Ab Maru T'al Duncan

(5003 DA -)

Mara'tylanhnem T'al Barmi Ab Santa
Ab Maru T'al Duncan

(5003 DA -)

DA = Datation d'AutreMonde
DT = Datation de la Terre

Note de l'auteur à ses lecteurs

Les pégases, glurps, vrrirs, traducs, spatchounes, taormis, t'sils et autres bestioles bizarres sont décrites dans le lexique d'AutreMonde à la fin de ce livre.

Avertissement : l'auteur n'a consommé aucune substance illicite et ne fait que décrire ce qu'il – enfin, elle – voit...

Retrouvez Tara sur : www.taraduncan.com

Écrivez-lui à : tara@taraduncan.com

Précédemment dans « Tara Duncan » :

À la demande de nombreux fans, voici un résumé des épisodes précédents. Et pour ceux qui n'ont pas encore lu les quatre premiers livres : et alors ? Qu'est-ce que vous attendez ?

Les Sortceliers

Tara Duncan est une sortcelière, celle-qui-sait-lier les sorts. Elle découvre ce détail lorsque Magister, l'homme au masque, tente de l'enlever, blessant gravement Isabella Duncan, sa grand-mère, une sortcelière elle aussi.

Elle apprend alors que sa mère, Selena, qu'elle croyait morte dans un accident biologique en Amazonie, est encore en vie et part avec son meilleur ami terrien, Fabrice, sur AutreMonde, la planète magique, en vue de délivrer Selena, prisonnière de Magister, le maître des sangraves.

Sur AutreMonde, elle se lie avec un Familier, un pégase de deux mètres au garrot, doté d'ailes de quatre mètres (pas facile à caser dans un appartement), et se fait un ennemi, maître Dragosh, un terrifiant vampyr aux canines pointues.

Heureusement, elle rencontre aussi Caliban Dal Salan, un jeune Voleur qui s'entraîne au métier d'espion, Gloria Daavil dite « Moineau », Robin, un mystérieux sortcelier qui tombe amoureux de Tara, maître Chem, un vieux dragon distrait, et enfin la naine Fafnir, sortcelière malgré elle, farouche ennemie de la magie et qui veut s'en défaire.

Enlevée par Magister, elle parvient grâce à leur aide à délivrer sa mère, affronte son ennemi et détruit le Trône de Silur, l'objet démoniaque confisqué par le légendaire Demiderus aux démons des Limbes et que seuls ses descendants directs, Tara et l'impératrice d'Omois, peuvent approcher et utiliser.

Avant de se volatiliser, Magister lui révèle que son père n'est autre que Danviou T'al Barmi Ab Santa Ab Maru, l'imperator d'Omois disparu depuis quatorze ans. Elle est par conséquent l'héritière de l'empire d'Omois, le plus important empire humain sur AutreMonde.

Le Livre interdit

Cal est rendu responsable d'un meurtre qu'il n'a pas commis. Bien à contrecœur, Tara vient sur AutreMonde. Elle doit découvrir qui accuse son ami et pour quelle raison.

Les gnomes bleus délivrent Cal afin qu'il les aide à se libérer d'un monstrueux sortcelier qui les tient en esclavage, le transformant ainsi en fugitif aux yeux d'Omois, ce qui est une très mauvaise idée.

Tara et ses amis n'ont d'autre solution que de défier le sortcelier car les gnomes bleus ont infecté Cal avec une t'sil, un ver mortel du désert. Ils disposent de peu de temps pour le sauver. Une fois le sortcelier vaincu, grâce à Fafnir, ils partent pour les Limbes grâce au livre interdit, afin d'innocenter Cal.

Ce faisant, ils invoquent involontairement le fantôme du père de Tara mais celui-ci ne peut rester avec sa fille, sous peine de déclencher la guerre contre les puissants démons. De retour sur AutreMonde, Tara et ses amis doivent affronter une terrifiante menace.

En effet, en essayant de se débarrasser de la « maudite magie » (les nains ont la magie en horreur), Fafnir devient toute rouge. Pas de colère, non : sa peau prend une couleur pourpre car elle a délivré par mégarde le Ravageur d'Âme qui conquiert toute la planète en quelques jours, en infectant les sortceliers et les nonsos des différents peuples.

Tara se transforme en dragonne et, en s'alliant avec Magister, parvient à vaincre le Ravageur d'Âme. Une fois ce dernier éliminé, elle abat Magister qui disparaît dans les Limbes démoniaques. Elle pense (elle espère très fort !) qu'il est mort. Entre-temps, l'impératrice d'Omois, qui ne peut avoir d'enfants, a découvert que Tara est son héritière et exige qu'elle vienne définitivement vivre sur AutreMonde.

Si Tara refuse, elle détruira la Terre.

Tara est amnésique. Après avoir virtuellement affronté les armées d'Omois afin de garder sa liberté de choix, elle s'est rendu compte qu'elle ne pourrait faire tuer d'innocents soldats simplement pour demeurer sur Terre : elle se résigne à vivre sur Autre-Monde. Mais elle fait une overdose de magie, tant son pouvoir devient puissant et incontrôlable. Une fois guérie de son amnésie, elle endosse son rôle d'héritière d'Omois et subit les farces dangereuses de deux jeunes enfants, Jar et Mara. Sa mère est victime d'un attentat et un zombie est assassiné (ce n'est pas facile, n'est-ce pas ? Essayez donc de tuer un type mort depuis des années !).

Tara est chargée de l'enquête tandis que Magister attaque le palais avec ses démons pour enlever la jeune fille. Heureusement, ils sont prévenus à temps par le snuffy rôdeur, qui s'est échappé des geôles du maître des sangraves.

Folle de rage, l'Impératrice décide de traquer Magister dans son repaire et confie le gouvernement de l'empire à son Premier ministre et à l'Héritière. Hélas, elle tombe aux mains de Magister et Tara se retrouve, bien contre son gré, impératrice par intérim (ce que, à quatorze ans, elle trouve absolument terrifiant).

Magister envoie Selenba la vampyr, ennemie de Tara et ancienne fiancée de maître Dragosh, surnommée le Chasseur, espionner la jeune fille. Elle prend l'apparence d'un proche de Tara et blesse gravement l'homme qui fait la cour à la mère de Tara, Bradford Medelus. Puis ils se rendent compte que Magister a eu, grâce à l'Impératrice, accès aux treize objets démoniaques, dont le Sceptre maudit, ce qui empêche les sortce-liers d'utiliser leur pouvoir magique.

Coup de chance, la magie des adolescents est épargnée et Demiderus est miraculeusement dégagé du Temps gris où il s'est encapsulé cinq mille ans auparavant. Sur ses indications et grâce aux Salterens, ils trouvent le collier de Sopor, objet qui permet d'anéantir le Sceptre. Capturés par Magister en combattant le Chasseur, Tara et Cal délivrent l'Impératrice et détruisent le Sceptre. Magister ne s'avoue pas vaincu et attaque l'empire d'Omois avec des millions de démons mais Moineau comprend à temps pourquoi le zombie a été assassiné et explique comment vaincre l'armée des démons. Magister seul s'échappe et on découvre que les jumeaux, Jar et Mara, sont les frère et sœur de Tara.

Plusieurs faits laissent soupçonner que Tara a été victime d'une manipulation génétique et l'Impératrice ordonne des analyses. Robin va chercher Tara pour lui déclarer enfin ses sentiments mais, à sa grande horreur, la chambre de la jeune fille est vide.

L'Héritière a disparu.

Le Dragon renégat

Tara s'est lancée en quête d'un document qui lui permettra de faire revenir son fantôme de père. Elle a laissé un mot mais la démone chargée de le donner à l'Impératrice a oublié la commission. Ses amis partent à sa recherche tandis qu'un mystérieux dragon assassine un savant dans l'un des laboratoires du palais impérial d'Omois, puis lance un sort contre Tara à travers l'espace. Elle devra se rendre à Stonehenge où, depuis cinq mille ans, il a placé un terrible piège qui va détruire la Terre et tous ses habitants. Tara va-t-elle résister à sa propre magie dont la trop grande puissance risque de la consumer ?

Grâce à l'aide de Boris (petit, contrefait, un cheveu sur la langue), de sa géante de femme (grande, solide, peut assommer un bœuf d'un seul coup de poing) et du fidèle Taragang, Tara parviendra à élucider l'énigme de la disparition de son grand-père mais surtout à déjouer les plans du mystérieux dragon. Et lorsque Robin l'embrassera, enfin, et que l'Impératrice le bannira pour l'empêcher d'approcher son héritière, Tara prendra une décision qui coûtera cher à l'une de ses meilleures amies...

Le Continent interdit

Ah, pour celui-là, toute l'histoire se trouve dans les prochaines pages... enfin, si Isabella n'a pas jeté un sort d'Invisiblus sur le livre ! Bonne lecture... et bonne chance ! A priori, personne ne devrait vous changer en grenouille ou en crapaud si vous lisez ces lignes... enfin j'espère ! Croa !

Chapitre I

L'Herbe du Mentalir
ou comment apprécier l'herbe quand
on n'est pas herbivore

Elle... ne comprenait plus rien. L'instant d'avant, elle reposait dans son lit, paisiblement endormie.

Puis il y avait eu une lumière, suivie d'une glaciale obscurité. Maintenant elle se trouvait de nouveau plongée dans le noir, même si des étoiles au-dessus de sa tête luisaient faiblement.

Autour d'elle flottait une odeur infecte. Cela puait... le soufre !

Elle était adossée à quelque chose de chaud. Sa chemise de nuit était maculée de crasse et ses pieds saignaient, comme si elle avait cheminé sur des pierres coupantes.

Soudain il y eut un mouvement derrière elle. Ce à quoi elle était adossée... remuait !

Affolée, elle se jeta de côté.

Et lorsqu'elle vit l'impossible gueule pleine de crocs descendre vers elle, elle hurla si fort qu'elle crut que son cœur allait exploser.

Une terrible brûlure déchira son visage... le monde disparut.

Les deux licornes inclinèrent l'encolure et leur corne, aiguisée, se braqua sur les deux adolescents qui se tenaient devant elles.

Tara avait l'absurde impression d'être visée par l'équivalent autreMondien du laser d'un sniper. Mais on peut désarmer un sniper ; comment désarmer une licorne argentée d'une demi-tonne ?

L'adolescente avala difficilement sa salive.

— Euuuh, Cal ? Elles n'ont pas l'air très... aimables !

— Relaaaaax, sourit le petit Voleur aux yeux gris, je maîtrise la situation.

L'une des licornes loucha dans leur direction le long de la spirale cornée et affirma :

— Vous êtes ici pour voler l'herbe du Mentalir ! Déguerpissez avant que nous ne vous transpercions et que vos cadavres n'engraissent nos plaines.

— Tu sais, murmura nerveusement Tara en s'adressant à Cal, depuis que j'ai perdu ma magie, je me sens un brin vulnérable sur cette planète. J'ai eu tort, si on s'y prenait autrement, hein ? Ce serait bien aussi !

Lorsque Chandouvalirachivu, le dragon renégat, avait tenté de détruire les mondes démoniaques, il avait drainé Tara et Jeremy, le jeune sortcelier terrien, de leur pouvoir. Depuis, Tara ne pouvait plus soulever la moindre plume mentalement. À présent, face aux licornes, la magie, qu'elle avait tant détestée, lui manquait.

Cal ignora son avis et s'avança... enfin, il esquissa un quart de pas vers les énormes animaux.

— J'ai l'honneur, annonça-t-il en s'inclinant, de vous présenter Son Altesse impériale Tara'tylanhnem Duncan, héritière de l'empire d'Omois.

Les longs cheveux blonds de Tara claquèrent dans le vent qui venait de se lever. Là, elle se sentait minuscule et guère impériale. Elle subvocalisa un ordre et la Changeline, entité magique qui lui servait de vêtements/bouclier/maquilleur/coiffeur/chausseur/armurier, rassembla promptement sa chevelure en une natte sophistiquée puis, prudente, transforma sa longue robe de sortcelière en jean, tee-shirt et baskets... de course.

Au cas où.

Heureusement Tara, désormais, communiquait à nouveau avec la fantasque Changeline et la Pierre Vivante (même si le quartz magique d'AutreMonde avait tardé à trouver le moyen de contacter mentalement son amie), et avec son Familier, Galant. Elle avait laissé au palais d'Omois la trop reconnaissable chevalière ensorcelée qui appelait un démon à son service, ainsi que la Klik, gadget qui permettait à son ex-petit ami, Robin, de la localiser à tout instant.

Elle ne regrettait pas la Klik, évocatrice de souvenirs douloureux. Mais elle aurait apprécié la chevalière. Le démon aurait réduit les licornes en chair à pâté avant qu'elles n'aient le temps de hennir.

La gardienne qui avait parlé eut pour seule réaction un clignement d'œil, sans doute causé par les reflets des deux soleils d'AutreMonde.

— Nous faisons du tourisme dans votre magnifique prairi... euh, patrie... et nous avons souhaité contempler la fameuse herbe trifoliée du Mentalir. Splendides, n'est-ce pas ? ces deux variétés d'herbes bleues, envahies de merveilleuses fleurettes blanches, telle la mer ondulant sous les solei...

— Prétendez-vous être en visite officielle ? grommela la licorne, interrompant net l'envolée lyrique de Cal.

Vu que les deux sortceliers n'étaient suivis d'aucune escorte et ne possédaient pas la moindre lettre de créance, mentir n'était pas recommandé.

Cal, penché, murmura :

— Pas précisément. Nous sommes ici incognito.

Tara pâlit. Que racontait-il !

La licorne soupira et pointa la faille de l'argumentation.

— Dans ce cas, pourquoi révéler votre identité ? Enfin, si vous n'êtes pas des voleurs d'herbe du Mentalir ?

Aïe ! la logique de la licorne, caractéristique de l'espèce, était implacable. Fichue herbe qui offrait la Connaissance à qui la broutait !

Cal rengaina ses bobards et plaida d'une voix onctueuse :

— Nous aimerions vraiment que vous nous fassiez cadeau de quelques plants. Mon amie, ici présente, en a besoin. Oh, ne croyez pas qu'il s'agisse de réussir des examens ou de retenir des sorts, hein ? C'est vital, pour elle ! Allez, soyez sympa ! Vous possédez des millions de ces fichues herbes, une de plus ou de moins, qu'est-ce que cela changera ?

Le charme de Cal, qui fonctionnait plutôt bien sur les filles, restait inopérant sur les licornes. La réponse de la première gardienne fut aussi claire que précise :

— Non.

Son encolure argentée se courba en un arc élégant. Elle s'apprêtait à les charger.

Du coin de l'œil, Tara avisa un boqueteau tout proche. Serait-elle assez rapide pour l'atteindre avant d'être transpercée ?

L'intelligent animal gratta le sol de son antérieur au sabot fourchu tel celui d'une chèvre et annonça :

— Je compte jusqu'à dix. Si, à ce moment, vous n'êtes pas partis, ma compagne et moi-même aurons le plaisir de vous offrir une hospitalité... éternelle.

Wow ! Elle n'avait pas l'air de plaisanter. Tara recula, imitée par Cal.

— Elle... n'est guère coopérative ! Je ne devrais pas dire ça, mais si tu lui jetais un sort ? chuchota la jeune fille.

— Nan, il vaut mieux éviter.

— Pourquoi ?

— Ta fichue magie m'a contaminé. C'est super-pénible et j'ai un mal fou à la contrôler. Je n'ai pas envie d'en faire du steak haché involontairement. Déjà, deux Hauts Mages du Lancovit sont à l'infirmerie par la faute de ta magie.

— Des Hauts Mages ? Comment cela ?

Cal plissa son visage.

— Un conduit d'évacuation du château[1] était obturé, il en était très gêné, tu le connais, du coup ses murs et plafonds étaient tout gris ou vaguement verdâtres, cela donnait mal au cœur aux courtisans. Comme je ne suis pas très grand, les mages plombiers m'ont envoyé déboucher les tuyaux. Eleanora et moi nous étions disputés et elle ne répondait plus à mes appels. J'étais heureux de ce répit : m'occuper et arrêter de penser à elle, juste quelques minutes.

---

1. Le château du Lancovit est une entité vivante dotée d'un corps de pierre de six mille pièces, d'une aile ouest qui disparaît régulièrement dans le temps et dans l'espace (ce qui est ennuyeux vu que c'est l'endroit où se situe l'armurerie), et d'un mauvais caractère.

Tara écarquilla les yeux. Son ami était très atteint, si déboucher des toilettes lui paraissait le comble du bonheur !

— Les conduits étaient bloqués par un mélange de magie, de matières que je ne décrirai pas et d'autres trucs non identifiés dont certains ont essayé de me crocheter lorsque j'ai tenté de dégager le passage. Inquiet, j'ai libéré la pleine puissance de ma magie, ce qui ne m'était plus arrivé depuis que nous avons été irradiés par ton pouvoir et celui de Jeremy [1].

Tara en oubliait les licornes, de plus en plus nerveuses.

— Et alors ?

— Alors... l'apocalypse. Si j'avais voulu faire une blague, je n'aurais pas pu trouver mieux. Digne des pires farces des lutins p'abo. D'ailleurs, quand l'histoire leur est parvenue, ils m'ont décerné la médaille d'or de la meilleure farce de cette année.

Le petit Voleur se tortillait, partagé entre l'amusement et l'agacement.

— Que s'est-il passé ?

— Pour être débouché, crois-moi, ça l'a été ! La canalisation entière a explosé. La salle d'audience a été submergée, les délégués des Edrakins ont cru à un attentat ou à une guerre et tout le monde a été recouvert de m..., euh, de déchets, y compris le Roi et la Reine, ainsi que notre chère chimère, Salatar. Les deux mages plombiers ont été projetés à plus de cinq mètres de hauteur par la puissance du jet et le château a failli crouler. D'ailleurs, depuis, il m'en veut un peu [2].

Tara gloussa, imaginant la scène.

— La chimère était tellement furieuse qu'elle m'a banni du château pendant deux semaines. Ce n'était pas plus mal car, malgré les sorts nettoyants, il a conservé un certain temps une odeur bizarre.

— Donc, pas de risque inutile avec les licornes ?

— Ces bestioles ressemblent aux dragons, confirma Cal. Contre ta magie, enfin, la magie que tu as perdue, elles ne pourraient pas résister. Mais comme je suis incapable de contrôler

---

1. Voir *Tara Duncan. Le Dragon renégat*.

2. Cal en fit la douloureuse constatation en tentant de rentrer dans sa chambre soudain réduite aux dimensions d'un placard.

ton pouvoir, soit je les désintègre, soit, si je tente de l'atténuer, cela leur fera le même effet qu'une piqûre de mouchtique : agaçant, douloureux peut-être, mais sans danger. Or, au cas où tu ne l'aurais pas remarqué, ces licornes ont une épée sur le front, prête à nous transformer en truyère.

— En quoi ?

— En truyère. Un fromage sur ta planète, plein de trous.

— Oh ! En *gruyère* ! Et : oui, j'avais remarqué leur corne. Bon, lorsque tu as proposé de m'aider, tu as parlé d'un plan infaillible.

— C'était avant que tu ne m'expliques que tu en avais assez des mensonges et que tu voulais approcher honnêtement les licornes ! Je t'avais prédit qu'il s'agissait d'une mauvaise idée !

Tara ne put rétorquer. Fatiguées d'attendre la tête baissée, les licornes les chargeaient !

Une chose est sûre. Lorsqu'on possède quatre pattes et qu'on pèse un certain poids, il faut du temps pour coordonner ses membres puis encore un certain nombre de secondes pour que le corps suive, histoire d'éviter de se casser la figure. Donc, au démarrage, un être humain dispose d'un net avantage sur un quadrupède. Cela se gâte ensuite : la vitesse de pointe d'un homme équipé de chaussures profilées, suivant un entraînement quotidien et avalant des quantités de pilules plus ou moins légales, est de trente-cinq kilomètres à l'heure. Un cheval ou une licorne atteint soixante kilomètres à l'heure.

Heureusement pour les deux jeunes sortceliers, l'accueillant bosquet était tout proche. Ils grimpèrent avec une agilité digne de leurs ancêtres sur les branches et de là, à califourchon, observèrent les licornes. Qui ricanaient.

Tara frissonna. Elle appréciait peu qu'on ricane de l'air de connaître quelque chose qu'elle-même ignorait.

— Riche idée, de laisser ces arbres dans la prairie, observa la première d'un ton dégagé.

Ah, c'était donc ça. Un piège.

— Sans quoi, nous aurions des corps d'apprentis sortceliers à évacuer chaque semaine.

D'accord. Pire qu'un piège. Un amusement pour les jeunes licornes.

— Insupportable, commenta la première.

— Indigne, pontifia la seconde.

— Déconnectant, insista la première.

— Épuisant, contra la seconde.

— Répétitif, grogna la première en agitant sa corne.

— Dissociant, souffla la seconde en se mettant également en position de combat.

— Enrageant ! cria la première en chargeant.

La suite fut inaudible car les deux licornes entamèrent une joute acharnée.

— Bien ! souffla Tara, s'agitant sur le tronc inconfortable. Rappelle-moi comment on s'est mis dans une telle m... hrrmm, situation ?

Cal ébouriffa machinalement ses cheveux noirs, perdit l'équilibre, se rattrapa de justesse et se cala confortab... se cala du mieux qu'il put. Avec une grimace.

— Tu ne parvenais pas à traduire un vieux morceau de parchemin moisi, commença-t-il.

— Hin-hin ! protesta Tara. *Tu* es venu car *tu* avais soi-disant besoin de conseils pour draguer Eleanora. N'inverse pas les rôles, s'il te plaît ! D'ailleurs, je devrais t'en vouloir parce que tu as bien failli griller ma couverture et que tu m'as fait la peur de ma vie en apparaissant par surprise. Je te rappelle que je suis censée me cacher tant que je n'ai pas récupéré ma magie... si je la récupère un jour.

— Tara ! se fâcha Cal, tu me prends pour un gamin ! Eleanora est importante, certes, mais je voulais surtout m'assurer que tu allais bien vu que, lorsque nous ne sommes pas avec toi, tu te fourres dans les pires pétrins imaginables.

Cela agaça la jeune fille d'autant que, pour une fois, elle vivait une existence paisible et monotone depuis plusieurs mois. Elle réagit :

— Cal, tu es un Voleur Patenté. Le gouvernement d'Omois m'avait fait disparaître, tu n'aurais pas abandonné avant de m'avoir localisée, par pure fierté professionnelle, je suis prête à le parier !

Cal se rembrunissant, elle devina qu'elle avait été injuste et ajouta aussitôt :

— Je suis tout de même contente de te voir et impressionnée de ton efficacité à nous retrouver.

Cal, acceptant les excuses tacites, enchaîna :

— Hum, où en étions-nous ? Ah oui, le parchemin moisi et incompréhensible grâce auquel tu comptes faire revenir ton fantôme de père, en chair et en os, pour qu'il réépouse ta mère avant qu'elle ne s'éprenne d'un autre Medelus.

Tara fronça les sourcils. Ce n'était pas tout à fait ainsi qu'elle avait formulé les choses. En dessous d'elle, les licornes se cabraient, furieuses, et le poil blanc volait. Tara observa qu'elles évitaient de s'embrocher et sut que le répit allait être de courte durée.

— Je te l'avais déjà confié sur Terre, à Stonehenge. Bon sang, Cal, cesse d'enjoliver les faits à la manière d'un barde !

Cal grogna puis fourragea dans sa robe bleu et argent de sortcelier du Lancovit. Il en sortit le petit sac et le sécateur qu'il n'avait pu utiliser, eut un petit rictus et les remit en place avant de poursuivre :

— Puisqu'il était exclu de recourir à la Voix d'Omois pour obtenir la traduction du texte au risque qu'il te soit confisqué, je t'ai suggéré une solution : il nous suffisait de trancher et d'avaler quelques pousses de l'herbe trifoliée du Mentalir, sévèrement gardée par les licornes, afin d'acquérir la connaissance parfaite, qui te permettrait de percer le secret du parchemin.

Soudain, l'arbre vibra avec violence et les deux sortceliers s'agrippèrent désespérément aux branches. L'une des combattantes venait d'enfoncer par mégarde sa corne dans le tronc et sa compagne riait si fort en la voyant coincée qu'elle en tomba à la renverse.

— Ha ! Ha ! Ha ! singea amèrement la première, très amusant. Bon, tu viens me dégager, oui ou non ?

L'autre se releva et tenta d'aider son amie. Malheureusement, le jeune animal n'avait pas mesuré son enthousiasme et la corne était bel et bien bloquée.

Cal s'éclaircit la voix.

— Euh, nous pourrions peut-être vous donner un coup de main ?

La prisonnière leva vers lui un œil ombrageux.

— Me donner *un coup* ? C'est donc là votre conception de l'honneur, Bipède ?

— « Donner un coup de main » est une expression, la rassura Cal. Cela signifie que je vous propose mon aide. Pour vous décoincer.

— Oh ? Ma foi, oui, je le veux bien.

— Hrrmm, votre amie, là, ne va pas en profiter pour me transformer en brochette ?

La licorne prit un air ahuri.

— Vous craignez qu'elle ne vous fasse cuire ? C'est absurde, nous ne consommons pas de viande !

Cal soupira. D'accord. Éviter les métaphores avec les licornes.

— Je voulais juste m'assurer qu'elle ne m'embrocherait pas avec sa corne.

— Je ne vous toucherai pas, promit la seconde licorne, tant que mon amie ne sera pas délivrée.

— Ah. Et après ?

— Nous vous donnerons dix minutes pour partir, soit à pied, soit à l'aide un Transmitus.

— Supposer à titre purement spéculatif que vous nous fassiez cadeau de quelques pousses d'herbe trifoliée serait utopique ?

La seconde licorne, un peu plus maligne que sa compagne, comprit tout à fait ce que voulait dire Cal.

— Utopique est le mot. Non, vous n'aurez pas l'herbe de la connaissance. Elle est réservée aux licornes. Mais vous aurez notre *re*connaissance. Les anciennes désapprouvent nos jeux avec les cornes et je ne vois pas comment expliquer de façon plausible que la seconde gardienne se soit plantée dans un tronc. Vous nous éviterez un blâme.

Cal opina. Cela lui faisait une belle jambe ! Toutefois, il se garda d'exprimer son opinion et, prudemment, surveillant la licorne libre du coin de l'œil, il descendit de l'arbre. Tara prit dans sa poche la Pierre Vivante. Bien qu'ayant perdu sa magie, elle avait découvert que le lien avec le quartz magique, réservoir conscient de la magie d'AutreMonde, ne s'était pas brisé. Mieux encore, un jour que Tara allait tomber, la Pierre avait d'instinct étendu sa magie pour l'en empêcher. Elle l'avait manquée de peu mais, au prix d'une belle bosse, Tara avait appris que la

Pierre pouvait employer sa magie à l'aider. Depuis, leur association s'était affinée et Tara passait pour une sortcelière ; quant à la Pierre, toute de cristal fragile, elle trouvait sympathique d'être capable d'assurer sa propre protection en cas de choc.

— *Jolie Tara, belle Tara. Pouvoir tu veux ?*

— *Non,* l'apaisa Tara, *tu es bien plus puissante que Cal mais j'ignore le degré de résistance de ces grosses bestioles à ta magie. Évitons de les énerver pour rien. Je te demande juste de faire ce qui était décidé au cas où le plan A comme « Abrutie je suis » échouerait. Je vais descendre assister Cal.*

Elle plaça la Pierre à l'intersection de plusieurs branches, bien calée, et se faufila avec grâce jusqu'au sol. Cal rougissait sous l'effort pour délivrer l'animal. À trois, ils vinrent à bout du piège de bois et les deux adolescents reculèrent lorsque la prisonnière dégagea enfin sa corne. Elle secoua la tête, ébranlée.

— Ahh, mieux ! Bien ! Vous pouvez déguerpir, maintenant !

De mauvaise grâce, l'autre licorne approuva.

Bon, le plan A n'était guère réaliste. Demander poliment fonctionnait rarement sur AutreMonde. Dommage. Place au plan B.

Tara fit un signe de la main au-dessus de sa tête, comme si elle chassait une bizzz. Un violent éclair fit s'ébrouer les licornes. Sans en faire cas, Tara remonta vivement récupérer la Pierre Vivante puis, revenue au sol, elle attendit, face aux licornes intriguées. Que manigançaient les jeunes bipèdes ?

Elles furent aussitôt fixées. Surgissant des nuages où il s'était tenu dissimulé (l'herbe ne poussait pas si drue par hasard !), Galant plongea dans un claquement d'ailes. Le Familier de Tara, magnifique pégase couleur argent, rasa le champ d'herbe trifoliée, arrachant plusieurs plants à l'aide de ses griffes. De l'herbe bleue ordinaire bondit Blondin, le renard de Cal, qui en chipa trois autres dans sa gueule. Avant que les licornes, stupéfaites, n'aient le temps de réagir, le pégase, attrapant le renard, disparaissait dans les nuées.

— Je crois, fit Cal, que nous allons vous laisser, maintenant. Merci encore de votre chaleureux accueil, chères Damoiselles !

Comme un seul homme, ou plutôt comme une seule licorne, toutes deux baissèrent la tête, folles de rage.

— C'était un piège ! éructa l'une d'elles. Vous avez distrait notre attention et nous avez éloignées du champ !

— Ben, on avait un plan A (on sentit qu'il évitait de justesse le mot « débile »), celui de Tara, consistant à vous demander gentiment de nous donner les herbes, et un plan B, le mien, qui prévoyait que vous alliez nous les refuser.

— Vous avouez ! (La fumée lui sortait quasiment des naseaux.) Ce sont bien vos Familiers qui ont volé notre herbe ! Vous allez le payer de votre vie !

Cal n'attendit pas. Avant que Tara n'ait le temps d'avoir peur, il activa un Transmitus, murmura : « Prie pour que ta fichue magie ne nous expédie pas sur Madix[1] », et ils disparurent sous les yeux flamboyants des licornes.

Ils se rematérialisèrent à quelques tatrolls à peine, hors de vue des yeux indiscrets. Galant et Blondin les attendaient à l'endroit convenu, un petit tas d'herbes trifoliées devant eux.

— Bravo ! sourit Tara, vous avez été formidables tous les deux !

Le pégase lui communiqua mentalement sa satisfaction. Il avait trouvé l'exercice très amusant. Il était prêt à recommencer à sa convenance.

— Euh, non, merci, répondit-elle tout haut, risquer une crise cardiaque une fois m'a suffi. Bon, Cal, quelle est la suite ?

Cal se baissa et mit l'herbe dans son petit sac.

— J'ai placé un sort de conservation sur le sac. Nous avalerons l'herbe au-dessus du parchemin. Elle devrait faire rapidement effet, même si tu es une nonsos[2] pour le moment : elle fonctionne sur tout le monde. L'inconvénient de l'herbe du Mentalir est son action limitée sur le métabolisme humain. Il faut la consommer en grande quantité pour qu'elle soit efficace mais à un certain stade elle devient un poison pour les non-herbivores. Alors, son effet sera de courte durée et il nous faudra

1. Madix et Tadix, les deux principales lunes d'AutreMonde.

2. Vous, moi, nous sommes des nonsos. Des nonsortceliers sans magie... dommage !

faire vite. Tu prendras la partie haute du manuscrit et moi la basse.

— De courte durée ? Combien de temps, au juste ?

Cal fronça les sourcils.

— Hmm, vu la dose d'herbe dont nous disposons, je dirais... environ trois à quatre minutes.

Aïe ! C'était un champ entier qu'ils auraient dû voler !

Tara haussa les épaules, résignée.

— J'espère que cela suffira. Nous verrons bien. Bon, maintenant, rentrons avant que maman ne s'aperçoive de ma disparition. Oh ! Et, avant tout, il faut que tu me retransformes !

Cal la regarda.

— Tu en es sûre ?

— Absolument, répondit-elle avec fermeté. C'est ce que nous avons trouvé de mieux pour me permettre de vivre en sécurité. Dès que tu auras activé ton sort, la magie de la Pierre Vivante en assurera la pérennité. Même si je n'ai plus de pouvoir, celle-ci agit toujours sur moi.

Cal obtempéra, à regret. Vu le nombre d'ennemis de Tara, il comprenait qu'elle chérisse son incognito. Il sortit la photo que lui avait confiée la jeune fille. Dans un paysage typiquement terrien, au côté de Tara et de Fabrice, leur ami sortcelier, une rondelette brune aux grands yeux bruns lui souriait.

— Par l'Illusius, incanta Cal, que Betty de Tara soit l'image, ce sera plus sage !

La svelte silhouette blonde aux yeux bleu marine et aux traits fins s'estompa. À sa place apparurent une figure toute ronde aux cheveux bruns coupés aux épaules et un corps épaissi par de trop nombreux gâteaux-chocolats-crèmes-saucissons-confits-cassoulets. La Changeline obéit à son ordre informulé et les rouges et orange criards des mercenaires de Vilains colorèrent sa robe de sortcelière.

— Merci, dit Tara d'une voix plus grave que son timbre habituel. Pierre Vivante ?

— *Jolie Tara ?*

— Peux-tu me conserver cette apparence, comme les fois précédentes ?

— *Oui.*

Le ton de la Pierre Vivante était tranchant. Elle n'aimait pas que Tara se dissimule et craignait de relâcher son attention au pire moment, révélant la supercherie à tout AutreMonde.

Galant poussa un soupir résigné. Cal se tournait déjà vers lui, un sourire narquois aux lèvres.

— À ton tour.

Il incanta et l'imposant pégase se mit à diminuer, à s'arrondir puis à se couvrir de fourrure rose. Lorsqu'il eut terminé, un petit animal velu, aux grands yeux dorés comme tous les Familiers se tenait devant lui : un krakdent, l'une des plus terrifiantes menaces d'AutreMonde. Ces adorables peluches roses rendaient le tourisme particulièrement dangereux sur la planète magique. Les grands yeux attendrissants et le doux poil rose masquaient une gueule capable de se dilater au point d'avaler un bœuf entier sans hoquet. Nombre de touristes avaient terminé leur vie en se penchant pour caresser la peluche, sur la phrase : « Oh, comme il est mign... »

Du fait de la très mauvaise réputation des krakdents, les gens évitaient soigneusement d'approcher Galant, qui en voulait à Tara presque autant que la Pierre Vivante. Mais la jeune fille, qui trouvait leur déguisement parfait, n'avait pas du tout l'intention d'en changer.

Parce qu'elle en avait assez.

Ras la casquette.

Ras le bol.

Ras le c...

Marre qu'on attente à sa vie toutes les cinq minutes, marre d'être l'enjeu de luttes politiques entre le Lancovit et Omois, de risquer la vie de ses amis pour protéger la sienne. De voir mourir des gens. D'avoir sans cesse le cœur au bord des lèvres, à se demander qui serait le prochain.

Marre de se voir séparée de Robin, le demi-elfe, sous prétexte qu'il n'était qu'à demi humain, pas acceptable comme empereur d'Omois. Elle ne voyait pas si loin, hein ! À quatorze ans, elle ne désirait rien de plus qu'un petit copain, pas un mari ! Mais l'impératrice d'Omois ne le considérait pas de cet œil-là. Après avoir surpris les deux jeunes gens en train de s'embrasser, elle avait interdit au demi-elfe d'approcher son héritière.

Robin, qui avait sauvé la vie de Tara une bonne demi-douzaine de fois.

Robin, qui lui avait avoué qu'il était fou d'elle.

Robin, qui n'avait pas protesté... S'il avait résisté, s'il s'était battu pour l'amour d'elle, la jeune fille aurait tenu tête à sa tante. Après tout, ce n'était pas la première fois qu'elle affrontait la magnifique, l'implacable, l'effrayante Lisbeth'tylanhnem, impératrice d'Omois, le plus grand empire humain d'AutreMonde.

Mais Robin l'avait trahie. Il s'était incliné et était retourné au Lancovit.

Alors, elle était partie.

Non, soyons honnêtes.

Elle s'était enfuie, comme une lâche et une trouillarde.

Ou comme son père, dont elle comprenait mieux à présent les motivations.

Les seuls à savoir où elle se cachait étaient sa tante Lisbeth, sa grand-mère Isabella et son arrière-grand-père, Manitou. Selena, sa mère, l'avait accompagnée. Tara avait hésité mais n'avait pas pu ni voulu partir sans Selena, dont elle avait été séparée pendant dix ans, Selena ayant été kidnappée par Magister, le sortcelier fou, maître des monstrueux sangraves. Et même si Selena pensait que sa fille commettait une erreur en quittant l'abri sûr du palais d'Omois, elle n'avait pas voulu la contrarier. Au terme d'un vif affrontement, Lisbeth avait dû céder et laisser son héritière s'éloigner d'elle. Furieuse, l'Impératrice l'avait flanquée de la troll verte, Grr'ul, comme garde du corps.

Tara ne pouvait rester sur le continent omoisien. Alors Selena avait pris contact avec un lointain cousin, le baron de Tri Vantril, du pays de Vilains, Various Duncan dit « le Renégat ». Le baron avait accepté d'héberger sa cousine et la fille de celle-ci, après avoir promis devant les Diseurs télépathes qu'il garderait le secret. Selena avait exigé qu'il donne sa Parole de Sang. Various avait sursauté, dévisagé la belle sortcelière puis s'était incliné. Il avait donné sa parole. S'il la rompait, il en mourrait. Elles étaient donc en sécu... non, pas en sécurité, disons qu'elles étaient cachées au mieux de leurs capacités.

Soudain, la Pierre Vivante s'illumina, faisant sursauter la jeune fille.

— Que se passe-t-il ? questionna Tara.

— *Sais pas, numéro masqué. Peut-être cristalliste*[1]*, peut-être Robin, joli Robin ? Nous répondre ?*

— Écoute, on en a déjà discuté. Et la réponse est : non. Il... il... m'a abandonnée.

En dépit du temps écoulé, la blessure demeurait toujours aussi vive.

— Je refuse qu'il apprenne où je suis. Et cesse de m'appeler Tara. Ici, mon nom, c'est Betty !

La lumière de la Pierre Vivante oscilla avec réprobation.

— *Ton nom est Tara. N'es pas Betty ! Et moi suis sûre que joli Robin se fait beaucoup de souci !*

— Nous ne sommes même pas sûres que c'est lui. Refuse l'appel.

La Pierre Vivante redevint obscure, histoire de manifester clairement son mécontentement puis rejeta l'appel.

Cal lui lança un regard inquisiteur.

— Robin t'appelle souvent ?

— Non, seuls deux appels masqués se sont affichés en huit mois, répondit Tara. Pour ma protection, je ne peux pas les accepter... D'ailleurs, j'ai même refusé les numéros que je connaissais, excepté, bien sûr, ceux de ma tante ou de ma grand-mère.

Cal eut une grimace contrariée. Il le savait pour avoir essayé en vain et à maintes reprises.

— Alors, conclut Tara, j'ignore si c'est Robin et, dans ce cas, ce qu'il me veut.

Le petit Voleur Patenté poussa plus loin sa question :

— Mais si c'est lui, peut-être qu'il souhaite s'expliquer. Tu n'es pas curieuse de savoir pourquoi il a obéi à ta tante ?

— Non, répliqua sèchement Tara. Il est parti sans explication ni justification. Il s'est incliné devant elle puis il est sorti de ma chambre. Deux jours plus tard, il m'a contactée. Et encore, ce n'était pas réellement lui (elle ne voulut décrire ni l'angoisse de l'attente ni son immense déception), juste un message enregistré,

---

1. Journalistes d'AutreMonde, ainsi appelés car leurs articles sont lus sur les boules de cristal que tout le monde possède et qui projettent un jourstal animé.

concis : il était désolé, il partait en mission. Ensuite, lorsque maman et moi avons décidé de nous cacher, j'ai interdit à la Pierre Vivante d'accepter quelque appel que ce soit, à part ceux de ma famille, y compris venant de Robin. Je ne l'ai pas revu depuis et je n'en ai pas l'intention !

Une lueur d'inquiétude glissa dans les yeux gris de Cal.

— Wooow ! Toutes les filles sont-elles aussi rancunières que toi ? On ne doit commettre aucune erreur, sinon on se fait déchirer, c'est ça ? Et vu l'habileté d'Eleanora au couteau, dans son cas, je crains que ce ne soit pas qu'une métaphore !

Évidemment, formulé ainsi, cela faisait vraiment psychorigide. Tara eut une moue. Follement amoureux d'Eleanora, une jeune et implacable Voleuse Patentée, Cal avait tendance à tout rapporter à sa propre expérience. D'autant qu'El ne partageait pas ses sentiments, ce qui rendait le jeune garçon à demi dingue et parfois passablement agaçant.

— Tout le monde commet des erreurs ! protesta-t-elle. Disons que certaines sont moins excusables que d'autres...

— Mais, insista le malin Cal, comment peux-tu lui pardonner si tu lui refuses la possibilité de s'expliquer ? D'ailleurs, je te signale qu'aucun de nous non plus ne l'a vu depuis cet instant, ni au Lancovit ni nulle part. Peut-être a-t-il des ennuis ? J'ai essayé de le contacter sur sa boule de cristal mais il ne répond pas... Et son père a refusé de me parler de lui puis il est parti en mission à son tour et n'a plus donné de nouvelles. Avoue que c'est louche !

Tara ouvrit la bouche... et la referma. C'était son premier gros chagrin d'amour. Elle s'était recroquevillée autour de sa fierté et de son ego blessés. Et si le temps passant avait adouci sa peine, sa colère, elle, demeurait toujours aussi vive. Elle ne voulait entendre ni excuses ni prétextes. Toutefois, la plaidoirie de Cal et les informations qu'il venait de lui fournir avaient semé une pointe d'inquiétude dans son cœur. Elle se raidit. Non, elle ne se laisserait pas attendrir.

Bon ! Cal était un excellent manipulateur. Voyons un peu si le marionnettiste pouvait danser lui aussi...

— Tu as toujours autant de mal à comprendre les filles, hein ? ricana-t-elle. Voilà pourquoi tu n'arrives pas à conquérir Eleanora. Sans compter qu'elle est assez... agressive.

C'était le terme le plus adéquat : la jeune Voleuse avait attenté à la vie de Tara et de Cal et elle avait assassiné le snuffy rôdeur, Sam.

Le visage de Cal se fronça, chagrin. Il regrettait comme Tara cet effroyable gâchis. Il avait apprécié le gentil snuffy.

— D'abord, elle n'est pas agressive...

Tara lui lança un regard ironique et Cal corrigea :

— Certes, elle est encline à poignarder les gens. Mais tu sais qu'elle a été désinformée. Elle me croyait coupable de la mort de son cousin Brandis. Depuis qu'elle a été détrompée, elle ne pense qu'à découvrir son meurtrier impuni.

— Elle soupçonne toujours le Premier ministre d'Omois, Tyrann'hic ?

— Elle le surveille. Elle est sûre qu'il est en rapport avec Magister mais, pour l'instant, impossible de le confondre. C'est bien le problème, c'est comme un puzzle.

— Le Premier ministre est un puzzle ?

— Le Prem... non, non ! *Eleanora* est un puzzle. J'ai réussi à placer quelques-unes des pièces mais chaque fois que je crois la tenir, pfouit ! elle m'échappe comme une anguille. Je vais devenir marteau.

Gagné ! Tara avait fait dériver la conversation loin du sujet dangereux et recentré Cal sur sa manie favorite : parler d'Eleanora. Elle le laissa expliquer à quel point la sauvage jeune fille était ceci ou cela puis lui suggéra gentiment d'activer un Transmitus pour regagner O'possum, le paisible village sur les terres du baron Tri Vantril.

Interrompu net dans son élan, Cal fit la grimace. Il réalisa qu'il venait de se faire avoir. Il jeta un regard noir à Tara. Celle-ci lui retourna un sourire éclatant d'innocence. C'est tout juste si on ne voyait pas une auréole au-dessus de sa tête. Vaincu, Cal invoqua un prudent Transmitus, histoire de ne pas les propulser au pôle Nord et, l'instant d'après, seul le vent courbait les longues herbes bleues de la terre du Mentalir.

Ils se rematérialisèrent dans le cottage que Tara et sa mère habitaient à O'possum. Ravissante dans sa voyante robe de sorcelière aux couleurs des mages de Vilains, dont elle avait assourdi les tons rouges et orange, Selena fredonnait en préparant le dîner. Elle leur fit face, souriante. À l'intérieur de la maison, elle abandonnait la forte corpulence et les cheveux d'un brun terne de la mère de Betty, qu'elle avait fidèlement copiée.

Par prudence, un Illusius trompait les visiteurs ordinaires qui ne voyaient que la fausse apparence qu'elle avait adoptée mais Tara, comme Cal à présent, avait droit à la vraie version... qu'elle préférait nettement. Aux pieds de la jeune femme, son puma Familier, Sembor, bâilla en s'étirant. Derrière elle, une superbe sirène verte aux écailles bleues flottait dans sa bulle d'eau, boudeuse.

Cal observa avec approbation l'intérieur confortable et chaleureux. Tout était astiqué à la perfection et le bois de Velours brillait comme du miel de bizzz. Le logement frisait l'austérité avec son petit salon, ses deux chambres et son unique salle de bain, après le luxe ostentatoire du palais impérial d'Omois. Mais Selena l'avait fleuri et avait recouvert les meubles de tissus aux couleurs gaies. Un peu partout des livres, entourés du halo bleu de leur savoir magique, reposaient, ouverts, fermés ou en train de se ranger tranquillement dans la bibliothèque après avoir été utilisés.

Cal flaira l'air. Les casseroles et les poêles s'activaient et une délicieuse cuisse de spatchoune finissait de rôtir dans la flamme d'un petit Élémentaire de feu. La table était mise pour quatre.

— Eh bien, où aviez-vous donc disparu ? interrogea Selena. Il est tard déjà !

— On est allés se balader, dit Cal, évasif. Tara et moi ne nous étions pas vus depuis longtemps, on avait plein de trucs à se raconter. Salut Grr'ul, ça boume ?

La sirène bâilla et répondit d'un ton froid :

— Grr'ul déteste sirène. Grr'ul peut pas protéger Héritière. Grr'ul grammmlllrrr[1] !

---

1. Grammmlllrrr signifie « en colère pas content ». Il vaut mieux éviter de grammmlllrrrer un troll, sous peine de voir son espérance de vie raccourcir considérablement.

Cal sourit à la troll verte. Selena l'avait transformée en sirène car l'ex-garde du corps de l'Héritière était trop célèbre pour passer inaperçue.

— Ne t'inquiète pas, je n'aime pas les sushis. Et vous, Dame Duncan, comment vous portez-vous ?

— Ma foi, personne n'a essayé d'assassiner Tara, de l'enlever ou de m'enlever, alors disons que je suis parfaitement heureuse... pour le moment.

Leurs débuts à O'possum avaient été difficiles. Tara se réveillait la nuit en hurlant. Des cauchemars la taraudaient sans répit. Parfois elle était si faible qu'elle ne pouvait quitter son lit et le cœur de Selena avait saigné si souvent qu'elle avait l'impression qu'il ne guérirait jamais. Puis, petit à petit, elle avait vu sa fille se remettre, la couleur revenir à ses joues, son enjouement pointer un museau timide, son sens de l'humour fleurir à nouveau et s'épanouir.

Une fois sa fille rétablie, Selena avait pu enfin faire le point sur ses propres déboires et s'accorder le temps de pleurer sur son amour perdu.

Car au fond des grands yeux noisette restait une ombre de douleur. Selena ressentait encore vivement la trahison de Medelus et plus encore depuis qu'elle avait découvert qu'il s'était allié aux sangraves, les pires ennemis de sa fille. Sa vie amoureuse était une véritable malédiction. Entre son mari qui lui avait menti et s'était fait tuer, Magister qui l'avait enlevée et était, du fond de sa sombre folie, amoureux d'elle, et son aventure avec Medelus, elle était en train de développer une sérieuse méfiance à l'égard des hommes. Blessure que Tara était décidée à panser à l'aide d'un parchemin de papyrus.

Sa mère attirait les gens. Belle, gracieuse, elle donnait aux hommes l'envie de la chérir et de la protéger. Tara se demandait si Isabella, sa grand-mère, n'avait pas jeté un sort de séduction sur Selena, sans se rendre compte qu'elle-même avait hérité du charme impalpable de sa mère.

— Certes, approuva Cal, rompant le cours de ses pensées, cela vous change agréablement de l'animation habituelle. Vraiment, Tara, tu nous manques beaucoup ! La vie est bien morne quand on ne la risque plus toutes les trente secondes !

Tara secoua la tête. Ces AutreMondiens étaient dingues. Leur insouciance frisait l'inconscience. Grâce à la magie, les blessures étaient rarement fatales et les sortceliers savaient que leurs mânes ne disparaîtraient pas mais iraient rejoindre les esprits des autres sortceliers. Autrement dit, ils deviendraient des fantômes, comme son père. D'ailleurs, à ce propos...

— On a un truc à faire, rappela-t-elle en s'inquiétant pour la fraîcheur des herbes du Mentalir. Maman, tu n'as besoin de rien ?

— Non, assura Selena. Tout est presque prêt. Mais avant que vous ne fassiez votre « truc » (elle sourit tendrement à sa fille), j'ai une question à poser à Cal.

Le jeune Voleur se raidit.

— Dame Duncan ?

— Tout à l'heure, lorsque Tara est revenue avec toi, j'avoue que j'étais tellement surprise que je n'ai pas songé à t'interroger. Puis vous êtes partis très vite tous les deux. Mais à présent, pour notre sécurité, je dois le savoir : comment nous as-tu retrouvées ?

Le visage de Cal se plissa en une grimace maligne.

— Ah, ce ne fut pas facile, si cela peut vous rassurer.

Vu l'attitude de Selena, cela ne la rassurait pas du tout.

— Tout d'abord, je suis allé sur Terre espionner dame Isabella Duncan, votre mère. Mais elle est rusée. Elle n'employait pas sa boule de cristal habituelle pour vous appeler et je n'ai pas réussi à placer un mouchard dans sa maison.

— Oui, nous utilisons des boules spéciales qui nous ont été données par Lisbeth, indétectables et dotées d'un numéro d'appel secret. Quant aux mouchards, aucune chance, Mère a installé tellement d'alarmes au manoir qu'aller aux toilettes sans se faire carboniser relève de l'exploit.

Cal frissonna.

— Je m'en étais aperçu ! Elle prend vraiment au sérieux sa mission de surveillance de la magie terrestre ! Ensuite, j'ai voulu espionner l'Impératrice mais Séné Senssass m'a pris la main dans le sac.

Ah ! La chef des Camouflés, les services secrets d'Omois, n'avait pas usurpé sa réputation. La belle et dangereuse Séné aux quatre bras était les yeux et les oreilles de l'Impératrice.

— Qu'a-t-elle fait ? questionna Tara, sincèrement intéressée.

Cal prit un air piteux.

— Elle m'a attrapé par la peau du cou et renvoyé au Lancovit. Et m'a déclaré persona non grata pendant deux mois. À cause d'elle, je n'ai pas pu voir Eleanora pendant huit interminables semaines !

Tara réprima une forte envie de rire. Ouille, Séné avait choisi la punition parfaite !

— Et alors ? s'impatienta Selena.

— J'ai cherché chez qui vous auriez pu vous réfugier. Quoi de mieux que les liens du sang ? Vous avez de la famille au Mentalir mais vous n'y étiez pas. J'ai donc fouiné du côté des mercenaires de Vilains et, hop ! j'ai appris qu'une femme, une adolescente et une sirène s'étaient installées à O'possum. Je vous ai observées et j'ai vu la Pierre Vivante. Je l'ai immédiatement reconnue. Elle ne ressemble pas à une boule de cristal ordinaire. La suite était facile à deviner.

Tara jura. Zut, elle n'avait pas du tout pensé à camoufler la Pierre.

— Notre couverture a sauté. Maman, qu'est-ce qu'on va faire ? Si Cal nous a retrouvées aussi facilement, Magister peut en faire tout autant !

L'inquiétude luisait dans les yeux de Selena.

— Nous ne sommes plus en sécurité, tu as raison. Nous allons devoir retourner à Omois ou chercher un autre endroit. Mieux caché.

Cal secoua sa tête brune.

— Vous ne pouvez pas vivre toute votre vie dissimulées ! Tara est l'héritière de l'Empire...

— Pas sans mon pouvoir, l'interrompit la jeune fille. Tant que je n'ai pas récupéré ma magie, *si* je la récupère un jour, je ne peux plus hériter de l'Empire. Tu connais les lois !

— Mais l'Impératrice ne t'a pas déchue de tes droits ! protesta Cal. Même si Jar se vante partout qu'il est le nouvel héritier, en réalité, c'est toi, la future impératrice !

Tara serra les dents. Ses rapports avec Jar, son jeune frère, n'étaient pas très bons. Selena avait confié l'éducation de ses deux plus jeunes enfants à Lisbeth pendant qu'elle protégeait Tara mais elle souffrait de cette situation. Bon, Tara s'était montrée assez égoïste comme cela. Elle n'avait plus le choix.

— Cal a raison, Maman. Je dois rentrer à Tingapour. Et je sais que tu es triste d'être séparée de Jar et de Mara. Il est temps. Les vacances sont terminées !

Selena observa attentivement sa fille. Elle avait beaucoup réfléchi pendant ces mois de répit. Que pouvait-elle faire pour protéger son enfant ?

Le constat s'était imposé :

Rien.

Tant que Magister ne serait pas mort et enterré (et sa tête tranchée placée dans du sel, histoire qu'il ne devienne pas un zombie), il poursuivrait Tara. Et celle-ci le combattrait. L'endroit où elle était plus difficile à atteindre était le palais impérial d'Omois. Ni au Lancovit ni cachée sous les traits d'une autre au fin fond de Vilains, elle n'était à l'abri. Mais Tara, quand elles avaient quitté Omois, était fatiguée, blessée, amoindrie. À l'époque, ce n'était pas le moment de lui assener ce genre de vérité. Selena avait donc attendu patiemment que sa fille se rende compte qu'elle ne pouvait fuir son destin. À présent que c'était fait, elle s'apercevait avec tristesse que les moments de bonheur et de tranquillité qu'elles venaient de partager allaient lui manquer.

Elle eut un sourire teinté de résignation.

— Nous n'allons pas partir dans les trente secondes. Par respect pour Various, nous devons ranger cette demeure et déménager correctement nos affaires. Cela nous prendra un jour ou deux. Allez donc vous laver les mains. Vous ferez vos « trucs », comme vous dites, après le dîner, maintenant la viande est prête !

Tara et Cal obéirent.

— Les herbes tiendront le coup ? s'inquiéta Tara, tandis que le petit Élémentaire d'eau lui rinçait les mains.

— Nous avons largement le temps de dîner, répondit Cal. On mangera les herbes ensuite, on déchiffrera ton morceau de papier puis je repartirai pour le Lancovit. Maître Sardoin a besoin de moi demain matin. (Il fit la grimace :) *Tôt*, a-t-il précisé... Pffff ! Ah, et je voulais te dire, je suis désolé de t'avoir retrouvée !

Formulé ainsi, cela sonnait bizarrement mais Tara comprit la pensée de Cal.

— Je préfère que ce soit toi, plutôt qu'un ennemi qui nous aurait surprises, l'apaisa-t-elle. S'il est si facile de nous localiser, tôt ou tard, quelqu'un l'aurait fait.

Pendant le dîner, ils discutèrent de la situation. Il n'était pas utile de déménager précipitamment. Selena proposa de passer encore quelques jours à O'possum afin de préparer leur départ. Tendra, la maire de leur village, devait être prévenue, ainsi que le seigneur Various, bien évidemment.

Elles n'avaient guère eu l'occasion de fréquenter le seigneur des mercenaires de Tri Vantril. Nulle raison valable ne justifiait qu'il leur rende visite trop souvent, ce qui aurait éveillé les soupçons. Tara préférait qu'il en soit ainsi. Mieux valait qu'il reste loin d'elles. Même malade à en mourir, elle avait bien vu la façon dont il regardait sa mère : avec la convoitise d'un chat qui vient de trouver le système d'ouverture de la cage du canari. Elle avait réussi à se faire à demi trucider par le précédent prétendant de Selena, inutile de provoquer d'autres incidents, surtout que le seigneur Various était autrement dangereux que le pauvre Medelus.

Du succulent dîner, Grr'ul ne laissa que des os[1], au grand dépit de Sembor, le puma de Selena, et de Blondin, le renard de Cal. Galant qui, sous sa forme de krakdent, pouvait avaler la maison sans dommage, engloutit les os avec satisfaction. Rigoureusement herbivore lorsqu'il était pégase, il avait découvert le goût de mets fort variés depuis qu'il était krakdent, maigre compensation au déguisement qu'il détestait.

Les deux comploteurs s'enfermèrent dans la chambre afin de déchiffrer le parchemin volé et disposèrent tout ce dont ils avaient besoin. Juste au-dessus du document, soigneusement étalé et calé par quatre galets rouges que Tara avait ramassés dans la forêt, ils placèrent la Pierre Vivante. Elle produisit une violente lumière qui illumina toute la pièce.

— OK, murmura Cal. On fait ce que j'ai dit. Tu prends la partie haute jusqu'à cette phrase : ᚼᚢ ᛂᛊ ᚦᛜᚵ ᚷᚢᚦ. Moi, je prends en dessous jusqu'à la fin, ça te va ?

---

1. Oui, oui, je sais, si les trolls mangent de la viande, ils deviennent des ogres. C'est bien la raison pour laquelle la seule chose qu'apprécie Grr'ul dans sa nouvelle condition de sirène, c'est de pouvoir goûter enfin à l'aliment interdit !

Tara observa les signes étranges qu'elle essayait de déchiffrer en vain depuis des mois.

— Ça me va. Tu es prêt ?

— Oui. Je sors les herbes, mâche-les pendant au moins vingt secondes, afin d'en extraire le plus de jus possible, puis avale.

Tara obéit puis se plaça à la droite du parchemin pendant que Cal s'installait à gauche. Ils avaient déjà préparé deux feuilles et des stylos animés les attendaient, impatients d'écrire.

Tara fit une petite grimace en ingurgitant l'herbe bleue. Beurk ! Comment les licornes pouvaient-elles apprécier un truc aussi âcre ! Elle mâcha puis déglutit.

Pendant quelques secondes, il ne se passa rien. Le cœur battant, elle faillit gémir. Cela ne fonctionnait pas !

Elle allait ouvrir la bouche, lorsque le texte, devant elle, se transforma ! Elle pouvait lire, comprendre !

Fébrile, elle se mit à dicter au stylo. Les premières phrases contenaient des avertissements : ne pas toucher, ne pas lire, ne pas utiliser, bref le blabla habituel de mise en garde, genre « La Momie : *Ceeee teeexxxtttte eeeessstt mauuuuuudiiiiiit !* ». Elle n'avait pas assez de temps pour les lire tous et en sauta la majeure partie. Venait ensuite la liste des ingrédients dont elle aurait besoin pour lancer le sort qui pouvait ramener un fantôme à la vie. Du racorni de gambole, souvent utilisé par les sortceliers, des racines de mandragore, du miel de saccats venimeux, une kalorna, une plume de phénix, une d'oiseau-roc (enfin, un duvet, vu que les oiseaux-rocs pouvaient faire des centaines de mètres d'envergure !), une pincée de bile de chimère, deux poils de licorne (ah, zut ! si elle avait su !), le tout chauffé par la flamme d'un oiseau de feu.

Et enfin, une fleur de Kalir. Tara fronça les sourcils. Elle avait étudié la flore et la faune d'AutreMonde et n'avait jamais entendu parler de cette fleur. À côté de chaque ingrédient se trouvait indiqué le lieu où il était le plus facile de s'en procurer. Tara arrivait à la dernière phrase et la lut, sidérée.

La fleur ne se trouvait que dans un seul endroit.

« À l'endroit qui a été effacé » !

CHAPITRE II

BETTY
ou comme quoi, sur AutreMonde, ce n'est pas parce qu'on voit un chat que c'est vraiment un chat...

Le rayon fusa. Tara se baissa, l'évitant d'un tout petit cheveu. Dans son dos, un meuglement de détresse retentit. Un brrraaa, sorte d'énorme bovin d'AutreMonde extrêmement poilu, venait subitement de perdre son imposante fourrure. Il s'enfuit en direction du village, secouant avec fureur ses cornes trop longues.

— Pierre Vivante ! murmura la jeune fille à l'entité qu'elle tenait dans la main. Représailles !

La boule lumineuse plongea dans son esprit, visualisa ce que Tara désirait, brilla fugacement puis sa magie s'attacha à la main de la jeune fille. Celle-ci la tendit devant elle et un rayon bleu en jaillit, dirigé contre ses assaillants cachés dans les buissons. Ils n'eurent pas le temps de réagir. Surgi de nulle part, un énorme bloc de mucus bien baveux s'abattit sur eux, les engluant de vert.

Un « Yeeeerk ! » dégoûté salua la matérialisation.

— Betty ! hurla l'un des attaquants. Tu triches ! Tu n'as pas le droit !

La corpulente jeune fille eut un fin sourire, peu en accord avec sa figure ronde.

— Ah ! Mais si ! On avait dit : pas de sorts modifiants, Benjy ! Comment nommes-tu ce que tu as fait au brrraaa du père Velir ? Il te tannera les fesses quand il se rendra compte que tu as scalpé son plus beau mâle !

Le garnement, stoppé net dans sa vindicative diatribe, grommela, piteux, sentant déjà la main calleuse du père Velir s'abattre sur ses fesses. Son sort devait rendre chauve la jeune fille, pas le brrraaa !

Imité par les autres enfants sortcereaux, il se dégagea du bloc de mucus et invoqua un Ondus puis un Sechus. En quelques secondes, l'averse les avait nettoyés et le vent asséchait leurs vêtements. La leçon avait porté et ils ne tentèrent plus rien contre Tara/Betty.

Celle-ci soupira. Ce jour-là, on lui avait assigné pour tâche la surveillance des sortcereaux de l'école maternelle. Les petits étudiaient les livres magiques d'AutreMonde le matin et, une fois les formules gravées dans leur mémoire, ils les essayaient au cours de l'après-midi. Maint arbre, fleur ou animal domestique faisait les frais des expériences mais le pouvoir des sortcereaux était encore faible et tout rentrait promptement dans l'ordre. Sauf pour le malheureux brrraaa : un bout de temps... ou une formule magique serait nécessaire pour que son épiderme se recouvre à nouveau de fourrure.

Les sortcereaux étaient énervés. Une tempête magnétique, spécialité de Tadix et Madix, les deux lunes, avait déferlé sur leur village, coupant les communications des boules de cristal individuelles. Seuls les panneaux de cristal diffusant les informations, aux transformateurs mieux protégés, fonctionnaient encore. Tous les autres relais avaient disjoncté, y compris ceux des Portes de Transfert, ultrasensibles. Les Hauts Mages de Vilains étaient en train de les réparer mais Tara, mal à l'aise, pensa qu'elle était coupée du monde.

Se sentant l'âme d'un chien de berger, la jeune fille rassembla les membres de son petit troupeau et ils reprirent le chemin du village. Lorsque Benjy vit le père Velir, rouge de colère, accourir dans leur direction, il pâlit et s'éclipsa. Tara entreprit de calmer le bonhomme et dut promettre qu'elle n'emmènerait plus les enfants s'entraîner près des pâturages. La Pierre Vivante, qui communiquait avec elle par télépathie, en eut vite assez de ses hurlements.

— *Changer lui en crapaud ?* souffla-t-elle, pleine d'espoir, dans l'esprit de la jeune fille.

Celle-ci ne laissa rien paraître sur ses traits mais la tentation d'acquiescer fut vive.

— *Non,* finit-elle par dire, *n'attirons pas l'attention sur nous. Et puis je comprends qu'il ne soit pas très content !*

Dans son esprit, la Pierre grommela, peu convaincue, et Tara dut se retenir pour ne pas glousser.

Enfin, l'homme cessa de lui postillonner au visage et elle put confier les enfants à leurs parents divertis par la scène. Elle entrevit le petit visage chiffonné de Benjy juste avant qu'il ne rentre dans sa maison. Nul doute que son père le punirait bien plus sévèrement que ne l'eût fait père Velir. Elle fronça les sourcils, navrée : impossible d'intervenir dans l'éducation que les parents de Benjy donnaient à leur plus jeune fils.

Silencieuse, la sirène se posta derrière elle, bouillonnante de frustration. Grr'ul ne comprenait pas pourquoi Tara ne la laissait pas réduire les gêneurs en bouillie. Elle s'ennuyait tant au palais, attachée à la protection de Jar et de Mara, qu'elle avait accueilli sa nouvelle affectation, redevenir la garde du corps de Tara, avec un bonheur sans égal. La vie auprès de l'Héritière était nettement plus animée. Mais depuis leur installation au village, rien ne s'était passé, sinon qu'elle avait été transformée en femmelette à queue de poisson !

Tara, inconsciente de l'agacement de sa garde du corps et décidée à se reposer un instant sous les rouges frondaisons, prit place sur un banc rose et repassa dans son esprit les événements de la veille : son désarroi et, pire, celui de Cal !

« Tu trouveras l'incomparable Fleur de Kalir recouvrant et embaumant l'Endroit qui a été Effacé », disait le manuscrit.

— Mmmh, fort poétique, avait murmuré Cal, mais guère précis. Que voulaient-ils dire ?

— Ben, c'est toi, l'AutreMondien, hein ? Moi, je suis la petite émigrée qui ne connaît rien à ce monde. L'*endroit qui a été effacé*, cela ne te suggère rien ? Et comment on efface un *endroit* ?

Cal n'avait pu résister :

— Avec une grosse gomme ?

Tara l'avait foudroyé du regard.

— Cal !

— Ben quoi ?

— Sois un peu sérieux, s'il te plaît. Alors ?

Le petit Voleur, après réflexion, avait fini par avouer :

— Cela ne me dit rien du tout. Écoute, en rentrant, j'irai au Discutarium pour glaner des informations sur cet endroit. Je peux te contacter grâce à la Pierre Vivante ?

— Bien sûr, tu as mon numéro. Appelle-moi dès que tu as des nouvelles. Ah, et Cal ?

— Oui ?

— Merci encore de ton aide. Je te le revaudrai.

Cal avait souri d'un air impudent.

— Donne-moi un coup de main pour séduire Eleanora et je m'estimerai remboursé.

— Cal ! Ne compte pas sur moi pour piéger cette pauvre fille !

— Ouille ! Je n'essayerai pas non plus, je te rassure ! C'est le meilleur moyen pour la perdre, elle est bien plus maligne que moi. Contente-toi de m'indiquer ce que je dois faire pour qu'elle tombe amoureuse de moi...

— Sois toi-même, avait conseillé Tara. Une fille... une fille intelligente... s'aperçoit immédiatement qu'on essaye de la mener en bateau si on dissimule son caractère. Sois naturel avec elle. Et dis-lui.

Cal l'avait dévisagée, inquiet.

— « Dis-lui » ? Lui dire quoi ?

— Que tu es amoureux d'elle. Elle n'est ni Diseur, ni télépathe, comment veux-tu qu'elle le devine ?

Le petit Voleur, si courageux d'ordinaire, s'était affaissé sur sa chaise animée qui avait raidi son dossier pour le soutenir et n'avait pu retenir un soupir désolé. Tels étaient, mot pour mot, les propos qu'il avait tenus à Robin, lorsque celui-ci se demandait, huit mois auparavant, comment déclarer son amour à Tara. Il comprenait désormais la réaction angoissée de son ami. Il n'aurait jamais, au grand jamais, imaginé se retrouver dans la même situation un jour. Jusqu'à Eleanora, Cal avait, à propos des filles, des certitudes bien ancrées.

— Houlà, je n'oserai jamais ! avait-il avoué à contrecœur. Et si elle me répond qu'elle ne m'aime pas ?

— Eh bien, au moins, tu seras fixé !

Cal avait hoché la tête. Oui, c'était le bon sens même. Toutefois attaquer un banc entier de kroks-requins lui paraissait aisé en comparaison d'affronter le regard gris d'Eleanora !

Il avait quitté Tara à regret et celle-ci, au moment de se glisser dans ses draps, avait eu une pensée pour Robin. Bientôt elle retournerait à Omois. Dans le cadre de ses fonctions officielles, elle serait sans aucun doute amenée à rencontrer le beau demi-elfe. Comment réagiraient-ils l'un et l'autre ? Puis une seconde pensée, plus perturbante encore, avait chassé la première : si elle restait définitivement privée de sa magie, que deviendrait-elle ? Retournerait-elle sur Terre pour y mener une vie d'humaine ordinaire ? L'esprit enfiévré, elle avait peiné à s'endormir.

Depuis le matin, elle guettait impatiemment l'appel de Cal. Qui se faisait désirer. Voyons, combien de fois l'avait-elle maudit parce qu'il ne bouledecristallait pas ? Ah ! oui, un bon demi-millier de fois. Cela dit, il avait peut-être essayé ce matin et comme la ligne ne fonctionnait plus, disons qu'elle pouvait lui laisser le bénéfice du doute.

Elle fut arrachée à ses sombres réflexions par l'odieux Zéril, frère aîné de Benjy, un enquiquineur, qui l'apostropha méchamment :

— Alors ! Encore à flemmarder, la grosse ? Tu n'as donc rien à faire ?

Tara fit une grimace et Galant découvrit une gueule pleine de crocs en un rictus menaçant. Pour une mystérieuse raison, Zéril avait pris Tara/Betty en grippe dès son arrivée au village. Bellâtre ténébreux qui se croyait irrésistible et courait après toutes les jolies filles, il saisissait chaque occasion de la brimer, la pinçant lorsqu'elle ne pouvait répliquer, mentant à son sujet, l'accusant de ses propres forfaits, bref, il lui menait une vie infernale. À maintes reprises, Tara avait manqué perdre son calme ; quant à la Pierre Vivante, elle enrageait de ne pas recevoir son feu vert pour transformer Zéril en ver de terre et l'eau autour de Grr'ul entrait quasiment en fusion à chaque provocation. Mais, bravement, Tara avait résisté. Comparé à ce qu'elle avait vécu, Zéril était vraiment de la rigolade.

Ignorant les railleries du garçon, elle quitta son banc. Une interrogation pointa dans son esprit : Galant, indifférent aux travaux agricoles et estimant qu'il faisait trop chaud pour travailler, voulait savoir si elle avait besoin de lui.

— Reste ici, répondit-elle avec affection à son compagnon d'âme, je te rejoindrai dès que j'en aurai terminé.

Galant, avec un soupir, se rallongea sous le banc, prêt pour un petit roupillon. Quelques spatchounes gloussaient nerveusement en cherchant des vermisseaux dans la poussière, tout en gardant un œil sur la peluche rose. Elles étaient peut-être stupides, ces volailles, mais pas au point de s'approcher volontairement d'un krakdent.

Tara rejoignit les équipes de cueilleuses et elles prirent le chemin des plantations de mmroumiers. Au détour d'un petit bois de krels dorés, Zéril s'arrangea pour lui faire un croche-pied. Elle trébucha, ce qui fit glousser sottement les filles, rougit mais serra les dents. Les arbres sensitifs captèrent sa fureur et s'enflammèrent de rouge, ce qui accentua l'amusement des rieuses. Heureusement, la plantation était toute proche et aussitôt les équipes se divisèrent, la laissant seule. L'exercice physique de la cueillette lui procura un apaisement bienvenu.

Deux heures plus tard, elle avait l'impression que sa nuque allait fondre, en dépit du chapeau créé par la Changeline. Les soleils d'AutreMonde frappaient sans répit. Elle indiqua d'un signe qu'elle avait trop chaud et l'un des arbres-parasols peuplant la plantation remua pour étendre ses branches couvertes de feuilles roses. La Changeline grogna, fit disparaître le chapeau et allégea les vêtements de Tara, maintenant qu'elle n'avait plus besoin de la protéger des soleils. Brusquement, Tara se retrouva vêtue d'un micro-pagne et d'un bustier ! Très « fashion », portant la marque d'un grand couturier d'AutreMonde...

— Euh, Changeline ? murmura-t-elle nerveusement, ce n'est pas une bonne idée, couvre-moi un peu plus, s'il te plaît !

À contrecœur, la Changeline obéit. Son rôle se bornait depuis des mois à habiller Tara de vêtements simples, légers et résistants. Sans ennemi contre qui la défendre, elle s'ennuyait un peu, à l'instar de Grr'ul et de la Pierre Vivante.

Lorsque Tara se déplaça, l'arbre-parasol la suivit afin de la protéger de la chaleur. Pour le remercier, elle versa un peu d'eau sur ses racines. Il poussa un inaudible soupir de satisfaction et gratifia la jeune fille d'une éclatante polychromie. Son tronc rosit puis la couleur s'intensifia comme un cœur battant jusqu'à un profond rouge carmin, tandis que ses feuilles roses se veinaient de vert puis viraient à un émeraude éblouissant, délicatement frangé d'or.

Tara s'immobilisa un instant, frappée d'admiration. Souvent, AutreMonde la surprenait. La dangereuse planète magique avait aussi de saisissantes beautés.

Elle promena une main lasse dans ses courts cheveux bruns puis la posa en un geste de reconnaissance sur l'écorce lisse. L'arbre-parasol décida que le soleil était trop chaud et devint d'un blanc uni, réfléchissant les rayons de l'énorme étoile d'AutreMonde et prodiguant une ombre bienfaisante. La seconde étoile, une naine bleue plus lointaine, n'éclairait et ne chauffait pas autant que sa sœur géante mais leur énergie cumulée faisait souvent de l'été un véritable enfer.

La jeune fille remua sa corpulence en s'épongeant le front puis passa dans le verger suivant.

Les plantations de mmroumiers n'étaient pas faciles à entretenir. Dès que les arbres aux succulents fruits devinaient la présence d'un prédateur potentiel, ils plongeaient sous terre avec un bel ensemble.

Le fait qu'ils soient censés être *cultivés* avait visiblement échappé à leur entendement. Ils s'obstinaient à disparaître dès qu'elle mettait un pied dans le verger.

Elle émit un soupir puis patienta.

Les pousses curieuses affleurèrent bientôt à la surface et les mmroumiers refirent une timide apparition. Elle attendit leur plein déploiement puis, sachant qu'ils ne pourraient retourner sous terre avant un certain laps de temps, elle entreprit de cueillir délicatement les fruits mûrs, avec l'aide de l'arbre-parasol pour atteindre les plus hautes branches. La cueillette terminée, la jeune fille confia son panier à Grr'ul qui ne la quittait pas d'une nageoire. La fausse sirène sortit la tête de l'eau et siffla une charrette qui s'empressa de regagner le bourg pour y décharger les fruits. Puis elle tendit un bras *affreusement* délicat (selon elle !) vers les fruits qui restaient, saisit une mmroum et la croqua. Le jus ruissela sur son torse écailleux. Peu habituée à manger dans l'eau, elle finissait immanquablement par en mettre partout. Elle avait donc pris le parti de quitter sa bulle d'eau et laissait derrière elle un sillage de trognons et de fragments fruitiers variés.

— Grr'ul ! cesse d'avaler tous les fruits que tu trouves, tu te rendras malade ! la tança la jeune fille. D'ailleurs, les sirènes sont censées être exclusivement piscivores !

— Grr'ul pas malade, Grr'ul pas sirène ! Personne voir Grr'ul ! souffla joyeusement la troll/sirène, envoyant des bouts de fruits un peu partout. Grr'ul pas aimer poissons ! Grr'ul aimer mmroums !

— Ça, je l'avais remarqué, bougonna la jeune fille. Ensuite, c'est moi qui me fais sonner les cloches parce qu'il en manque pour les tartes et les confitures !

Soudain un cri lui fit relever la tête et ses yeux bruns virèrent fugitivement au bleu.

— Betty ! appelait une jeune fille aux cheveux d'un vert très pâle aux pointes jaunes, SS'vvv et toi avez terminé ?

Grr'ul étant un nom typiquement troll, rebaptiser la sirène avait été nécessaire, ce qui n'avait pas amélioré son humeur.

— Presque ! cria Tara. Il me reste à arracher les pommes de terre, deux ou trois brumms et les poireaux. Pourquoi ?

Le cours de l'existence à O'possum était si paisible qu'elle était surprise de l'agitation de Sondra. Elle se raidit, sur le qui-vive.

— Il va y avoir une déclaration internationale de l'impératrice d'Omois, la renseigna la jeune fille. Le seigneur Various a demandé aux maires de relayer l'information puisque les boules de cristal sont hors service. Tous les habitants du bourg sont invités à se réunir sur la place devant le grand panneau de cristal, à huit heures ce soir. Nous dînerons plus tôt que d'habitude, aussi doit-on se dépêcher !

Et, sans attendre, elle courut alerter les autres cueilleurs.

La grosse fille brune déplanta vivement les pommes de terre, les poireaux et les brumms, le cœur soudain serré. Rares étaient les déclarations impériales retransmises au niveau mondial. En huit mois de vie au bourg, elle n'en avait vu qu'une.

Celle qui annonçait la mise à l'écart de l'héritière impériale Tara'tylanhnem Duncan, pour cause de « déficience magique »

52

et de « traitement en cours » ou encore de « repos/détente/ relaxation », genre : « Va falloir qu'elle retrouve son pouvoir vite fait, sinon elle ne sera plus éligible au statut d'héritière. » Tara retroussa les lèvres sur un ricanement amer. Toute cette gesticulation qui passionnait les foules lui paraissait ridicule.

L'annonce était repassée en boucle sur les panneaux de cristal et dans toutes les émissions. Sa disparition avait surexcité les paparazzi d'AutreMonde, reléguant provisoirement dans l'oubli la légende qui voulait qu'Elvis[1] soit toujours en vie.

Les chaînes de télécristal avaient promis des récompenses astronomiques à qui retrouverait la princesse impériale ou fournirait des indications permettant de la localiser. D'un bout à l'autre de la planète se succédaient les déclarations des cristallistes l'ayant vue à Omois, au Lancovit, chassant dans les forêts de Selenda avec les Elfes, sur Terre, skiant à Courchevel, lors d'une première à Hollywood, dansant en boîte de nuit à Paris ou encore à Hymlia, avec ses amis nains.

À leur arrivée au village, la suspicion avait pesé un moment sur sa mère et sur elle. Mais tout le monde savait que l'Héritière avait perdu son pouvoir ; or, grâce à la Pierre Vivante, Tara possédait, *apparemment*, de la magie. Et puis, s'étaient dit les villageois, jamais l'héritière impériale n'accepterait de vivre aussi simplement !

Ayant rangé ses légumes dans la charrette, Tara se dirigea d'un bon pas vers le bourg, distant de trois cents mètres. Galant vint à sa rencontre et, lorsqu'il fut proche de Tara, lui transmit mentalement ses sensations. Une vive agitation régnait au village, à cause de l'annonce. Avec l'arrivée du crépuscule, les tables avaient été dressées dehors et Tara était convoquée pour aider à mettre en place le sort anti-piqqq, les mouchtiques d'AutreMonde, particulièrement agressifs dès la tombée de la nuit. Tara pressa le pas. Elle évitait de son mieux de se faire remarquer et ne voulait pas risquer une réprimande pour avoir lambiné.

---

1. Eh oui, Elvis est également très connu sur AutreMonde et particulièrement apprécié des Nains, qui trouvent qu'il a vraiment une belle voix, même s'il chante un peu doucement... pour eux !

Tendra, la maire du village, l'attendait. Son visage plein s'éclaira en voyant la corpulente jeune fille. Elle aimait bien Tara/Betty, qu'elle trouvait dure à la tâche et patiente. Culminant à un mètre quatre-vingt-dix, comme tous les mercenaires de Vilains, elle avait tressé son abondante chevelure blonde striée de gris en une natte stricte, le tout posé sur un corps sculptural qui aurait rendu Rambo jaloux.

Elle anéantit d'une claque un mouchtique qui avait commis le crime de lèse-majesté d'atterrir sur sa peau très blanche.

— Ah ! s'exclama-t-elle, je suis contente que tu sois revenue, Betty. Pose vite le sort anti-piqqq, avant que ces affreuses bestioles ne me dévorent toute crue !

Tara sourit et obéit. Plus précisément, la Pierre Vivante activa sa propre magie. Les mains de la jeune fille s'illuminèrent d'une faible lueur bleue, bien éloignée de l'intense lumière qu'elle était autrefois capable de produire et elle sentit s'étendre la magie de la Pierre sur tout le village. D'ici quelques heures, elle ferait semblant d'être fatiguée afin de ne pas éveiller les soupçons. Car la magie était volatile et un sort ne durait qu'un temps plus ou moins long, selon le pouvoir du sortcelier. La terne Betty n'était censée tenir que quelques heures. Tara, elle, savait que la Pierre pouvait protéger le village pendant des mois sans ressentir la moindre fatigue. C'était l'une des raisons pour lesquelles elles avaient été bien reçues. Dans leur grande majorité, les villageois étaient des nonsos, capables d'utiliser les sorts qu'on leur donnait mais inaptes à générer de la magie. Une demi-douzaine de sortceliers officiaient, guérissant et utilisant la magie pour la vie quotidienne. Le renfort de deux nouvelles sortcelières avait donc été pleinement apprécié.

Comme tous les habitants de Vilains, les villageois étaient de solides gaillards, dont la morphologie rappelait celle des Vikings. Volontiers bagarreurs, ils aimaient la guerre et le pillage autant qu'une bonne bière fraîche et un champ verdoyant. Et en souriant à la forte Tendra, aussi maternelle que vigoureuse, Tara avait du mal à concevoir que la vieille femme était devenue maire du village grâce à sa fortune, issue de raids contre les pays voisins.

Leurs maisons reflétaient leur passé de mercenaires plus que leur présent d'agriculteurs. Chacune était une sorte de petit fort, équipé pour la défense, dont les pierres massives auraient écorché les mâchoires d'un géant[1]. Elles étaient bien différentes des riantes maisons décorées de fresques du Lancovit. Rouge et noir, elles se fondaient dans la forêt environnante, de couleur identique.

Le zon-zon insistant des insectes s'estompa. Le sort fonctionnait. Tara se hâta vers la maison prêtée par le cousin Various afin de se rafraîchir et de se laver. D'ici peu, elle retrouverait sa luxueuse salle de bain/piscine d'Omois. En attendant, ici, pas de sèche-corps, pas de kilomètres de baignoire. La Changeline fit disparaître ses vêtements et se replia en une petite boule étanche sur sa nuque.

Dès que Tara entra dans la douche, l'Élémentaire s'activa et libéra un petit nuage qui déversa docilement une mini-tempête tiède au-dessus d'elle. Profitant de cet instant de solitude, la Pierre Vivante annula l'illusion et Tara redevint la jeune fille blonde aux étranges yeux bleu marine recherchée par toute une planète. La poussière et l'eau dégringolèrent et furent avalées par le blurps qui logeait en dessous de la salle de bain. Rien ne se perdait sur AutreMonde !

— Tara, cria Selena qui venait de rentrer à son tour, dépêche-toi ! Nous allons manquer l'allocution !

— Lisbeth n'a pas essayé de nous joindre ? interrogea Tara tout en finissant de frotter sa jambe gauche.

— Si, mais le message a été coupé. Je n'ai eu que le début...

Tara en oublia qu'elle était sous sa douche et sortit en trombe, attrapant une serviette au passage. Évidemment, l'Élémentaire la suivit. Ébahie, Selena vit sa fille foncer vers elle, l'Élémentaire à ses trousses.

Avant qu'elle n'ait le temps de la prévenir, l'Élémentaire se vidait sur la tête de Tara, au milieu de leur salon.

Selena étouffa sa crise de fou rire en croisant deux flamboyants yeux bleus sous des mèches blondes trempées.

---

1. Comme chacun le sait, sur AutreMonde, les géants se nourrissent de pierre.

— Mmmppph ! fit-elle, renvoie-le vite avant qu'il ne transforme notre maison en piscine !

Furieuse, Tara ordonna à l'Élémentaire de regagner la douche. Le petit être d'eau plissa son visage liquide, sentant, sans très bien se l'expliquer, son mécontentement. Piteux, il s'éloigna et Tara soupira. La magie était parfois vraiment barbante. Sur Terre, les douches ne vous suivaient pas partout ! Selena incanta un Sechus et le bois de Velours retrouva tout son brillant. Tara attendit que le vent évacue le liquide de son corps et de ses cheveux, inconsciente du fait qu'elle ressemblait soudain à une lionne, crinière ébouriffée en tous sens.

— Comment cela, « que le début » ? s'enquit-elle, angoissée, dès que le rugissement se fut tu.

Elles échangèrent un regard soucieux. Toute envie de rire venait de quitter Selena qui se ressaisit : inutile d'inquiéter inutilement Tara.

— Avec la tempête, les communications sont très mauvaises. Tu sais comment cela se passe ! lança-t-elle d'un ton léger. Les cristallistes ont dû dénicher un joli scandale et l'Impératrice prend les devants. Elle a eu juste le temps de dire : « Je vais faire une annonce publique concernant... », puis cela a coupé. Inutile de paniquer.

Tara hocha la tête. Sa mère avait raison. Elle devait perdre l'habitude de penser « danger, catastrophe, voire guerre » toutes les cinq minutes. Elle devenait paranoïaque. Rectification. Elle *était* paranoïaque. Le problème était que même les paranos peuvent avoir des ennemis.

Elle décida donc de s'autoriser une pointe d'anxiété. Disons 3 sur une échelle de 1 à 10. Cette tempête n'arrangeait rien, juste au moment où l'Impératrice tentait de l'appeler.

Car, depuis qu'elle était sur ce monde, elle avait perdu tout goût pour les surprises.

Elle rentra dans la salle de bain, poussa une exclamation horrifiée en découvrant dans le miroir ses cheveux dressés sur sa tête. La Changeline entreprit de la coiffer et, aux tiraillements qu'elle lui infligea, Tara sentit que l'entité magique n'était pas très contente. Zut ! Ce n'était pas de sa faute si ses cheveux étaient emmêlés !

Sa mère réactiva l'illusion et la Pierre Vivante prit le relais. Lorsqu'elles sortirent toutes trois, accompagnées de leurs Familiers, la majorité des villageois avait rejoint la placette d'O'possum qui retentissait du joyeux brouhaha précédant l'arrivée des victuailles. Les sorts de cuisson et de rôtissage avaient été activés, les Élémentaires de feu ronflaient joyeusement et tout était déjà prêt. Tara sourit : bien des cuisiniers et cuisinières sur Terre auraient donné leur bras droit pour bénéficier de l'aide de la magie !

La maire, Tendra, claqua des mains et tout le monde prit place autour des longues tables de bois. La vaisselle achevait de se poser devant chaque convive et les plats arrivaient déjà, fumants ou glacés, voletant dans le crépuscule à la grande satisfaction des affamés.

En dépit des tentations, ni Tara ni sa mère ne mangèrent beaucoup, l'estomac serré. Enfin les desserts arrivèrent, délicieuses tartes au mmroums, gâteaux au miel de bizzz et beurre de balboune, crèmes d'œufs de spatchounes, kalornas frites en beignets, fruits frais, compotes, confitures et glaces.

Une fois chacun rassasié, ils débarrassèrent et le grand panneau de cristal du village fut activé. Le journal du soir venait de commencer et Jim et Jones, le tatris à deux têtes, célèbre cristalliste et présentateur-vedette de Channel One en Omois, se livrait à toutes sortes de supputations sur l'annonce imminente. La transmission n'était pas excellente, des zébrures marbraient l'image.

— Eh bien, Jones..., commença la première tête, Jim.

— ... le Palais impérial paraît en ébullition, Jim..., continua la seconde tête. Cela aurait-il un rapport...

— ... avec la disparition ou plutôt la « mise à l'écart » (Jim encadra l'expression de guillemets virtuels avec ses deux mains), de l'Héritière ?

— ... Nos sources au Palais...

— ... n'ont pas plus d'informations que nous...

Soudain le tatris tressaillit tandis qu'un tintement retentissait. L'écran se divisa en deux, montrant en duplex le palais devant lequel planait une nuée de scoops. Les petites caméras volantes filmaient comme des folles, avides d'images inédites. Il était plus tôt à Tingapour, aux environs de midi.

Magnifique, Lisbeth parut sur le perron d'apparat, l'imperator Sandor à ses côtés.

Les deux souverains étaient en tenue de guerre, ce qui n'apaisa pas les craintes de Tara. Avec leurs longs cheveux blonds tressés, leur armure brillant sous les soleils au zénith, ils paraissaient prêts à massacrer quiconque aurait l'audace de leur résister.

Impeccable, la garde impériale, toute de pourpre et d'or, couleurs d'Omois, salua. Le « Booooong ! » des poings martiaux frappant les poitrines recouvertes de keltril résonna dans les récepteurs. Les scoops cadrèrent l'Impératrice en gros plan.

Tara sentit un frisson parcourir son dos. Ce qui brillait dans les somptueux yeux bleus de sa tante était indéniablement de l'anxiété.

— Le mystère est sur le point d'être levé ! fit Jones. Gens d'AutreMonde, de Tadix, de Madix et des planètes extérieures, voici l'impératrice d'Omois, Lisbeth'tylanhnem T'al Barmi Ab Santa Ab Maru !

L'écran effaça leur image et celle de Lisbeth emplit tout le cristal.

— Peuple d'Omois !

La voix de la jeune femme, amplifiée magiquement, retentit comme un coup de clairon.

— Magister, le pitoyable maître des sangraves, a *encore* voulu s'attaquer à notre héritière impériale, Tara'tylanhnem, par le biais d'un sordide chantage, bien dans ses manières. Non content de nous avoir déclaré la guerre l'année dernière, à présent il nous défie. Il nous a fait transmettre un message. J'ai autorisé sa diffusion car il menaçait de l'envoyer directement aux médias (elle foudroya les scoops du regard), ou encore de le dévoiler par le biais du magicnet.

Magister se mettait donc à la page. Internet était devenu Magicnet sur AutreMonde et comptait autant d'adeptes que sur Terre. Inutile de dire que Lisbeth détestait le réseau qui diffusait quantité d'informations qu'elle aurait préféré garder secrètes...

Elle jeta un regard à son demi-frère, à ses côtés. Tara, qui la connaissait bien, eut l'intuition fugitive que c'était Sandor, plutôt que Lisbeth, qui avait insisté pour que le message soit diffusé. Glacée, elle supputa ce qu'avait pu manigancer son pire ennemi.

Elle ne fut pas déçue.

L'image de Lisbeth fut remplacée par celle d'un homme puissamment bâti, au visage dissimulé sous un masque miroitant. Le masque était bleu. Il reflétait les humeurs de Magister, avait découvert Tara.

Ah, le bleu de la bonne humeur, observa-t-elle, pétrifiée. *Très mauvais...*

— Salut, l'Impératrice, j'ai une communication à faire, mais pas à toi, à ton héritière, commença-t-il d'une voix si douce et caressante qu'on l'eût dite de velours liquide.

Les scoops firent un zoom sur la grimace contrariée de l'Impératrice, qui appréciait peu les façons cavalières de leur ennemi.

— C'est donc à toi, Tara, que je m'adresse, continua Magister. J'ai une surprise à ton intention. J'ai remarqué que tu délaissais tes amis ces derniers temps. Quel dommage ! En conséquence, j'ai décidé de vous réunir. Ce que je suis bon, tout de même !

L'homme masqué se pencha, le miroir bombé protégeant son identité se colora de rouge.

— Tu n'as pas voulu m'écouter à propos des Dragons. Tu ne sais rien d'eux et tu leur accordes une confiance aveugle. Entre les Démons et les Dragons, il n'y a pas de différence, contrairement à ce que tu penses. Alors, je vais te permettre de découvrir la vérité. Tu vas aller sur le Continent interdit. Et là, tu constateras de tes propres yeux ce que les Dragons vous ont dissimulé pendant des siècles.

Il eut un rire cruel.

— Tu m'as affronté, inlassablement. Après être allée là-bas, crois-moi, tu deviendras mieux qu'une alliée. Une amie !

Wow ! Tara ignorait ce que Magister avait fumé mais ce devait être fort !

Ben voyons, répliqua-t-elle mentalement, *on va devenir super-copains, on fera du shopping ensemble, on rigolera au cinéma et ensuite on partagera un McDo et des frites ! Le rêve de toute ma vie...*

Comme s'il avait entendu sa pensée, Magister se redressa et son masque redevint bleu.

— Telle que je te connais, tu es en train de m'envoyer au diable. Alors, voici le marché. Si tu veux délivrer ton amie, prisonnière en ce moment même sur le Continent interdit, ma foi, tu n'as pas le choix. Tu dois y aller. Et vite, je crois savoir qu'elle a quelques problèmes. Sa vie... ne tient qu'à un fil !

Tara se figea.

Mon Dieu, il a enlevé Moineau !

Elle avait tort.

L'image de Magister disparut. À la place s'afficha la bouille ronde et sympathique de son amie Betty !

CHAPITRE III

LE DÉGUISEMENT
ou quand on décide de voyager incognito, il vaut mieux éviter de laisser bêtement tomber son masque...

Comme un seul homme, les villageois pivotèrent vers Tara/ Betty, dont le visage venait d'apparaître sur le cristal, fatigué, crispé, crasseux mais bien reconnaissable : celui de la ronde jeune fille, nouvelle venue au village depuis quelques mois.

Seigneur, ce n'est pas Moineau que Magister a enlevée mais Betty !

Horrifiée, elle se rendit compte qu'elle avait choisi de prendre l'apparence de la seule personne qu'il ne fallait pas ! Parce qu'elle avait imité le débonnaire visage de Betty pour se protéger, Magister s'en était-il inspiré pour kidnapper son amie terrienne ? Était-elle responsable de ce choix terrible ?

Le cœur au bord des lèvres, elle regarda l'écran. On voyait la trace des larmes sur les joues rebondies de Betty.

Fidèle à la règle des sortceliers, Tara ne lui avait rien révélé dans les rares occasions où elle l'avait revue. De fait, celle qui avait été sa meilleure amie sur Terre ne connaissait rien au sujet de la magie et d'AutreMonde. Un Mintus lui avait été de surcroît administré afin qu'elle oublie les pouvoirs de Tara.

Brutalement enlevée, emmenée sur une planète dont elle ignorait tout, la pauvre devait être terrifiée. De nouveau, Magister entreprenait de manipuler Tara et il venait de réussir un coup de maître.

Tara serra les dents.

Je dois voler au secours de Betty !

À côté d'elle, Tendra, éberluée, fronça les sourcils, la dévisageant attentivement.

— Je ne comprends pas, Betty ! s'exclama la maire, regardant alternativement le visage à l'écran et celui de sa nouvelle administrée. Ce... misérable prétend qu'il t'a enlevée ? Qu'est-ce que c'est que cette histoire ridicule !

Remise du choc, Selena se leva.

— C'est une longue histoire, déclara-t-elle, trop pour vous l'expliquer. Comme je t'en ai avertie en début d'après-midi, Tendra, nous devons quitter ce village plus tôt que prévu. Nous faisons nos bagages tout de suite.

Et avant qu'ils ne puissent réagir, elles se hâtèrent vers leur petite maison, suivies de la fausse sirène et des Familiers.

Normalement, l'affaire aurait dû se terminer là. Les villageois, une fois remis de leur surprise de les voir partir, auraient retrouvé les moissons, la vie quotidienne. Mais Zéril, agressif, se leva d'un bond et se planta devant Tara.

— Qui es-tu ? cria-t-il. Que manigances-tu ? Es-tu une ennemie ? Une espionne d'Omois ?

Son père se dressa lui aussi, encore furibond de l'incident du matin avec Benjy.

— Mon fils aîné a raison. Elle est une étrangère ! Nous ignorons tout d'elle. Mieux vaut la capturer et l'emprisonner. Notre seigneur Various saura que faire !

Aïe, la situation dégénérait. Depuis huit mois qu'elles vivaient au village, elles pensaient avoir été acceptées. Mais tant qu'on n'avait pas douze générations enterrées au cimetière du coin, on restait « l'étrangère ». Toute la sympathie des villageois pour les deux sortcelières venait de s'évanouir.

Un cercle menaçant se resserra sur elles. Selena recula, entourant sa fille de ses bras. La sirène s'inclut dans leur petit groupe, grognant si fort dans sa bulle d'eau qu'on avait l'impression que le liquide était en ébullition. Le krakdent leur adressa un sourire plein de crocs étincelants et quelques-uns reculèrent en pâlissant.

— C'est ridicule ! plaida Selena. Nous voulons simplement partir. Nous n'allons pas vous faire de mal !

Hélas ! Sa tension et sa peur pour Tara étaient si vives que sa magie s'activa malgré elle. Ses mains s'illuminèrent de bleu clair et les villageois, apeurés, firent un pas en arrière.

Sauf un.

Zéril ramassa une pierre. Contrairement à son jeune frère, il ne possédait pas de magie, ce qui expliquait sans doute son agressivité sans pour autant le rendre plus sympathique. Il gronda :

— Vous, les sortceliers, vous vous croyez tout permis. Mais si vous êtes inconscientes, c'est sûr, vous ne pourrez pas lancer de sort !

— Ça suffit ! tonna Tendra, cherchant à rétablir son autorité. Laissez ces femmes tranquilles !

— Non ! hurla le père de Zéril, s'emparant d'une pierre à son tour. Mon fils a raison, il faut les neutraliser avant qu'elles ne nous fassent du mal !

Les autres suivirent son exemple, tandis que leurs sortceliers activaient leur magie, parés à les ensorceler si elles résistaient.

Tara frissonna. Ils allaient les lapider !

— *Pierre Vivante ?*

— *Jolie Tara ?*

— *Tu es prête à intercepter les pierres qu'ils vont nous jeter ?*

Enfouie dans la Changeline de Tara, la Pierre n'avait pas tout suivi. En prenant conscience du cercle hostile qui les entourait, elle fut surprise. L'instant d'avant, son amie Tara dînait tranquillement et maintenant, elle était en mauvaise posture. Vraiment, ces humains étaient d'un compliqué !

Avant qu'elle ne puisse répliquer, Zéril fonça, la main levée, prêt à assommer Tara... ou pire. Tara réagit d'instinct. Elle avait été entraînée par l'Imperator lui-même. Contre un adversaire plus grand et plus lourd qu'elle, elle n'avait pas le choix. Elle devait le neutraliser. Vite.

Zéril ne comprit pas ce qui lui arriva. L'instant d'avant, l'image de la grosse jeune fille dansait devant ses yeux, une seconde plus tard, il gisait le nez dans la poussière et sa bouche saignait. Étourdi, il se releva. Impassible, Tara/Betty le regardait, en position de combat. La sirène s'était placée à sa droite et le krakdent à sa gauche.

Il se produisit alors quelque chose de curieux. Au nez quasi inexistant du krakdent se forma une petite bulle bleue qui explosa, carbonisant quelques mouches à sang au passage, lorsque la peluche éternua.

Zéril plissa les yeux. Il avait espéré neutraliser Betty mais avait échoué et maintenant son Familier faisait des choses bizarres. Il devait agir vite. Il allait repartir à l'attaque lorsque la Pierre Vivante décida que c'en était assez.

Elle avait le choix entre paralyser l'imbécile qui menaçait son amie ou réaliser un rêve vieux de plusieurs mois. Ah, si Cal était là, le chenapan aurait été fier d'elle ! Elle eut un petit rire mental.

D'un coup, sa magie jaillit, apparemment à partir des mains de Tara, et annula l'illusion entourant l'héritière, Selena, le krakdent, le puma et la sirène. Devant les villageois stupéfaits, la terne Betty se transforma en une jolie blonde aux yeux d'un profond bleu marine tandis qu'un magnifique pégase exhibait ses griffes et qu'une troll verte agitait des poings gros comme des marteaux de guerre, sortant de sa bulle d'eau telle une Aphrodite hypertrophiée.

La Changeline ne fut pas en reste. Elle transforma les vêtements de Tara et l'armure des elfes guerriers vint recouvrir la jeune fille, pectoral d'or, chausses d'argent, épée bien affûtée et tout l'attirail. Un bandeau ceignit son front et ses cheveux se tressèrent en une natte de commandement. Soudain elle fut martiale, limite menaçante.

Dès qu'elle avait vu son pégase étendre ses ailes, Tara avait compris que son incognito avait sauté. Bon, au temps pour la discrétion... Elle soupira intérieurement et entama un silencieux compte à rebours :

10... 9... 8... 7... 6... 5...

Elle arrivait à quatre lorsque la jeune Seevy, qui dévorait tous les jourstaux d'AutreMonde et spécialement *Stars* ou *People*, les principaux magazines consacrés aux célébrités, la reconnut.

— C'est l'héritière d'Omois ! cria-t-elle. Celle qui a disparu !

Gagné. Moins de six secondes avaient suffi pour l'identifier. Elle connaissait des stars sur Terre et même sur AutreMonde qui auraient donné leur bras droit pour une telle notoriété.

Elle-même s'en serait volontiers passée.

Les villageois, désorientés, ne savaient plus que faire. Prudents, ils reculèrent. Les sortceliers parmi eux s'avancèrent courageusement, prêts à intervenir, leur magie brillant dans le crépuscule.

— Assez !

La voix de Selena claqua comme un fouet. Moins célèbre que Tara, la mère de l'Héritière possédait tout de même une notoriété.

Tendra se racla la gorge et tenta de reprendre le contrôle de la foule.

— Par mes ancêtres ! s'écria-t-elle en s'adressant à Selena. Vous êtes Selena Duncan, l'ex-impératrice, enfin la je-ne-sais-comment-on-dit, femme de l'ex-imperator Danviou ?

— C'est exact, et ma fille est...

— L'héritière impériale d'Omois, oui, j'ai remarqué ! l'interrompit la maire avec humeur. (Elle tourna la tête.) Sommes-nous en guerre contre Omois en ce moment ?

Les têtes oscillèrent négativement.

— Non ? Dommage. On aurait eu deux otages formidables. Alors, pourquoi l'héritière de l'Empire se cache-t-elle sous les traits d'une autre au milieu de notre village ? À faire des corvées de paysanne ? Vous nous espionniez ?

Selena souleva un sourcil incrédule et Tendra reprit aussitôt :

— Non, bien sûr ! Je suis sotte, il n'y a rien à espionner ici. Vous êtes donc venues vous réfugier ici, hein ? Pourquoi ? Vous vous êtes disputées avec l'Impératrice ? Vous n'avez pas payé vos impôts ? Dissimulé quelque chose ?

Son ton se fit gourmand.

— *Volé* quelque chose ?

— Et si vous me laissiez répondre ? grogna Selena, excédée.

La maire la dévisagea, serra la mâchoire puis lui fit signe de parler. Selena prit une grande inspiration.

— Rien de tout cela ! commença-t-elle. Ma fille a dû lutter contre l'armée des démons qui a envahi Omois puis une machine a drainé toute sa magie. (Les sortceliers présents frissonnèrent et reculèrent légèrement.) Elle était épuisée. Nous avons donc décidé de la mettre à l'abri sous une fausse identité afin qu'elle puisse se remettre de ces épreuves. Je vous ai annoncé cet après-midi notre départ d'ici à quelques jours. Mais Magister a enlevé l'adolescente sous les traits de laquelle Tara s'était dissimulée. Et cela a déclenché votre hostilité. Je suis désolée de vous avoir trompés mais nous n'avions pas le choix.

Tendra haussa les épaules.

— Je peux comprendre. J'ai moi-même souhaité prendre de longues vacances loin de ce village de temps à autre.

Elle dévisagea ses administrés qui eurent un murmure gêné. Çà et là, des pierres discrètement lâchées tombèrent au sol et les visages se parèrent de la vertu de l'innocence, genre : « Qui ça ? Moi, j'ai voulu lapider quelqu'un ? Meuuuh non, c'était juste pour rigoler ! »

Le plus pétrifié de tous était Zéril. Un, parce qu'à voir le visage courroucé de son père, il devinait qu'il allait payer sa gaffe très cher, deux, parce qu'il avait failli lapider l'héritière impériale d'Omois après l'avoir persécutée et humiliée durant huit mois.

Il laissa tomber sa pierre et, parce qu'il était aussi courageux que stupide, s'avança vers Tara.

— Je... suis désolé, chuchota-t-il. Je ne savais pas.

Tara ne le vit même pas. Son regard passa à travers lui comme s'il eût été transparent. Puis elle tourna les talons, le laissant rouge et bégayant au milieu de la place.

— Maintenant, fit Grr'ul en la suivant pesamment, satisfaite d'avoir retrouvé ses muscles, je peux écrabouiller Zéril ?

— Non, répondit Tara, je crois que dorénavant il fichera la paix aux autres. Pour l'instant, il faut filer à Tingapour et...

Elle n'eut pas le temps de terminer sa phrase.

— Une seconde, imposa Tendra. Je ne crois pas pouvoir vous laisser partir.

Le cœur battant, Tara et Selena s'immobilisèrent. Que voulait dire la maire ?

— Je vais vous faire accompagner chez notre seigneur Various, précisa Tendra, et lui veillera à ce que vous rentriez saines et sauves. Je ne peux risquer qu'il arrive quoi que ce soit à deux personnalités aussi prestigieuses sur notre territoire. (Elle jeta derechef un regard noir à ses administrés.) Nous n'avons pas besoin d'un incident diplomatique.

Son visage de marbre dissuada Selena de protester. Elle céda :

— Très bien ! Laissez-nous terminer nos bagages. Nous repartirons avec vous.

— Deux de nos sortceliers vous aideront à empaqueter vos affaires, conformément à ce qui vous est dû.

Tara comprit sans peine le message implicite. Il était facile de remplacer : « vous aider à empaqueter vos affaires », par l'intention réelle : « vous surveiller, histoire que vous ne disparaissiez pas à l'aide d'un Transmitus ».

Elles avaient placé la vieille femme dans une situation politique inconfortable. Elle veillerait sur elles comme sur les joyaux de la couronne en attendant de connaître les intentions de son seigneur. Étaient-elles de prestigieuses invitées... ou de prestigieuses prisonnières ? Les mercenaires de Vilains vivaient autant de pillages que de l'exploitation de leurs terres. La maire l'avait dit : deux otages aussi précieuses pouvaient rapporter gros. Et, bien que la baronnie soit en paix depuis plusieurs années, Tara savait que les mercenaires ne dédaignaient pas quelques extras de temps à autre. Elle échangea un regard avec sa mère. Celle-ci lui fit un petit signe de la tête. « Attendre et voir venir », mmmouais... Tara espéra très fort que c'était la bonne solution. Selena avait une solide propension à voir les AutreMondiens plus bienveillants qu'ils ne l'étaient réellement.

Les bagages furent vite faits, elles n'avaient emporté que peu d'affaires. Grr'ul, dédaignant les sorts de lévitation, empoigna les sacs d'une main, veillant à garder l'autre libre pour toute éventuelle bagarre.

Qu'elle devait, d'ailleurs, espérer en secret afin d'écrabouiller un peu, par inadvertance, le stupide Zéril.

Les deux sortceliers couvaient des yeux Tara, aussi nerveux que deux chats à longue queue dans une usine de fauteuils à bascule. Ils avaient entendu parler de son surpuissant pouvoir. Et elle percevait leur peur comme un goût métallique sur sa langue. L'espace d'un instant absurde, elle se demanda si son ennemie, la vampyr Selenba, sentait la peur de ses proies comme elle celle des deux hommes...

Elles sortirent. Tout le village était dehors.

Selena sourit, ironique.

— Vous avez l'intention de tous nous accompagner ?

— Ha ! Ha ! fit Tendra sans une once d'amusement. Non, votre escorte est celle-ci.

Elle fit un signe et Tara écarquilla les yeux. Depuis huit mois elle habitait ce village et aurait juré que ses habitants étaient d'inoffensifs paysans aux mœurs paisibles.

Elle connaissait ces dix hommes mais ne les *re*connaissait pas. Vêtus d'armures légères, des casques ornés de défenses ou de crocs sur la tête, ils arboraient toute une collection d'armes. Qui avaient servi, souvent.

S'ils avaient l'intention de les terrifier, c'était tout à fait réussi.

Le sourire de Selena se fana légèrement sur les bords.

— Oh ! fit-elle, est-ce bien nécessaire ?

— Le château de notre seigneur est tout proche. Nous vous y escorterons. Nous avons apprêté la cag... le carrosse pour vous. Veuillez y monter, je vous prie.

Le lapsus était révélateur. La voiture tenait en effet plus de la cage que du carrosse. Petite, la cage. Elles durent miniaturiser leurs Familiers pour les prendre avec elles. Grr'ul grogna qu'elle n'allait jamais entrer dans ce minuscule machin et eut raison. Impossible de la caser, sans compter que les énormes varans qui devaient traîner la voiture gémirent distinctement lorsqu'elle s'évertua à y grimper.

Ils durent se résoudre à faire venir un autre véhicule pour l'imposante garde du corps.

Et lorsque la pesante porte de fer se referma sur elles, Tara eut la certitude qu'elles venaient de commettre une énorme erreur. Car le métal qui les emprisonnait était du fer magique d'Hymlia ! Selena, ayant fait le même constat, échangea avec elle un regard inquiet. Ce carrosse/prison avait été conçu tout spécialement pour des sortceliers ! Elles ne pouvaient utiliser la magie pour se libérer.

Ils allaient se mettre en route lorsque des cris éclatèrent. Elles se précipitèrent, tentant de passer la tête entre les barreaux. Les villageois, apeurés, couraient en tous sens.

— Par mes ancêtres ! jura Selena, qu'est-ce encore ?

La réponse surgit sous la forme d'une volée de chevaux rouges et ailés, montés par des elfes aux armures imposantes.

Selena écarquilla les yeux. Les Hauts Mages devaient avoir rétabli les communications mais également les Portes de Transfert, parce que ce qu'elle avait sous les yeux n'était rien moins que l'armée impériale d'Omois. Ici, chez les mercenaires de Vilains ! Voilà qui ne présageait rien de bon. Le survol des territoires de Vilains par des elfes d'Omois sans mandat international pouvait déclencher une guerre !

La suite ne s'arrangea pas. Derrière eux, les tapis volants transportant les troupes de thugs à quatre bras, soldats impériaux d'Omois, se posèrent brutalement, encerclant le village sous le commandement d'un garde bien connu de Tara : Xandiar !

Avant que les habitants ou les sortceliers n'aient le temps de réagir, des centaines de flèches étaient pointées sur leur poitrine. Tout le monde s'immobilisa. Tara aurait juré que certains s'arrêtaient même de respirer.

Puis un varan noir aux ailes emplumées de blanc atterrit devant Tara et sa mère. Comme une vague mugissante, une armée de ces gros lézards prit position derrière les elfes. D'un seul mouvement, comme une mécanique bien huilée, la moitié des elfes se retourna et les mercenaires montant les varans se retrouvèrent à loucher sur des flèches. Eux aussi se figèrent.

L'homme qui s'était posé en premier, entièrement vêtu d'un noir assorti à sa chevelure aile-de-corbeau, une fière moustache ornant son visage, sauta d'un bond agile de sa monture et se posta devant le carrosse. Bien que sortcelier, il n'avait pas revêtu la robe rouge et orange des mages de Vilains, ce qui dénotait une certaine originalité... ou un goût plus affiné que ceux de ses ancêtres qui avaient choisi ces couleurs flamboyantes.

Comme ses guerriers, il portait, sur son armure légère, un tabard brodé d'une tête de loup, noire sur fond rouge. Son emblème.

— Ma foi, Cousine, ricana le baron Various Duncan, seigneur de Tri Vantril. Je ne m'attendais pas à vous voir en si piètre posture. Je constate que votre adipeux déguisement n'est plus d'actualité ! J'avoue vous préférer sous cette forme... plus... plaisante !

Il lissa sa moustache d'un air conquérant, arrachant un soupir d'agacement à Selena.

— Ha ! Ha ! Très galant, Cousin Various. Faites-nous sortir au lieu de ricaner comme un adolescent boutonneux.

Tara regarda sa mère. Euh, était-ce une bonne idée d'insulter leur geôlier ?

Une lueur vexée passa dans les yeux noirs mais il ouvrit la porte et, d'un geste emphatique, les invita à descendre.

Selena accepta son bras et quitta le carrosse avec la majesté d'une reine.

Soudain Various se rendit compte qu'elles étaient prisonnières. Il fronça les sourcils et pivota vers Tendra. Celle-ci essayait de réduire son imposant mètre quatre-vingt-dix, s'appliquant à paraître la plus petite possible.

— Que se passe-t-il donc ici ? gronda le seigneur.

Ses poings serrés se mirent à briller d'une étrange magie, noire, assortie à son costume. Tara voyait pour la première fois de la magie de cette couleur, en exceptant celle de Magister, qui était de la magie démoniaque !

— Juste un... malentendu, se tortilla Tendra, son regard effrayé ne quittant pas les poings de Various. Nous n'avons pris conscience que depuis moins d'une heure que nous hébergions l'héritière d'Omois incognito. Ce fut... un choc.

Tara eut une moue amère. Le mot était faible. Ils avaient failli la tuer !

— Par prudence, continua Tendra, nous nous apprêtions à conduire nos priso... nos *invitées,* à votre château, afin d'assurer leur protection.

Various ne fut pas dupe. Mais l'explication l'avait apaisé. La magie de ses mains se dissipa, au vif soulagement des mercenaires.

— Dans une cage ?

— C'était le moyen le plus sûr ! mentit Tendra.

— Hmmpph ! Les guerriers d'Omois risquent de trouver notre hospitalité pour le moins... inamicale. J'espère pour vous qu'il n'en sera rien.

Tendra, déjà voûtée, parut se tasser encore davantage. Et Zéril faillit éclater en sanglots tant il avait peur. Plus jamais, se promit-il, il n'embêterait quelqu'un, de sa vie entière !

Puis comme il était tout de même le fils d'un mercenaire sanguinaire, il nuança sa déclaration : du moins, pas sans en avoir reçu l'ordre formel !

Un hurlement indigné le fit sursauter de cinq bons centimètres. Grr'ul manifestait bruyamment son impatience. Le villageois qui entrouvrit sa cage en fit les frais, projeté à quelques mètres lorsque la troll, folle de rage, arracha la porte de ses gonds en sortant. L'assistance recula d'un bon mètre. L'œil injecté de sang vert, la troll se posta devant Tara, défiant les villageois de venir l'affronter, tous ensemble s'ils le voulaient : elle était prête à leur faire un prix de groupe. Il y eut un instant de silence absolu, le temps qu'elle se calme et cesse de baver de la mousse blanche. Tara sourit. Sa garde du corps se révélait terrifiante lorsque le besoin s'en faisait sentir.

— Hmmm. Sénéchal ! cria Various.

— Seigneur ?

Un homme tout gris au front dégarni, vêtu de la livrée noir et argent des barons de Tri Vantril, descendit d'un tapis et s'approcha.

— Note : Penser à engager deux gardes du corps troll, dicta Various. J'aime bien leur façon de faire peur aux gens, cela pourrait m'être utile. Bon, vous pouvez baisser vos arcs, continua-t-il d'un ton uni en s'adressant aux Omoisiens. Mes valeureux guerriers ne vous feront pas de mal.

Le général elfe, M'vulil, haussa un sourcil d'un demi-millimètre, l'équivalent chez lui d'un éclat de rire. Son regard dédaigneux se promena sur les villageois et les mercenaires montés puis il fit signe à ses soldats de désengager leurs flèches. Comme un seul être, dans un mouvement non humain, tous les elfes obéirent en même temps.

Wow ! commenta *in petto* Tara, surprise comme toujours de l'habileté et de la rapidité des elfes. *Très impressionnant.*

Les villageois se détendirent d'un cran, comme les soldats de Various.

— Comment se fait-il que tu sois là, avec tout ce... monde ? s'enquit Selena, une nuance d'inquiétude dans la voix.

— Lisbeth m'a poliment demandé le droit de passage pour quelques-uns de ses guerriers chargés d'assurer la protection de son héritière. (Il jeta un regard glacé aux elfes et aux thugs.) Évidemment, elle n'a pas précisé qu'elle enverrait la moitié de son armée !

Strictement imperméable au reproche informulé, Xandiar, le chef de la Garde impériale d'Omois, magnifique dans son uniforme pourpre et or, s'avança.

— Pas même le dixième de son armée, précisa-t-il avec dédain. Et sa majesté a eu raison. Nous avons déjà affronté Magister. Il nous a battus. Il a même réussi à capturer l'Impératrice et l'Imperator en personne. Nous avons souhaité parer au moindre risque. D'où l'envoi d'un contingent plus important qu'une simple escorte.

Various eut un geste d'apaisement.

— Je sais, je me trouvais à Omois lorsqu'ils ont été faits prisonniers par le maître des sangraves. Ingénieux, son piège, très ingénieux.

Il surprit le regard inquisiteur de Selena et s'expliqua avec grâce :

— J'étais invité au palais, je regrette d'ailleurs de ne pas vous y avoir vue mais nous étions en conflit avec l'un des courtisans de l'Impératrice et les Diseurs nous avaient empri... hrrmm, recommandé la discrétion. Je suis donc conscient de sa légitime inquiétude. Toutefois, vos elfes soldats *en plus* de vos gardes thugs, ce n'est plus une protection mais une invasion ! Pour notre sécurité mutuelle, j'estime prudent que nous repartions au plus vite. Mes pairs, barons, marquis, comtes et princes, risquent de ne pas comprendre. J'aimerais éviter qu'ils ne débarquent à leur tour dans ma baronnie avec leurs armées. La démarcation entre « aide amicale » et « conquête éclair » est mince.

Xandiar hocha la tête et s'inclina respectueusement devant Selena. Il avait tenu à se rendre en personne à Vilains dès que Lisbeth avait réclamé le retour immédiat de son héritière au palais.

Ce n'était pas du « lèchebottisme[1] ». Depuis que Tara l'avait réhabilité puis qu'au péril de sa vie il avait tenté de l'avertir de ce qui la menaçait[2], un lien étrange s'était forgé entre Xandiar

---

1. Oui, je sais, j'ai inventé ce mot. J'ai le droit, hein, lèche-bottes n'était pas déclinable, alors je l'ai décliné.
2. Dans *Tara Duncan. Le Dragon renégat*. En fait, à cause de Tara, Xandiar s'est successivement fait griller, poignarder, re-griller, re-poignarder, depuis il doit en garder un souvenir masochiste ou trouver que la vie est plus animée avec Tara parce que toutes ces tentatives de

et Tara. L'adoration que le chef de la Garde impériale professait pour l'Impératrice s'était transformée en un dévouement acharné à l'Héritière.

Enchaîné par les devoirs de sa charge, il avait détesté chaque seconde, chaque minute, chaque heure que Tara avait passée loin du palais. C'était donc un soulagement de la retrouver saine et sauve et de la placer sous sa responsabilité de nouveau, même s'il ne s'attendait pas à la découvrir enfermée en cage. Par les dieux, qu'avait-elle encore fait ?

Son salut à Tara fut empreint d'une nette ironie que la jeune fille perçut fort bien. Elle eut un petit geste de la main signifiant : « Ah, mais cette fois-ci, je n'y suis pour rien, moi ! »

Various écouta les explications confuses de Tendra et des villageois. Puis il eut un soupir. Diriger une baronnie de mercenaires forcés de se convertir en cultivateurs maintenant que la paix régnait un peu partout sur AutreMonde, sauf sur l'océan des Brumes, n'était pas une tâche aisée. Ses sujets se mettaient souvent dans de beaux pétrins. Enfin, celui-ci n'avait pas fait couler le sang, ce qui le changeait agréablement.

— Bon ! Maintenant que tout est clair, indiqua-t-il à Selena, mes guerriers et moi-même allons vous accompagner.

Il l'invita à prendre place à son côté sur son varan mais, après un coup d'œil à la gueule baveuse et au dos écailleux, Selena préféra le confort d'un tapis volant. Tara chevaucha Galant. Les pégases des elfes déployèrent autour d'elle une impeccable haie d'honneur.

Elle achevait de boucler la ceinture de sa selle (monter un pégase sans ceinture de sécurité était prohibé sur AutreMonde, les chutes étant généralement mortelles) lorsque l'information lâchée inopinément par Various, un peu plus tôt, remonta à la surface de sa conscience. Ah ? Le seigneur des mercenaires était à Omois lorsque Sam le Snuffy était mort ? Bien. Un suspect à ajouter à la liste des prétendants officiels au titre de maître des sangraves. Les seuls qu'elle avait innocentés étaient ses amis, sa mère, Isabella, l'Impératrice et l'Imperator, son arrière-grand-père, Manitou, resté avec Isabella sur Terre et maître Chem. Ah,

---

meurtre semblent lui manquer. Ce qui prouve que les thugs sont vraiment des gens bizarres.

et Xandiar aussi. En dehors d'eux, elle soupçonnait à peu près tout le monde, avec cette fichue magie qui transformait les gens à volonté.

Galant s'envola d'un foudroyant coup d'ailes, mettant un point d'honneur à distancer les autres montures, moins rapides. Le ciel s'obscurcissait et le pégase paraissait presque incandescent sur la splendeur des soleils couchants.

— Euh, Galant ? Le principe est qu'ils me protègent, lui rappela Tara. Si tu les sèmes, ils ne serviront pas à grand-chose !

Le magnifique pégase agita la tête, mécontent, mais ralentit la cadence. Les tapis volants parvinrent à sa hauteur. Propulsés par la magie, ils pouvaient, en fonction de leur puissance, aller bien plus vite qu'un pégase. On murmurait qu'un ingénieur, s'inspirant des modèles terriens, avait même créé un tapis avec fuselage capable de franchir Mach 1, la vitesse du son. Les détracteurs du projet s'en gaussaient. À quoi bon un appareil qui, en aucun cas, ne concurrencerait les Portes de Transfert instantané ?

Les varans, plus lents, les rejoignirent enfin. Various prit la tête de leur troupe, les conduisant vers son château où se trouvait la Porte de Transfert principale de sa baronnie.

Comme toujours sur le dos de Galant, Tara savoura la sensation de liberté du vol. Parfois, elle n'avait qu'une envie, rester là-haut pour l'éternité, délivrée des soucis et contraintes. Galant, pragmatique, lui faisait alors gentiment comprendre qu'il ne pouvait voler des jours durant sans fatigue et que ses besoins d'humaine devaient également être satisfaits. Quoi ? Il n'y avait pas de toilettes dans les nuages ?

Les villageois, encore ébahis, virent disparaître les points rouges et noirs dans le ciel violet. Très vite des sourcils se froncèrent. Les plus lents étaient agacés qu'on les ait privés d'une bonne bagarre. Les plus rapides dégainaient déjà leurs boules de cristal. Tendra comprit tout de suite les intentions de ses administrés. Son cri, digne d'un Nain, les interrompit net.

— Stooooooop ! Arrêtez tout de suite !

Le père de Zéril, mâchoire crispée, lui tint tête.

— Ah oui ? Nous t'avons élue, Tendra, ce qui ne te donne pas le droit de nous priver de revenus substantiels.

Tendra redressa sa haute stature.

— C'est exact, j'ai la charge de ce village. Et vu ce que vous versez comme impôt, je me demande comment il tient encore debout.

— Mais tu veux nous empêcher de...

— Certainement pas, l'interrompit Tendra, le surprenant. Mais cela sera une action collective. L'argent sera partagé entre tous. Est-ce clair ?

Ses gardes se placèrent derrière elle, tapotant leurs haches d'un air songeur. Le père de Zéril recula. Il chercha des appuis parmi ses amis mais ceux-ci étaient soudain prodigieusement intéressés par le ciel qui se piquetait d'étoiles et les nuages.

— Bande de dégonflés ! cracha-t-il. Très bien, Tendra, tu as gagné. Partage collectif. C'est toi qui négocieras. Tu as intérêt à ce qu'ils raquent, et beaucoup !

Tendra haussa les épaules.

— Allez, les petits malins. Qui a filmé la scène ?

Deux mains se levèrent timidement.

— Parfait. Apportez-moi vos boules de cristal.

Elle visionna les deux vidéos. Sur l'une d'elles, on distinguait nettement Tara et la magie qui jaillissait de ses mains, annulant l'illusion. C'était parfait. Son instinct de commerçante lui soufflait que tout cela valait cher. Très, très cher.

Elle sortit sa propre boule de cristal de sa poche et dicta un numéro.

— Allô ? Channel One ?

CHAPITRE IV

LE SANGRAVE
ou lorsqu'on a de terribles ennemis,
c'est mieux de ne pas les oublier...

La fonction défensive du château de Various était flagrante. Douves emplies d'animaux à longues dents et bon appétit, murs épais, mâchicoulis crénelés, tourelles, trois lignes de défense matérialisées par d'épaisses murailles, le premier qui s'en prendrait aux fortifications devait s'attendre à camper beaucoup de temps à leurs pieds, assez pour voir pousser une longue, longue barbe.

Comme ceux de nombreuses places fortes sur AutreMonde, où la menace venait tant des airs que de terre, les chemins de ronde étaient couverts. Ainsi, personne ne pouvait attaquer les soldats par le haut.

La magie entourait la forteresse d'un impalpable voile bleuté. Toute personne animée d'intentions agressives était immédiatement engluée dans le champ. Évidemment, un puissant sortcelier s'en fichait comme de son premier biberon mais, contre des soldats ou des mercenaires nonsos, cela fonctionnait redoutablement.

Lorsque la petite armée de l'impératrice d'Omois avait sollicité l'autorisation de franchir la Porte de Transfert, Various avait accordé une dispense extraordinaire aux elfes et aux gardes thugs, qui traversèrent le champ sans encombre. De même que Tara, Selena, leurs Familiers & Gr'ul.

Ils atterrirent au centre d'une vaste cour. Comme la tenue de ses gardes, le château était noir et argent : très élégant, vaguement sinistre.

Des palefreniers... mmhhn, non : les montures n'étaient pas des palefrois [1], donc des varaniers vinrent s'occuper des varans, tandis que Selena miniaturisait les Familiers afin qu'ils puissent les suivre à l'intérieur. La jeune femme, soucieuse de ne pas importuner son hôte, exagéra un tantinet et Galant devint si petit qu'il put prendre place sur l'épaule de Tara sans problème, tandis que Sembor ressemblait soudain à un chaton ébouriffé. La jeune fille ne dit rien mais l'indignation de son pégase et du gros... enfin de l'ex-gros... puma la fit rire intérieurement. Les elfes et les thugs en firent autant, quoique dans des proportions moindres, avec leurs montures et les tapis.

À la queue leu leu, ils suivirent Various et son escorte à l'intérieur de la forteresse. Lors de leur arrivée, huit mois auparavant, Tara était tellement épuisée qu'elle n'avait prêté qu'une vague attention à la décoration. Maintenant qu'elle n'avait plus l'impression tenace que la gravité fluctuait et que les murs gondolaient, elle donna libre cours à sa curiosité et à son intérêt pour ce nouvel environnement.

Le château des Tri Vantril n'était pas vivant, comme celui du Lancovit, mais la décoration des murs variait, les fresques magnifiques dues au pinceau des nymphes de la forêt des Ningerligers défilaient, contant batailles et amours courtoises. L'or n'occupait ici qu'une place secondaire, contrairement à Omois où ce métal était quasiment une religion. Various, lui, avait privilégié les teintes sombres. Noir, noir... ah, oui, et noir aussi. Tara avait l'impression d'avancer dans une sorte de caveau. Le cousin de sa mère avait-il des ancêtres vampyrs ?

Various incanta et la salle d'audience s'élargit, afin de permettre à tout le monde d'y tenir. Il prit place sur un siège de bois d'ébène, rehaussé d'incrustations d'ivoire. Vu la taille des plaques d'ivoire, Tara ne voulait pas imaginer les dimensions de l'éléphant ou du mammouth qui les avait fournies. Les bannières flottaient au vent de la climatisation, portant haut l'emblème de Various, une tête de loup noire sur fond rouge.

---

1. Hop, un petit peu d'étymologie, histoire d'épater les copains (et les profs !), palefrois est le nom des chevaux en vieux français. Il est à l'origine du nom : palefrenier, ou valet d'écurie qui s'occupait des chevaux. Z'êtes super contents, hein ?

— Bien ! s'exclama le baron, à présent...

— À présent, l'interrompit inélégamment Xandiar, nous allons utiliser votre Porte de Transfert, en accord avec le pacte passé entre notre empire et votre baronnie, et rentrer chez nous.

Le baron plissa les yeux et eut un grondement agacé. Les poils de la nuque de Tara se hérissèrent. C'était un son doux, étouffé et qui disait clairement : « Tu es une proie, je suis un prédateur, l'un de nous va mal finir et ce ne sera pas moi... » Par quel sortilège le baron parvenait-il à émettre un tel son ? Des ancêtres loups-garous plutôt que vampyrs ? Grr'ul, qui jusqu'à présent se préoccupait des guerriers plus que de leur chef, braqua sur lui un regard perçant.

Ah, elle aussi avait noté la menace. Sur l'épaule de Tara, le petit pégase enfonça involontairement ses griffes dans la chair de la jeune fille et celle-ci frémit.

— Various !

La voix de Selena claqua comme un fouet. Le grondement s'arrêta net. Various se redressa. Et Galant cessa de martyriser la clavicule de sa maîtresse.

— Cesse de jouer avec eux, ordonna Selena. Nous n'avons pas de temps à perdre. Quoi que manigance Magister, nous ne sommes pas en sécurité chez toi. Laisse-nous regagner Tingapour.

— C'est ce que je m'apprêtais à dire lorsque leur gros chef des gardes m'a interrompu, protesta le baron.

Comment cela, *gros* ? Ce fut au tour de Xandiar de gronder. D'abord, il n'était pas *gros* mais imposant. Il rentra le ventre mais, avant qu'il ne puisse ouvrir la bouche, Tara, très consciente que chaque minute écoulée menaçait un peu plus la vie de Betty, intervint :

— En tant qu'héritière impériale d'Omois, Cousin Various, proclama-t-elle d'une voix claire, je tiens à vous remercier de votre hospitalité. Grâce à votre protection, j'ai pu me reposer loin de toute menace ennemie mais à présent je dois retourner parmi les miens. Croyez bien que l'Empire vous saura gré de votre soutien.

Elle venait de reconnaître que l'Empire avait une sorte de dette envers le baron. L'Impératrice allait s'étouffer mais cela offrait à Various d'intéressantes perspectives, tant commerciales que militaires. Il hocha la tête. Il n'avait pas soupçonné que la jeune fille fût aussi subtile.

Il lui lança un sourire acéré. Que Tara lui retourna illico. Avoir été formée par les deux souverains les plus roublards d'AutreMonde avait fini par lui inculquer une certaine façon de voir les choses. Parfois, elle regrettait l'innocence perdue mais pas en cet instant.

Satisfait de ce qu'il avait obtenu, Various se leva.

— Je saurai rappeler cette promesse à Omois. Allons-y, ta tante doit être follement inquiète.

Le général M'vulil se garda de signaler qu'il avait déjà boule-decristallé à son Impératrice pour l'informer du succès de la première phase de la récupération de l'Héritière. Pour ce qui était de la seconde phase, il constatait que l'Héritière se débrouillait très bien toute seule.

Comme à Tingapour, la salle de la Porte de Transfert était fortement gardée. Les guerriers noir et argent saluèrent leur baron comme s'ils ne l'avaient pas vu trente minutes auparavant. Tara était toujours frappée par le formalisme en usage sur AutreMonde.

Selena, Tara et leurs Familiers se placèrent au centre de la Porte, ainsi que le général elfe, Grr'ul, Xandiar et Various. Le reste de la troupe suivrait après leur passage. Les tapisseries bigarrées, représentant les peuples d'AutreMonde, s'illuminèrent lorsque Various plaça le Sceptre de Transfert sur son emplacement. Il cria le nom du palais impérial et ils disparurent.

Comme chaque fois qu'elle franchissait une Porte de Transfert, Tara se sentit brièvement désorientée et émergea dans la Salle de Transfert d'Omois avec un sérieux mal de tête.

Qui ne s'arrangea pas lorsqu'elle découvrit le comité d'accueil. Sa grand-mère, Isabella Duncan, fière sortcelière aux purs cheveux d'argent et aux implacables yeux verts, son arrière-grand-père, Manitou Duncan, transformé en labrador noir par un sort manqué, Sandor, l'imperator d'Omois, martial dans sa tenue d'acier, et sa sœur Lisbeth, l'impératrice d'Omois. Comme toujours, la beauté de sa tante lui fit l'effet d'un choc. Elle s'était changée depuis l'allocution. Vêtue d'une robe d'un bleu très doux, elle avait assorti sa longue chevelure à ses yeux bleu marine identiques à ceux de Tara. Des saphirs étincelaient sur ses petits pieds et le paon pourpre, emblème d'Omois, resplendissait sur sa poitrine. Elle devait tout juste sortir d'un conseil car elle portait encore la couronne qu'elle mettait en ces occasions. D'or bleu, elle était à la fois légère et confortable, précaution indispensable lorsque ses conseillers parvenaient à lui donner la migraine. Tara se raidit. Derrière elle se tenait Tyrann'hic, le Premier ministre d'Omois. Le gros homme rougeaud la salua d'un air affable, démenti par ses yeux froids.

Grâce à Eleanora, Tara soupçonnait Tyrann'hic d'être un traître à la solde de Magister et Tyrann'hic savait que Tara savait, mais sans posséder de preuves. Ils étaient donc ennemis jurés, forcés de se supporter. Elle l'ignora, salua sa grand-mère et s'accroupit pour embrasser le museau noir de son arrière-grand-père qui en profita pour lui fourrer sa truffe dans le cou, la faisant involontairement rire et provoquant l'envol du pégase qui préféra trouver un support moins remuant.

— Tu m'as manqué, gronda le labrador, la vie est nettement plus terne, toi absente !

— Tu ne vas pas t'ennuyer très longtemps, Grand-Père[1], souffla-t-elle. Toi et moi allons chercher Betty et, crois-moi, on va la ramener très vite !

— Mon enfant ! s'exclama Lisbeth en l'enveloppant dans une étreinte parfumée lorsque Tara se redressa. Je suis si heureuse que tu sois revenue saine et sauve ! Nous n'arrivions pas à te joindre et j'ignorais si l'ignoble message de cette ordure de sangrave te parviendrait avant que je ne t'explique la situation. J'ai eu peur pour toi, c'est pourquoi j'ai envoyé mes elfes et mes thugs, pour ta protection, afin qu'ils te ramènent chez nous.

Un peu perplexe, Tara se laissa embrasser. Allons bon, qu'arrivait-il à sa tante, d'ordinaire peu encline aux effusions... et aux explications ?

---

1. Pour ceux qui n'ont pas tout suivi, Manitou n'aime pas que Tara l'appelle « arrière-grand-père », il a l'impression de prendre cent ans à chaque fois. D'accord, vu qu'il a plus de cent ans et qu'il est devenu un labrador immortel, ça ne devrait pas le gêner, mais chacun ses coquetteries, hein ! Alors Tara l'appelle grand-père. Donc non, ce n'est pas une erreur...

Sa perplexité redoubla lorsque sa tante, après avoir lancé un remerciement distrait à Various qui se trouva congédié sans plus de formes, prit sa main et l'entraîna hors de la Salle de Transfert, Grr'ul à sa remorque, sans même un salut à sa belle-sœur. Bon, ce dernier point était dans l'ordre des choses : Lisbeth n'aimait pas Selena (qui, d'ailleurs, s'en fichait, trop occupée à parler à Isabella). La pression presque désespérée sur sa main était plus inattendue. Très gentiment, Tara se dégagea, forçant l'Impératrice à s'arrêter. Leur escorte de gardes stoppa net dans une bousculade, essayant désespérément de ne pas les percuter, ce qui permit à Xandiar, Isabella, Manitou et Selena de les rattraper, le gros chien déjà essoufflé. Galant, furieux de s'être laissé surprendre, atterrit sur l'épaule de Tara, qui accepta le poids sans broncher... et songea fugitivement à demander à la Changeline de renforcer son épaulette, avant d'avoir le haut du bras transformé en steak haché.

— Que se passe-t-il ? demanda fermement la jeune fille à sa tante.

L'Impératrice écarquilla de grands yeux innocents.

— Que veux-tu dire ?

— C'est bien la première fois que vous m'accueillez ainsi. Aussi, je répète ma question : que se passe-t-il ?

Lorsque l'Impératrice l'agaçait, Tara la vouvoyait. Lisbeth feignit d'ignorer ce signal.

— Allons ! protesta-t-elle, indignée. N'ai-je pas le droit d'être contente de te voir ? Surtout après huit mois de séparation ?

— Elle ne veut pas que tu ailles au secours de ton amie, indiqua une voix nonchalante. Elle aurait préféré te cacher le message de Magister, je crois qu'elle est un peu énervée qu'il lui ait forcé la main... Alors elle déploie tous ses atouts. Elle devrait savoir, depuis le temps, que cela ne fonctionne pas avec toi !

Furieuse, l'Impératrice se tourna vers l'Imperator, négligemment adossé à l'or des murs du couloir. Au-dessus de lui, un arbre violet, ancré dans le sol de marbre doré, bruissait des ailes des petites fées multicolores, occupées à le soigner. Sandor épousseta une étamine pourpre qui venait de tomber sur son armure impeccable et s'approcha.

— Très amusant ! gronda l'Impératrice. Mettre en danger la vie de mon héritière ? Je n'en attendais pas moins de toi, cher demi-frère.

Ouille ! *Demi-frère,* hein ? Elle devait être très en colère contre lui car elle ne lui rappelait que rarement qu'il n'était pas, comme elle, issu de la lignée impériale.

Tara aurait bien laissé les deux souverains se taper dessus et aurait fourni les gants de boxe au besoin mais elle était cruellement consciente de la torture que subissait son amie. L'image de son visage crasseux et inondé de larmes creusait un sillon amer dans son esprit.

— Rien ni personne ne m'empêchera d'aller au secours de Betty et vous le savez fort bien, signala-t-elle froidement. Je ne suis revenue que pour apprendre précisément ce qu'a ordonné Magister. Peu m'importe l'éventualité d'un piège pour me capturer. Maintenant que je n'ai plus de magie, je ne lui servirais à rien.

L'Impératrice fronça les sourcils.

— Tu peux nous dire la vérité, Tara, nous savons que tes pouvoirs te sont revenus. Inutile de nous mentir !

Tara la regarda, interloquée. Puis explosa :

— Mais je n'ai rien retrouvé du tout ! Ma magie a totalement disparu depuis des mois !

L'Impératrice soupira puis, l'attrapant de nouveau par la main, l'entraîna dans une pièce adjacente. Un écran de cristal y montrait ce qui faisait la une de toutes les chaînes : Tara, flamboyante de magie, neutralisant les déguisements de sa mère, des Familiers et de Grr'ul. Les gros titres sautaient aux yeux : « L'HÉRITIÈRE RETROUVÉE ! » ; « ELLE RÉCUPÈRE TOUS SES POUVOIRS ! » ; « LES MERCENAIRES DE VILAINS ASSURAIENT SA PROTECTION ! »

La jeune fille en resta bouche bée et constata avec ironie que les villageois d'O'possum n'avaient pas perdu leur temps ! En plus d'une petite fortune, ils s'offraient le bonus d'une page de publicité gratuite.

— Mais... balbutia-t-elle, ce n'est pas...

— Ce n'est pas *quoi* ? interrogea sèchement sa tante.

N'arrivant pas à trouver les mots, Tara décida que montrer était plus simple qu'expliquer. Avec les gestes d'un prestidigitateur, elle sortit la Pierre Vivante de sa poche, la présenta bien à l'assemblée puis la glissa dans sa main, la manche de la Changeline la recouvrant. La boule de cristal gloussa lorsqu'elle vit l'image mentale transmise par son amie et le jet de magie fusa, apparemment émis par Tara. Il heurta la couronne bleue de Lisbeth et la fit voler à quelques pas.

L'Impératrice s'était baissée instinctivement et se redressait, tout ébouriffée par le jet de magie, ses mains illuminées de pouvoir. Grr'ul et Xandiar s'interposèrent d'instinct entre elle et Tara. Les yeux de l'Impératrice s'étrécirent. Elle n'appréciait pas de voir ses propres sujets l'affronter. Si Grr'ul souffla et fit un rapide pas de côté, ennuyée de s'être mis son employeuse à dos, Xandiar, impavide, ne s'écarta que lentement.

Après l'avoir durement dévisagé, Lisbeth éteignit la magie de ses mains et toisa son héritière.

— Je suppose que tu as une explication au fait de m'avoir agressée ? souffla-t-elle, les dents serrées. Une qui pourra t'éviter la cour martiale pour crime de lèse-majesté ?

D'un rapide mouvement de poignet, Tara dévoila la boule de cristal dans sa main.

— Contrairement à vous, je n'éprouve aucun plaisir à dissimuler la vérité (et paf !). Ce n'est pas moi qui produis de la magie mais la Pierre Vivante. Nous avons découvert que nous pouvions agir de concert, depuis que j'ai perdu ma magie, c'est elle qui l'active pour moi. La démonstration n'était pas destinée à vous blesser et je ne vous voulais aucun mal, juste vous ôter votre couronne.

L'explication était malheureuse puisqu'elle était l'héritière de Lisbeth et les personnes présentes, dont l'instinct politique tenait de celui des requins, eurent un hoquet discret. Tara soupira intérieurement. S'excuser maintenant ne ferait qu'empirer l'affront.

Sandor, sourd à ces nuances, se concentra sur ce qui le concernait.

— Oh ! fit-il, très intéressé. Mais c'est un peu de ta magie ou exclusivement la sienne ?

Tara leva des yeux reconnaissants vers son demi-oncle. Ce faisant, elle se rendit compte que Lisbeth retenait son souffle dans l'attente de sa réponse. L'espace d'un instant, elle fut presque triste de la décevoir.

— C'est celle de la Pierre, précisa-t-elle. La mienne s'est vraiment évanouie.

L'espoir dans les yeux de Lisbeth s'éteignit et le poids de tout un empire courba ses fines épaules. Elle ne fut plus, l'espace d'un instant, qu'une jeune femme fatiguée. Puis cela passa et elle réendossa son rôle, déterminée. Et si le problème venait d'un blocage qui pousserait Tara à refuser inconsciemment sa magie, raison pour laquelle ses pouvoirs ne revenaient pas ? Comment l'obliger à les récupérer ? Les pensées traversèrent son esprit comme de brillants éclairs. Et l'une d'elles l'illumina.

Ses amis.

La clef qui rouvrirait les sources du pouvoir de Tara passait par ses amis. S'il arrivait quelque malheur à l'un d'eux, Tara serait contrainte de récupérer sa magie pour le sauver. Car elle serait la seule à le pouvoir... Un incident, moins dangereux que de l'obliger à risquer sa vie sur le Continent interdit. Hum, l'idée était à creuser. Elle en conférerait avec Demiderus. En attendant de la piéger, le mieux était de lui suggérer de faire venir ses amis à Omois et de l'empêcher d'aller au secours de la petite Terrienne.

— On n'a jamais vu de magie disparaître sans retour, enchaîna Lisbeth. Tant que tu ne récupères pas tes pouvoirs, c'est à nous de préserver ta sécurité. Obéir à Magister serait de la folie. Tu sais mieux que quiconque ici à quel point il est rusé ! Vois comme il s'est attaqué à toi et à *tes amis*.

Tara l'observa avec la tenace impression que sa tante tramait quelque chose. Et à propos d'amis...

— À ce sujet, j'aimerais que mes amis viennent à Omois. Ils m'ont souvent sauvé la vie. Si je dois de nouveau affronter Magister, je me sentirai plus en sécurité avec eux derrière moi. Oh, et avec toute ton armée aussi d'ailleurs. Et un ou deux porte-avions. Avez-vous des porte-avions sur AutreMonde ?

Sa tante eut un regard amusé.

— Des porte-tapis de guerre, oui, sourit-elle. Notre technologie n'est pas tributaire de gros engins de métal bruyants.

— Tu sais, « porte-tapis » sonne tout de suite moins martial que « porte-avions ». Bref, tout ce que tu pourras m'apporter comme soutien.

— Je te prête mes armées entières, si tu veux. Et tes amis sont des renforts bienvenus. Même si nous avons vu que, contre ce fou de sangrave, cela ne sert pas à grand-chose.

— Je ne crains pas Magister. Il ne me poursuit que pour s'approprier les objets de pouvoir démoniaques. Or, sans magie, Ceux-qui-gardent et Ceux-qui-jugent, leurs gardiens immortels, me mettront en pièces. Je ne lui suis donc d'aucune utilité. Et puis lui-même, dans son message, explique qu'il a quelque chose à me montrer à propos des Dragons. Je ne crois pas que ma vie soit en danger. Maintenant, est-ce que quelqu'un peut me renseigner sur les instructions qu'il a données ?

L'Imperator eut un discret sourire. Il aimait bien la façon dont Tara raisonnait. Et depuis que Magister lui avait planté un couteau dans l'épaule, il avait un compte à régler avec le dangereux sangrave.

— Viens, dit-il, je vais te montrer ce qu'il nous a laissé. Et je précise que, où que tu ailles, j'ai la ferme intention de t'accompagner.

Une pierre dans le jardin de sa demi-sœur lui jeta un regard furieux mais ne protesta pas. Elle attendait de voir la réaction de Tara au « message » de Magister.

Ils empruntèrent une Porte de Transfert intérieure et Tara contacta la Pierre Vivante.

— *Mon amie,* lança-t-elle mentalement. *Peux-tu joindre le Magicgang, s'il te plaît ? Je crois que je vais avoir besoin de leur aide !*

Ses amis se surnommaient le Taragang mais l'ego de Tara n'était pas hypertrophié au point d'adopter cette flatteuse appellation, aussi avait-elle opté pour le Magicgang.

La Pierre, ravie, obéit à l'instant. Cal, le petit Voleur Patenté, Fafnir, la naine guerrière, Moineau, la Bête du Lancovit, et Fabrice, l'habile Terrien, sans oublier le joli, le beau Robin, lui avaient manqué. Tous Premiers sortceliers au Lancovit, ils venaient souvent au secours de Tara et l'avaient sauvée tant de fois que la jeune fille avait arrêté de les compter.

Malicieuse, la Pierre se garda de signaler à Tara que celle-ci avait omis de lui spécifier de ne pas inclure Robin dans l'appel.

Pendant qu'elle contactait leurs amis, ils progressaient, salués par la foule des courtisans. Tara s'aperçut que, contre toute attente, elle avait du plaisir à se retrouver au palais. S'il n'était pas aussi surprenant que le Château Vivant du Lancovit, qui pouvait modeler son corps de pierre au gré de ses humeurs, le palais d'Omois grouillait de quantité d'objets et d'êtres étonnants.

Ils croisèrent une balboune rouge dans son lac d'eau salée en suspension, escortée par une sirène prête à la traire. Des vrrirs, gros félins blanc et or à six pattes, divaguaient dans tout le palais, aveugles à ses habitants. Partout des fées multicolores entretenaient les arbres, pelouses, fleurs et massifs qui poussaient dans les murs des couloirs en une débauche de couleurs vives. Les murs de marbre doré ou blanc resplendissaient, s'ouvrant sur des pièces immenses où les meubles animés se tenaient prêts à foncer pour accueillir le moindre postérieur. Des licornes, des centaures farouches, aux flancs bariolés représentant leur clan, les saluaient au passage. Deux dragons, sous leur forme naturelle, les croisèrent et ils s'écartèrent pour laisser passer les imposants reptiles. Distraitement, Tara se demanda ce que devenait maître Chem, qu'elle n'avait pas vu depuis plusieurs mois, quand il avait tué le père de Charm[1], et avait perdu l'amour de celle-ci.

À la grande surprise de Tara, l'Imperator s'engagea en direction des prisons d'Omois. Tara connaissait bien les lieux pour avoir tenté d'en délivrer Cal, quelques années auparavant, ignorant alors que l'astucieux Voleur avait trouvé le moyen de s'envoler depuis longtemps. Petit à petit, les chemins qu'ils empruntèrent acquirent la sévère couleur de la pierre grise maskesort, insensible à la magie, extraite des mines des Géants. Ceux-ci construisaient leurs châteaux avec la seule pierre qu'ils

---

1. Merci à Corneille et au Cid. Effectivement, ce n'est pas une bonne idée de tuer le père de sa dulcinée. Rodrigue et Chimène ont précédé Chem et Charm, mais le résultat reste le même. Ils s'aiment, ils souffrent et ils vont en baver...

ne consommaient pas et le souvenir de la sinistre forteresse grise où elle avait été prisonnière de Magister fit frissonner Tara [1].

Lorsqu'ils arrivèrent dans la prison, la jeune fille observa que l'éclat de la beauté de sa tante se ternissait et que les épaules de son demi-oncle n'étaient plus aussi larges. La Pierre Vivante dans sa poche frémit et s'endormit, la Changeline s'engourdit, perdant son aptitude à se modifier. Heureusement, Tara n'était pas en danger... enfin, pas pour le moment.

Elle leva la tête et sourit. Une statuette blanche représentant une femme accroupie bourdonnait faiblement sur son piédestal. C'était cette statue qui avait absorbé la magie dont les deux souverains se paraient pour améliorer leur aspect. La précaution était indispensable pour garder des prisonniers capables de se transformer en fumée afin d'échapper à leurs geôliers.

Soudain, Manitou qui, avantagé par ses quatre pattes, les avait précédés poussa un glapissement étouffé et recula précipitamment.

Il venait de se trouver nez à nez avec la gueule baveuse d'une chatrix. La grosse hyène noire aux crocs empoisonnés tira une langue gourmande. Chic, des tas de friandises sur pattes venaient lui servir de goûter ! On sentait son image mentale en train de se nouer une serviette autour du cou. Aussi fut-elle affreusement déçue lorsque son garde l'attrapa par le collier et lui passa une muselière.

Laisser son animal croquer un bout de l'Impératrice n'était pas une bonne idée. Cela risquait de faire mauvais effet dans son dossier.

L'hyène grogna, indignée, et plus encore lorsque Manitou les frôla, rasant le mur afin de les éviter. Le gros labrador noir était terrorisé par les chatrix depuis que l'une d'elles lui avait déchiqueté les flancs [2] et les hyènes sentaient sa peur, ce qui décuplait

---

1. Cela dit, Tara n'était pas la seule, Magister avait fait un prix de groupe, il avait enlevé une centaine d'autres sortceliers avec elle, histoire de lui tenir compagnie... Sans compter sa mère et la naine Fafnir, qui allait devenir l'une des meilleures arm... euh, amies de Tara.

2. Moment très désagréable qu'il a vécu dans *Tara Duncan. Les Sortceliers*, un jour où il aurait mieux fait de rester couché.

leur appétit. Comme elles étaient nombreuses dans les souterrains, le chien ne quitta pas le petit groupe d'un pouce.

Dans cet endroit sinistre où la magie ne pouvait s'activer, les lampes empruntées à la technologie terrienne fonctionnaient à l'électricité grâce à un générateur. Il n'y avait ni rats ni pouics (grâce aux chatrix ?) et les cellules, quoique petites, étaient relativement confortables. Tara ne voulut pas poser de questions puisque sa tante se murait dans un mutisme agacé mais elle se sentait de plus en plus mal à l'aise.

Elle avait raison.

Le groupe s'immobilisa devant l'une d'elles et l'un des geôliers en ouvrit la porte. Petite, sombre, elle abritait un prisonnier allongé sur une étroite couchette recouverte d'un simple drap, dont la pourpre ressortait sur le gris des pierres. Tara mit un moment à accommoder puis ses yeux s'adaptèrent à la faible luminosité de la pièce. Sa mère lui prit la main, respirant trop fort.

Ce que sa tante et son demi-oncle n'avaient pas précisé, c'était que le message était porté par un messager : un homme au visage atrocement brûlé, crispé de douleur. Une boule de cristal engluée de sang, qui coulait encore, était enfoncée dans son torse. Son cou et ses bras portaient de nombreuses marques de dents de vampyr. Il s'assit en les voyant entrer.

Au masque miroitant posé par terre, semblable à ceux qu'utilisaient les sangraves pour cacher leur visage et leur identité, Tara comprit qu'il était l'un d'entre eux. Les gardes ne s'étaient pas gênés pour le lui ôter.

Son état indiquait qu'il avait dû déplaire à Magister mais pas tant que cela puisqu'il était encore en vie.

Elle observa les marques. À sa connaissance, la seule vampyr qui travaillait avec les sangraves n'était autre que Selenba, dite « le Chasseur ». L'ex-fiancée de maître Dragosh s'était amusée avec le messager mais ne l'avait pas tué. Pourquoi ?

Les yeux de l'homme brillaient de rage et de souffrance mêlées lorsqu'il leva son regard sur elle. Ses cordes vocales avaient dû être endommagées par ce qui lui avait brûlé le visage car sa voix sortit en un atroce chuintement :

— Enfin, nous nous retrouvons !

Interloquée, Tara le regarda. De quoi parlait-il ? Elle ne le connaissait pas !

— Regarde ce que tu m'as fait ! continua-t-il en désignant non son torse, mais son visage. Par ta faute, je vis depuis deux ans une éternité de douleurs. Lorsqu'il s'est rendu compte que j'avais essayé de te tuer, Magister m'a donné comme jouet à cette saleté de vampyr. Mais vous paierez, tous autant que vous êtes ! Vous paierez pour la mort de ma fille, pour mes souffrances, pour ce que Magister m'a fait !

Puis, épuisé par la violence de sa diatribe, il laissa sa tête retomber et se mit à pleurer.

Tara, pétrifiée d'horreur, comprit enfin qui était l'homme en face d'elle : maître Boudiou, le père de dame Boudiou !

Chapitre V

Maître Boudiou
ou quand on s'est dévolu au mal, il ne faut pas s'étonner d'en subir les conséquences...

Des images traversèrent la tête de Tara : sombres silhouettes aux griffes d'acier qui attaquaient le manoir[1] de sa grand-mère ; celle-ci grièvement blessée et le sangrave au masque noir qui se penchait sur la jeune fille, braquant un rayon carbonisant ; son geste fou d'attraper le rayon et de le relancer, et le masque s'enflammant.

Isabella eut un regard dur. Elle aussi se souvenait, de la douleur et surtout de l'impuissance qu'elle avait ressentie, blessée, incapable de protéger sa petite-fille.

Elles échangèrent un bref coup d'œil. Puis dans leur esprit s'imposa l'image d'une vieille femme débonnaire[2], qui n'était en réalité ni vieille ni débonnaire, s'était révélée mortellement dangereuse et avait tenté d'assassiner Tara, au terme d'une machination compliquée : dame Boudiou, la fille du sangrave assis devant elles.

Tara se raidit et s'avança, lâchant la main de sa mère.

— Je n'ai *pas* tué votre fille !

---

1. Dans *Tara Duncan. Les Sortceliers*, lorsque Magister découvre que Tara a enfin acquis ses pouvoirs de sortcelière, il envoie maître Boudiou pour l'enlever après avoir neutralisé Isabella, la grand-mère de Tara. Mais Tara parvient à s'enfuir après avoir grièvement blessé le sangrave.

2. Dans *Tara Duncan. Le Livre interdit*. Comme quoi, toutes les femmes qui ressemblent à d'inoffensives grands-mères peuvent s'avérer de redoutables tueuses. Si *Le Petit Chaperon rouge* s'était déroulé sur AutreMonde, c'est le loup qui aurait terminé en ragoût !

L'homme redressa la tête et son visage se tordit en une atroce grimace.

— Non, Selenba s'en est chargée, après l'avoir torturée à mort. Ma fille n'avait d'autre dessein que de me délivrer du sort qui me brûle encore et toujours ! Que crois-tu que je ressente depuis deux ans ? Seule ma magie m'a empêché de devenir fou. Et à présent, enfermé ici, je ne peux même pas y faire appel pour contenir la douleur qui taraude mon cerveau !

Manitou s'approcha, les babines retroussées.

— Si vous n'aviez pas embrassé la cause de Magister, rien de tout ceci ne serait arrivé. N'essayez pas de culpabiliser ma petite-fille. Et délivrez votre message, nous avons perdu assez de temps !

Manitou avait été victime de la rage de dame Boudiou qui l'avait utilisé comme otage et blessé. Il ne ressentait nulle pitié.

— Qu'elle me guérisse d'abord ! hurla le prisonnier, les faisant sursauter. Cette douleur est intolérable !

La boule de cristal enfoncée dans son torse le gênait apparemment moins que son visage brûlé. Et là, ils avaient comme un problème.

— Je ne peux pas, dit Tara tout doucement. Je suis désolée.

Horrifié, l'homme écarquilla les yeux, montrant trop de blanc.

— Comment ça, tu ne peux pas ?

— Lors de mon séjour sur Terre, une machine construite par un dragon a drainé toute ma magie. Je n'ai plus rien. Je suis incapable de vous soigner.

— Nooooon, ce n'est pas possible !

Il dévisagea chaque personne présente, avide d'un démenti. Tous détournèrent le regard de son visage ravagé. Puis Isabella mit le doigt sur ce qui la dérangeait.

— Mais si tu n'as plus de pouvoir, Tara, observa-t-elle, comment se fait-il que les sortilèges que tu as jetés ne se soient pas évanouis ? En venant à Omois, j'ai remarqué que le pégase de cristal et d'or que tu as créé lors de ta présentation aux souverains, il y a deux ans, n'avait pas disparu. De plus, je constate que le sort continue de brûler le visage de cet *individu* (elle articula le mot comme on prononce « cancrelat », avec le même dégoût) même sous l'influence de la statuette inhibitrice. Cela prouve que ton pouvoir est toujours à l'œuvre et toujours aussi puissant puisqu'il défie la contre-magie.

Les visages du sangrave et de l'Impératrice reflétèrent soudain le même espoir et Manitou frémit. Il n'aimait pas que tant de choses dépendent de sa petite-fille et avait accueilli sa carence magique avec un certain soulagement. À présent, Isabella venait de pointer une contradiction et il ne savait plus que penser.

Or sur AutreMonde, les règles de la magie étaient simples. D'une façon paradoxale, tout le monde pouvait utiliser des objets ensorcelés : douches, vêtements, meubles obéissaient aussi bien aux nonsos, dépourvus de pouvoir, qu'aux sortceliers et Hauts Mages. Ce n'était que lorsqu'on voulait pratiquer la magie, créer un objet, une fleur ou un parfum, ou invoquer un orage pour son jardin (ou un démon pour écarteler un ennemi, chacun son truc, hein ?), que les choses se compliquaient. Sans magie, pas de pouvoir. Au bout d'un certain temps ou à la mort du sortcelier, la magie s'estompait puis disparaissait. Ce qui, dans le cas des grands couturiers d'AutreMonde, s'avérait parfois embarrassant. Aussi, des assistants se tenaient-ils prêts en permanence à prendre le relais, histoire de ne pas laisser les clientes toutes nues en pleine rue.

Les meilleurs d'entre les Hauts Mages conservaient pendant des années leur pouvoir sur les objets qu'ils avaient créés ou ensorcelés. Les moins doués ne parvenaient à les faire durer que quelques heures. Les jeunes sortcereaux débutants, comme Benjy, voyaient souvent à leur grand dépit leurs sorts s'évanouir au bout de quelques minutes.

Tous les regards se braquèrent sur Tara, qui ne broncha pas.

— Je suis loin de connaître la magie à fond, soupira la jeune fille. Nous savons *pourquoi* mon pouvoir a disparu, il y a encore des tas de choses que nous ignorons. Grand-Mère, tu dis vrai : il n'est pas normal que mes anciens sorts soient encore actifs.

— Nous devrions consulter les Dragons, trancha Isabella. Ils connaissent mieux que nous la magie, peut-être pourront-ils nous aider ?

— Maître Chem a été averti du message de Magister mais il ne s'est pas manifesté. Le Conseil des Dragons nous envoie un nouvel émissaire, maître Saludenrivachirachivu. Nous devons le rencontrer tout à l'heure, je lui ai fait savoir que mon héritière était rentrée. Nous l'interrogerons sur ce point.

Au ton de sa voix, on sentait que Lisbeth n'aimait guère l'idée de demander un service à quiconque, et particulièrement aux Dragons, même si ceux-ci avaient sauvé son empire. Surtout si cela concernait le pouvoir de son héritière.

Il était étrange que le sort retourné par Tara contre son créateur ait perduré en proportion de la puissance de la jeune fille, brûlant encore et toujours la chair que l'homme faisait repousser au fur et à mesure, éternelle torture de Sisyphe.

— Notre maître ne m'a pas tué, gémit l'homme. Il riait, disant qu'il me trouverait bien une utilité quelconque un jour. Pour me punir, il m'a donné à Selenba qui, lorsqu'elle n'avait personne à persécuter, s'entraînait sur moi. Elle m'a mordu si souvent que je me demande comment elle ne m'a pas saigné à blanc. On me tenait enfermé et lorsque Magister a ordonné que je vous sois livré, avec son maudit message, j'ai été si content ! Même si cela me menait à la prison à vie pour avoir attenté à la vie de l'Héritière, j'allais enfin cesser de souffrir. Je n'en peux plus ! Tuez-moi, je vous en supplie !

L'Impératrice eut un regard méprisant pour l'homme qui geignait comme un chien et commanda qu'on le mît debout. L'un des gardes courut éteindre la statue inhibitrice de pouvoir, afin de laisser la magie de la boule de cristal agir. Bien qu'elle n'ait plus de pouvoir, Tara sentit comme une... sorte de pression, oui, c'était cela. Quelque chose autour d'elle, un instant contrarié par la statue et qui revenait après avoir disparu.

En dépit de sa faible résistance, le sangrave dut coopérer. Magister avait dû prévoir que le blessé refuserait de divulguer ses paroles car la boule était en mode « délivrance automatique ». Dès que la tête de Tara fut exactement devant lui, le cristal s'illumina. Et le visage, ou plutôt le masque miroitant de Magister, s'afficha.

Tara ne recula pas, refusant de montrer sa peur à Boudiou et à ceux qui la regardaient, mais elle dut prendre sur elle. La voix de velours liquide de son ennemi, si reconnaissable, résonna dans la pièce exiguë.

— Alors, la petite Héritière ? ricana Magister. Prête à ouvrir les yeux sur la réalité ? Voici ce que tu devras faire, ma jolie, et vite vite vite ! si tu veux que ton amie vive. Tu exigeras du Conseil des Dragons qu'il te donne la clef, celle de la barrière magique qui entoure le Continent interdit sur la planète Autre-Monde. Ensuite, tu utiliseras cette clef pour récupérer Betty et, ce faisant, tu constateras ce qui se trame sur cette terre maudite. Puis tu reviendras ici et tu révéleras ce que tu as vu.

Tara fronça les sourcils et Magister hocha la tête, comme s'il voyait la jeune fille.

— Oh, je devine tes pensées. Tu te dis que tu en feras à ta tête en ce qui concerne la seconde partie, n'est-ce pas ? Eh bien ! je fais confiance à ta stupide honnêteté pour rendre public ce que les Dragons cachent depuis des siècles. J'aurais pu filmer ce que j'ai vu sur le continent, mais ils auraient eu beau jeu de m'accuser d'avoir truqué les images. Fais vite, Tara ! Betty n'a pas ta résistance ! Je crains que ses jours, ses heures même, ne soient comptés !

Tara serra les poings, taraudée par l'envie soudaine de pulvériser le masque bleu qui la défiait. Mais d'une part, elle n'avait plus de magie, et d'autre part, faire un trou au milieu de maître Boudiou n'était pas une bonne idée.

— Ah, une dernière chose. Prends cette boule de cristal avec toi. Ainsi, une fois que tu seras sur le Continent interdit, je pourrai te guider et... disons... recueillir tes impressions.

Comme dans un parfait film de série Z, il éclata d'un rire machiavélique et la boule de cristal s'éteignit. Puis, avec un bruit spongieux qui leur retourna le cœur, elle glissa hors de sa prison de chair et tomba au sol. Devant leurs yeux ébahis, la poitrine de Boudiou se referma sans conserver la moindre trace. Sur un ordre de l'Impératrice, l'un des gardes ramassa la boule avec répugnance mais celle-ci demeura inerte. Il la nettoya et la tendit à Tara. Celle-ci la mit dans sa poche, regrettant de ne pouvoir la pulvériser. Le geste, certes puéril, lui aurait fait du bien.

Magister n'avait pas laissé d'autre consigne, pour le moment du moins.

Les gardes rallongèrent sur sa couchette le sangrave qui s'abîma dans son désespoir. Le cœur serré, Tara sortit de la cellule. En dépit de ce que l'homme avait fait à sa famille, sa souffrance éveillait sa pitié.

L'Impératrice le sentit et, fine manipulatrice, décida d'intervenir :

— Faites sortir le sangrave et mettez-le dans les quartiers sécurisés où il sera en mesure de contrôler sa magie sans pouvoir s'échapper. Et appelez un shaman pour qu'il tente de soigner son visage en attendant que mon héritière retrouve sa magie.

Tara releva les yeux, surprise de l'empathie de sa tante, et lui adressa un sourire sincère. L'Impératrice ne put s'empêcher de le lui rendre, inquiète de l'emprise croissante que Tara exerçait sur elle. Elle allait devoir se reprendre !

— Nous attendons l'émissaire du Dranvouglispenchir, précisa-t-elle en sortant de la prison. Nous avons un certain nombre de sujets à discuter avec toi mais aussi avec lui. Si le continent est interdit, c'est pour une bonne raison. Tu ne mesures pas du tout le danger que tu vas courir !

Tara lui emboîta le pas sans répondre. Rien de ce que dirait sa tante ne la ferait changer d'avis, d'autant qu'elle se sentait cruellement coupable de ce qui arrivait à la pauvre Betty.

Le visage fermé, très consciente des difficultés qui l'attendaient et prête à se battre, Lisbeth se dirigea vers la salle du conseil.

Devant elle, une ombre se détacha du mur, arrachant un soupir angoissé à ses gardes et un cri d'effroi à Selena. L'assassin, si cela en avait été un, ne serait pas allé loin. Le glaive de Xandiar était déjà sur son cou.

Les beaux yeux verts de Séné Senssass, chef des Camouflés d'Omois, se plantèrent dans les siens.

— Hmmm ! apprécia la ravissante espionne. Pas mal ! Tu as gardé tes réflexes ! Salut, Xandiar !

Le grand chef des gardes avala sa salive. Depuis quelques mois, il avait la tenace impression d'être... *chassé* par la belle Séné, qu'il croisait mystérieusement chaque fois qu'il allait quelque part. Il rengaina son épée et recula d'un pas. Séné lui lança un sourire ravageur puis s'inclina devant l'Impératrice.

— Vous alliez me faire mander, Votre Majesté impériale ?

L'Impératrice eut un sourire fugace. Telle était effectivement son intention. À son habitude, l'espionne avait devancé son désir.

— Accompagnez-nous, ordonna la souveraine. Vous me ferez un rapport sur ce que vous avez appris.

Séné s'inclina derechef et se plaça derrière Xandiar qui sentit son souffle tiède sur sa nuque lorsqu'il s'avança. Un frisson le parcourut. Son intuition ne le trompait pas : Séné voulait quelque chose de lui. Connaissant la belle espionne, cela devait avoir un rapport avec son travail. Mais pourquoi ne lui parlait-elle pas ? C'était... agaçant.

Ils parvinrent à l'une des cinq salles d'audience. Les courtisans, curieux, se virent barrer les accès par les gardes. « Audience privée », annonça Tyrann'hic avant d'aller vautrer sa corpulence sur l'un des sièges devant le trône. L'Impératrice et l'Imperator prirent place sur leur trône respectif. Isabella, Manitou et Selena s'assirent aussi mais Tara et Grr'ul restèrent debout, comme les gardes, Xandiar et Séné. La belle espionne s'arrangea pour frôler le chef des gardes au passage et celui-ci frémit comme sous l'effet d'une brûlure.

La « petite » salle d'audience était tout sauf intime. Démesurée comme toute chose à Omois, elle l'était, à tout prendre, raisonnablement : prévue pour accueillir quelques centaines de personnes, non plusieurs milliers. Ah, et il y avait de l'or aussi. Beaucoup. Du marbre, des pierreries, des tapisseries, des tentures de velours. Tara se demanda si sa tante connaissait le sens du mot « surcharge ». Puis, comme elle avait été bien formée par la souveraine, elle y regarda de plus près. Hum ! Les tentures dissimulaient des gardes. L'or et les pierreries, soigneusement disposés pour impressionner un maximum, camouflaient des ouvertures où pointaient de discrètes arbalètes. D'accord. C'était un décor. Intéressant. Cela faisait huit mois qu'elle n'était pas revenue à Tingapour et elle découvrait le palais avec des yeux neufs, cherchant ce qu'il y avait en dessous et encore en dessous du dessous. Observant la petite assemblée, Tara fut frappée de la faible proportion de non-humains à Omois. Au Lancovit par exemple, Salatar, Premier conseiller du Roi et de la Reine, était une chimère : lion, chèvre et dragon dans un même corps, alors que les conseillers d'Omois étaient presque exclusivement des humains. Depuis que les Dragons avaient sauvé l'Empire, ils étaient mieux acceptés parmi les Omoisiens, mais tout juste. Et maintenant que Magister les accusait d'on ne savait quel crime et entendait le prouver, la situation n'était pas franchement partie pour s'arranger. Cette xénophobie sous-jacente ne constituait-elle pas une faiblesse sur une planète où tant de peuples se côtoyaient ?

— Qu'as-tu appris ? lança l'Impératrice à la Camouflée, dès que tous furent installés.

— Nous avons enquêté, répondit Séné avec un sourire plein de fossettes. La Salle de Transfert qui nous a expédié le messager de Magister passait par plusieurs réseaux, dont l'un se trouve sur la planète Inferno.

L'Impératrice réprima un geste agacé.

— Ces Infernaux commencent à m'irriter, siffla-t-elle. Ils protègent n'importe qui en échange d'un peu d'or. Tu m'annonces donc que nous n'avons aucune trace à suivre ?

Séné s'assombrit.

— C'est malheureusement exact. La piste s'interrompt. Impossible de remonter jusqu'à Magister. Nous avons également réalisé un enregistrement de la boule de cristal.

Tara fronça les sourcils. Tiens donc ! Dès lors, il devenait inutile de la confronter au misérable sangrave. Merci encore à sa tante pour avoir, comme d'habitude, choisi la solution la plus douloureuse.

— ... et nous l'avons analysé, poursuivait Séné. Magister, malin, est à l'intérieur d'un manoir dont la décoration n'a rien d'original. Les objets sont de ceux qu'on trouve n'importe où. D'après la qualité de la lumière, toutefois, nos spécialistes ont déterminé qu'il se trouvait sur AutreMonde et probablement sur notre continent. Nous avons donc lancé un avis de recherche supplémentaire, prévenant nos habitants qu'il était une nouvelle fois parmi eux.

Une lueur furieuse dansa dans les yeux de l'Impératrice. Magister la narguait. Et sa récente capture par le sangrave lui restait encore en travers de la gorge.

— Il semble avoir un goût affirmé pour notre territoire, dit-elle amèrement. Au point que je me demande s'il n'est pas omoisien.

Tyrann'hic s'agita sur son siège et aiguilla la conversation vers un sujet moins brûlant... pour lui.

— Se pose également la question de votre héritière. Maintenant qu'elle n'a plus de pouvoir, ne serait-il pas raisonnable de nommer son frère, le jeune Jar, héritier de l'Empire ? Ainsi ce ne serait pas l'Héritière qui risquerait sa vie sur le Continent interdit mais seulement l'une de vos parentes.

Des regards surpris se tournèrent vers lui. Personne n'avait jamais osé évoquer la question avec l'Impératrice. Et ce qu'il proposait était si... raisonnable.

Son magnifique visage se plissa puis Lisbeth se détendit.

— La question ne se pose même pas, répondit-elle calmement.

— Et pourquoi ? fit une voix claire.

La porte s'était discrètement ouverte et personne n'y avait fait attention. Jar, le frère de Tara, retrouvé depuis peu, s'avançait vers eux d'une démarche ferme. Aussi brun que Tara était blonde, vêtu d'une armure légère sous sa robe de sortcelier, comme s'il venait tout juste d'un entraînement, il n'était pas très grand pour ses presque treize ans mais sa morgue compensait amplement sa taille.

Il avait dû ordonner aux gardes de lui ouvrir, ce que lui permettait son statut d'héritier putatif, immédiatement après Tara. En théorie. À voir la tête contrariée de l'Impératrice, Tara estima que Jar avait eu tort de s'imposer de force dans leur réunion.

— Je croyais nos lois précises, poursuivit-il avec arrogance. Seul un sortcelier peut régner sur Omois, afin de protéger l'empire grâce à sa puissante magie. À l'exception des Nains, tous les dirigeants de notre planète possèdent le pouvoir. Ma sœur n'en a plus. Par conséquent, elle ne peut être l'héritière d'Omois !

— Jar ! s'écria Selena en se levant, embarrassée, qu'est-ce que ces façons ? Viens saluer ta mère, s'il te plaît.

Jar s'approcha avec réticence. Selena lui sourit avec tendresse, malgré son attitude déplaisante. Elle avait été séparée depuis de longs mois des jumeaux, ils lui avaient manqué.

Le jeune garçon se laissa embrasser affectueusement mais une expression de léger dédain se peignit sur son visage. L'espace d'un terrible instant, Tara fut saisie d'une fulgurante envie de lui taper dessus. Le charme lancé par Magister pour lui faire oublier sa mère avait été dissipé depuis des mois mais le jeune garçon refusait encore l'amour de Selena. Il la traitait comme une vague parente qu'on doit supporter parce que l'on n'a pas le choix. À contrecœur, Selena revint s'asseoir et Jar affronta les deux souverains, sans un regard pour sa sœur aînée, juste à ses côtés.

Tara qui, quelques minutes plus tôt, ne désirait pas plus rester héritière d'Omois que plonger dans l'enfer des Limbes, se sentit aussitôt pleine de contradictions. Elle non plus n'aimait pas beaucoup Jar.

— Nous n'étions pas en train de discuter de ce point, dit-elle froidement. Pour l'instant, j'ai une mission. L'Empire n'a pas besoin de moi, Betty, si.

— Le problème est précisément là, releva le jeune garçon en la défiant. Voilà toute la différence entre toi et moi. Moi, je vois le bien-être de millions d'habitants qui dépendent de nous. Toi, tu veux risquer ta vie pour une seule personne. Tu ne comprends rien à la souveraineté. Tu es impulsive et irréfléchie. Rien qu'à cause de cela, tu devrais être déclarée inéligible.

Tara eut un délicieux sourire. *Ah ! attaque frontale. Voyons s'il sait résister à une touche indirecte.*

— Amusant ! lança-t-elle. C'est exactement ce que disait Magister lorsque j'ai risqué ma vie et ma liberté pour délivrer ma... *notre*... mère puis notre tante. Il est manifeste qu'il a bien employé les dix ans passés en ta compagnie. Tu sembles avoir parfaitement retenu ses leçons.

Passe sous la garde et premier sang pour elle ! Jar blêmit et une lueur haineuse s'alluma dans son regard. Mais il était trop tard. L'Impératrice réagit immédiatement.

— Je ne crois pas t'avoir fait appeler, Jar, remarqua-t-elle d'une voix unie. Et entrer en conflit avec ta sœur n'est pas la meilleure façon de te faire remarquer à nos yeux. Je crois que tu n'as pas bien saisi une chose essentielle à notre empire. La famille est importante. La famille est primordiale. Nous nous épaulons, nous nous entraidons. Je n'aime pas du tout ton attitude. Sors !

Un instant, ils crurent que Jar allait tenir tête à l'Impératrice. Mais les furieux yeux noisette, si semblables à ceux de Selena, rencontrèrent les yeux bleu marine glacés et le jeune garçon s'inclina devant la colère de sa tante. Il haussa les épaules et sortit d'un pas rageur. Tara et Selena soupirèrent en même temps. Selena parce qu'elle ne pouvait consoler son fils sans désavouer implicitement sa fille et devait donc rester à sa place, immobile et déchirée, et Tara, parce qu'elle sentait que sa mère allait souffrir de ce conflit inutile. Bon sang ! Comment un garçon qui n'avait pas encore treize ans pouvait-il être aussi ambitieux ! Elle qui ne désirait pas le pouvoir en était vraiment surprise.

La porte refermée, l'Impératrice se tourna vers Tyrann'hic.

— Jar a été trop longtemps soumis à l'influence de Magister, Monsieur le Premier ministre. Pour le moment, ni notre peuple ni moi-même ne pouvons faire confiance à ce jeune garçon. Je vous prierai donc d'éviter toute allusion à son éventuelle position d'héritier impérial. Si j'avais à choisir entre les jumeaux de mon frère, ce n'est pas Jar que je choisirais mais Mara.

Le gros homme se contenta d'incliner la tête. Il avait la ferme intention d'écarter Tara de la succession, trop conscient de leur antipathie réciproque. Si la jeune fille accédait au trône d'Omois, il ne ferait pas de vieux os. Dans son esprit tortueux s'imposa l'urgence de favoriser la mission de Tara sur le Continent interdit. Des accidents pouvaient avoir lieu lors d'un voyage, surtout aussi dangereux !

Tara nota sans plaisir le petit sourire de Tyrann'hic. Son regard soudain pensif ne lui disait rien qui vaille. Qu'est-ce que le maudit bonhomme était encore en train de manigancer ?

L'Impératrice brossa un compte rendu de l'action du gouvernement pendant la convalescence de Tara. Elle insista sur les échanges commerciaux entre Omois et le Dranvouglispenchir. Les dragons étaient de gros consommateurs des produits finis manufacturés par Omois ou originaires de la Terre (surtout les vaches). D'où il ressortait que, si ces échanges étaient menacés ou suspendus, les Omoisiens en paieraient le prix fort mais, indirectement, la Terre aussi.

Souvent, Tara songeait que révéler la magie aux Terriens ne serait pas si négatif. Peut-être apprendraient-ils, grâce à elle, à épargner le sol sur lequel ils vivaient ? Et ouvriraient-ils leur esprit à un univers bien plus vaste que ce qu'ils pensaient ?

Elle rangea cet argument dans un coin de sa cervelle. Hum, après tout, peut-être n'était-ce pas une mauvaise idée de devenir impératrice un jour. Elle pourrait influer sur la politique d'Autre-Monde et changer les choses...

Elle s'agitait, impatiente. Elle n'avait pas voulu s'asseoir, trop consciente du temps qui passait, et le regrettait. Sa tante digressait longuement, comme pour l'intéresser de force à Omois.

— Je crois que notre héritière attend que tu lui donnes des nouvelles de l'expédition sur ce fameux continent, finit par dire l'Imperator, qui connaissait bien Tara. Encore un mot sur l'exportation des spatchounes et elle va te faire avaler ton rapport !

L'Impératrice fit une grimace et soupira.

— Je sais que ce n'est pas important pour toi, Tara, mais ce sont nos ressources qui payent tes vêtements, ta nourriture et tout ce que tu possèdes en ce moment. Alors, ne traite pas par le mépris ce qui te permet de vivre dans le luxe.

Tara allait protester mais l'Impératrice l'arrêta d'un geste.

— J'ai compris. Venons-en à notre problème. Tu veux partir sur le Continent interdit, obéir à Magister, délivrer ton amie et revenir ici. Je ne vais pas t'imposer un cours sur ce qui est possible ou non. Je préfère laisser à Son Excellence, l'ambassadeur Saludenrivachirachivu, le soin de te présenter un topo précis de la situation. Je crois entendre son pas.

En effet, une lourde masse en mouvement ébranlait le palais, approchant de la petite salle d'audience. Les portes s'ouvrirent et entra dans la pièce, courbant la tête, le plus gros dragon qu'ait jamais vu Tara.

Entièrement noir, son poitrail écailleux orné d'une étoile d'argent, motif reproduit sur ses ailes, il eut un sourire plein de dents et s'inclina.

S'inclina.

S'inclina encore.

Tara retint son souffle. On aurait dit une montagne en train de s'effondrer. Si le dragon se penchait encore un peu, il écraserait sa tante et la moitié du gouvernement omoisien. Mais le dragon contrôla sa masse avec une force étonnante et parvint à se redresser, la queue arquée pour faire contrepoids. Waou, sacrés abdos !

— Vos Majestés impériales, gronda-t-il, je suis heureux de vous revoir en dépit de la gravité de la situation. J'arrive tout juste du Dranvouglispenchir où nous avons mis en place une cellule de crise.

L'Impératrice arqua un sourcil interrogateur. Les dragons étaient des êtres à sang tiède, difficiles à émouvoir, et pourtant celui-ci paraissait singulièrement agité.

— Ambassadeur Saludenrivachirachivu, soyez remercié de votre célérité, répondit-elle dignement. Je renouvelle avec plaisir l'antique alliance avec votre peuple.

Elle fit un signe et le chambellan sortit d'une châsse somptueusement décorée que Tara n'avait pas remarquée une coupe de sel et un petit bol de sang ainsi qu'un morceau de pain rompu. Lisbeth présenta cérémonieusement le tout à l'immense dragon. Celui-ci les prit, trempa le pain dans le sang puis dans le sel et l'avala. Sans frémir, l'Impératrice fit de même, arrachant une grimace écœurée à Selena.

— Que votre feu brûle à jamais ! s'exclama la souveraine après avoir essuyé sur une serviette blanche la goutte de sang qui maculait sa bouche.

— Et que périssent vos ennemis, répondit poliment le dragon, scellant l'antique tradition.

Tara déglutit. Elle en avait, encore, des choses à apprendre ! Elle voyait pour la première fois sa tante procéder à ce rituel ; ses rapports avec Chemnashaovirodaintrachivu étaient bien moins formels. Et le sang, c'était celui de quoi... ou, pire, de *qui* ?

Les formalités accomplies, le dragon, désarçonné, constata que la première question de l'Impératrice ne concernait pas Betty, la jeune Terrienne, mais Tara, l'héritière impériale, qui risquait de n'hériter de rien du tout si elle ne récupérait pas sa magie.

— Je n'ai aucune explication satisfaisante, répondit-il après que l'Impératrice lui eut résumé leur problème. Cela n'est jamais arrivé jusqu'à ce jour.

Oui, Tara avait le douteux monopole d'inaugurer maint phénomène magique réputé impossible.

L'Impératrice était déçue mais guère surprise. Elle soupira puis fit signe au dragon d'entrer dans le vif du sujet.

— L'une des clefs de la barrière magique entourant le Conti-nent interdit a été volée, assura-t-il gravement, le front plissé par l'anxiété.

— L'*une* des clefs ? souligna l'Impératrice. Je croyais qu'il n'en existait qu'une seule ?

Tara la dévisagea. Sa tante paraissait très avertie de ce qui touchait au mystérieux continent !

— La clef a été dupliquée en trois exemplaires. Et seul l'un des nôtres a pu commettre ce forfait et s'emparer d'un des doubles !

Cela ne surprit pas l'Impératrice. Des traîtres, il y en avait pléthore dans son propre palais, conspirant et complotant contre elle. Le jeu était de toujours avoir une longueur d'avance sur eux. Ce qu'elle trouvait inquiétant, c'était que le dragon s'en alarme.

— Cela arrive, risqua-t-elle, nulle nation n'est à l'abri de ce genre de... désagrément, excepté peut-être les Diseurs Télépathes qui sont des livres ouverts et ignorent la compétition. Cela ne pourrait-il pas être un non-dragon ? Je crois que vous n'avez pas beaucoup d'autres races habitant sur votre monde, n'est-ce pas ?

— En effet, répondit l'ambassadeur Saludenrivachirachivu. La gravité y est difficile à supporter pour vos races fragiles et notre air n'est pas très salubre pour vos poumons. De plus, seuls les dragons sont autorisés à habiter notre planète, pour éviter tout accident !

L'Imperator leva vers lui des yeux soudain attentifs.

— Des accidents ? De quel type ?

— Du genre définitif, répliqua le dragon, refusant de s'étendre. Vos Majestés impériales, je crois que vous ne saisissez pas pleinement le caractère critique de la situation. En dehors du fait qu'il n'existe aucune raison logique pour qu'un dragon commette un tel forfait, les clefs bénéficient d'une protection normalement imparable. « Pourquoi ? » n'est pas la seule ques-tion. « Comment ? » doit aussi trouver une réponse ! Si notre système est à ce point perméable, nous devons y remédier d'urgence.

— Rien n'est jamais inviolable ! commenta Xandiar avec un regard en coin à Séné. Il se trouve toujours des petits malins pour outrepasser ce qui, en théorie, ne peut l'être.

Séné lui dédia son sourire numéro 3, « Mettre les genoux de l'adversaire en gelée », et ne répliqua rien. Voler n'était pas son métier, elle n'était que Camouflée, espionne et informatrice. Ce genre d'exploit était plutôt le travail des Voleurs Patentés d'Omois...

— Certes, soupira l'ambassadeur, mais nous pensions... bref... Lorsque vous nous avez fait parvenir le message de Magister, nous avons tout d'abord cru à une très mauvaise plaisanterie. Car les trois clefs étaient bien en place, intactes. Mais le registre des entrées et sorties (Ah bon, ils tenaient un registre ? Comme les militaires ?) a révélé l'impossible : l'une des clefs avait été subtilisée pendant deux heures puis remise à sa place avant que l'alarme ne se déclenche.

L'Imperator ricana.

— Vous avez placé une alarme qui ne se déclenche que deux heures après le vol ? Ne le dites pas devant les Voleurs Patentés ou votre planète va se faire cambrioler dans les dix prochaines minutes !

— À part pour certaines personnes, la clef est sans valeur, répondit le dragon d'un ton glacial. Et les enchantements protégeant les clefs sont compliqués à mettre en œuvre. Nous déplaçons les clefs une fois par an, pour une utilisation bien précise, et les remettons en place moins de deux heures plus tard. C'est la raison pour laquelle le laps de temps avant le déclenchement des sorts carbo... des sorts est aussi élevé.

— Si je comprends bien, intervint Tara, la clef volée a été utilisée pour introduire Betty sur le Continent interdit puis restituée ? Avant que les alarmes ne se déclenchent, carbonisant ou neutralisant le voleur ?

— Oui, confirma gravement l'ambassadeur, c'est ce que nous avons déduit, Votre Altesse impériale.

— Appelez-moi Tara, ordonna la jeune fille. Et je ne suis pas tout à fait d'accord avec vous. Le « comment ? » n'est pas le plus important avec Magister. Le « pourquoi ? » m'inquiète davantage. Et plus encore votre propre anxiété qui, pour être franche, n'est pas très rassurante. Qu'est-ce qui peut vous faire peur, à vous, un dragon ?

Le dragon la regarda fixement, prit une inspiration et expira bruyamment, maîtrisant de justesse la petite flamme qui jaillit de ses naseaux. Incinérer l'héritière impériale n'était pas conseillé.

Puis il s'inclina vers elle et baissa la voix, obligeant les autres à tendre l'oreille.

— C'est que, Votre Altesse impériale, répondit-il, ignorant sa proposition de l'appeler par son prénom, si l'une de ces clefs tombe entre de mauvaises pattes, elle risque bien de mettre ce monde à feu et à sang !

À la grande surprise du dragon, qui ne pouvait savoir que la jeune fille avait acquis une certaine habitude des déclarations fracassantes, Tara ne broncha pas. Après avoir manqué détruire sa planète d'adoption, la Terre, quelques mois plus tôt, elle avait décidé d'une nouvelle échelle de valeur dans laquelle « Mettre à feu et à sang » ne méritait pas plus d'un quatre ou d'un cinq, le maximum étant dix, « Destruction de l'univers à la suite de l'invasion des démons ». Dire que deux ans auparavant, sa pire angoisse était d'avoir une mauvaise note au collège !

Sa tante, elle, n'avait pas autant de sang-froid.

— Comment cela ? s'étrangla-t-elle.

Ah ! Elle ne savait donc pas tout au sujet du Continent interdit.

Le dragon remua sa masse, mal à l'aise.

— Je ne peux vous le dire, Votre Majesté impériale. Mais ce serait une catastrophe, pour ce monde comme pour le nôtre.

L'Impératrice se pencha et planta son regard dans les yeux jaunes de son interlocuteur.

— Ambassadeur, je n'aime guère les cachotteries. Le pacte que nous avons passé avec les Dragons à propos du Continent interdit m'a toujours paru suspect, sans compter que de nombreux peuples ont demandé à maintes reprises pourquoi un continent entier demeurait fermé à la colonisation. Alors moi, à votre place, je cesserais de faire le mystérieux pour donner un peu plus d'arguments à mes principaux alliés. Nous ne sommes pas butés, nous autres humains. Nous savons écouter. Et comprendre.

Saludenrivachirachivu hocha la tête, peiné.

— Je suis désolé. Cela m'est interdit. Ma mission se borne à vous dire qu'il n'est pas possible de vous remettre la clef.

— Tout cela devient de plus en plus intéressant, gronda l'Imperator, agacé qu'on lui proscrive quelque chose, et n'a rien d'une réponse acceptable par notre peuple.

— Je suis désolé, répéta le dragon, maudissant *in petto* ses supérieurs de l'avoir envoyé sur cette mission. C'est la seule réponse que je puisse vous donner. Personne n'ira sur le Continent interdit. Jamais !

Tara réagit et se dressa, atterrée.

Le dragon venait de condamner son amie à mort !

Chapitre VI

MEDELUS
ou lorsqu'on choisit la voie du mal,
parfois cela peut faire mal

L'image du gros dragon s'immobilisa sur l'immense panneau de cristal et Magister frappa du poing sur l'accoudoir de son fauteuil, qui frémit. Les sangraves qui assistaient à la retransmission de l'audience grâce aux caméras espionnes qui truffaient discrètement le palais d'Omois tournèrent leurs masques miroitants vers lui.

— Ces Dragons ! cracha leur maître. S'ils pensent imposer leur loi, ils rêvent ! Selenba ?

— Maître ? s'inclina la vampyr qui ne portait pas de masque, refusant de couvrir son somptueux et glacial visage et la couleur pourpre de ses prunelles.

— Contacte notre ami. Qu'il incite Tara à partir coûte que coûte sur le Continent interdit, avec ou sans l'accord des Dragons. Et je veux aussi que tu ailles au palais d'Omois.

— Cela risque d'être difficile, Maître, risqua l'un des masques. Depuis votre dernière attaque, les mesures anti-intrusion ont été renforcées. Même sous le meilleur des déguisements, Selenba sera aussitôt repérée.

— Ah, Medelus ! Je vois que vous vous inquiétez pour notre chère vampyr ! Le poison de ses morsures vous aurait-il affecté au point que vous craigniez de la voir mourir ?

La silhouette vacilla et son masque vira au vert.

— Le *poison* ?

— Vous ne saviez pas ? ironisa Magister, satisfait de la peur qui émanait soudain de Medelus. Les vampyrs qui boivent le sang humain voient leur métabolisme se modifier. Ils vivent moins longtemps, sont sensibles à la lumière même s'ils la sup-portent pendant un certain temps à condition de changer de forme et surtout, lorsqu'ils mordent un humain, celui-ci devient leur esclave, si tel est le souhait du vampyr. Par exemple, Selenba peut faire de vous ce qu'elle veut.

— Mais... c'est impossible ! protesta Medelus.

— Allons, allons ! fit Magister d'un ton faussement patelin. Vous paraissez vous y connaître en plantes mieux qu'en vam-pyrs. Et cela tombe bien que mon Chasseur favori vous ait mordu car j'ai une question à vous poser, laquelle est restée sans réponse jusqu'à ce jour.

Les sangraves s'écartèrent imperceptiblement de Medelus. Les punitions de Magister, lorsque les réponses ne le satisfai-saient pas, étaient aussi douloureuses qu'exotiques.

Medelus, terrorisé, recula aussi. Mais Selenba fixa son rouge regard sur lui et, soudain, il lui fut impossible de faire un pas de plus.

— Je... je ne peux plus remuer, gémit-il.

La vampyr glissa vers lui comme un énorme félin. Sanglée dans son costume de cuir noir, la taille incroyablement fine, les épaules larges et musclées, elle était belle à mourir.

Ce qui arrivait souvent à ceux qui prenaient le risque de l'approcher...

— C'est normal, petite proie ! dit-elle avec un sourire qui dévoila des dents acérées comme celles d'un loup. Mon maître m'a commandé d'utiliser mon très spécial pouvoir sur toi alors tu ne bougeras que lorsque je te l'ordonnerai.

— Ôte-lui son masque, mon joli Chasseur, ronronna Magister, j'aime voir le visage des gens que j'interroge.

La vampyr obéit.

— Bien, bien ! fit le maître des sangraves. À présent, voici ma question : lorsque Selena et vous étiez coincés sur Terre à la suite de l'attaque contre le manoir par les propres soldats de l'Impératrice, il s'est produit un fait inexplicable. Nul n'y a prêté attention et je ne m'en suis moi-même avisé que depuis peu... Les Portes fonctionnaient dans un seul sens, d'AutreMonde vers la Terre, jusqu'au moment où elles ont été débloquées après la mort du dragon qui les avait scellées. Pour quitter la Terre, j'ai dû moi-même utiliser la magie démoniaque et passer par les

Limbes, ce qui n'est jamais très agréable. Mais vous, qui ne pouviez employer ce moyen, vous êtes pourtant revenu sur AutreMonde bien avant la remise en état des Portes. Alors, j'aimerais que vous m'expliquiez ce petit miracle.

À son ton, Medelus devina l'agacement du sangrave. L'ingénieur en biologie n'aimait déjà pas beaucoup son nouveau maître. Soudain, il se rendit compte que son sentiment avait évolué.

À présent, il le haïssait.

— Je ne...

— Ah ! l'interrompit Magister en levant la main. Vous allez mentir. Je ne suis pas un Diseur de Vérité mais je sens les gens qui me mentent. Ne m'obligez pas à vous rappeler qui est le maître ici.

Medelus n'avait pas le choix. Il devait révéler un secret découvert par hasard et soigneusement gardé par-devers lui depuis lors.

— J'ai étudié les Portes de Transfert, expliqua-t-il tandis que Selenba tournait autour de lui comme un chat autour d'une souris particulièrement amusante. Ce ne sont pas de simples machines capables d'ouvrir un chemin à travers l'espace. Elles sont plutôt une sorte d'organisme, dont chaque Porte serait une extension. Un jour, j'ai effectué un transfert avec un plant de kalorna que j'étais en train de soigner. Mon esprit était connecté avec la fleur afin de la soutenir pendant le voyage entre le Mentalir et le Lancovit. Quelle n'a pas été ma surprise lorsque le transfert s'est interrompu !

Magister se pencha en avant, fasciné.

— Comment cela, *interrompu* ?

— Je n'ai pas de mot plus précis. Le temps a été suspendu et j'ai senti une grande curiosité de la part des Portes, parce que j'étais connecté à cette plante. Je subodore que l'organisme, l'esprit de notre système de transport, est d'origine végétale. Lorsque les Portes ont été bloquées sur Terre, il m'a suffi de déterrer une plante et de me connecter. Ce fut plus difficile que sur AutreMonde car les plantes terriennes sont moins conscientes que les nôtres. Mais c'est ainsi que j'ai réussi à passer. La Porte a contourné l'interdiction pour moi.

Magister réfléchit un moment puis ordonna :

— Finalement notre ami Bradford Medelus nous sera peut-être utile, mon Chasseur. Libère-le.

Avec une grimace de contrariété, Selenba obéit. Medelus se secoua, histoire de voir s'il avait récupéré toutes ses fonctions motrices.

— Contacte notre ami au Palais, mon Chasseur. Qu'il se débrouille pour t'y faire entrer, je veux que tu accompagnes Tara.

Selenba sourit.

— Pour la protéger.

Le sourire de la vampyr disparut.

— Pour *quoi* ? interrogea-t-elle, abasourdie.

Le masque de Magister se colora de bleu, comme toujours lorsqu'il trouvait la situation plaisante.

— Je ne fais pas confiance aux Dragons. Ils peuvent la manipuler pour qu'elle taise ce qu'elle verra sur le Continent interdit... si elle parvient à y mettre le pied, bien sûr. Je t'envoie donc là-bas comme garde du corps.

— Comment ? Pas de sang, pas de larmes, pas de douleur ? Ce n'est pas du tout amusant ! protesta Selenba.

— Tu peux mordre l'un de ses amis, concéda Magister. Ainsi tu pourras le contrôler et nous aurons un allié parmi ses proches. Mais interdiction de tuer ou alors, qu'elle ne se doute pas que c'est toi, compris ?

— Oui, Maître, se soumit Selenba, si j'égorge, je dissimule.

— Parfait. Tu auras de surcroît une autre mission. Je t'ai préparé une boule de cristal, qui t'attend dans ta chambre. La Reine rouge possède...

Il s'interrompit et son masque observa ses sangraves avec méfiance.

— ... quelque chose qui ne devrait pas être en sa possession. Je te dirai quoi exactement à notre prochain contact. Je veux le récupérer. Va ! Et ne me déçois pas, mon Chasseur.

— Oui, Maître, s'inclina Selenba.

Telle une panthère mortelle mais bien dressée, la vampyr quitta la pièce. Medelus se concentra sur ce qu'il ressentait. Maintenant qu'il savait que chercher, le contact était là. De plus en plus ténu à mesure que Selenba s'éloignait.

— Avez-vous encore besoin de moi ? interrogea-t-il d'une voix encore tremblante de peur et de fureur mêlées.

— Vous pouvez disposer, lança distraitement Magister.

Medelus sortit le plus dignement qu'il put et fila jusqu'à sa chambre, sans se rendre compte qu'une ombre suivait silencieusement ses pas.

Juste avant que la porte ne se referme sur lui, une main fine bloqua le battant. Il se retourna, blême. Puis soupira, soulagé.

— Deria !

Depuis qu'ils avaient fait connaissance, Deria, l'ancienne garde du corps de Tara, et lui avaient développé une amitié circonspecte. Les souffrances que Magister se plaisait à infliger à Deria pour l'avoir, selon lui, trahi, avaient été atténuées au fur et à mesure que le maître des sangraves se trouvait de nouveaux jouets à torturer.

Medelus avait, pour la première fois de sa vie, été touché par la douleur de quelqu'un d'autre que lui-même. Au cours des huit derniers mois, il avait tenté de son mieux d'aider et de soutenir Deria.

Méfiante dans les premiers temps, la jeune femme brune aux courts cheveux bouclés et aux perçants yeux verts, dont le Familier, Mani, était une pie impertinente, avait accueilli ses timides tentatives avec une froide réserve. Puis, petit à petit, elle avait reconnu l'altruisme de Medelus. Les sangraves appartenaient à toutes les couches de la population et beaucoup d'entre eux travaillaient. Magister subvenait aux besoins de sa garde rapprochée mais attendait des autres qu'ils se débrouillent. Medelus, du fait de sa spécialité, avait été affecté aux plantations cultivées par les nonsos asservis par les sangraves. Le biologiste savait déjà qu'il avait fait le mauvais choix. Ce n'est qu'à partir du moment où il partagea le quotidien des sangraves qu'il comprit la profondeur de son erreur. Pourtant, il n'avait raté aucune occasion d'alléger les souffrances de Deria avec ses plantes et ses immenses connaissances en botanique.

De tous les sangraves, il était bien le seul à posséder un brin d'humanité.

— Entre, dit-il avec un grand sourire. Tu vas bien ?

Deria avait été absente, en mission, depuis une semaine et il s'était fait du souci.

— Je suis un peu fatiguée (ses traits étaient tirés et même sa pie, Mani, avait l'air épuisée, perchée sur son épaule, les ailes basses). Magister m'a donné deux jours de repos. J'ai assisté à toute la scène. J'ignorais que Selenba t'avait mordu !

Medelus se dandina, ennuyé.

— Elle a fait plus que me mordre, expliqua-t-il avec amertume, elle m'a mâché, avalé et recraché.

— Tu m'as dit que tu n'avais pas compris pourquoi tu t'en étais pris à Tara, qu'elle t'agaçait, certes, mais pas au point de fomenter sa mort. La salive empoisonnée de Selenba, crois-moi, est certainement pour beaucoup dans ton comportement erratique. Elle hait Selena et Tara et fera tout pour leur nuire, surtout si Magister ne s'en rend pas compte. Tu étais le moyen idéal.

— Tu crois ? s'écria Medelus avec espoir. Cela expliquerait bien des choses. Je n'ai jamais souhaité tuer quiconque de ma vie !

Il l'évalua un instant : sa courageuse et fière guerrière. Deria différait entièrement de Selena. L'amour qu'il ressentait pour elle avait été trempé au feu de leurs épreuves communes. Et donc était bien plus solide. Il devait lui faire confiance. Il inspira profondément et se jeta à l'eau, au risque de sombrer corps et âme.

— Écoute, dit-il d'un ton grave, ni toi ni moi n'avons rien à faire ici. Ce que j'ai vu des sangraves, ce qu'ils te font endurer, leur dédain, leur attirance pour la souffrance, tout ceci me répugne. La seule chose que je désire, c'est m'occuper de mes bois et de mes forêts et surtout ne plus me mêler de politique ni m'approcher des gens d'Omois. Veux-tu m'accompagner ?

La jeune femme écarquilla ses beaux yeux verts. Sa pie émit un jacassement surpris.

— Nous enfuir ? C'est ce que tu suggères ?

— Je sais que je remets ma vie entre tes mains en te l'avouant, admit Medelus sans faiblir. Si tu rapportes ce que je viens de te dire à Magister, je suis un homme mort ou pire.

Deria se frotta machinalement la poitrine. Elle avait été infectée par la magie démoniaque voilà plus de deux ans, à la suite de la destruction du Trône de Silur par Tara. Magister, furieux, s'était assuré de sa fidélité en faisant d'elle[1] l'une de ses

---

1. La cérémonie en question est précisément décrite dans *Tara Duncan. Les Sortceliers*. Pour ceux qui ne l'ont pas lu, disons qu'elle consiste à implanter la magie démoniaque dans le corps du sangrave et que c'est douloureux et parfaitement yerk...

proches. Cette magie démoniaque influençait ses pensées et réveillait ses pulsions les plus destructrices. En cet instant, son esprit balançait entre l'amour qu'elle commençait à ressentir pour Medelus et la satisfaction qu'elle pourrait tirer de sa dénonciation puis de son exécution.

Medelus s'empara prudemment de sa main. La première fois qu'il s'y était risqué, il s'était retrouvé au sol, sa jugulaire pressée sous le pied de Deria et le bras à moitié démis. Une bonne semaine s'était écoulée avant qu'il ne retrouve l'usage de sa voix.

Mais cette fois, Deria lutta et parvint à se contrôler. Medelus laissa échapper un discret soupir de soulagement.

— Nous sommes tous deux des fugitifs, opposa-t-elle, le Lancovit, comme Omois, a mis nos têtes à prix. Comment régleras-tu ce problème ?

— En prévenant Tara des plans de Magister.

La jeune femme recula, ce qui força Medelus à lâcher sa main, à son grand regret. Elle se laissa tomber dans le fauteuil qui attendait patiemment qu'elle le remarque.

— Tara ? Tu es sûr ? Elle était furieuse contre toi... et contre moi plus encore. Crois-tu qu'elle t'écoutera ?

— Elle tient à sauver cette Terrienne. Ce que fait Magister est important. Tout renseignement à son sujet est primordial pour elle. C'est ce que je vais négocier. Notre sauvegarde contre des informations.

— Elle voudra plus. La localisation de cet endroit certainement.

— Sans doute. Comme j'ignore où nous nous trouvons, je lui répondrai très sincèrement que je n'en ai aucune idée.

— Mais moi, je le sais, fit lentement Deria.

— Ce n'est pas toi qui négocieras. Laisse-moi faire. Nous verrons comment l'entretien se déroule, d'accord ?

Deria soupira.

— Nous devons sortir du champ de surveillance.

— Du *quoi* ?

Deria lui passa une main tendre sur le visage.

— Mon naïf Brad ! Je ne sais pas comment tu as fait pour survivre ici pendant aussi longtemps. Tous les appels sont surveillés à l'intérieur. Dans le parc, près du lac, nous serons hors du champ d'écoute.

— Oh ! balbutia Medelus, dérouté, je l'ignorais. Allons-y.

Bras dessus, bras dessous, ils partirent dans le parc, faisant semblant d'admirer les rouges frondaisons alors que leur estomac se tordait à l'idée des conséquences de leur trahison.

— Nous voilà assez loin, dit enfin Deria en s'asseyant sur un tronc d'arbre sous un fouillis de krouses sauvages, et ici nous sommes à l'abri des regards. Vas-y, passe ton appel.

Medelus activa sa boule de cristal. Un visage neutre se présenta dans la boule.

— Votre numéro d'appel est enregistré sur la liste noire de cette boule de cristal. Nous sommes désolés mais votre correspondant ne souhaite pas répondre à cette communication.

— Je désire laisser un message, insista Medelus.

— Nous sommes désolés, répéta le visage. Aucun message ne peut être pris en compte.

— Attends, intervint Deria. Essaye avec la mienne. Tu es sûr que c'est son numéro de ligne directe ?

— Oui.

Il activa la boule de cristal de Deria. Cette fois-ci, le numéro fut accepté. Tara avait dû oublier de l'interdire. Le beau visage qu'ils voyaient de temps en temps aux informations apparut dans le halo laiteux de la boule.

— Ce numéro m'est familier, dit Tara en fronçant les sourcils, qu'est-ce que...

Elle s'interrompit net en voyant les deux visages qui se reflétaient dans la boule de cristal.

— Deria ! s'exclama-t-elle.

Puis elle ajouta, d'un ton glacial :

— Et Medelus. Deux traîtres qui se sont bien retrouvés, apparemment !

Et avant qu'ils ne puissent articuler un mot, elle coupa la communication.

Chapitre VII

LA MISSION
ou même quand on est un dragon de six mètres
de haut avec des écailles bien solides,
on peut avoir de très sérieux problèmes...

Dans la salle d'audience de Tingapour, Saludenrivachirachivu se tourna vivement vers la jeune fille.

— Les dragons ne sont pas sans cœur, assura-t-il. Votre amie vous est chère, nous le comprenons tout à fait. Mais le risque est trop grand. À notre grand regret, nous devons échanger la vie d'une seule contre la sécurité de tous. Croyez-moi, c'est la meilleure solution, même si elle n'est pas, je le concède, la plus agréable.

Tara le toisa. Le dragon venait de balayer la vie de son amie avec une atroce désinvolture, même si une tristesse indéniable affectait sa voix.

— Que les choses soient claires ! cracha-t-elle. Avec ou sans autorisation, j'irai sur le Continent interdit. Je trouverai un moyen d'y entrer, barrière magique ou non. Betty ne sera la victime ni des manigances de Magister ni des secrets des Dragons.

— C'est impossible ! répondit l'ambassadeur. Sans les clefs, pas d'accès. (Il s'adressa à l'Impératrice :) Je suis sincèrement désolé (il devait l'être, s'il le répétait pour la deuxième fois). Je vais me retirer, avec votre autorisation. Nous devons précisément aller vérifier la barrière. Qui sait les dommages que ce fou a causés en introduisant cette jeune humaine sur le continent !

Manitou soudain se dressa. Manitou, qui aimait beaucoup Betty qui le gavait de bonbons et de gâteaux sur Terre ; Manitou, qui n'avait pas l'intention de laisser sans protester les deux gouvernements jouer avec la vie d'un de leurs sujets (même si, techniquement, Betty n'était le sujet ni d'Omois ni du Dranvouglispenchir).

Le vieux sortcelier transformé en labrador s'approcha de son arrière-petite-fille et s'assit tranquillement sur son postérieur poilu.

— Vous savez, dit-il sur le ton de la conversation, je crois bien que le mot « impossible » a été rayé du vocabulaire de l'héritière impériale depuis longtemps. Et dès qu'elle aura retrouvé ses pouvoirs, ce qui ne saurait tarder, elle vous pulvérisera votre machin magique en deux secondes et là, vous aurez un vrai problème sur les bras... enfin, sur les pattes.

Le gros dragon qui s'apprêtait à faire demi-tour abaissa un regard dédaigneux sur le chien noir.

— Plaît-il ?

— Donc, continua Manitou sans se formaliser, votre problème n'est pas de vérifier l'étanchéité de votre bidule, là, la barrière. Votre problème est que le plus gros empire humain d'AutreMonde sera un jour dirigé par cette jeune fille et que vous venez de vous en faire une ennemie. Ce qui n'est pas *du tout* une initiative recommandée. Les derniers qui se sont avisés d'en faire autant sont morts ou en fuite. Je déconseille donc fortement. Elle n'est pas juste une jeune fille, elle représente bien plus que cela : le pouvoir de rompre l'accord entre nos deux planètes. Si vous refusez de sauver la vie de Betty simplement parce que cela ne vous arrange pas, combien de temps croyez-vous que les Humains vous feront confiance, lorsqu'ils se rendront compte que leur vie représente si peu à vos yeux ?

Le dragon plissa les paupières puis se rapprocha, toisant Manitou qui lui arrivait approximativement à la cheville.

— C'est curieux, siffla-t-il, de petites flammes irritées lui sortant des naseaux, mais j'ai tout à coup une furieuse envie d'un hot-dog[1].

_____

1. Hot-dog, petit pain contenant une saucisse, de la moutarde, et parfois des oignons. Cela signifie également, pour une mystérieuse raison, « chien chaud ». Donc, si le dragon carbonise Manitou, il sera effectivement un « chien chaud ». Ce qui prouve, pour ceux qui en doutaient, que les dragons aussi ont le sens de l'humour.

116

— Il a raison, intervint dans leur dos une voix qui fit sursauter Tara, concentrée sur le dragon. Vous nous cachez beaucoup de choses, comme ce qui a réellement eu lieu sur Terre, lors de l'accident qui a privé l'Héritière de son pouvoir. Votre attitude risque d'indisposer encore plus le peuple, déjà mal à l'aise par rapport aux dragons...

Tyrann'hic venait d'entrer dans la danse. Plus le dragon insistait sur la dangerosité de la mission, plus il avait envie que Tara aille sur le Continent interdit... et y disparaisse ! D'autant qu'il venait de recevoir un sms sur sa boule de cristal, de la part d'un correspondant qu'il n'avait eu aucun mal à identifier. De nouveau, les intérêts de Magister coïncidaient à merveille avec les siens. Il allait se faire un plaisir de lui rendre service.

L'Impératrice le foudroya du regard.

— En attendant, c'est encore moi qui gouverne, trancha-t-elle, furieuse. Et je n'aime pas l'idée que mon héritière parte dans cet endroit dangereux au point que les Dragons en protègent l'accès si jalousement !

Tara affronta sa tante.

— Si c'était moi la prisonnière, la défia-t-elle, que ferais-tu ?

— Tel n'est pas le cas, se défendit Lisbeth.

— Je sais ! Mais si c'était moi, que ferais-tu ?

— Je l'ignore, répondit l'Impératrice de mauvaise grâce.

— Allons, ma chère, ne mens pas ! Cela ne te va pas au teint, s'amusa son demi-frère. (Il s'adressa à Tara :) Elle prendrait toute son armée sous le bras et irait te délivrer, bien sûr, dragons ou pas dragons.

— Alors, reprit doucement Tara, tu comprends que je n'ai pas le choix ?

— Justement, si, tu l'as ! répliqua l'Impératrice.

— Eh bien ! moi, je cautionne cette décision, décréta soudain l'Imperator qui avait une furieuse envie de voir ce que les Dragons cachaient sur le continent, et ce depuis de nombreuses années. Tu n'es pas la seule à détenir le pouvoir, ma chère, tout ce qui touche à la sécurité de ce pays est de mon ressort. Alors, je dis : les manigances de Magister ont certainement un but. Nous devons découvrir lequel.

Avant que sa demi-sœur, sous le choc, ne puisse réagir, il se tourna vers le dragon :

— Ambassadeur Saludenrivachirachivu, veuillez informer votre planète que si la clef ne nous est pas remise dans les plus brefs délais et le Continent interdit rendu accessible à nos troupes, les relations diplomatiques entre Omois et le Dranvouglispenchir seront rompues. Les raisons en seront bien sûr largement diffusées sur nos chaînes de télécristal. Les cristallistes apprécieront que les Dragons refusent de sauver la vie d'une Humaine pour protéger un mystérieux secret !

Le dragon les dévisagea les uns après les autres, abasourdi. Ce qui n'était au début qu'une simple mission de surveillance et de mise au point était en train de se transformer en un horrible traquenard.

— Mais... mais, bredouilla-t-il, vous ne comprenez pas !

— Justement, contra Tara. Si vous vouliez nous expliquer, nous pourrions peut-être comprendre ! Et agir au mieux dans l'intérêt des Humains et des Dragons. Ensemble.

Le dragon recula. Il était amusant, quelque part, de voir cette énorme masse flancher devant la minuscule jeune fille.

— Non, non ! Ce n'est pas... Je... Je dois en référer au Conseil des Dragons, dit-il précipitamment et, sans plus faire cas de sa dignité, il fit volte-face et fonça dehors, faisant exploser à moitié les portes de la salle.

Une succession de « Pardon ! Excusez-moi ! Pardon ! » leur parvint, ponctuant sa course vers la Porte de Transfert. Quelques glapissements leur confirmèrent qu'il avait écrasé un certain nombre de pieds/racines/sabots/pattes au passage.

— Je n'ai jamais vu un dragon galoper aussi vite, bâilla Selena, désamorçant la tension. Bon ! Toutes ces émotions m'ont donné une terrible migraine. (Elle dévisagea l'Impératrice, désireuse de donner un peu de répit à sa fille, et fit passer le message.) Viens, Tara ! En attendant le retour de Son Excellence qui, je n'en doute pas, nous autorisera à aller sauver Betty sur le Continent interdit, nous nous reposerons un peu dans ta suite. Cela te convient-il, Lisbeth ?

Pendant qu'elle parlait, Tara sursauta car sa boule de cristal venait de sonner. Son visage se durcit lorsqu'elle vit qui l'appelait et elle murmura quelques mots avant de l'éteindre sèchement.

Lisbeth hésita. Elle aurait bien voulu avoir un échange avec Tara au sujet de faits curieux qui s'étaient produits dans son palais mais, devant le regard inflexible de Selena, elle renonça. D'ailleurs, elle avait un compte à régler sans tarder avec Sandor, qui avait osé la contredire devant tout le monde.

L'Imperator, au vu du regard vengeur fixé sur lui, se découvrit soudain un monceau de tâches urgentes partout dans le palais... et de préférence loin de sa demi-sœur. Il salua, alors que de la fumée sortait quasiment des oreilles de Lisbeth et sortit à une vitesse intersidérale. Prudents, les autres suivirent son exemple avec force courbettes et excuses, histoire de ne pas être victimes de dommages collatéraux.

En quelques secondes, la salle se vida, laissant Lisbeth, fulminante, assise sur son trône, entourée de ses gardes. Elle allait appeler Séné lorsqu'elle vit que Xandiar était resté avec elle, un peu en arrière du trône.

— Xandiar ?

— Votre Majesté impériale ?

— Allez voir ailleurs si j'y suis. Et dites aux gardes de reculer. Je ne veux pas qu'ils entendent ce que j'ai à dire.

Xandiar ne se formalisa pas. Lorsqu'elle était irritée, l'Impératrice inclinait à une légère grossièreté. Il se contenta d'obéir avec simplicité et quitta la salle après avoir distribué ses ordres. Lisbeth attendit d'être tout à fait tranquille puis appela sèchement.

— Séné ?

— Votre Majesté impériale ?

— Je sais que cela ne se fait pas d'espionner sa propre héritière mais je me défie de ce que Tara est capable de faire. Je ne peux pas lui envoyer Ssss[1] : depuis qu'elle a menacé d'en faire un sac à main, notre lézard a peur d'elle. Peux-tu... ?

---

1. Véritable enregistreur vivant, Ssss est un lézard caméléon, capable de se rendre invisible, qui a sauvé la vie de Tara dans *Le Sceptre maudit*. Mais Tara ayant peu apprécié de se faire espionner constamment par le petit reptile lui a fait clairement comprendre qu'il risquait de lui arriver des bricoles s'il continuait. N'ayant aucune envie de terminer sous formes de chaussures et sac assorti, Ssss a donc choisi de travailler sur d'autres missions...

Elle laissa sa requête inexprimée mais Séné la devina :

— Je la fais mettre sous surveillance, Votre Majesté impériale. Elle n'ira nulle part sans que vous en soyez informée.

— Bien, mais fais attention. Elle n'a plus ses pouvoirs pour l'instant mais la Pierre Vivante est puissante. Ne te laisse pas berner.

Séné sourit.

— Grâce aux lentilles dont vous nous avez équipés, nous pouvons voir à travers les sorts d'Illusius. Je veillerai personnellement sur notre Héritière, Votre Majesté impériale. Je vous en donne ma parole.

Pour la première fois depuis le retour de Tara, l'Impératrice eut un petit sourire fatigué et Séné se sentit pleine de compassion pour la jeune femme qui soutenait un énorme empire à bout de bras, quasiment vingt-six heures sur vingt-six. Elle activa le pouvoir si étrange qui faisait d'elle une Camouflée et disparut de la vue de l'Impératrice.

Celle-ci tapota le bras de son trône sous l'emblème d'Omois, le paon pourpre aux cent yeux d'or. Comme les autres, elle était taraudée de curiosité au sujet du Continent interdit mais l'était-elle au point de risquer la vie de son héritière ? Elle se mordit une lèvre parfaite et son front lisse se plissa. Si Tara ne récupérait pas sa magie, la vie d'Omois se compliquerait sérieusement, enfin, plus encore que ce n'était déjà le cas.

Trois mille dieux environ étaient révérés sur AutreMonde. Elle envisagea soudain d'adresser une petite prière à l'un d'eux...

On ne savait jamais.

Une ombre devant elle lui fit relever la tête. Son chambellan, flamboyant dans son costume de cour pourpre et or, orné de tant de décorations que Lisbeth se demandait parfois comment il arrivait à marcher, le teint gris moucheté de petites taches blanches, communes à sa race, attendait patiemment.

— Oui ? fit-elle, un peu agacée d'être arrachée à ses pensées.

— Le seigneur de Tri Vantril sollicite une audience, annonça le chambellan.

— A-t-il dit pourquoi ?

— Non, Votre Majesté impériale. Dois-je lui demander de revenir ?

Lisbeth hocha la tête.

— Hmmmm, non. Il nous a rendu service en accueillant Tara et Selena, je suppose qu'il vient se faire payer. Faites-le entrer.

Elle se redressa et activa un soupçon de magie pour aviver l'éclat de son teint et de ses yeux. Lors de l'arrivée de Tara et de ses compagnons par la Porte de Transfert, elle était trop attentive à son héritière pour s'intéresser au baron mais le mercenaire lui avait laissé l'impression d'un homme séduisant.

Le baron entra, la démarche conquérante, et le cœur de Lisbeth battit un peu plus vite. Oui, *très* séduisant, sans aucun doute.

Il s'inclina en une parfaite révérence et planta ses yeux noirs dans ceux de l'Impératrice.

— Votre Majesté impériale, susurra-t-il d'une voix veloutée, votre beauté me laisse sans voix.

Le sourire de Lisbeth creusa une jolie fossette dans sa joue.

— Baron, vous êtes un flatteur. Qu'avez-vous donc à nous demander après une entrée en matière si... charmeuse ?

Le baron hésita.

— C'est... un peu délicat, Votre Majesté impériale, car d'une certaine façon cela concerne votre empire.

Le regard de Lisbeth se fit sévère.

— J'espère que nous n'avons rien fait qui puisse compromettre les bonnes relations entre votre baronnie et notre empire, Baron.

— Certes non ! se récria Various, au contraire !

Il prit une grande inspiration et se lança.

— Je ne dors plus. Je ne mange plus. Je néglige ma baronnie et lorsque vous m'avez appelé pour demander l'autorisation de faire passer vos elfes pour venir protéger votre héritière, j'ai enfin compris pourquoi. C'est la raison pour laquelle je me suis décidé à venir vous voir.

Lisbeth, elle, ne comprenait pas. De quoi diable parlait le baron ?

Il mit un genou à terre et, posant sa main sur le cœur en un geste grandiloquent, la moustache frémissante, s'écria :

— Votre Majesté impériale, mon cœur ne m'appartient plus, je suis fou d'amour, je ne pense plus qu'à cela...

L'Impératrice, flattée, sourit de plus belle. Ah ah ! le petit baron était amoureux d'elle ! Elle jaugea sa silhouette musclée et tonique. Oui, décidément très, très séduisant. Elle rougit légèrement, n'ayant pas l'habitude d'une cour aussi pressante et brusque. Les mercenaires de Vilains n'avaient pas volé leur réputation : lorsqu'ils voulaient quelque chose, ils allaient droit au but.

D'habitude, les hommes avaient plutôt... peur d'elle !

— Je vous entends, Baron, dit-elle d'une voix douce, et je vous comprends.

Voilà, elle venait de l'autoriser à aller plus loin. Le baron saisit la subtile allusion, s'approcha et lui prit une main qu'elle ne retira pas.

— C'est la raison pour laquelle, dit-il en plongeant son beau regard dans le sien, je vous demande, non : je vous supplie, de m'accorder l'autorisation d'épouser Selena Duncan !

Là, l'Impératrice ne put se retenir.

Elle gémit.

Chapitre VIII

Eleanora
ou quand on veut voler quelque chose, se faire prendre est peu recommandé

Pendant que l'Impératrice foudroyait le baron du regard, lui retirait sèchement sa main et se demandait si cela se faisait de transformer un allié en spatchoune, Tara, Manitou, Selena et Isabella arrivaient dans la chambre/suite/limite hangar de Tara, celle où il fallait quasiment des vivres et de l'eau pour se rendre aux toilettes.

Tout était dans l'état où elle l'avait laissé à son départ et elle émit un petit soupir d'aise. Elle était rentrée, non « à la maison » puisque le seul lieu qu'elle considérait ainsi était le manoir d'Isabella, sur Terre, où elle avait passé dix ans de sa vie, mais à sa seconde maison.

Les fauteuils et sofas se précipitèrent et les fresques sur les murs de marbre doré s'animèrent pour lui souhaiter la bienvenue. Une douce brise souffla, les baies s'ouvrirent toutes grandes sur l'enchantement du jardin intérieur et les fées pépièrent joyeusement. Tara sourit. Si le palais n'avait été un tel panier de crabes politique, quel merveilleux endroit où vivre ! Puis son sourire se fana. Elle baignait dans le luxe pendant que Betty souffrait, seule.

Dans sa poche, la Pierre Vivante n'était pas plus heureuse, non à cause de Betty mais de Robin, joli, beau Robin qu'elle n'arrivait pas à joindre. Par tous les quartz ! À quoi bon posséder une boule de cristal si c'était pour ne pas l'allumer ! Cela l'agaçait mais elle ne pouvait le dire à Tara de peur que cette dernière, encore enfermée dans sa rancœur, ne lui interdise de continuer ses appels.

— Comment se fait-il que tu sois là, Maman ? attaqua Selena en prenant place auprès d'Isabella. Je te croyais sur Terre, avec Jeremy, à la recherche de ses parents ?

Isabella soupira.

— Il n'existe aucune trace des parents de Jeremy, nulle part, ni sur AutreMonde ni sur Terre. C'est à n'y rien comprendre. Notre technologie a progressé depuis des années et, depuis que la magie de Tara et celle de Jeremy ont inondé la Terre, nos pouvoirs y sont accrus. Nous possédons des moyens pour retrouver des gens dont le dragon renégat ne disposait pas. Or, nous les avons employés en vain : ils ont bel et bien disparu. Nous avons évoqué leurs mânes mais rien n'est venu, ils ne sont donc pas morts. Jeremy est malade de chagrin : non seulement il a perdu ses parents adoptifs, tués par les Harpies, mais en plus il reste privé de ses vrais parents. Je l'ai fait placer sous la tutelle d'Omois, d'où sa famille est originaire. Les notaires ont établi sa filiation. Comme il a pris possession de ses pouvoirs, il est majeur aux yeux de nos lois et pourra toucher son héritage d'ici un an, le temps que les autres héritiers digèrent l'apparition de cet... encombrant cousin. D'autant que la fortune des Bal Dregus était assez considérable.

Tara s'étonna :

— Pourquoi sous tutelle ? Puisqu'il est majeur ?

Isabella esquissa une moue rusée.

— Étant sous tutelle, il est protégé par Omois. Ainsi, il est à peu près à l'abri de tout incident... regrettable.

— Oh !

Évidemment, restituer un confortable héritage à un inconnu surgi de nulle part avait dû agacer bon nombre de membres de la famille, de quoi aiguiser la tentation de ressortir poignards et bonnes vieilles fioles de poison. Tara frissonna. Elle n'aurait pas aimé être à la place du jeune garçon.

Selena et Isabella s'étaient parlé à plusieurs reprises durant la convalescence de Tara grâce à la boule de cristal omoisienne mais Selena rapporta à sa mère les événements récents, en édulcorant toutefois l'épisode de leur départ d'O'possum. Connaissant le caractère pour le moins vindicatif de sa mère, elle n'avait pas envie que celle-ci déclenche une mini-guerre pour venger sa fille et sa petite-fille des mauvais procédés des mercenaires de Vilains.

À son tour, Isabella leur donna des nouvelles de leurs amis sur Terre.

— Le comte de Besois-Giron est rétabli, dit-elle. Il ne montre pas le moindre signe de magie, au vif soulagement de son fils, je crois. Les Portes de Transfert, renforcées, ne devraient plus pouvoir être franchies si facilement de manière clandestine. Comme la magie est plus élevée, bon nombre de Terriens ont développé leurs dons latents de sortceliers, ce qui m'a obligée, comme les autres surveillants terrestres, à redoubler de vigilance.

Elle ponctua d'un petit geste las.

— Je n'ai jamais tant voyagé. Nous découvrons des sortceliers un peu partout, jeunes, vieux ; nous sommes contraints d'administrer un nombre croissant de Mintus pour cacher notre existence aux nonsos. Et je crains qu'il n'arrive un jour où cela deviendra tout simplement impossible...

Elle haussa les épaules et revint à son principal sujet de préoccupation :

— Et, Tara, je suis désolée.

Tara la regarda, éberluée. Son implacable grand-mère aimait les excuses comme les chats les bains. Ils savent que cela existe mais n'ont pas l'intention de tester.

— Pourquoi ?

— Je n'ai pas pensé à protéger Betty. Comment imaginer que Magister s'attaquerait à elle ? C'était id... stup... négligent de ma part.

— Je suis tout aussi coupable, l'apaisa Tara. Je n'y ai pas non plus songé un instant. Elle était la plus vulnérable d'entre nous. Au lieu de lui faire oublier mes pouvoirs avec un Mintus, nous aurions peut-être dû lui parler d'AutreMonde et lui dire de se méfier. Nous avons commis une erreur.

— Quelle erreur ? protesta Manitou. Jusqu'à ce jour, Magister s'est directement attaqué à toi. Comment deviner que ce fou s'en prendrait à une Terrienne ? D'autant que tu ne la fréquentais quasiment plus, du fait de ton installation à Omois. Et, pour être franc, laisse-moi te poser une question. Si Magister avait kidnappé n'importe quel Terrien, dis-moi, comment aurais-tu réagi ?

Tara sourit. Son arrière-grand-père la connaissait bien.

— J'aurais tout tenté pour le délivrer, bien sûr.

— Tu vois ? Pour Betty ou quiconque, tu aurais fait ton devoir. C'est ce que t'a enseigné ta grand-mère depuis des années. La loyauté ne se calcule pas. Elle est, ou elle n'est pas. Ta tante s'embrouille dans quantité de considérations et calculs politiques. Mais les faits sont têtus. Quelqu'un souffre. Que ce soit Betty ou un autre est sans importance. Il faut la sauver. Point.

Tara s'agenouilla et prit son arrière-grand-père dans ses bras.

— Tu as raison, Grand-Père. À force de côtoyer des gens compliqués, j'en arrive à oublier que souvent les choses sont simples. Merci de me l'avoir rappelé.

— Je t'en prie, ma chérie. Bon, que fait-on maintenant ?

Tara se tourna vers sa grand-mère pour la questionner :

— Je vais te paraître méfiante mais Magister est très fort lorsqu'il s'agit de faire prendre des vessies pour des lanternes[1]. T'es-tu assurée de la réalité de la disparition de Betty ?

Isabella ouvrit la bouche puis la referma et fronça les sourcils.

— Par mes ancêtres ! finit-elle par articuler, je n'y ai même pas pensé. Tu as raison, c'était la première chose à faire !

— Peut-on joindre la Terre d'ici, avec nos boules de cristal ?

— Oui, mais c'est compliqué. Viens, Père, allons vérifier par nous-mêmes. Nous serons de retour dans quelques instants ! À tout de suite !

Et, furieuse contre elle-même, la vieille femme sortit en trombe, Manitou trottant sur ses pas.

Tara allait parler lorsque la porte s'anima. Une bouche, une oreille et un œil surgirent dans le bois blond.

— Eleanora Manticore, Voleuse Patentée, requiert l'autorisation de vous voir, annonça la bouche en se tordant légèrement, comme sous l'effet d'un léger dégoût.

---

1. Expression qui nous vient du Moyen Âge et signifie faire croire à un mensonge en lui donnant l'aspect de la vérité. À l'époque, les vessies de porc étaient utilisées comme outres car elles étaient étanches. Et les lanternes étaient des lampions en papier. Les deux étaient creuses (comme les mensonges) et se ressemblaient de loin. D'où l'expression qui les a réunies.

Tara fronça les sourcils. Après avoir essayé de la tuer, la Voleuse Patentée l'avait soigneusement évitée. Tara ne la connaissait donc pas bien.

— Espérons qu'elle ne m'en veut pas pour une raison connue d'elle seule ! observa-t-elle. Changeline ?

L'entité fit onduler les pans de sa robe de sortcelière, signe qu'elle écoutait.

— Peux-tu protéger mon cou et ma poitrine, s'il te plaît ?

La Changeline monta jusqu'à son menton et durcit le devant de la robe. Cela donnait à Tara une curieuse allure mais au moins, si la Voleuse voulait lui planter un tricroc dans le cœur, comme la dernière fois, il lui faudrait un marteau-piqueur pour traverser le tissu.

— Tu peux la laisser entrer, Porte, indiqua-t-elle.

L'huis pivota sur ses gonds et Tara comprit pourquoi la bouche s'était tordue d'indignation.

Le cheveu hirsute, dressé sur la tête, la figure couverte de suie, les vêtements brûlés, la jeune Voleuse était dans un triste état.

— Vite ! haleta-t-elle. Les gardes sont à ma poursuite !

Tara ne réfléchit pas. Elle claqua la porte derrière la Voleuse, à la vive indignation de l'entité de bois.

— Ehhhhh ! Ça va pas, de me fermer comme ça ? Je suis fragile, moi !

— Porte, commanda Tara, si on te demande si tu as vu quelque chose, ne réponds pas tant que je ne t'en ai pas donné l'ordre, compris ?

La bouche apparut et marmonna quelque chose.

— Comment ?

— Je disais, grogna la porte, que je n'ai rien vu ni entendu, vu que je viens d'être claquée avec une rare violence.

— Pardon, sourit Tara, je ne voulais pas te faire de mal.

— Pffff !

Et la bouche disparut.

Eleanora s'était figée en constatant que Tara n'était pas seule. Elle ne pouvait entendre ce qui se passait dans le couloir car les sorts antibruit dont étaient équipés les murs anéantissaient tous les sons mais elle se doutait que les gardes n'étaient pas loin derrière elle. Selena saurait-elle être discrète ? Elle fut rassurée lorsque la mère de Tara lui sourit, lui montrant qu'elle était la bienvenue.

— Merci de m'avoir fait entrer aussi vite, dit-elle sincèrement à Tara. Ils ont renforcé la garde du palais après les derniers événements et Xandiar fait vraiment bien son boulot. Ta suite était le premier endroit où j'ai pensé à me réfugier.

Xandiar poursuivait Eleanora ? La vie devenait tout de suite plus intéressante lorsqu'on était à Omois.

Tara haussa le sourcil.

— Que t'est-il arrivé ?

La jeune Voleuse hésita puis, dans un nuage de suie, s'affala sur le fauteuil qui venait de se placer derrière elle. Tara l'avait accueillie. Eleanora décida d'être franche.

— Je me suis fait piéger par Tyrann'hic. Ce s...pard avait placé des pièges sur ses papiers et ils m'ont explosé au visage alors que je tentais de les lire.

Selena en resta bouche bée.

— Vous espionniez le Premier ministre d'Omois ?

Elle n'ajouta pas « Vous êtes dingue ! » parce qu'elle était bien élevée mais on le sentait pointer son nez juste derrière le point d'interrogation.

Eleanora fit un pauvre sourire.

— J'ai toutes les raisons de croire que Tyrann'hic est de mèche avec Magister et que c'est lui qui a indiqué comment le contacter à Medelus, lorsque celui-ci a changé de camp.

Selena tressaillit et son visage se durcit.

— Je suis également certaine, continua Eleanora avec fougue, que c'est lui qui m'a manipulée pour que j'accuse Cal du meurtre de mon cousin Brandis. Mais je n'ai pas le moyen de le prouver et l'Impératrice a été claire : sans preuve, pas de procédure de mise en accusation. Alors je fouille tout ce que je peux mais il est malin et je n'ai pas réussi à mettre la main sur son coffre-fort principal. Tout ce que j'ai découvert jusqu'à présent est totalement inoffensif. Cela commence à m'agacer sérieusement !

— Agacer les gens est l'une des caractéristiques principales de Magister, remarqua Selena d'un ton sec.

— D'autres visiteurs demandent à vous voir ! clama la porte un peu trop fort, histoire de prévenir Tara.

— Cache-toi ! ordonna Tara à son invitée. Va dans la salle de bain, je m'occupe de tout.

La jeune Voleuse obéit prestement. Dès qu'elle fut hors de vue, la porte s'ouvrit sur une escouade de gardes, accompagnés de... Cal, Moineau, Fabrice et Fafnir !

Tara poussa un grand cri de joie et se jeta au cou de ses amis, notant avec un pincement de cœur que Robin n'était pas avec eux.

Fabrice avait gagné quelques centimètres et ses épaules s'étaient élargies, accentuant son allure athlétique. Ses cheveux blonds tombaient plus que jamais dans ses yeux noirs et il semblait heureux et décontracté. Son mammouth bleu miniaturisé, Barune, mâchouillait placidement une rouge-banane à ses côtés.

— Salut, Tara ! dit le jeune Terrien. Tu es « note de musique, première lettre de serpent, il se prépare à l'avance, synonyme de parler à la première personne du singulier, petit chemin de montagne ».

— Wow, je vois que la fièvre des charades ne t'a pas quitté, Fabrice ! Euh, je suis quoi ?

— Pfff, vous pourriez tout de même faire des efforts ! Facile : Ré s plan dis sente. Resplendissante !

Puis son visage s'assombrit.

— Même si les circonstances ne sont pas très joyeuses. S'attaquer à Betty ! Ce type est un monstre !

Tara hocha la tête puis se força à sourire, refusant de voir sa joie amoindrie par l'angoisse qui lui rongeait l'estomac.

Moineau lui rendit son sourire, ravie, ses yeux noisette ensoleillés par la joie de voir Tara au point qu'elle n'arrivait plus à parler, laissant son petit ami exprimer leur allégresse commune. Sa panthère argentée, Sheeba, alla amicalement frotter son museau contre celui de Sembor, le puma de Selena. Fafnir, la naine, lança ses haches en une étourdissante voltige et les rattrapa juste avant qu'elles ne pulvérisent la table puis serra Tara à lui en faire craquer les côtes.

Tous saluèrent poliment Selena puis la petite guerrière rousse s'exclama :

— Que ton marteau sonne clair ! Par mes haches, Tara, tu as grandi ou c'est moi qui ai rapetissé ?

Tara éclata de rire.

— Que ton enclume résonne, mon amie ! Je crains que cette poussée de croissance ne soit due à la bonne cuisine de ma mère ces derniers mois !

Fafnir se tourna vers Selena et lui sourit, ses yeux verts étincelant de bonheur.

— Par ma foi, si vous me nourrissez ainsi et que je grandis, je serai une géante parmi les miens ! Qu'y a-t-il à dîner ?

Selena répondit gentiment :

— Lisbeth estime qu'il n'est pas de mon rang de cuisiner, je crains qu'il ne faille nous contenter des repas des cuisiniers impériaux... et vous êtes déjà une géante parmi les vôtres, Damoiselle naine.

— Mieux qu'une géante, une légende ! accentua Cal en s'inclinant gravement devant la naine. Tara, nous avons tous reçu ton appel, que nous attendions, d'ailleurs, après avoir vu l'enlèvement de Betty. Lorsque ta boule de cristal nous a prévenus que tu avais besoin de nous, nous étions déjà en route. Et tu as retrouvé tes pouvoirs, on ne voit que ça à la télécristal !

Le sourire de Tara ne vacilla pas d'un iota.

— Euh non, c'est la Pierre Vivante qui fait de la magie pour moi. Je n'ai toujours aucun pouvoir, ce qui pour une fois m'ennuie. Remplir cette mission sans me reposer sur la magie sera bien plus difficile.

Fabrice eut un bon sourire.

— Ho ! Ho ! Où est passée la jeune fille qui râlait sans cesse parce que son pouvoir avait tendance à changer les gens en grenouille et lui pourrissait la vie ?

— Je n'imaginais pas l'avouer un jour mais je dois admettre que la magie me serait utile en ce moment, soupira Tara en essayant de tourner la tête et en renonçant. Euh, Changeline ? Peux-tu rendre sa souplesse au tissu s'il te plaît ? J'ai l'impression d'être dans une armure, là.

L'entité obéit. L'un des gardes qui était entré avec le Taragang s'inclina devant l'héritière impériale. Deux petites scoops, caméras curieuses, voletaient autour de sa tête, avides d'informations et d'images. Les gardes du palais les utilisaient pour leurs enquêtes.

— Nous étions à la poursuite d'un dangereux individu qui s'est introduit dans les bureaux privés de maître Tyrann'hic, annonça le thug, ses quatre bras au garde à vous. Juste devant votre porte se trouvaient des traces de suie. Étiez-vous rentrée dans votre suite depuis longtemps, Votre Altesse impériale ?

Tara lui dédia son plus joli sourire.

— Nous étions là, à deviser, ma famille et moi-même, depuis un bon quart d'heure lorsque vous avez frappé.

Le garde attendit qu'elle développe mais Tara n'avait pas l'intention de mentir. Ce seraient là tous les détails qu'il aurait à se mettre sous la dent.

— Parfait. Je n'ai donc pas besoin de fouiller vos appartements. Nous allons continuer notre recherche de ce criminel. Votre Altesse impériale.

Il s'inclina derechef et ordonna à son escouade de sortir. Juste au moment où il passait devant le fauteuil maculé de suie, il marqua un petit temps d'arrêt, se retourna et planta son regard dans celui de Tara.

Puis il articula quelque chose sans qu'un son ne sorte de sa bouche. Tara écarquilla les yeux. Allons bon, il avait une soudaine extinction de voix ? Patiemment il recommença et Tara comprit.

Êtes-vous en danger ? Quelqu'un vous menace-t-il ? Dois-je intervenir ?

Tara secoua négativement la tête. Les gardes tombaient souvent sur des complots compliqués et avaient appris une grande diplomatie pour tout ce qui touchait la famille impériale. Celui-ci voulait évaluer la situation :

1) Soit sa proie tenait le petit groupe en otage sous sa menace, donc il devait intervenir pour la neutraliser, euphémisme pour une élimination radicale. D'où le message muet qu'il venait d'articuler.

2) Soit l'héritière impériale protégeait sa proie pour une raison lui échappant et, par conséquent, il n'avait plus rien à faire ici.

Et elle venait de confirmer que la seconde option était la bonne.

Cela laissait présager une lutte sourde, dont il n'avait pas eu conscience, entre Tyrann'hic et Tara. Hum ! Il allait de suite faire un rapport circonstancié à Xandiar, qui en référerait probablement à l'Impératrice. Oh, être une petite pouic pour assister à la discussion entre l'Impératrice et son héritière ! Il eut un mince sourire. S'engager dans les eaux troubles de la politique le tentait fort peu. Il préférait laisser l'expérience à Xandiar, surtout depuis la mort inexpliquée de X'aril[1].

Il se raidit, salua puis sortit, sous le regard curieux de Cal qui, lui aussi, avait remarqué le fauteuil sali.

— Bon, explique ! dit-il dès que la porte se fut refermée sur les gardes.

Tara ne put empêcher un malicieux sourire de fleurir sur ses lèvres.

— Oh, c'est juste une amie qui a eu un petit problème. Je crois que tu la connais, d'ailleurs. (Elle haussa la voix :) Tout va bien, tu peux sortir !

Eleanora obéit et les yeux de Cal manquèrent lui jaillir de la tête lorsqu'il la vit. Oubliant qu'il avait affaire à une redoutable tueuse, il lui prit les mains. Pour une fois, elle ne dégaina aucun poignard. Un point pour elle : quelques mois auparavant, Cal aurait eu besoin de soins d'urgence.

— El ! Par les crocs cariés de Gelisor ! s'exclama le petit Voleur, tout retourné, mais qu'est-ce qui t'est arrivé ?

— C'est encore ce maudit Tyrann'hic, grommela la jeune fille, embarrassée, il m'a piégée.

Le regard de Cal se fit grave.

— Vu ton apparence, il essayait plutôt de te tuer !

— Mais il ne l'a pas fait, il m'a juste... salie !

On sentait une certaine indignation dans sa voix.

— Attends, je vais te nettoyer, dit tendrement le garçon. Tu ne peux pas rester ainsi.

— Non, attends une sec...

Mais Cal incantait déjà :

— Par le Nettoyus, qu'Eleanora soit propre à l'instant et sans perdre de temps.

_____

1. X'aril avait tenté de tuer Xandiar et celui-ci lui avait démontré d'une façon... irréversible... que des deux, ce n'était pas X'aril le plus fort.

Sa magie enveloppa la jeune fille sous un flot coloré. Lorsqu'elle réapparut, son uniforme noir et collant de Voleuse Patentée avait été remplacé par une jolie robe rose parsemée de petites fleurs bleues, au décolleté carré. Genre fermière-au-gai-pâturage-gardant-les-blancs-moutons. Ne manquaient que la canne fleurie et le chapeau à cerises...

La jeune fille baissa les yeux vers l'adorable vêtement et poussa un cri :

— Ahhhhh ! Mais qu'est-ce que tu as fait ?

— Ooooops ! fit le garçon, penaud. C'est cette fichue... magie, celle de Tara et de Jeremy. Maintenant, quand je désire une tartine, je reçois une boulangerie sur la tête ! Ça commence à m'énerver, hein ! Je t'imaginais juste à la fois propre et vêtue d'une robe et cette scrogneupluf de magie a obéi, même si je n'ai rien dit. Je suis désolé.

Tara était stupéfaite, non qu'il ait fait une chose pareille – après tout, il l'avait un jour vêtue elle-même d'un bikini [1] –, mais qu'il s'excuse et, surtout, que son humour acéré n'en profite pas pour s'exprimer.

Whaou ! Il était sérieusement amoureux ! Et, par tous les dieux de cette galaxie, qu'était donc une scrogneupluf [2] ?

Eleanora incanta et il se protégea machinalement mais elle ne le changea pas en crapaud (même si on sentait qu'elle en mourait d'envie !). Elle se contenta de récupérer ses vêtements et de lui jeter un regard noir. Et, tout au fond de ses yeux aussi gris que ceux de Cal, Tara surprit une lueur d'amusement, que manqua le jeune Voleur, trop occupé à détailler ses pieds.

Ah ! Sous ses abords rugueux, la Voleuse avait de l'humour. Tout n'était pas perdu.

— Pendant que je cherchais les papiers chez Tyrann'hic, dit Eleanora à Tara, j'ai appris que tu avais récupéré ta magie. Et

---

1. Dans *Tara Duncan. Le Sceptre maudit*, juste après avoir lu le *Elle* de la semaine... celui avec les mannequins en maillot pour la collection d'été.

2. Vous aimeriez bien le savoir, hein ? Rendez-vous à la fin du livre ! Il y a un lexique détaillé d'AutreMonde.

comme Magister te contraint à te rendre je ne sais où pour sauver ton amie, j'ai décidé de t'accompagner. Je trouverai le lien qui unit Magister et Tyrann'hic et je lui trancherai... (son regard croisa celui, sévère, de Selena et comme une athlète bien entraînée, elle modifia sa phrase en cours), je le ferai jeter dans un cachot pour le restant de ses jours !

— Nous venons aussi, bien sûr, s'empressa d'ajouter Fabrice qui avait froncé les sourcils lorsque Cal avait parlé de son surcroît de magie. Tu nous as terriblement manqué et Betty aussi, c'était une exc...

Son regard se posa sur Moineau et la suite s'étrangla dans sa gorge.

— Euh... une bonne amie, termina-t-il.

La ravissante brune ne broncha pas. Elle savait que Betty était « presque » sortie avec Fabrice et qu'ils avaient quasiment été élevés ensemble. Mais « presque » n'était qu'une potentialité et Fabrice était son petit ami, fidèle et loyal, depuis plusieurs mois. Alors, même pas jalouse, enfin « presque » pas !

— Je n'ai *pas* retrouvé ma magie ! soupira Tara qui se demanda un instant si un panneau sur la poitrine avec « Je n'ai pas retrouvé ma magie » ne serait pas plus utile que de devoir répéter chaque fois la même chose.

Elle expliqua la situation à Eleanora.

La jeune Voleuse la regarda d'un air incrédule.

— Tu veux aller sur le Continent interdit sans magie ? (Et comme elle était moins diplomate que dame Selena, elle ajouta :) Tu es dingue ! Si les Dragons l'ont interdit, c'est qu'il y a quelque chose d'horriblement dangereux là-bas !

Tara haussa les épaules.

— Betty s'en fiche que j'aie ou non de la magie. Tout ce qu'elle désire, sans aucun doute, c'est qu'on la sorte du cauchemar où l'a plongée Magister. Grâce à ma position d'Héritière, je peux faire pression sur le gouvernement dragonnien et les obliger à nous ouvrir le Continent. Il faut que je récupère mon pouvoir afin d'y aller avec eux, non seulement parce que je connais Betty mais également parce que c'est mon devoir d'Héritière. Je ne peux pas exiger quelque chose d'un côté sans en payer le prix de l'autre. Donc...

Elle ne termina pas sa phrase mais la conclusion était claire.

Selena poussa un profond soupir.

— Et voilà, tout recommence ! Ces mois de tranquillité, c'était trop beau pour durer. Quel est ton plan, Tara ?

La jeune fille la regarda, surprise. Quoi ? Pas d'interdiction, pas de : « Tu ne peux pas y aller ? »

Le temps passé ensemble à O'possum leur avait permis de mieux se connaître et Tara constatait avec satisfaction que sa mère avait désormais renoncé à la dissuader de courir au secours de ses amis. Pour tout le reste, elle n'était que trop heureuse de lui obéir. Le seul problème était qu'elle n'avait pas le moindre commencement de plan, en fait.

— Obtenons la clef, réfléchit-elle, pour pénétrer sur le continent. Une fois sur place, je suppose que Magister nous indiquera où trouver Betty. Nous irons, nous verrons ce qu'il veut que nous voyions puis nous reviendrons ici. Une version raccourcie du *veni, vidi, vici* de César. Je ne crois pas que Magister veuille me tuer. Ce serait illogique. Il va probablement tout faire pour assurer ma protection, même si je n'ose imaginer comment.

La porte s'anima de nouveau.

— Deux visiteurs pour vous, Votre Altesse impériale, le Chef de la Garde impériale, maître Xandiar, et le Très Haut Mage Demiderus !

Cela en faisait, des gens qui souhaitaient la voir ! Bon, Eleanora était propre, rien ne pouvait la trahir à part la suie au sol et sur le fauteuil et Cal y remédia en les faisant disparaître à toute vitesse.

— Ouvre-toi, Porte ! ordonna Tara. Ne fais pas attendre nos prestigieux visiteurs !

Demiderus était son ancêtre. « Récupéré » récemment dans le Temps gris où il s'était encapsulé pour rester disponible en cas de nouvelle guerre contre les démons, le créateur de l'empire d'Omois et l'un des plus puissants mages de tous les temps avait environ... cinq mille ans.

Il ne les paraissait pas.

Lorsqu'il entra dans la pièce, flanqué de Xandiar, tous plongèrent dans une profonde révérence. Car Demiderus, indéniablement, était révéré.

— Dames, Damoiselles, Damoiseaux, lança Xandiar avec un sourire, il est fort aimable à vous de m'accueillir ainsi ! C'est trop d'honneur pour un simple garde !

Il allait filer sa fine plaisanterie lorsque soudain son regard se fixa sur un arbre près d'une console de pierre dorée. Par les crocs cariés de Gelisor !

Vif comme l'éclair, il bondit et l'une de ses mains se noua autour de quelque chose de tiède et vivant.

Hoquetant et gigotant, Séné apparut, soulevée à dix centimètres du sol. Lorsqu'il la reconnut, les yeux de Xandiar s'écarquillèrent et il la relâcha. La Camouflée se plia en deux, essayant de respirer, toussant à s'en arracher les cordes vocales.

— Tu... m'as écrasé le larynx, espèce de pithécanthrope attardé ! cracha-t-elle, furieuse.

— Tu espionnais l'héritière de l'empire, Séné Sensass ? constata froidement Xandiar en posant ses quatre mains sur ses épées. C'est un crime de haute trahison, ce me semble. Es-tu à la solde de Magister ? Ou d'une faction ennemie de l'empire ?

Séné en cessa de jurer.

— Quoi ? Tu es fou ! Tu sais très bien que je suis loyale !

— Justement, je n'en sais rien ! répliqua le garde, implacable.

— Je n'espionnais pas ! gronda Séné. Pas exactement. J'étais ici sur ordre de... sur ordre de...

Elle s'arrêta net. Elle ne pouvait pas dire que l'Impératrice lui avait demandé ce service à demi-mot. Tara eut pitié d'elle.

— Ça va, Séné, nous savons tous sur ordre de qui tu es ici. Et ce n'était pas utile, nous disions tout juste que sans ma magie ou la clef, aller sur le Continent interdit était impossible. Aucun risque, donc, que je me volatilise. (Puis comme elle était honnête, elle ajouta :) Enfin, pas pour le moment.

— C'est précisément à ce sujet que je suis venu te parler, ô ma descendante, dit une voix douce derrière elle.

Tara se retourna. Puissant, Demiderus l'était certes par ses pouvoirs, non par sa taille. L'homme était petit, assez banal, seule sa mèche blanche presque lumineuse tranchait dans la masse sombre de ses cheveux et une profonde intelligence brillait dans ses yeux bleus.

— J'ai une question de la plus haute importance à te poser, mon héritière, avant de retourner dans le Temps gris.

Il n'avait donc pas renoncé à son désir de s'encapsuler en stase, seul moyen pour lui de rester jeune assez longtemps pour être prêt à intervenir si les démons parvenaient encore à envahir leur univers...

— Oui, Très Haut Mage ?

— Que penses-tu réellement de la magie, mon enfant ? De celle que tu as perdue et pas encore retrouvée, à ce que m'a dit l'Impératrice ?

Qu'elle me pourrit la vie, fut la première réaction de Tara. *Que je n'en veux plus,* fut la seconde. Elle ouvrait la bouche pour une formulation plus diplomatique, vu que la magie avait sauvé tout AutreMonde, dont Demiderus et, accessoirement, la Terre, mais le Très Haut Mage l'arrêta.

— Tu dois répondre franchement, mon enfant. Si tu n'en veux pas, tu dois le dire. Si tu en as besoin, tu dois le dire aussi. C'est vital !

— Je ne l'aime pas.

La réponse avait fusé et le Très Haut Mage se tassa, peiné.

— Telle est du moins la réponse que je vous aurais faite il y a encore quelques jours, reprit Tara. Alors que ma vie était plus... paisible. Mais je me rends compte qu'à travers la Pierre Vivante, ma Changeline ou encore mon lien avec Galant (le pégase pressa tendrement son chanfrein contre la joue de Tara, tandis qu'elle le caressait), je n'ai jamais cessé d'utiliser la magie. Je n'en voulais pas, je la détestais mais j'ai enfin compris qu'elle est partie organique de moi, au même titre que mes cheveux ou mes yeux... et que je ne lui échapperai jamais. Alors ma réponse est : je ne l'aime pas beaucoup, comme on n'aime pas un nez tordu ou une bouche trop mince mais cela fait partie de notre personnalité qu'on le veuille ou non. Sans elle, je ne peux rien faire sur ce monde. Elle m'est indispensable. Je le regrette mais c'est ainsi.

Demiderus hocha la tête, satisfait. L'enfant n'était pas une écervelée et faisait même preuve d'une maturité inattendue pour un être aussi jeune.

— En ce cas, je pense savoir comment te rendre ton pouvoir. Mais il me faut tous les gens qui te sont proches et qui étaient autour de toi lors de la bataille entre les deux dragons, au moment où vos magies additionnées ont été aspirées par la machine puis dispersées sur toute la Terre.

Fabrice s'avança, le regard ombrageux.

— Qu'avez-vous l'intention de faire ?

Demiderus lui sourit aimablement.

— Ma foi, vous reprendre ce que vous leur avez involontairement pris !

Le jeune garçon recula en blêmissant.

— Ce n'est pas possible !

Demiderus se méprit sur l'intonation du Terrien.

— Mais si ! Chacun d'entre vous a vu ses pouvoirs accrus par la magie de Tara et de Jeremy. Celle-ci est toujours présente dans le sang et les organes de nos deux jeunes sorceliers, bien qu'en quantité moindre qu'auparavant, donc sans plus présenter de danger pour leur vie, surtout celle de Tara. Le magicoglobinogrammeur nous avait confirmé, lors des premiers examens, que leurs cellules n'avaient pas subi de dommages. Mais la perte excessive de magie a privé Tara et Jeremy de la possibilité d'utiliser ce qui leur en reste. Dès lors, les laboratoires de l'Imperator ont travaillé sur une machine qui existait déjà et a été utilisée par le savant Vlour Mabri[1]. Cela devrait pallier ce problème. Nous procéderons à une sorte de transfusion.

Fabrice serra les poings.

— Vous voulez nous... retirer la magie ?

Demiderus se rendit alors compte que ce qui résonnait dans la voix du garçon n'était pas de la surprise mais de la fureur. Il observa attentivement le jeune sorcelier.

Ah ! Un problème de pouvoir.

Il percevait distinctement la magie de Fabrice et celles de Tara et de Jeremy, ajoutées au-dessus de la sienne et bien plus fortes. Il soupira. L'ambition de puissance était un sentiment qu'il connaissait bien. Mais maintenir le statu quo actuel ne se pouvait pas. Son héritière risquait trop et, à travers elle, l'empire d'Omois... voire tout AutreMonde.

---

1. Le triste destin de Vlour Mabri est raconté dans *Tara Duncan. Le Dragon renégat.*

— La vôtre sera toujours partie intégrante de votre être, bien sûr. Je suis désolé, dit-il doucement, mais vous devrez rendre celles de Tara et Jeremy. Je ne vois pas d'autre solution.

Fabrice sentit une petite main se glisser dans la sienne, dépliant ses doigts serrés. Il rencontra le regard limpide de Moineau et hésita. Puis son visage se durcit et il se dégagea. Moineau recula comme si on l'avait frappée et Tara sentit son ventre se tordre. Elle savait bien ce qu'il en coûtait à Fabrice d'abandonner le supplément de pouvoir acquis lors du combat de Stonehenge. Mais le sauvetage de Betty en dépendait ; l'amour-propre de son meilleur ami avait moins d'importance que la vie de son amie terrienne.

Fabrice croisa les bras, bloc de colère et de frustration et, sagement, Moineau resta dans son coin. Selena l'entoura d'un bras protecteur et jeta un regard peu amène vers Fabrice. Eleanora considéra le jeune Terrien, attentive. Ses antennes de Voleuse lui faisaient deviner une sorte d'obscurité soudaine chez le garçon. Elle mit une petite pastille mentale sur la fiche de Fabrice (elle avait étudié en détail les dossiers des principaux amis de Tara), « à surveiller ».

Cal se mordillait la lèvre, ennuyé pour Fabrice... mais content d'être bientôt débarrassé de son encombrant surplus de magie.

Selena, comme le jeune Voleur, était ravie. Elle avait apprécié de voir sa magie amplifiée bien au-delà de son pouvoir habituel mais ses nouvelles aptitudes lui semblaient un peu trop... sauvages à son goût. Elle n'était donc pas mécontente que l'inter-mède s'achève.

Elle s'avança, captant le regard admiratif de Demiderus qui la trouvait très belle.

— Dame Duncan, s'inclina-t-il.

— Très Haut Mage, répondit Selena. Nous sommes prêts à rendre sa magie à Tara. Que devons-nous faire ?

— Le mieux serait que vous me suiviez, à part les gardes qui ne me seront pas utiles. Tous les gens qui étaient présents ce jour-là sont-ils ici ?

— Ma mère Isabella et Manitou, mon grand-père, vont reve-nir d'un instant à l'autre, décompta Selena. Je ne vois pas Robin, le demi-elfe.

— Robin ne répond pas à nos appels depuis des mois, précisa Moineau, un léger tremblement dans la voix. Ce n'est pas normal. Il semble avoir... disparu ! Nous n'avons pas réussi non plus à joindre son père et sa mère. Ils ne répondent pas à leurs boules de cristal. Le roi et la reine du Lancovit sont très soucieux. Depuis que l'impératrice d'Omois a interdit à Robin de voir ou plutôt d'approcher Tara, notre ami s'est évaporé !

— Tu parles ! grogna Tara, peu convaincue. Il doit se bronzer aux soleils en sirotant une boisson fraîche à l'heure qu'il est, pendant que nous nous inquiétons à son sujet ! Nous, on patauge dans les problèmes et lui, il se baigne probablement dans les mers du Sud !

— Mais c'est *très* ennuyeux ! s'exclama Demiderus.

— Pourquoi ?

— Parce que, sans lui, toute l'opération devient irréalisable ! Il est essentiel ! Il faut le retrouver et l'amener à Omois ! Immédiatement ! Il doit se trouver le plus près possible de Tara lorsque nous lui rendrons sa magie !

Cal ne put retenir un ricanement.

— Ben, ça alors ! C'est l'Impératrice qui va être contente !

CHAPITRE IX

ROBIN
ou lorsqu'on se fâche avec quelqu'un de plus puissant que soi, il faut vraiment savoir courir vite...

Effectivement Robin baignait, mais pas dans l'eau de mer... dans son sang. Il en perdait tant que les loques qui lui tenaient lieu de vêtements ne parvenaient plus à l'éponger. Le liquide vital suintait, circulant paresseusement entre ses jambes, jusqu'à la coupe.

Une très jolie coupe d'ailleurs. Toute d'or, merveilleusement sculptée de fruits et de petits animaux : en temps normal, Robin l'aurait probablement admirée. Là, il se contentait de loucher sur elle, insensible à sa beauté.

En dépit de la douleur, des coupures tranchant sa chair, le processus avait quelque chose de fascinant. Le demi-elfe regardait sa vie s'enfuir, impuissant. Il laissa retomber ses épaules, les fers le menottant cliquetèrent sans lui laisser suffisamment de champ libre pour atténuer la souffrance. Sa tête s'inclina. Ses magnifiques cheveux d'argent striés de noir, luisants de sueur, tombèrent en rideau devant son visage. Il se mit à divaguer. Dans son esprit enfiévré, les images se succédèrent.

Tout avait commencé lorsqu'il avait embrassé Tara Duncan.

L'espace d'un instant, il avait oublié l'héritière impériale d'Omois, capable de le changer en crapaud s'il se conduisait mal, pour ne voir que la ravissante adolescente.

Il s'était perdu dans les grands yeux bleu marine qui s'étaient fermés lorsqu'il l'avait étreinte... ratant ainsi l'entrée flamboyante de l'impératrice d'Omois.

Le hic était qu'elle les avait surpris au mauvais moment. Deux minutes auparavant, ils discutaient sagement et deux minutes après ils auraient probablement, euh, recommencé... disons, donc, qu'il aurait été préférable qu'elle arrive plus tôt.

Folle de rage, elle avait ordonné au demi-elfe de sortir immédiatement de la suite de son héritière et lui avait interdit de s'approcher d'elle. L'espace d'une fraction de seconde, Robin avait failli lui tenir tête, son arc frémissant d'indignation. C'est ce qu'un elfe pur-sang aurait fait à sa place.

Il y aurait perdu la vie. L'Impératrice n'était pas de celles qu'on défie. Alors, sa partie humaine, plus intelligente, lui avait soufflé d'obéir, du moins en apparence, et de filer se chercher des alliés suffisamment puissants.

Et puis, la fureur de l'Impératrice lui avait paru factice, comme contrôlée. Il avait bien vu le regard déchirant de Tara lorsqu'il était sorti sans un mot. Et la lueur d'étonnement, puis de méfiance, dans l'œil de l'Impératrice.

Il n'avait pas réagi comme elle s'y attendait.

Les quatre gardes en faction devant la porte, prêts à intervenir, l'attestaient. Ah ! Ce n'était pas une surprise pour l'Impératrice, elle savait ce qui se passait.

Elle avait tenté de le piéger.

Mais, si elle connaissait la légendaire irascibilité des elfes, elle n'avait pas pris en compte la moitié humaine de Robin. Les gardes, décontenancés, l'avaient laissé s'éloigner. Avant que l'Impératrice ne change d'avis, il avait foncé vers la Porte de Transfert.

Et il s'était retrouvé dans la file d'attente des sortceliers et nonsos qui rentraient au Lancovit en ce début de week-end.

Pendant près d'une heure, il avait été bloqué, le cœur battant, s'attendant à chaque instant à voir les gardes impériaux s'approcher de lui et l'arrêter. Enfin, après une attente crucifiante, son tour était venu et il s'était rematérialisé au Lancovit.

T'andilus M'angil, son père, était le chef des services secrets du Lancovit. Il était célèbre à deux titres : sa capacité à récolter des informations et surtout à les regrouper en un tout cohérent, ce qui avait épargné au Lancovit deux guerres et trois crises majeures, et le fait d'avoir été l'un des premiers elfes à épouser une humaine.

Pour ce second exploit, il avait été banni de Selenda. Le Conseil des Elfes, à l'époque, désapprouvait formellement les mélanges entre les races. Depuis, les règles s'étaient assouplies : les mariages mixtes ayant été en progression constante ces dernières années, le Conseil des Elfes n'avait pas eu le choix. Le général pouvait désormais revenir dans sa patrie lorsqu'il le désirait.

Ce n'était pas le cas, il préférait rester au service de Sa Majesté la Reine[1]... enfin, au service du Lancovit. Mais il était souvent en déplacement un peu partout, de préférence incognito. Alors, Robin priait fort les dieux des Elfes que, pour une fois, son père soit à la maison.

Les elfes pleuraient rarement ou plutôt ils ne pleuraient pas du tout, sauf à volonté, lors des enterrements ou de certaines cérémonies spéciales. On disait que les larmes des elfes possédaient d'étranges vertus, permettant à celui qui les buvait de voir l'avenir pendant de brefs instants. Mais elles avaient une autre propriété. À qui n'était pas assez fort pour leur résister (et cela concernait quatre-vingt-dix-neuf pour cent des gens, humains comme non-humains, elfes ou dragons), elles volaient son esprit. En clair, elles le rendaient fou. Ce qui avait quelque peu réduit le nombre de candidats.

Pourtant, Robin avait senti les larmes ruisseler sur son visage lorsqu'il avait pénétré dans la maison que ses parents possédaient un peu en dehors de Travia, la capitale du Lancovit.

Tous trois disposaient également d'appartements au Château Vivant. Mais pour leurs jours de repos, ils préféraient cette maison perdue au milieu des bois d'AutreMonde. Comme toutes les maisons elfiques, celle-ci était quasiment invisible, ses pierres dorées cachées par la végétation qui les recouvrait et se nourrissait d'elles. Un arbre énorme poussait en son centre, ombrageant le toit de ses branches rubis.

---

1. Il ne l'avouerait jamais publiquement mais, secrètement, T'andilus adore James Bond lui aussi...

Un étranger n'aurait discerné là qu'une butte bizarrement ren-flée, dissimulée par les grands arbres rouges.

Robin avait fait irruption et atterri au beau milieu d'une dispute.

Son père était là, à son vif soulagement. Il aurait préféré toute-fois arriver à un moment où ses deux géniteurs ne s'écharpaient pas comme deux chats sauvages.

Il s'était souvent demandé pourquoi ses parents s'étaient mariés. Autant mélanger la glace et le feu. Sa mère, Mévora, belle sortcelière brune, était calme, presque introvertie. Sa peau très blanche, délicatement ombrée de rose sur les pommettes, lui faisait un teint lumineux, éclairé par deux yeux de saphir.

Elle ne comprenait rien à l'espionnage, elle était une cher-cheuse, la tête tout le temps fourrée dans les vieux manuscrits et les parchemins moisis. Rien ne pouvait lui faire plus plaisir que de traquer les anciens sorts, des accords diplomatiques tombés en poussière depuis des siècles et de ressortir de semaines de recherches, les joues maculées de poussière et les yeux brillants.

T'andilus, son père, lui, tenait plutôt de la flamme, comme beaucoup d'elfes. Les puissants guerriers avaient du mal à contrôler leur tempérament fougueux et ne se maîtrisaient pas toujours parfaitement. Jamais T'andilus M'angil n'aurait levé la main sur sa femme mais Robin avait senti à plusieurs reprises que l'elfe se retenait de toutes ses forces.

Il n'avait jamais osé poser la question à sa mère. Mais il avait interrogé ses grands-mères elfe et humaine, un jour que toutes deux étaient réunies à l'occasion du mariage d'un cousin et papotaient tranquillement.

Avec un bel ensemble, elles avaient failli s'étouffer avec leur gâteau lorsqu'il leur avait demandé du haut de ses dix ans d'elfe, enfin, de demi-elfe :

— Par nos ancêtres, quelqu'un peut-il m'expliquer pourquoi mes parents ne divorcent pas ? Je suis assez grand maintenant pour comprendre. Rester ensemble à cause de moi, c'est tout simplement ridicule !

Après avoir crachoté des bouts de meringue partout, sa grand-mère elfe, M'érée, avait pris une grande inspiration pendant que son autre grand-mère lui tapotait délicatement le dos.

— Mais qu'est-ce qui te fait croire qu'ils veulent se séparer ? Tes parents s'aiment encore profondément. Ils doivent juste parvenir à comprendre la culture de l'autre. Parfois je me dis qu'un Diseur de Vérité chez vous pendant quelques jours leur ferait le plus grand bien !

L'amusement avait fait pétiller le regard bleu de sa grand-mère humaine, Emeline.

— Hum, non ! Mauvaise idée. Ma fille changerait ton fils en crapaud et celui-ci répliquerait en la transformant en ver de terre. Pas très sexy, comme existence. Laisse-les donc faire leurs propres expériences comme nous avant eux, d'ailleurs je comprends pourquoi ma fille a été attirée par ton fils, il est beau garçon ! Moi-même dans ma jeunesse, un bel elfe a fait battre mon cœur et...

— Mamie ! s'était exclamé Robin, indigné.

— C'était bien avant que je ne rencontre ton grand-père, mon chéri ! s'était empressée d'expliquer Emeline. Ahhh, c'était le bon vieux temps ! Pas de responsabilités, à part celle de tourner la tête de tous les garçons à portée et la vie devant nous...

Les deux vieilles dames avaient soupiré de concert et Robin était parti, guère plus avancé.

À présent qu'il venait de se faire bannir d'Omois et qu'il avait perdu celle qu'il considérait comme l'amour de sa vie, il ne savait pas s'il pouvait faire confiance à ses parents pour l'aider. Il s'était approché et avait saisi les mots « impératrice d'Omois », « l'Héritière » et « furieuse »...

Ouille, l'information, du moins en partie, l'avait précédé. Essuyant ses larmes, il était entré dans la salle à manger. Dès qu'elle l'avait vu, sa mère s'était précipitée et l'avait pris dans ses bras, arrachant un soupir excédé à son père.

— Ne le couve donc pas ainsi ! s'était-il exclamé. Comment vais-je en faire un guerrier si tu t'obstines à le câliner pour un oui ou un non !

— Peut-être que les Elfes ne se seraient pas trouvés au bord de l'extinction s'ils avaient bénéficié d'un peu plus d'amour et d'un peu moins de guerre dans leur enfance ! avait rétorqué Mévora.

Elle avait planté son beau regard bleu dans les yeux de cristal de son fils.

— Mon chéri, les informations que nous avons reçues sont quelque peu contradictoires, que s'est-il passé ?

— J'ai eu un problème avec l'impératrice d'Omois, avait avoué Robin, soudain embarrassé.

Son père T'andilus s'était approché, lissant ses magnifiques cheveux d'argent. Robin l'avait regardé avec appréhension. Immanquablement lorsqu'il songeait à son père, c'était l'image d'un magnifique félin qui dansait devant ses yeux. Libre, indomptable... dangereux.

— Oui, telle était la teneur du message transmis par notre ambassade de Tingapour, avait confirmé T'andilus. Qu'il y avait un problème. Mais *quel genre* de problème ? Mes Camouflés n'ont pas réussi à en savoir plus.

— J'étais en train d'embrasser Tara, lorsque...

— Tu *quoi* ? s'était étranglé T'andilus.

— J'étais en train d'embrasser Tara, avait patiemment repris Robin, lorsque Lisbeth est entrée. Elle était furieuse que je sois en train d'enlacer son héritière. Elle m'a interdit de l'approcher. J'ai hésité mais quatre gardes attendaient dehors, prêts à intervenir. Alors plutôt que de me battre avec elle, j'ai préféré sortir et venir vous demander conseil.

T'andilus avait émis un cri assourdi et s'était laissé tomber dans un fauteuil qui s'était précipité juste à temps. Contre Robin, sa mère s'était mise à trembler. Il s'était penché sur elle, inquiet, avant de s'apercevoir avec stupeur qu'elle était secouée par... un rire étouffé !

— Tu... tu trouves ça drôle ? avait-il grondé.

Le rire de sa mère s'était coincé dans sa gorge mais dans son regard dansait encore une lueur amusée, qui démentait sa mine soudain contrite.

T'andilus les avait regardés puis, contre toute attente, avait souri, lui aussi.

— Hum, cela te rappelle quelque chose, n'est-ce pas ?

Incapable de parler sans rire, sa femme s'était contentée d'opiner de la tête.

— Lorsque nous avons été surpris par notre reine...

— *Ta* reine ! l'avait vivement interrompu Mévora, cette vieille harpie hystérique qui a menacé de te couper les... hrrmm, les oreilles, si tu épousais une humaine, conseil que tu n'as pas suivi.

— Mais la situation de notre fils n'est pas tout à fait la même, avait grimacé T'andilus. Je ne faisais que défier ma propre reine, sans conséquences pour notre peuple. Alors que si Robin désobéit...

— L'impératrice d'Omois aura, elle, les moyens de détruire notre race tout entière ! avait achevé une voix majestueuse dans leur dos.

T'andilus et Robin s'étaient retrouvés sur leurs pieds en une fraction de seconde, le demi-elfe aussi rapide, sinon plus, que l'elfe pur-sang, ce que ce dernier avait remarqué avec plaisir. Ils avaient fait face au danger ensemble.

Devant eux était apparu un trio. À sa tête, portant une couronne, une elfe magnifique, aux longs cheveux d'argent cascadant jusqu'au sol, à la robe scintillant de blancheur. À ses côtés, une elfe violette que son uniforme parme et son armement désignaient comme une guerrière, et une elfe noire dont les robes sombres faisaient comme une nuée vaporeuse autour de son corps. Elle tenait un arc aussi noir que sa peau d'ébène étrangement veinée d'argent.

Toutes trois étaient grandes, bien plus que les autres elfes, et maigres. On aurait dit de grands lévriers affamés et vaguement cruels.

Vivement, T'andilus et Robin s'étaient inclinés. Ils avaient compris pourquoi les alarmes de leur maison n'avaient pas retenti. Devant eux se tenait le pouvoir presque absolu, la menace la plus terrifiante : la reine de l'Air et des Ténèbres. *Leur* reine, T'avila, accompagnée de deux de ses conseillères, la maléfique E'rée et la puissante V'iladra.

La Reine retroussa les lèvres sur un sourire cynique.

— C'est curieux ! fit sa voix mélodieuse à en faire mal, je ne me voyais pas comme une vieille harpie hystérique lorsque je vous ai interdit de vous... fréquenter.

La mère de Robin avait relevé la tête avec fierté.

— À l'exception des plumes, vous en possédiez pourtant tous les attri...

— Votre Majesté ! l'avait interrompue T'andilus, terrifié à l'idée que sa femme insulte la Reine, que me vaut l'honneur de votre présence dans notre demeure ?

La Reine l'avait regardé comme on regarde un truc dans un caniveau. Boueux, le caniveau.

— L'impératrice Lisbeth'tylanhnem d'Omois vient de nous communiquer un message, qui concerne votre... fils.

L'intense dégoût avec lequel elle avait prononcé le mot avait fait froncer les sourcils de Mévora comme de T'andilus. Mais ni l'un ni l'autre n'avaient réagi, attendant de savoir ce que leur voulait la vieille harp... la Reine.

— L'Impératrice a été très claire. Elle est la principale employeuse de nos troupes d'elfes guerriers. Si votre fils approche encore une fois son héritière, elle résiliera tous nos contrats. Vous savez ce que cela signifie. Nous pourrions tenir un mois. Deux, tout au plus.

T'andilus était atterré.

— Elle... elle n'a pas le droit de faire cela !

— Elle dirige un peuple de deux cents millions d'humains et de non-humains, jeune Elfe ! avait craché E'rée, l'elfe violette. Elle a tous les droits. Y compris celui de nous demander ta peau d'elfe dévoyé et celle de ton rejeton... et de les obtenir !

T'andilus se raidit. De traqué, son regard se fit glacial.

— Je suis ici chez moi, siffla-t-il, ne vous avancez pas à m'insulter, vieille fleul[1]. Vous n'êtes pas ma souveraine !

E'rée, furieuse, s'était avancée mais un geste brusque de la Reine l'avait figée.

— Je trouverais certes intéressant de savoir lequel de vous deux l'emporterait sur l'autre mais nous ne sommes pas ici pour cela. Je veux que votre fils parte. Maintenant.

— Mais...

— Sans condition ni discussion. Je ne défierai pas l'impératrice d'Omois pour une amourette d'adolescents. Ceci inclut toute communication par boule de cristal ou tout autre moyen.

---

1. Équivalent de vieille femme édentée ne pouvant plus se reproduire et qui radote un peu sur les bords... pas tout à fait une insulte, mais pas tout à fait élégant non plus.

L'elfe noire, V'iladra, était intervenue.

— L'amour se danse à deux, ma Reine. Que le demi-elfe laisse un message à sa dulcinée, disant qu'il part et qu'elle ne doit pas chercher à le contacter. Cela la rendra si furieuse qu'elle le chassera de ses pensées. Elle le verra comme un lâche qui l'a abandonnée.

Une lueur rusée était passée dans l'œil froid de la Reine et Robin avait frémi. Comment pouvait-il tenir tête à des êtres âgés de milliers d'années de rouerie et de cynisme ?

— Excellente idée. Que cela soit fait. Et il n'y aura qu'un seul avertissement. Contrevenir à ma décision sera puni d'exil à vie. J'ai dit !

Et sans incanter, utilisant sa puissante magie, la Reine avait disparu avec ses deux conseillères, laissant derrière elle un étouffant parfum de violettes en décomposition.

Mévora s'était affaissée.

— Est-ce ce à quoi je pense ? avait-elle demandé d'une petite voix.

T'andilus avait soupiré et laissé la tension s'écouler de ses membres comme une eau invisible et violente.

— Oui, hélas. Si l'impératrice d'Omois renvoie nos guerriers à Selenda, nous ne mettrons pas plus d'un à deux mois avant de recommencer à nous étriper. Travailler pour les autres peuples est la seule solution que nos anciens aient trouvée pour sauver nos trop bouillants guerriers. La discipline des armées nous permet de survivre. Notre reine a raison sur un point. Nous ne pouvons pas nous permettre de défier l'Impératrice. Cette... garce a trouvé un moyen infaillible pour t'éloigner de son héritière, mon fils. Je suis désolé.

Robin avait serré les poings.

— Ce n'est pas possible. Je ne le veux pas !

T'andilus s'était tourné vers lui, rigide.

— Tu *dois* partir. Ton oncle, mon frère T'avilus, travaille pour le gouvernement edrakin. Il traque les pirates de l'océan des Brumes. Tu vas t'engager sur son navire le temps que je trouve une solution.

— C'est hors de question ! avait crié Mévora. Ce type de mission est bien trop dangereux !

— Ton fils est majeur, Mévora, il est un bon combattant, je l'ai entraîné moi-même. Les pirates ne le verront même pas qu'il les aura déjà découpés en morceaux !

Mévora avait frissonné, saisie par l'image.

— Je me fiche de l'Impératrice, je me fiche de ta reine, mon fils ne partira pas !

À partir de ce moment-là, les choses s'étaient dégradées. Ses parents s'étaient disputés toute la nuit à cause de lui et Robin avait pensé à s'enfuir. Mais pour aller où ? La Reine avait raison. Il ne pouvait mettre un peuple entier en danger.

Son père avait tranché le problème par la ruse. Comme Mévora, épuisée, était allée se servir un verre d'eau à la cuisine, il l'avait suivie et endormie alors qu'elle se penchait sur l'Élémentaire d'eau de l'évier. Il l'avait rattrapée de justesse avant qu'elle ne se noie et posée avec délicatesse sur le divan.

Puis, utilisant la Porte de Transfert de l'ambassade, il avait emmené son fils sur le navire de son frère l'amiral T'avilus M'angil, averti par boule de cristal. Par chance, son puissant croiseur, *Le Vrrir des mers*, de retour de mission, était à quai en cours de ravitaillement.

Lorsque sa mère, écumant de rage, avait fait irruption au port, il était trop tard. Le navire blindé n'était plus qu'une silhouette se découpant sur l'horizon et risquer un Transmitus sur une cible mouvante était quasi-suicidaire... même si la tentation l'en avait tenaillée pendant quelques minutes.

En dépit de son terrible besoin de parler à son amour perdu, Robin avait noblement respecté les consignes de son père et de sa reine. Il avait laissé un message sans vie à Tara, le cœur déchiré, se sachant incapable d'affronter le visage de son aimée.

Les affrontements et la peine l'avaient changé. Après sept mois de combats incessants, il avait grandi et ses épaules s'étaient élargies bien au-delà de celles des autres elfes, plus fins de constitution. Il s'entraînait plusieurs heures chaque jour, perfectionnant son art, son corps et sa musculature, encore et toujours, avec une constante obsession, fuyant ses souvenirs par un exercice physique le plus épuisant possible. Après avoir failli faire exploser le cuirassé et une bonne partie de l'océan, il avait renoncé à utiliser son nouveau pouvoir trop puissant, puisant un étrange réconfort à tuer arme contre arme, au corps à corps.

Cela avait étouffé l'humanité qui le rendait si sensible. Petit à petit, son visage s'était figé en un masque froid et brutal.

Puis il s'était produit une chose impossible, si étrange que Robin en avait gardé le secret pour lui.

Une nuit qu'il nettoyait son arc, il avait appuyé sur trois pierres à la fois, deux émeraudes et un rubis qui formaient comme un visage sur l'âme de l'arc.

Et c'était alors qu'*elle* était apparue. L'esprit de l'arc. Llilandril.

Sa beauté était telle qu'elle flamboyait d'un impossible éclat. Elle était grande, tout juste vêtue d'un bout de tissu qui peinait à retenir ses imposants... hrrrhm, disons... poumons, et d'un ridicule bikini que la plus dévêtue des mannequins d'AutreMonde n'aurait osé porter sans rougir[1]. Elle s'était approchée de lui dans un déhanchement à donner le mal de mer au plus aguerri des marins, avait plongé ses somptueux yeux violets dans les yeux agrandis de surprise de Robin et susurré :

— Je vais t'apprendre, jeune Elfe, des choses que même dans tes rêves les plus fous tu ne pouvais imaginer. Viens à moi, jeune Elfe, viens !

— Llilandril ! Que... mais... comment es-tu revenue ?

L'elfe avait eu un geste de la main, marquant son impatience.

— J'avais mis un enchantement sur mon arc. Lorsque je suis morte, un bout de mon âme y est resté. Cela fait si longtemps que je n'ai pas été invoquée, cela m'a tellement manqué ! Viens, viens à moi !

Et Robin, hypnotisé, avait obéi.

Au début, cela avait été un peu... intriguant. Elle avait tellement plus d'expérience que lui ! Et certaines positions étaient

_____

1. De plaisir, bien évidemment, à l'idée de la tête des copines et encore plus des copains.

vraiment compliquées. Puis, au cours de la nuit interminable, il avait petit à petit pris le dessus et enfin un grand cri avait déchiré le cœur des ténèbres.

Le lendemain matin, il était tellement épuisé qu'il tenait à peine debout. Et n'avait envie que d'une seule chose. Recommencer[1].

Ignorant tout de la façon dont son neveu passait ses nuits[2], son oncle avait tenté de le tenir éloigné des combats. Mais à sa grande surprise, Robin avait insisté pour y participer. Leur première cible avait été un caboteur pirate qui avait attaqué un riche vaisseau marchand. Les pillards venaient de commencer l'abordage et ouvraient tout juste les caisses pleines de soieries d'aragne et de joyaux précieux, que les vaisseaux amenaient aux îles trop petites pour bénéficier d'une Porte de Transfert, lorsque le croiseur de l'amiral avait surgi de la brume comme un fantôme, son équipage d'elfes guerriers aligné comme une machine bien huilée.

Et en première ligne, un jeune elfe tout juste adulte qui s'était jeté sur les boucaniers, à la grande surprise des uns et des autres. L'un des pirates avait ricané, prêt à transpercer l'insolent et n'avait pas bien compris pourquoi il avait subitement senti comme une fraîcheur du côté de son estomac. Le temps de réaliser qu'il avait une épée à travers le corps, il était déjà mort et Robin s'attaquait à une autre victime, dans un parfait silence, au contraire des pirates qui hurlaient en essayant de le tuer.

---

1. Bon, que les plus âgés d'entre vous arrêtent de baver sur ces pages en tentant d'imaginer des choses normalement censurées pour les moins de dix-huit ans, je rappelle que ce livre est un ouvrage familial, c'est-à-dire susceptible d'être lu par toute la famille. Llilandril a simplement entraîné Robin afin de faire de lui un grand guerrier et lui a enseigné des techniques de combat qu'il ignorait et qui ravalent le célèbre « coup-de-pied-circulaire-et-paf-quatre-adversaires-tombent-en-gémissant » au rang de pichenette insignifiante. Qu'est-ce que vous croyiez, hein ? Llilandril est un esprit, on ne peut pas la toucher, pfffff !

2. À s'entraîner sans relâche et à se faire copieusement injurier par Llilandril qui, bien qu'incroyablement belle, possède le vocabulaire d'un sergent recruteur de la Légion étrangère...

Les flibustiers avaient fait les frais de sa fureur. Dans tous les affrontements qui avaient suivi, Robin avait obtenu l'autorisation de mener l'assaut.

Longtemps, dans l'océan des Brumes, les terribles boucaniers parleraient de ce jeune guerrier elfe qui tuait impitoyablement tout ce qui se trouvait sur son passage et de son arc enragé qui ne manquait jamais sa cible, ses flèches à pointe d'argent transperçant allégrement foies, cœurs et boyaux même planqués derrière les mats/barils/obstacles en tout genre.

L'arc ne s'était jamais tant amusé. Même au bon vieux temps de Llilandril, il n'avait pas eu l'occasion de trucider autant d'ennemis.

Les autres elfes n'étaient pas plus rassurés. Plusieurs d'entre eux avaient voulu s'amuser avec la jeune recrue, tout neveu de l'amiral qu'il fût. Ils s'étaient retrouvés par terre, le nez ensanglanté, une sorte de furie braquant un arc enragé sur eux au point que certains murmuraient que le mélange humain-elfe produisait des guerriers plus puissants que les enfants des elfes pur-sang, contrairement à ce que craignait la reine des Elfes, et nettement plus sauvages, qui plus est.

La Reine avait reçu ces rapports avec un certain mécontentement. Mais bon ! C'était elle-même qui avait transformé le gentil Robin en un monstre assoiffé de sang alors, tant qu'il massacrait *leurs* ennemis, elle n'avait rien à dire.

Tout allait donc plutôt bien sauf pour les pirates, lorsqu'il s'était produit quelque chose de très étrange. Certains elfes avaient commencé à entendre des voix. Si Robin avait mieux connu la Terre, il aurait pu se moquer des autres guerriers en les comparant à Jeanne d'Arc mais sur AutreMonde, lorsqu'on entendait des voix, il valait mieux comprendre au plus tôt ce qu'elles voulaient, histoire de ne pas se faire bêtement dévorer. Après enquête, il avait été avéré que les voix n'étaient pas celles de sirènes qui avaient fui le secteur des batailles et de toute façon préféraient le poisson à la chair humaine, ni celles de tritons qui ne s'intéressaient pas davantage aux activités des bipèdes, à part pour vendre le lait et le beurre de balboune à des prix scandaleusement élevés, mais celles d'... autre chose. De bien plus dangereux.

De mortel.

Quelque chose contre quoi toute la furie de Robin et la magie des elfes avait été inutile. Comme une portée de chiots impuissants, une grande partie de l'équipage avait été capturée et emmenée dans cet endroit oublié des dieux et des hommes. Au début, ils avaient gardé l'espoir. Mais au bout d'un mois de détention, ils avaient fini par comprendre que personne ne viendrait les délivrer. Jamais.

Il y eut un cliquetis, fer claquant contre fer. Robin releva la tête, tiré de ses pensées par le bruit. Un point lumineux grandit, jusqu'à éclairer une mince silhouette dont les cheveux rouges, tranchés par une mèche blanche, tombaient jusqu'à des sandales de rubis délicatement ciselés. Un visage magnifique et inoubliable émergea de l'ombre.

Les lèvres de Robin se retroussèrent en un rictus haineux.

L'impératrice d'Omois se tenait devant lui.

CHAPITRE X

LA SEMCHANACH [1]
ou comment rester jeune et belle sans lifting...

— Alors, mon mignon, comment allons-nous ce soir [2] ?

Robin ne répondit pas. Répondre n'apportait que plus de douleur. Il en avait son compte pour l'instant.

L'Impératrice s'avança, inspectant la coupe.

— Je vois que nous avons besoin de nous régénérer un peu, dit-elle. Soyons un peu grandiloquente : Que la Lumière soit !

Elle accompagna l'incantation d'un ample geste de la main et, docile, l'immense caverne sous-marine s'éclaira.

Une énorme boule de lumière se mit à briller à sa voûte, tel un soleil captif. Les rayons lumineux se réfléchirent violemment sur les murs constellés de cristaux, blessant les yeux du demi-elfe. Dans d'autres conditions, Robin aurait été émerveillé par la beauté du spectacle. Là, il était en train de penser que s'il réchappait à son triste sort, la spéléologie ne ferait jamais plus partie de ses loisirs.

---

1. Semchanach : sortcelier ou sortcelière qui refuse les lois du Conseil des mages et se déclare indépendant. S'il ou elle ne pratique pas de magie contre les autres habitants d'AutreMonde ou de la Terre, les mages lui fichent une paix relative. Par contre, s'il ou elle s'attaque aux habitants d'AutreMonde ou de la Terre, disons que sa perspective de survie, lorsque les elfes guerriers le ou la trouvent, est à peu près celle d'une boule de neige en enfer : courte.

2. Ben non, je ne me suis pas trompée, sur la carte, on a l'impression que tout est proche, mais comme disait un fameux général, « la carte n'est pas le terrain ». Et les fuseaux horaires font qu'il fait jour à Omois mais que chez les Edrakins, c'est déjà la nuit... et paf !

Sous l'aveuglante lumière, il plissa les yeux. Petit à petit, des ombres familières se dessinèrent sur les murs.

Enchaînés aux parois luisantes d'humidité, frottant leurs écorchures enflammées contre le lichen visqueux, se trouvaient une dizaine d'elfes, les compagnons de Robin.

Quatre d'entre eux n'étaient plus que des squelettes aux os blanchis encore tenus par les tendons, qui semblaient lui faire signe.

Le demi-elfe se tendit dans ses chaînes, ce qui ne servit qu'à accentuer sa souffrance. Comme des milliers de fois auparavant, sa tentative pour se libérer échoua. Les épais maillons étaient forgés en fer d'Hymlia, insensible à la magie, seule la force physique ou les clefs pouvaient les ouvrir.

Au fil des jours, leur contact était devenu comme un feu contre sa peau. S'il leur arrivait de combattre avec des armes d'acier, les elfes utilisaient plutôt l'argent durci, le keltril ou l'or et n'aimaient pas le contact du fer. Trop prolongé, celui-ci finissait par les affecter. Demi-elfe, il en pâtissait un peu moins mais pouvait imaginer la torture qu'enduraient les marins et soldats elfes capturés.

Le sort qui l'empêchait d'utiliser sa magie musela sa révolte.

À demi fou de douleur, il ne put retenir un gémissement. Qui fit rire l'Impératrice.

— Je sais que tu n'aimes pas cela. Et j'en suis désolée...

Elle s'arrêta un instant, songeuse.

— C'est faux. En fait, je n'en suis pas désolée du tout. (L'un de ses doigts se pointa vers un elfe et l'autre vers Robin) TRANSFUSUS !

Avant que Robin ne puisse se débattre, une fine ligne de sang s'éleva de l'elfe enchaîné, pour frapper le jeune homme.

— Non ! hurla-t-il, sachant ce qui allait se produire. Non !

— Si, si, susurra l'Impératrice, ravie. Vas-y, mon joli, débats-toi, ton sang n'en aura que plus de saveur !

— Espèce de vieille truie ! gronda l'autre l'elfe qui, enchaîné auprès de ses compagnons, se vidait de son sang. Puissent les mânes de nos ancêtres te maudire !

Sa fureur était telle qu'elle brisa l'antisort qui l'entourait. Une nuée noire se forma au-dessus de sa tête puis fonça vers l'Impératrice.

156

Un sourire amusé aux lèvres, celle-ci leva la main comme pour effacer un tableau devant elle. La malédiction se heurta à un bouclier invisible et, trop faible, finit par se dissiper sans avoir atteint la jeune femme. Bientôt, l'elfe dans ses fers n'eut plus assez de sang dans son cœur pour parler. Et celui-ci s'arrêta de battre.

Comme celui de Robin.

Il se mit à mourir.

Contrairement à ce que l'on aurait pu croire, cela n'avait rien d'immédiat. Le souffle manquait, de la poitrine montait une immense douleur, il devenait impossible de respirer ou même de penser et pendant tout le processus, l'esprit divaguait et se cabrait, rendu fou par l'inéluctable.

La tête de Robin retomba sur sa poitrine en même temps que celle de l'elfe. Une larme de cristal roula sur sa joue.

Et dans un même souffle désespéré, ils expirèrent.

L'enchantement ne s'interrompit pas pour autant. La ligne de sang continua à irriguer Robin et, peu à peu, la chair de l'elfe enchaîné disparut. Enfin, tout s'arrêta et il ne demeura plus sur le mur qu'un squelette supplémentaire.

Le sang de Robin cessa de goutter dans la merveilleuse coupe. Comme le cœur du demi-elfe, sa circulation s'était figée.

L'Impératrice s'approcha et émit un petit soupir de satisfaction. Il y en avait de moins en moins à chaque fois mais cela suffirait pour l'instant.

Elle laissa glisser l'illusion. Elle avait emprunté le visage de la plus belle femme d'AutreMonde pour deux raisons : la première, parce que cela suscitait chez le demi-elfe une rage aveugle, la seconde parce qu'elle adorait la beauté comme d'autres l'art : avec une absolue dévotion.

La glorieuse silhouette se recroquevilla, se ratatina, révélant une vieille femme aux cheveux rares et gris, aux dents jaunes et aux mains crochues. Sur les murs, les elfes survivants frémirent.

Chaque semaine, depuis un mois, ils avaient droit à ce spectacle et l'un d'entre eux y laissait la vie.

Mais pas Robin. Elle tenait à Robin. Il était le seul qui lui permettait d'accomplir son rite obscène. Le sang des elfes n'était pas suffisant pour lui rendre sa jeunesse, il l'empêchait tout juste de mourir de vieillesse. Mais une fois mêlé à celui de Robin dont le sang humain, rehaussé par la puissante magie de Tara et de Jeremy, filtrait le sang elfique, il produisait un tout autre effet, bien plus durable et lui procurant des pouvoirs qu'elle avait oubliés.

En fait, son potentiel magique était très inférieur à celui des elfes. Son sort d'hypnose avait pu venir à bout d'une partie de l'équipage, le temps pour ses serviteurs de s'emparer des corps immobiles avant que le reste des marins ne s'en rende compte mais elle n'aurait pu vaincre les puissants sorts protégeant le navire amiral si ses pouvoirs n'avaient été momentanément amplifiés. Et Robin, qui lui avait été désigné, était bien mort, comme cela lui avait été commandé. À cinq reprises déjà.

L'espace d'un instant, elle se demanda pourquoi l'être qui avait réussi à la retrouver et à lui mettre ce curieux marché en main voulait à tout prix que ce demi-elfe en particulier disparaisse de la surface d'AutreMonde. Elle n'avait pas obéi, du moins pas tout de suite. Pas sans avoir extrait tout ce qu'elle pouvait du corps torturé en face d'elle. Elle tendit la main, impatiente.

Au moment où l'infâme sorcelière saisit la coupe et y plongea une bouche avide, Robin eut un hoquet. Comme un tambour, son cœur se remit à battre. Bom-bom ! Bom-bom ! Il emplissait l'immense caverne d'un bruit sourd. Bom-bom ! Bom-bom ! On aurait pu danser sur son rythme régulier, bom-bom ! Bom-bom ! La vieille femme ricana, la bouche auréolée de rouge. Puis ses cheveux se mirent à pousser, comme une herbe fougueuse et vivace, son dos se redressa, elle grandit et la magnifique Impératrice se tint devant le demi-elfe encore immobile.

Elle attendit un instant. Mais le rythme du cœur ne varia pas. Plus tout à fait inconscient, il n'était pas encore entièrement réveillé. Elle soupira. Torturer physiquement et mentalement le jeune guerrier était l'un des rares plaisirs qui lui restaient encore.

Majestueuse, elle sortit de la salle. Le Luminus s'atténua jusqu'à ne laisser qu'une mince luminescence.

Le silence perdura, brisé parfois par les cliquetis des fers des elfes qui cherchaient des positions moins douloureuses.

Soudain, la paroi ondula comme si elle prenait vie tout à coup. Silencieuse, farouche, une ombre se détacha. Elle se dirigea, à pas de velours, vers le demi-elfe puis, parvenue devant lui, ôta le camouflage qui la masquait. Robin ouvrit des yeux brumeux, persuadé que sa tourmenteuse était revenue et, lorsqu'il vit le mince visage devant lui, il sursauta :

— Maman ?

Puis il réalisa à quel point il était parfaitement impossible que son intellectuelle de mère soit avec lui dans cet enfer et faillit bien arracher ses fers tant sa réaction fut violente.

— Espèce de fiente de traduc ! cracha-t-il, tu ne recules devant rien pour me torturer. Prendre le visage de ma mère ! Je te le ferai payer, crois-moi. Même si je dois en mourir, tu payeras !

La femme devant lui frémit.

— Oh, mon chéri, mais que t'a-t-elle fait ! Cette semchanach est folle. Attends, je vais te délivrer.

Sous le regard incrédule de Robin, la femme sortit de sa poche un petit outil, le laissa tomber, jura, trébucha en voulant le ramasser et faillit assommer Robin en se relevant, son crâne n'évitant le menton du garçon que d'un petit millimètre. Incrédule, les yeux du demi-elfe s'écarquillèrent et la respiration lui manqua. Une seule personne au monde était aussi maladroite... et lorsqu'elle le toucha et qu'il sentit son parfum si familier, mélange de roses et de vieux papiers, il crut s'étrangler.

— Maman ?

— Chuuuut, chuuut ! Tout va bien, maman est là.

Vu la tête de Robin, non, tout n'allait pas bien.

— Par mes ancêtres, Maman ! Que fais-tu là ?

Sa mère émit un petit gloussement tout en triturant les fers. Une scoop miniature voletait au-dessus de son épaule droite, retransmettant tout ce qu'elle voyait, une oreillette était vissée dans son oreille droite et une mouchemicro collée au coin de sa lèvre.

— Je te délivre, qu'est-ce que tu crois, nondidju ! Mais qu'est-ce que c'est que ces machins ? Ton père n'a jamais dit que ce serait si difficile. Dans les films, ils font ça en deux secondes !

Robin avait l'impression de nager en plein délire.

— Papa t'a *quoi* ? Ne me dis pas qu'il...

— Il est en train de surveiller cette semchanach. Il a désamorcé les pièges pour me permettre d'entrer dans la caverne après m'avoir capturée...

— Il t'a *quoi* ?

Non, pas un délire : un cauchemar.

— Je l'avais suivi sans son autorisation. Il est vraiment très fort, tu sais, j'ai trouvé l'endroit où il cache ses armes et je lui ai vol... hrrm, emprunté un sort de Camouflus, que je viens de déconnecter, d'ailleurs, cette sortcelière est tout à fait stupide, on ne peut pas faire de sorts pour vous délivrer mais les Camouflus fonctionnent très bien. Euh, où en étais-je... ?

— Que tu avais suivi Papa, précisa presque calmement Robin, qui tentait de garder son sang-froid.

— Ah ! oui, et aussi, j'avais appris des tas de ruses pour me dissimuler et tu sais quoi ? Il m'a détectée presque tout de suite, même s'il ne savait pas que c'était moi. Et j'ai bien fait de le suivre, parce que cette caverne est protégée. Si un homme entre ici, l'alarme se déclenche mais pour éviter d'avoir à brancher et débrancher constamment le sort, la semchanach a autorisé le passage d'une femme. Humaine. Ton père n'avait que des elfes sous la main, il a donc eu besoin de moi alors, au lieu de me renvoyer, il a bien dû me prendre comme assistante. Dis donc, tu ne m'avais pas dit que c'était aussi excitant d'être un espi... Quoi, quoi ? Comment ça, dans l'autre sens ? (Robin comprit que Mévora parlait à son père.) Tu es sûr ? Parce que... bon, bon, je tourne ! Aaaah ! Ça y est, tu es le meilleur, mon amour !

Le poignet droit de Robin venait d'être libéré. Ayant compris comment la clef fonctionnait, Mévora fut bien plus rapide avec les autres fers.

Heureusement, elle avait pris soin de libérer d'abord le bras droit de son fils puis ses pieds et enfin son bras gauche. Car Robin ne put faire qu'une seule chose lorsque le dernier fer céda.

Il lui tomba dessus.

À son immense surprise, sa mère si fragile et frêle le soutint sans broncher. Ils firent quelques pas vacillants et elle l'adossa contre un mur.

Apparemment, transporter sans cesse des tas de vieux livres et de vieux papiers lui avait forgé des muscles solides.

— Je ne peux activer de Reparus ici, pas avec toutes ces non-didju d'antisorts, souffla-t-elle, navrée de voir à quel point son fils était diminué.

— Maman ! souffla Robin, étonné de voir qu'il pouvait encore être choqué.

Mévora eut un délicieux sourire, parfaitement indifférente à l'indignation de Robin.

— Maintenant, je comprends pourquoi ton père jure lorsqu'il s'énerve. C'est très relaxant finalement. Bon. Repose-toi pendant que je vais délivrer tes camarades.

Les elfes avaient suivi ce qui se passait en silence, les yeux brillant d'excitation. Rapide, Mévora passa comme une ombre et les relâcha. Telle une meute de loups excités et faméliques, ils se réunirent autour du demi-elfe. Puis comme un seul elfe, se tournèrent vers Mévora.

— Dame, quel est le plan à présent ? Trouver la semchanach et la démembrer, *lentement* ?

— La faire cuire ?

— La faire avaler par un démon des Limbes ? Celui dont la salive est un acide puissant ?

— Attendez, attendez ! Moi je sais, la torturer jusqu'à la faire vomir et la noyer dans son vomi ?

Les autres elfes tournèrent des regards admiratifs vers celui qui venait de trouver ce petit chef-d'œuvre de sadisme raffiné. Enfin, raffiné pour des elfes.

Mévora réprima une grimace. Yerk ! Ne manquait plus que ça, maintenant elle se retrouvait avec une petite armée de sauvages assoiffés de sang sur les bras.

— Non, non ! Nous allons quitter cet endroit affreux et laisser mon mari... enfin, les elfes soldats, régler le problème. Nous sommes arrivés en canot (l'intonation de sa voix et son visage encore un peu verdâtre indiquaient qu'elle avait peu apprécié le voyage) et votre croiseur est caché près d'ici. Le capitaine est fou d'inquiétude. Allons-y.

Ils échangèrent un regard. Ces humains étaient bien sympathiques mais vraiment trop sensibles. Que dame M'angil le veuille ou non, la semchanach qui les avait torturés et avait tué leurs camarades allait avoir un... accident. Du genre définitif.

Se léchant leurs lèvres gercées par anticipation, ils se suivirent à la queue leu leu, les deux plus valides soutenant péniblement Robin qui ne pouvait marcher.

Mévora était nerveuse. Elle n'appréciait pas les films terriens outre mesure, cependant, à cet instant précis de leur évasion, elle ne pouvait s'empêcher d'y penser car dans ces fictions (qu'intérieurement elle nommait les « Pan-pan-boum-boum ! »), c'est le moment où le méchant fait irruption dans le dos du gentil. Accompagné d'une musique angoissante et d'un plan serré afin qu'on ne s'en rende compte qu'à la dernière minute avec un halètement d'angoisse. Voire un sursaut, limite crise cardiaque.

Soudain, un choc sur sa tête la fit sursauter si fort qu'elle bouscula les elfes derrière elle. Maîtrisant de justesse un hurlement, elle toucha son front et ramena une main humide. Ce n'était qu'une grosse goutte due à la condensation. Elle poussa un soupir de soulagement sous le regard étonné des elfes.

Le chemin s'enfonçait profondément sous la surface et, pour remonter, il semblait interminablement long. Surtout pour des nerfs malmenés. Mévora regarda son fils du coin de l'œil.

Robin, là, aurait perdu tous les rounds contre un chaton nouveau-né.

Car dans l'esprit de Mévora montait le souvenir que c'est également à ce moment crucial et haletant que le gentil (en général à demi mort et perdant son sang de partout, donc un rôle sur-mesure pour Robin) bondit sur le méchant, qu'il s'ensuit une belle bagarre (où sont alors sacrifiés les gardes qui n'avaient rien demandé d'ailleurs et dont les textes se limitent souvent à « Arrrgh ! ») et que le méchant périt, en général d'une mort exotique, souvent haut perchée et par conséquent très écrabouillée.

Ou alors, les alarmes retentissent, déclenchées par un prisonnier maladroit, ou un truc tombe sur un autre truc ou dans un puits qui réveille ce-qu'il-ne-faut-pas-réveiller et des tas de gobelins/gardes/soldats/machins à tentacules/monstres géants enflammés surgissent de partout, et de nouveau le méchant bondit sur le gentil et vice-versa etc., après avoir zigouillé les gobelins/gardes/soldats/machins à tentacules/monstres géants enflammés précités qui font bien sûr « Arrrggh ! » ou « Ssssssshhh ! » en fonction de la forme de leur museau/bouche/orifice produisant du son... et le méchant finit écrabouillé ou transpercé ou brûlé, au choix.

Vu qu'ils n'avaient pas l'ombre d'une arme (pas fou, T'andilus avait fermement refusé de lui en confier une) et que les gardes de la sortcelière ne se servaient que de leurs griffes et crocs (difficile à désarmer), elle sentait que le scénario originel, à savoir la fin grandiloquente et musicale du méchant, risquait de se transformer, dans la réalité, en fin misérable et silencieuse du héros et de ses acolytes.

Heureusement pour elle, la sortcelière semchanach, engourdie par le sang de Robin, était en train de ronfler paisiblement lorsque Robin, sa mère et les elfes sortirent enfin de la caverne. Elle n'avait pas dû voir les mêmes films que Mévora...

Robin était inconscient lorsque la sortcelière l'avait transporté sur l'île avec ses compagnons. Aussi fut-il surpris de se retrouver sur un promontoire herbeux surmonté d'une petite maison de pêcheur dont l'illusion vacilla un instant sous le vent violent, révélant le manoir qu'elle dissimulait.

Il vit une silhouette, dans laquelle il reconnut son père, se profiler sur la porte d'entrée, leur adresser un signe joyeux puis entrer et se crispa dans l'attente de l'inévitable sirène d'alarme.

Mais T'andilus M'angil était un professionnel. L'alarme ne le sentit même pas et la porte tourna sur ses gonds en silence et docilement.

Aussi, la sortcelière maléfique ne se réveilla-t-elle que lorsque les fers d'Hymlia claquèrent à ses poignets, qu'un sort lui embruma l'esprit, emprisonnant sa magie, et qu'une voix froide murmura à son oreille, tandis qu'une lame tout aussi froide se posait sur sa gorge :

— Au nom du royaume du Lancovit, et avec l'autorisation du royaume edrakin, dont ces eaux et cette île font partie intégrante, je vous arrête, Sortcelière, pour meurtres et tortures perpétrés sur de libres citoyens du Lancovit.

Affolée, la femme voulut ouvrir la bouche. La pression sur sa jugulaire fut plus forte, muselant son cri.

— Oui ! murmura l'elfe qui tenait l'épée, oh, oui ! Donnez-moi une raison de vous trancher la gorge. Allez-y, tentez de faire de la magie, de briser mon sort, cela m'arrangerait.

La sortcelière loucha sur le profil de faucon qui la surplombait, nota en un éclair l'étrange ressemblance entre l'elfe et le garçon qu'elle torturait depuis des semaines. Et comprit que sa vie ne tenait qu'à un tout petit fil. Elle referma la bouche, décidée à ne la rouvrir qu'une fois à l'abri de la rage sauvage qui luisait dans les yeux de son vis-à-vis. D'autant qu'elle venait de reconnaître ce visage, célèbre en dépit de son métier discret, celui du chef des services secrets du Lancovit.

— Bien, bien ! sourit férocement l'elfe. Je vois que vous avez décidé d'être sage. Dommage. (Il reprit un ton officiel :) Vous avez beaucoup de chance. Contrairement aux Edrakins, nous n'avons pas la peine de mort. Mais s'ils insistent vraiment pour vous réclamer, je crois qu'une extradition sera tout à fait envisageable. (Il s'approcha jusqu'à toucher le nez de la femme, l'obligeant à enfoncer la tête dans son oreiller de plumes de spatchounes). Tu n'aurais pas dû toucher à mon fils. Tu vas payer pour chaque goutte de son sang. Et j'ai cru comprendre qu'il avait beaucoup coulé depuis un mois.

Terrifiée, la sortcelière s'abstint de réagir et, pour la première fois depuis des années, se dit qu'elle venait de faire une très grosse boulette. Et qu'elle n'aurait jamais dû accepter le pacte qui lui avait été proposé. Oh, non !

Ils l'emprisonnèrent et fouillèrent le manoir de fond en comble, après avoir neutralisé les quelques serviteurs, les pièges et deux démons mineurs qui faisaient office de gardes.

Aussi peu de protection et de personnel, c'était presque minable et les elfes soldats furent surpris de la facilité avec laquelle ils capturèrent tout ce petit monde, après avoir banni les démons. Méfiants, ils placèrent des sentinelles partout sur l'île, tellement bardées de sortilèges de protection que, même de jour, ils luisaient comme des brillantes.

Bien que le manoir soit confortable, il n'était pas, de loin, aussi somptueux que ceux des semchanachs qui d'habitude utilisaient leur pouvoir à fond pour habiter châteaux et palais. Blanc, en pierre des monts Tasdor dans les montagnes d'Hymlia, pays des Nains, il ne comptait qu'une vingtaine de pièces dont les trois quarts étaient fermées et poussiéreuses. Les tentures bleu et jaune, quoique encore belles, avaient des couleurs fanées et les meubles délicatement ouvragés de marqueterie représentant spatchounes, oiseaux de feu et paons pourpres avaient du mal à se déplacer. Certains ne possédaient presque plus de magie et encore moins de rembourrage.

Ces indices intriguèrent T'andilus. Ils prouvaient la faiblesse du pouvoir de la semchanach. Comment, par Bendruc le Hideux ! avait-elle réussi à franchir les défenses du puissant croiseur pour kidnapper les soldats elfes alors qu'en temps normal elle se contentait de quelques pêcheurs à la dérive ?

Lorsqu'il lui posa la question, la terreur déforma le visage de la sorcelière. Puis elle se reprit et dit qu'elle se sentait insultée. Qu'elle était une puissante sorcelière et que rien ni personne ne pouvait l'arrêter si elle désirait vraiment quelque chose. Et que les elfes du cuirassé l'avaient agréablement changée de son régime de pêcheurs...

T'andilus ne la crut pas un seul instant. *Quelque chose* faisait une peur horrible à la vieille femme. Et elle craignait bien plus ce *quelque chose* qu'elle ne le craignait, lui, qui avait pourtant failli lui trancher la gorge. C'était inquiétant. De là à frôler la paranoïa et à en conclure que l'attaque était dirigée contre son fils, il n'y avait qu'un pas que T'andilus osa franchir. Quelqu'un avait voulu tuer Robin, après que l'Impératrice lui eut interdit de s'approcher de Tara Duncan, comme par hasard.

Il y avait donc deux questions à présent. Qui et pourquoi ?

T'andilus espérait de tout son cœur d'elfe que Lisbeth'tylanh-nem n'avait pas trempé dans cette cruelle manœuvre. Pendant plusieurs heures, ils avaient espionné la sorcelière semchanach avant de parvenir à pénétrer dans la caverne sans déclencher les alarmes. Au début, horrifié, il avait sincèrement cru que l'Impératrice était la responsable de l'enlèvement de son fils. Puis, les scoops que Mévora avait emportées avec elle lui avaient montré la transformation de la vieille femme. Si la mort de l'elfe l'avait mis en rage, il s'était senti infiniment soulagé de constater qu'il n'allait pas devoir arrêter la véritable impératrice d'Omois pour meurtre.

Ce genre d'exploit était à éviter sur un curriculum vitae...

Cependant, le choix de la semchanach le troublait. Pourquoi avoir revêtu l'aspect de l'Impératrice ? Là non plus, la réponse de la vieille femme ne le satisfit pas.

Certaines comédiennes étaient bien plus belles que Lisbeth ! Même si personne ne se risquait à le lui dire sur AutreMonde.

Au bout de deux jours de recherches, ils finirent par mettre le tentacule (c'est un cahmboum qui passa à travers la fausse paroi, il eut la peur de sa vie et faillit en exploser[1]) sur le journal que la sortcelière tenait soigneusement. Dissimulé derrière une illusion, une fausse rangée de livres qui s'agitaient au bout de chaînes les retenant prisonniers, raison pour laquelle les elfes n'avaient pas trouvé la cachette, contrairement au cahmboum qui, curieux, avait voulu les étudier, il était bourré d'informations décrivant des rites étranges et sanglants. La sortcelière avait recherché sa jeunesse enfuie avec une obstination démente et impitoyable, aux dépens d'autres vies humaines, naines ou elfiques...

Ils apprirent qu'elle vivait depuis presque cinq siècles, attrapant et consommant les marins comme d'autres des fruits de mer et tout ceci afin de rester immortelle. Grâce à Robin, elle avait aussi recouvré provisoirement une jeunesse enfuie et volé la beauté de l'Impératrice.

Les soupçons de T'andilus se muèrent en certitude en découvrant une boule de cristal. Posée sur le bureau de la semchanach, elle afficha le visage de Robin lorsque l'un des elfes l'effleura.

---

1. La raison pour laquelle les cahmbooms sont bibliothécaires, fonctionnaires ou jardiniers réside dans leur tendance à exploser s'ils éprouvent des émotions trop fortes... eh oui ! d'où croyez-vous qu'ils tirent leur nom ?

Il s'agissait bel et bien d'un contrat. En guise de rémunération, la semchanach avait reçu des pouvoirs accrus afin de s'emparer du demi-elfe, l'hologramme en était la preuve. Seulement, le commanditaire n'avait pas prévu que la sortcelière garderait Robin en vie aussi longtemps.

Une enquête approfondie s'imposait. En dépit de tous ses efforts, il ne put rien obtenir de la semchanach qui clamait qu'elle voulait un avocat et refusait de répondre à ses questions. Le Diseur de Vérité qui accompagnait l'expédition de secours se heurta à une protection mentale plus solide qu'une forteresse et le patient végétal télépathe accompagné du gnome bleu qui lui servait de « voix » dut renoncer.

T'andilus changea de tactique. Persévérant, il lança une liste de noms soigneusement choisis, au cours d'une conversation ou plutôt d'un monologue avec elle. Les noms qui la firent réagir, qui firent s'écarquiller ses yeux ou allumèrent une lueur de peur dans son regard n'étaient pas ceux qu'il attendait.

Et lorsqu'il identifia enfin leur ennemi, son cœur se serra. Il devait absolument mettre Robin à l'abri !

Avant d'abandonner les lieux, ils retrouvèrent au fond de la grotte des dizaines de squelettes, jetés aux poissons, grands et gras à cet endroit. Écœurés, ils récupérèrent les os polis, ajoutant encore au dossier déjà bien rempli du monstre sur son rocher.

Et, d'une façon étrange, Robin fut reconnaissant envers la semchanach. Certes, elle l'avait torturé, elle avait tué ses compagnons mais grâce à elle il s'était produit une sorte de miracle.

Ses parents ne se quittaient plus d'une semelle ! La transformation était stupéfiante. Mévora couvait T'andilus d'un regard admirateur, expression qu'elle avait perdue depuis des années, et celui-ci la contemplait en retour d'un regard... euh, étonné... comme s'il venait de découvrir qu'il était marié à une femme courageuse et déterminée. Et Robin dissimulait un sourire en les voyant, comme de jeunes amoureux, échanger gloussements (les amoureux gloussent beaucoup, c'est bien connu !) et petits secrets. L'ombre menaçante du divorce qui planait sur leur couple depuis des années venait d'être dissipée par une sortcelière folle, cinq sacrifices et un mois de torture. Comme quoi, l'univers pouvait être... ironique.

Les elfes de l'expédition observaient le manège de leur chef avec étonnement et oscillaient entre leur reconnaissance envers Mévora, une civile qui avait risqué sa vie pour délivrer leurs compagnons, et l'agacement (un peu mâtiné de jalousie, soupçonnait Robin).

Trois jours de répit permirent au demi-elfe de retrouver ses forces. Il fut content de retrouver l'arc de Llilandril et évita soigneusement de toucher les pierres qui appelaient l'esprit de l'arc, se jugeant trop mal en point pour l'instant.

Les Edrakins envoyèrent une équipe de cristallistes sur l'île en dépit des efforts de T'andilus pour garder secrète l'expédition. Mais, comme sur Terre, les cristallistes étaient obstinés et les aventures de Robin et de ses compagnons, ainsi que leurs exploits, firent la une de tous les jourstaux.

Ils venaient de lever l'ancre, quittant les lieux maudits après avoir rasé le manoir (T'andilus l'avait autorisé afin de permettre aux elfes délivrés d'exprimer leur rage) lorsqu'il se produisit deux faits.

La semchanach mourut mystérieusement.

Et l'Impératrice appela Robin !

Chapitre XI

FACE À FACE
ou comment rejouer Roméo et Juliette
sans poignard ni poison

Lorsqu'il vit l'image que lui projetait sa boule de cristal (qu'il avait récupérée chez la semchanach), Robin faillit la lâcher.

Puis il pâlit au point que son père et sa mère, qui se trouvaient à ses côtés sur le pont du cuirassé, l'entourèrent, soudain inquiets. Ils reculèrent en voyant l'image de l'Impératrice dévisager leur fils, l'air sévère.

— Robin M'angil ? s'enquit la minuscule silhouette projetée devant lui.

— Votre Majesté impériale ? répondit Robin, raide comme un bout de bois.

La bouche de Lisbeth se crispa. Elle avait noté que le jeune homme ne s'inclinait pas. Mais, contrairement à ce qu'elle pensait, il n'y mettait aucune intention insultante, simplement, ses muscles s'étaient tétanisés. À part cligner des yeux et remuer la bouche, il était incapable de bouger.

L'Impératrice se pencha. Elle était assise sur son trône, sa propre boule de cristal posée sur une table devant elle. Elle était toute de noir vêtue, jusqu'à ses cheveux, momentanément noirs, tranchés par sa mèche blanche.

Ils l'enveloppaient comme une cape de velours et le paon pourpre ressortait crûment sur sa longue robe couleur de nuit. Ainsi mise, elle ressemblait à un corbeau, certes ravissant mais corbeau tout de même. Pire, un corbeau de mauvaise humeur et donc, de mauvais augure.

— Nous... avons une requête à te présenter, jeune Elfe, dit la souveraine avec la mine de qui vient d'avaler quelque chose d'amer.

— Votre Majesté impériale ?

— Nous avons besoin de votre présence en notre palais d'Omois.

Il en resta un instant sans voix. Oui, de très amer.

— Votre Majesté impériale ?

Elle s'agita sur son trône.

— Jeune M'angil, j'ai eu une longue journée et votre manière de répéter mon titre commence à m'agacer sérieusement.

— Votre Maj...

— Dites-le encore une fois et je vous fais arrêter.

Robin, incapable d'aligner une pensée cohérente, ouvrait la bouche lorsque son père le devança.

— Bonjour, Votre Majesté impériale. La réponse est : certainement pas.

Les yeux de Lisbeth s'écarquillèrent en découvrant le chef des services secrets du Lancovit.

— Certainement pas *quoi* ?

— Vous n'avez aucune autorité pour m'ordonner d'arrêter mon fils. Nous sommes sujets du royaume du Lancovit. Et nous apprécions peu les gens qui utilisent leur incommensurable pouvoir pour nous menacer...

Lisbeth le regarda puis un mauvais sourire fleurit sur ses lèvres.

— Croyez-moi, T'andilus, le jour où je voudrai vraiment utiliser mon *incommensurable* pouvoir, comme vous le dites si bien, je n'aurai pas besoin de menacer. Donner un ordre me suffira amplement.

T'andilus carra ses épaules, sur le point de laisser éclater sa fureur, mais la petite main de sa femme se glissa dans la sienne, paume contre paume, doigts enlacés et il se détendit. Sa réponse fut *presque* diplomatique.

— Notre famille a d'autres ennemis bien plus effrayants que vous, Votre Majesté impériale. Alors, sans vouloir vous manquer de respect, j'avoue avoir un peu de mal à trembler de peur. Sans compter que la situation a changé. À présent, vous avez besoin de mon fils.

L'orage qui s'était amoncelé dans les yeux de l'Impératrice se dissipa.

— Comment le savez-vous ?

Elle s'interrompit en voyant le petit sourire supérieur qui se peignait sur les lèvres de T'andilus.

— Ah ! oui, je vois. Vos Camouflés ne sont pas mauvais, apparemment. Mais comme vous le découvrirez bientôt, pas encore assez bons. Disons, en langage plus courtois, que votre fils est *invité* à ma cour. Sa présence sera considérée par notre empire comme un service rendu par le Lancovit.

T'andilus allait répondre lorsqu'il intercepta un mouvement de sa femme. Elle agitait désespérément la main en dehors du champ de vision de l'Impératrice.

— Excusez-moi, Votre Majesté impériale, juste une seconde.

Il se décala d'un pas et se pencha. Sa femme, nettement plus petite, se haussa sur la pointe des pieds pour lui chuchoter quelque chose à l'oreille. Au début, il fronça les sourcils puis un sourire éclata bientôt sur son visage.

— Tu es un génie, chuchota-t-il en embrassant tendrement Mévora.

Il revint devant la boule de cristal. Le petit pied de l'Impératrice s'agitait, trahissant son agacement.

— Veuillez m'excuser, Votre Majesté impériale. Cela sera considéré comme un traité entre Omois et le peuple des Elfes.

Lisbeth se redressa, sur le qui-vive.

— Un traité ?

— Vous avez utilisé votre pouvoir pour menacer mon fils et le bannir de votre cour. Bien évidemment, c'était avant de découvrir que sans lui votre héritière ne pourrait jamais récupérer sa magie et ainsi revenir dans la succession. Vous avez également fait pression sur le peuple des Elfes pour nous faire plier. Sachant que vous êtes leur principal employeur, ce chantage a été pris tout à fait au sérieux par la souveraine des Elfes, la reine de l'Air et des Ténèbres.

Lisbeth grimaça. Le nom de la reine des Elfes ayant été prononcé, tout ce que dirait T'andilus serait à présent entendu par elle, porté par l'air qui les entourait. Redoutable pouvoir que celui de T'avila. Le message mettrait un peu de temps à arriver mais il arriverait. Cela était certain. Cet elfe était nettement plus intelligent qu'elle ne l'avait pensé.

Elle inspira, prête au pire.

— Quelle sorte de traité ? siffla-t-elle d'une voix glaciale.

— Les escouades sous vos ordres sont en contrat à durée limitée, ce qui vous permet de jouer avec nous et, surtout, d'obtenir des soldats à des tarifs dérisoires car c'est le prix de notre survie. Vous payez peu et nous mourons beaucoup. Ceci doit changer. Vous engagez les elfes qui sont sous contrat avec vous sans limitation de durée, avec une augmentation de salaire de quinze pour cent et un ajustement annuel indexé sur l'inflation du coût de la vie, plus zéro virgule cinq pour cent ; les départs en retraite, cas d'invalidité ou de blessure seront couverts par des assurances prises en charge par l'empire, nous payerons une partie de ces charges et vous l'autre, disons dans une proportion de trente pour cent pour nous et soixante-dix pour cent pour vous. Ceux qui partiront seront remplacés par nos volontaires elfes. Aucune menace, aucun contrat, aucun accord ne pourront défaire ce traité.

— Vos conditions sont inacceptables ! cria Lisbeth, folle de rage.

— Ce n'est pas tout, continua T'andilus imperturbable. Vous vous engagez à ne pas interdire à mon fils de voir votre héritière ni à vous opposer à leur mariage si, dans quelques années, ils décident de faire comme ma femme et moi-même. Les gouvernants n'ont pas à superviser les histoires d'amour de leurs sujets. Il y a dix-sept ans, ma femme et moi avons résisté à notre reine, ne pensez pas une seconde que mon fils et Tara ne vous résisteront pas exactement de la même manière.

Lisbeth était devenue blême. À sa décharge, Robin et Mévora aussi.

— Comment osez-vous !

— Ce sont nos conditions.

Il se pencha à son tour et montra enfin sa fureur.

— Vous ne nous avez pas laissé le choix, Votre Majesté impériale, lorsque vous avez fait appel à notre reine pour nous forcer à envoyer notre fils vers une mort quasi certaine. Ne vous attendez pas à obtenir plus de mansuétude de ma part que vous n'en avez témoigné envers nous. Sans mon fils, votre héritière ne retrouvera pas son pouvoir. Sans votre empire, notre peuple mourra. Nous nous battons tous les deux pour la survie des nôtres. Cela n'a rien à voir avec une quelconque animosité envers vous (en réalité, si : il haïssait cette femme cruelle mais se gardait bien de le laisser paraître) ni de ma part ni de celle de mon peuple.

— Je n'aime pas beaucoup qu'on me force la main, sourit soudain Lisbeth, son ravissant visage transformé en un masque de méchanceté. Je suis impératrice d'Omois, Elfe de Selenda. Celui qui marchande avec moi le fait à ses risques et périls...

T'andilus voulut parler mais la communication fut coupée.

Robin et Mévora tournèrent vers lui un même visage angoissé.

— Euh, commença Robin, battant sa mère d'une courte tête, je te remercie de ce que tu as tenté de faire mais ce n'était pas utile, tu sais.

— Elle aurait accepté la première partie de ta proposition, renchérit Mévora. La seconde partie n'était pas de notre ressort mais de celui de Robin et de Tara. Tu devrais faire confiance à ces jeunes, comme nos parents nous ont fait confiance lorsque nous avons désobéi à ta reine.

— Hum ! Si mes souvenirs sont exacts, tes parents comme les miens nous ont traités de dingues. Le mot « confiance » n'était pas vraiment ce que j'ai retenu de leurs discours.

— Mais ils nous ont laissé faire, mon amour, répondit sa femme, les yeux brillants. Et nous avons eu raison ! Maintenant, voyons si cette petite scène passe bien à la télécristal !

— Quoi ?

Robin et T'andilus s'étaient exclamés en même temps. Mévora fit un geste, comme si elle ôtait quelque chose et une scoop apparut, voletant près de son épaule.

— Elle s'est prise d'affection pour moi, je ne sais pourquoi. Lorsque j'ai vu qui t'appelait, mon chéri, je l'ai recouverte d'un Invisiblus. Mais elle a filmé toute la scène. Tu vas donc pouvoir envoyer le tout à Channel One, nous verrons bien si l'Impératrice résiste à l'opinion publique qu'elle cherche tant à contrôler.

Robin secoua la tête.

— Cela ne marchera pas. Elle s'en fiche. Les Omoisiens ne sont pas comme les Lancoviens. Tout ce qu'ils verront, c'est que mon père a essayé de m'utiliser pour obtenir des avantages pour les elfes qui composent la police d'Omois et dont ils ont peur la plupart du temps.

— Alors nous allons procéder autrement, trancha T'andilus. Scoop, viens ici, s'il te plaît.

La petite caméra vint se poser docilement sur son épaule. Sous les yeux interrogateurs de Robin et Mévora, il composa un numéro. La boule s'illumina mais sans afficher de visage. « Parlez, votre message sera enregistré », signala son correspondant.

— Scoop, transmets tes images à la boule de cristal, s'il te plaît. Elles se passent de commentaire. Dans vingt-six heures, dit-il à son interlocuteur invisible, nous nous rendrons au palais d'Omois. Quoi qu'il arrive, Robin ne mettra pas son peuple en danger. L'Impératrice peut encore utiliser la menace de licencier les elfes, je suis d'ailleurs surpris qu'elle ne l'ait pas fait. Le reste repose entre vos mains...

— Mais qui as-tu appelé ? demanda Mévora, brûlant de curiosité, lorsqu'il éteignit la boule de cristal.

— Une personne au palais d'Omois qui peut nous aider, ma chérie. Si cela fonctionne, nous aurons une réaction, quelle qu'elle soit, dans les heures qui viennent. Enfin, si mon message est écouté, évidemment.

L'incident de la mort de la semchanach assombrit cette semi-victoire sur l'Impératrice. T'andilus, qui connaissait bien les elfes, avait fait prudemment garder la sortcelière renégate par des elfes de sa propre équipe. Toute tentative de vengeance serait immédiatement stoppée et contrôlée. Mais les elfes de l'équipage devaient disposer de ressources inattendues car, lorsque le soldat de quart apporta son dîner à la prisonnière, à la place de la magnifique Impératrice, il trouva le cadavre d'une vieille femme, le visage tordu d'horreur, sa langue noire pendant entre ses mâchoires entrouvertes.

L'autopsie révéla que son cœur avait lâché, comme après une terrible frayeur. Et T'andilus flaira la cabine pouce par pouce, à la recherche du sort qui avait tué la femme, sans rien découvrir.

Au début, il suspecta l'équipage et particulièrement les elfes qui avaient été torturés par la sortcelière. Mais leur air dubitatif et déçu le renseigna : ils n'étaient pas les auteurs de sa mort. Trop transparents, ils auraient été incapables de dissimuler leur satisfaction. Le mystérieux employeur de la semchanach avait donc éliminé sa complice. À des centaines de kilomètres de la côte la plus proche, sans éveiller le moindre soupçon et sans le moindre bruit. Intéressant.

Ce furent de longues heures. L'air devait être paisible, sans tempête ni vent violent, car la reine de l'Air et des Ténèbres ne se manifesta pas, au grand soulagement de T'andilus.

Ils se rapprochaient des côtes edrakins lorsque la boule de cristal de T'andilus s'illumina. L'elfe se raidit et l'activa.

— Oui ?

La silhouette trapue de Tyrann'hic, le Premier ministre d'Omois, apparut, toute en bajoues et rondeurs dominées par un regard froid et un front dégarni.

— Par mes ancêtres ! éructa le gros homme, qu'est-ce qui vous a pris de f...tre un chantier pareil à Omois ? Vous avec perdu la tête ou quoi ?

Des échos de vaisselle brisée et d'une voix en colère leur parvenaient. Quoique, « colère » n'était pas le bon mot. Dans l'échelle de colère : 1, à rage absolue : 10, on atteignait le 10 sans problème.

— Que se passe-t-il, Maître Tyrann'hic ? répondit froidement T'andilus à la fureur mâtinée de peur du ministre.

— Ce qu'il se passe ? Il se passe que vous avez transmis un message à l'Héritière, qui est venue, chauffée comme un bout de chalumeau, hurler après notre impératrice. La suite fut confuse, j'avoue m'être enfui après : « Vieille femme rapace et jalouse » et « Sale gosse mal élevée et fouineuse ». Ce qui, entre nous soit dit, est une traduction polie de ce qu'elles se sont dit réellement.

Robin sursauta. Tara était donc le mystérieux interlocuteur de son père ! T'andilus avait bien fait de ne pas lui en parler, parce qu'il l'en aurait empêché, à coup sûr.

Il se concentra de nouveau sur l'échange entre T'andilus et Tyrann'hic. L'elfe s'était entraîné pour que ses muscles faciaux ne révèlent rien de ce qu'il ressentait. Cependant, une petite lueur amusée jouait indéniablement dans ses prunelles. Tyrann'hic soupira :

— Résultat : je suis chargé de vous faire parvenir le double du traité pour vos elfes, dit-il en agitant une liasse épaisse comme un annuaire. Il a été envoyé à votre reine et doit être signé dans les cinq heures qui viennent. Il doit compter dans les cinq cents pages. Écrit serré.

Le sourire qui s'obstinait à monter aux lèvres de T'andilus se figea. Quelque chose clochait.

— Vous êtes allé très vite pour produire un document aussi... volumineux, murmura-t-il, soudain sur ses gardes.

Tyrann'hic eut un rictus malin.

— Oooh, mais il était prêt depuis deux semaines déjà. Cela faisait longtemps que mon impératrice voulait transformer le statut provisoire des Elfes en statut permanent. Non seulement parce que la situation était injuste et exploitait les problèmes d'un peuple ami mais également en remerciement de certaines faveurs accordées par votre reine... dont notamment celle d'écarter votre fils de l'entourage de notre Héritière.

T'andilus écarquilla les yeux. Là, il était vraiment surpris. Il croyait avoir remporté une grande victoire et découvrait qu'il s'était fait manipuler comme un enfant. Pourquoi l'Impératrice lui avait-elle joué une telle comédie alors ? L'explication suivit aussitôt.

— Vous venez de prendre votre ticket pour jouer dans la cour des grands, indiqua gravement Tyrann'hic. Il va falloir assumer et, croyez-en mon expérience, chaque erreur, chaque omission dans ce traité vous sera reprochée par votre reine jusqu'à la fin de vos jours. Et vu que vous êtes quasiment immortels... cela fait vraiment très long. Voulez-vous également que je vous explique à quel point vous vous êtes fait berner ?

— Je vous en prie, grinça T'andilus, amer.

— Vous avez obtenu quelque chose qui était déjà négocié entre nos deux souveraines.

T'andilus lui jeta un regard incrédule. Comment son service de renseignement était-il passé à côté d'une information aussi primordiale !

— Elles sont entrées en négociations depuis quelques jours, l'impératrice d'Omois a demandé un décalage pour la signature qui devait avoir lieu aujourd'hui. Comme elle ne m'a rien dit (à son ton, T'andilus comprit que cela avait agacé le gros homme), les elfes et moi nous demandions pourquoi... maintenant, je crois que j'ai compris.

— Oui, moi aussi, grogna T'andilus.

L'Impératrice devait attendre de lui parler. Il détestait les politiques.

— Par conséquent, précisa Tyrann'hic d'un ton enjoué, vous ne pouvez rien demander d'autre à notre impératrice en échange de la venue de votre fils à Omois, puisqu'elle a accepté vos termes et conditions. C'est dommage que vous n'ayez pas été au courant de ces tractations entre votre pays et le nôtre, hein ! Nos deux souveraines étaient convenues de garder cela secret. Votre reine doit le regretter à présent. Et j'ai bien peur qu'elle ne vous le fasse payer.

T'andilus était à la recherche de son fils depuis un mois. Il avait donc transféré toutes ses responsabilités à son second, lequel l'avait tenu informé du retournement de situation concernant le statut de son fils à Omois mais sans lui parler du traité.

Le chef des services secrets du Lancovit venait de se faire piéger par ce que redoutaient le plus les espions : le manque d'information.

L'air, tout autour de l'elfe, lui parut soudain plus pesant et chargé de menace.

— Et pour Robin ?

— Mon impératrice engage sa parole qu'elle ne fera ou ne dira rien qui pourrait obliger votre fils à se tenir loin de notre Héritière et qu'elle la laissera choisir sa vie et son futur mari à sa guise.

Robin fit un grand sourire, que vit Tyrann'hic. Il agita un gros doigt.

— À condition que le peuple l'accepte d'une part comme petit ami de notre Héritière et d'autre part comme empereur consort. *Vox populi, vox dei.* Est-ce clair ?

— Envoyez votre traité sur ma boule de cristal, je le lis et je vous rappelle. Pour la seconde partie, je fais confiance aux humains et à leur romantisme.

Tyrann'hic eut un sourire carnassier puis retransmit le document.

T'andilus M'angil mit plus de deux heures à le lire, en dépit des aides magiques de mémorisation instantanée et d'un sérieux mal de crâne. Les avocats de la reine de l'Air et des Ténèbres et ceux d'Omois le contactèrent tant de fois au cours des trois heures qui suivirent que Robin fut surpris de voir son père, si peu féru de ce genre d'exercice, répondre parfaitement sans jamais s'égarer dans le document. Ce ne fut qu'au bout de la troisième ou de la quatrième fois qu'il vit l'oreillette et Mévora qui murmurait quelque chose, en dehors du champ de vision de la boule de cristal.

Ah, ils travaillaient ensemble. Parfait.

Les avocats comme le ministre d'Omois furent surpris des remarques de T'andilus. Apparemment, ils n'avaient pas noté que Mévora était la brillante rédactrice de nombreux traités diplomatiques entre le Lancovit et les autres peuples d'AutreMonde et une des plus grandes historiennes des relations diplomatiques interguerre. Non seulement elle fit modifier le traité afin qu'il soit juste pour les deux parties mais obtint également d'autres avantages qui amoindrirent considérablement la suffisante bonne humeur de Tyrann'hic.

La reine de l'Air et des Ténèbres se déplaça elle-même à Omois pour signer le traité, en compagnie d'E'rée la Violette et de V'iladra la Noire. Elle arriva quelques minutes avant T'andilus, Mévora et Robin.

Kali, la gouvernante du palais, l'une des rares thugs à six bras d'AutreMonde, ainsi que dame Auxia, la cousine de l'Impératrice, les attendaient, escortées par une garde d'honneur. Elles s'inclinèrent avec déférence lorsque la Reine se rematérialisa ainsi que sa suite.

À leur grande surprise (et plus encore à celle de ses deux conseillères), lorsque T'avila apprit que la famille M'angil en provenance de Kikrok venait d'annoncer son transfert, elle tint à les attendre.

— Je ne sais pas si je dois vous étrangler ou vous congratuler, T'andilus M'angil, gronda-t-elle lorsqu'elle les vit. Mais par contre, je suis sûre que je dois remercier votre jeune épouse humaine. Ce qu'elle a réussi à faire, en si peu de temps, est tout à fait remarquable.

Et, à la stupéfaction générale, la puissante reine des Elfes s'inclina devant Mévora.

Celle-ci, rougissante, se fendit d'un sourire plein de fossettes.

— Je vous en prie, Votre Majesté, l'exercice fut plaisant et œuvrer pour le bien de deux communautés aussi importantes pour AutreMonde fut un honneur pour moi.

Et elle s'inclina à son tour. La reine sourit et l'air autour d'elle parut embaumer de mille odeurs de fleurs et de printemps.

— Ma foi, je ne crois pas que vous vous soyez jamais inclinée devant moi, jeune Humaine, même au plus fort de ma colère.

— Je sais répondre par le respect au respect, Votre Majesté. Je ne suis insolente que lorsqu'on l'est envers moi.

— Oui, c'est un trait de caractère des humains que j'ai un peu de mal à appréhender. Mais je reconnais la qualité de votre expertise et j'ai quelques questions à vous poser à propos d'une des déclinaisons du traité...

Sans se préoccuper des autres, bien que Mévora ait arqué un sourcil inquiet vers son mari qui l'avait rassurée, elles s'éloignèrent, cornaquées par les gardes et la brune cousine de l'Impératrice, dame Auxia.

— Un instant, Dame E'rée, fit T'andilus en retenant l'elfe violette.

Celle-ci lui jeta un regard furieux.

— Dame ? cracha-t-elle. Je suis E'rée la Violette, terreur des elfes et des hommes, toutes ces « dame » et ces « maître » sont bons pour les humains, cela me donne envie de vomir.

T'andilus connaissait et craignait la terrible E'rée. Mais il devait comprendre quelque chose et la seule façon de le faire était de déchaîner le courroux de l'elfe afin que, sous le coup de la colère, elle perde son sang-froid.

— Vous vous êtes battue, E'rée la Violette, vous plus que toute autre, contre mon union avec Mévora. Que craignez-vous donc, que le sang humain ne contamine le sang elfe ? Pourtant mon fils est plus fort, plus résistant et bien plus courageux que beaucoup d'elfes. Sans compter que sa partie humaine tempère sa violence d'elfe, ce qui est une bonne chose pour la survie de notre espèce, n'est-ce pas ?

À la grande horreur de Kali, la gouvernante, E'rée cracha par terre.

— Un vil bâtard. Dont le sang frelaté nous affaiblit et ronge nos racines comme un rat puant. Il va se reproduire avec d'autres humaines et bientôt, ce seront leurs descendants et non pas les nôtres qui peupleront notre patrie, Selenda !

— Mais les humains sont plus nombreux que nous, E'rée la Violette. Ils ont des enfants alors que notre race est de moins en moins fertile. Ils aiment la paix alors que nous chérissons la guerre. Ils sont admirables ou monstrueux alors que nous restons égaux à nous-même. Où sont passés nos grands poètes, où sont nos grands penseurs ? Nous devons évoluer sinon nous disparaîtrons, parce que nous ne savons plus rêver !

Chaque mot était comme un poignard dans le cœur d'E'rée. Elle feula comme un immense chat en colère.

— C'est à cause de cela, de ce désir de paix, que notre peuple devient un peuple de moutons. Nous passons des accords, des traités. Nous sommes employés comme du bétail par les Humains qui devraient nous révérer comme des dieux ! Nous avons perdu tout notre feu sacré, nos chants de bataille et de mort. D'où crois-tu que viennent nos grands penseurs ? Du feu et du sang de la guerre !

La question de T'andilus fusa, comme un éclair.

— C'est pour cela que vous avez demandé à la semchanach de tuer mon fils ? Pour faire achopper le traité avec Omois ?

E'rée le regarda avec surprise. Elle allait répliquer lorsque soudain elle réalisa que des centaines d'oreilles l'écoutaient avec attention. Elle referma la bouche, dévisagea attentivement T'andilus puis répondit :

— Et pourquoi aurais-je fait tuer ton fils, en dépit de mon dégoût pour lui ? L'une des conditions du traité était son éloignement. Si j'avais voulu le casser, il aurait au contraire fallu que je préserve la vie de ton fils et que je le fasse venir à Omois contre l'avis de bannissement de ma reine. Ce que je n'ai pas fait. Me crois-tu stupide ?

— Je l'ignore, rétorqua calmement T'andilus, mais je tiens à te prévenir, E'rée, s'il arrive quoi que ce soit à mon fils, je viendrai te demander des comptes, à toi, personnellement.

E'rée inclina sa lance d'un air menaçant vers lui.

— Alors, je t'attendrai, jeune Elfe. Te tuer sera certainement délectable.

Puis elle se détourna et sortit d'un pas ample.

Robin ouvrait de grands yeux effrayés. Contrairement à son père, il était sensible, par sa partie humaine, à la terrible fureur d'E'rée.

— Maintenant, murmura-t-il, je comprends pourquoi tu as dit à l'Impératrice que nous avions des ennemis bien plus terrifiants qu'elle. Tu parlais d'E'rée !

— Chaque fois que j'ai cité E'rée, la semchanach a réagi. Elle tentait de le cacher mais c'était flagrant. Elle n'a pas du tout tiqué en entendant les autres noms. Et c'est ce qui expliquerait qu'elle ait été tuée si facilement et silencieusement. Elle devait être sous un geas de contrainte qui impliquait sa mort en cas d'interrogatoire ou d'emprisonnement trop durable. Il est préférable de connaître notre ennemi, mon fils. Fais bien attention à l'elfe violette, les krakdents, à côté d'elle, sont d'inoffensives peluches.

Robin hocha la tête. Tout cela ne faisait que confirmer ce qu'il pensait déjà.

Il suivit son père. Kali, la gouvernante, les conduisit à la salle d'audience. La grande, celle où il fallait des vivres et de l'eau pour franchir la distance entre l'entrée et le trône. Elle était emplie d'une foule considérable. Un énorme dragon noir, avec une étoile blanche sur le poitrail, que Robin ne connaissait pas, se tenait auprès de l'Impératrice et de l'Imperator. Il était assez remarquable pour focaliser l'attention de tous. Juste à côté de l'Impératrice, il y avait également une cage dans laquelle se trouvait un spatchoune noir et blanc qui avait l'air fou de rage et lançait de furieux coups de bec sur les barreaux de sa geôle.

Mais Robin, lui, ne vit qu'une seule personne.

Elle était là. Tara'tylanhnem Duncan, l'Héritière. Assise un peu en contrebas sur le trône, son pégase miniaturisé perché sur son épaule, tout aussi impériale que sa tante dans sa flamboyante robe pourpre de sortcelière, sa mèche blanche tranchant l'or de sa chevelure.

Le cœur de Robin rata un battement. Elle avait changé. La dernière fois qu'il l'avait vue, elle pouvait à peine bouger et avait terriblement maigri. À présent, elle paraissait en pleine forme et semblait avoir grandi et s'être étoffée. Pourtant son regard le transperça. Ses magnifiques yeux bleu marine étaient tristes et son front soucieux.

Robin nota que les courtisans la regardaient au moins autant qu'ils dévisageaient leurs souverains. Indéniablement, la jeune Héritière avait conquis le cœur de ses sujets. Les invitées d'honneur, les elfes, avaient été placées devant elle. E'rée, T'avila et V'iladra l'observaient avec attention, leur regard de prédatrices fixé sur la silhouette gracile.

Jar et Mara étaient assis sur des fauteuils près de l'assemblée et loin du trône. Si Mara s'agitait en regardant la foule, Jar, lui, était parfaitement immobile, son regard brûlant révélant à quel point il détestait sa position. Derrière eux, Grr'ul, qui avait retrouvé son poste de baby-sitter des jumeaux, se tenait comme une immense ombre verte et musclée et ne paraissait guère plus heureuse de ses fonctions.

Avec joie, Robin repéra Cal, qui se tenait le plus près possible d'Eleanora, Moineau, Fafnir et Fabrice dans l'assistance. Sous l'impulsion de son père, il avança. Avec une grâce indicible, les deux elfes mirent un genou à terre pour saluer.

L'Impératrice leur retourna leur salut d'une sèche inclinaison de la tête et ils se relevèrent, attentifs.

— Continuez, Isabella, dit-elle à la grand-mère de Tara, que Robin n'avait pas vue, dissimulée qu'elle était par l'énorme masse du dragon.

— Betty a bel et bien été enlevée, précisa Isabella d'une voix calme. Manitou et moi nous sommes rendus au village. Un Amémorus lancé sur les habitants a effacé Betty de leur mémoire. Le sort, bien plus puissant qu'un simple Mintus, a failli nous affecter, nous aussi. Il porte la marque de Magister, c'est indéniable. Mais le pire est que l'enlèvement a eu lieu voici plus d'un mois !

L'estomac de Tara se tordit. Un mois ! Pourquoi Magister avait-il attendu tout ce temps pour les prévenir ?

L'Impératrice soupira :

— Donc, tout ceci est bien réel. Et je suppose, mon Héritière, que tu ne renonceras pas à l'idée d'aller secourir ton amie ?

L'Impératrice, maligne, posait cette fois-ci la question devant les courtisans, le peuple d'Omois et certainement une bonne partie d'AutreMonde, l'entrevue étant retransmise par les centaines de scoops qui voletaient un peu partout, cadrant les « peoples » d'AutreMonde qui affectaient de ne pas les voir tout en prenant des poses avantageuses.

Tara ne se dégonfla pas. D'autant qu'elle venait d'apprendre que son amie vivait l'enfer, non depuis quelques heures mais depuis des semaines.

— Quelle Héritière serais-je, si je ne volais pas au secours de mes sujets lorsqu'ils sont en danger par ma faute ? répondit-elle d'une voix claire.

Si les courtisans n'aimaient pas l'idée que leur Héritière coure un danger, un murmure unanime d'approbation salua sa décision, ce que l'Impératrice prisa peu, même si elle n'en laissa rien paraître.

Le dragon, lui, réagit et nuança ce que Tara n'avait pas voulu souligner.

— La Terrienne n'est pas votre sujet, que je sache, ou alors le statut de la Terre a beaucoup évolué au cours des dernières heures.

— Si Magister avait enlevé un Omoisien, j'aurais volé à son secours exactement de la même façon, Maître Dragon, répondit poliment Tara, voilà ce que j'entendais par « sujet ».

Le dragon fronça ses naseaux puis s'adressa à l'Impératrice, ses deux pattes avant ouvertes en un geste curieusement suppliant.

— Ainsi que vous le savez, précisa-t-il, après avoir vérifié l'intégrité de la barrière, je suis reparti au Dranvouglispenchir, apporter aux Grands Anciens votre message : la clef ou la rupture de notre antique traité. Le Cercle des Grands Anciens (et on sentait les majuscules dans sa voix) a tranché. Il est trop risqué de laisser des humanoïdes fouler le sol du Continent interdit. Notre réponse est donc claire. Nous ne permettrons pas à l'Héritière de courir à une mort certaine. Le Continent interdit reste et restera fermé ! Si vous voulez rompre le traité qui nous lie pour cette raison, vous en serez les seuls responsables...

L'Impératrice n'avait pas envie que Tara parte sur ce f...tu continent mais elle se redressa, furieuse de voir cinq mille ans d'alliance bafoués avec autant de désinvolture.

— Alors, ceci se fera sans votre accord, rétorqua calmement Tara avant que Lisbeth ne prenne la parole.

— Nous avons compilé des tas de rapports sur vous, jeune Humaine ! renifla le dragon avec dérision en tournant son long cou de serpent vers elle. Même au plus fort de votre pouvoir, nous doutons que vous ayez jamais possédé la capacité nécessaire à la destruction de la barrière qui entoure le continent. Et encore moins à présent que vous l'avez perdu !

— Vous avez parfaitement raison.

— Ah bon ? s'étonna le dragon, surpris de voir qu'elle abondait dans son sens.

— Aujourd'hui, cela me serait impossible. Je dois donc retrouver mon pouvoir. Mon naouldiar est revenu. Nous allons commencer la cérémonie.

Les elfes avaient sursauté lorsque Tara avait prononcé le mot « naouldiar ». Le regard de la reine de l'Air et des Ténèbres glissa sur les avant-bras de Robin, pourtant vierges de tout glyphe, et son sourcil s'arqua avec étonnement. Mais elle n'intervint pas.

Tara se leva et descendit les marches du trône, lentement, s'avançant vers Robin. Il aurait dû y avoir une musique langoureuse, ou une fanfare joyeuse, à l'unisson de leurs cœurs qui battaient trop vite. Il y aurait dû y avoir des éclairs, du tonnerre. Cela aurait dû être impressionnant. À la place de cela, il n'y eut que le silence et le souffle soudain suspendu de centaines d'êtres fascinés. L'amour de Robin pour Tara, l'interdiction de l'Impératrice, les dangers que les deux jeunes gens avaient affrontés ensemble, tout ceci conspirait pour faire de leur histoire une légende [1]. Et le poids de cette légende et de millions d'yeux pesait sur leurs épaules.

— Je suis désolée, murmura Tara, trop consciente des oreilles à l'écoute. Je ne savais pas. J'ai cru... j'ai cru que tu avais abandonné. Que tu m'avais effacée de ta mémoire.

Sur tout AutreMonde, les mouchoirs fleurirent et on enferma les cahmboums qui menaçaient d'exploser sous l'excès d'émotion.

— Jamais, souffla Robin. Jamais. Tu es le cœur de mon cœur, l'âme de mon âme. Il faudrait m'arracher mon esprit pour t'arracher à moi. J'ai pensé à toi à chaque instant, chaque minute,

---

1. Par-fait-te-ment. Roméo et Juliette, à côté, c'est de la rigolade.

chaque seconde de notre séparation. Je suis mort cinq fois et cinq fois mon âme s'est refusée au néant, car je devais, il fallait que je te revoie une dernière fois.

C'était tellement romantique que les courtisanes soupirèrent. Puis lancèrent des regards agacés à leurs compagnons. Ce n'étaient pas eux qui allaient mourir pour elles !

Une larme ronde et limpide roula sur la joue de Tara.

— Je sais. En dehors de ce qu'ont montré les cristallistes edrakins, nous avons eu le rapport de ton père et les vidéos prises par ta mère. Lorsque je t'ai vu mourir, j'ai cru que j'allais mourir aussi. Mon Dieu, Robin, elle t'a torturé pendant des jours et des jours ! Jamais je ne pourrai me le pardonner. J'étais si furieuse contre toi, j'aurais dû me douter que tu avais des problèmes et qu'il se passait quelque chose de bizarre. Et j'ai refusé tous tes appels !

Robin fronça les sourcils.

— Mais je ne t'ai pas appelée ! À part mon premier message, notre reine avait interdit tout contact entre toi et moi. Je ne pouvais pas désobéir, même si j'en ai eu envie à plusieurs reprises pendant mon séjour sur le bateau. Ensuite, il était trop tard, la semchanach nous avait capturés. (Son regard limpide s'assombrit.) Nous sommes tombés dans un piège et ce piège a pris la vie de cinq elfes valeureux et honnêtes. Celui ou celle qui a fait cela payera un jour, je t'en donne ma parole.

Et son regard se tourna vers E'rée qui tressaillit un instant devant la rage pure et la menace qui l'emplissaient, avant de reprendre une contenance impassible.

Robin eut un tendre sourire, cette fois-ci adressé à Tara.

— Cela posé, je suis un guerrier, Tara, pas un de ces courtisans de salon. Mon métier est d'affronter le danger, quel qu'il soit. Tu n'as pas à t'en vouloir, d'une part, et d'autre part tout est ma faute. J'ai réfléchi depuis. Pendant ces quelques jours après ma libération, j'ai réfléchi et j'ai enfin compris.

Il se redressa et prit une grande inspiration.

— Tu l'as dit lorsque tu étais sous l'influence du sort d'Attractus à Stonehenge. Nous sommes trop différents. Notre amour nous mettra en danger, nous et nos proches. Même si, sous la pression, ta tante a fait mine de l'autoriser, j'ai bien compris que tu étais l'Héritière, pas une simple adolescente dont je serais amoureux.

Tara recula, prise d'un frisson glacé.

— Et alors ?

— Alors je suis revenu pour te dire que je suis ton esclave, maintenant et à jamais, à tes côtés, prêt à donner ma vie pour toi...

Sa déclaration enflammée provoqua un soupir collectif des courtisanes.

Tara avait l'oreille sensible, elle sentit la tristesse là où il n'aurait dû y avoir que de la joie, le regret là où il n'aurait dû y avoir que l'amour.

— Mais ?

— Mais que je renonce à toi.

CHAPITRE XII

LA BARRIÈRE
ou même si on est un dragon, il vaut mieux éviter
de contrarier une jeune fille en colère...
sous peine d'y perdre quelques écailles

Tara ferma les yeux, terrassée par la douleur. Il lui en voulait. Elle ne l'avait pas sauvé, elle l'avait abandonné et à présent il la rejetait.

Oh mon cœur, je ne savais pas que tu pouvais me faire aussi mal.

Elle avait vu Robin perdre son sang et mourir avec courage. Elle ne ferait pas moins face à la douleur qui la broyait soudain. Elle porta les deux mains à sa poitrine, comme pour se protéger d'un coup trop puissant. Elle avait du mal à respirer.

Puis l'image crasseuse et terrifiée de Betty dansa dans sa mémoire. Elle devait tenir. Pour son amie. Elle devait être forte.

Elle recula encore, jusqu'à sentir les degrés du trône heurter ses talons, les jambes tremblantes, puis releva les paupières. Les scoops surexcitées firent un zoom sur le visage blême et les yeux emplis de larmes de Tara puis sur le visage ravagé de Robin.

— Je... je comprends, déclara Tara d'une voix si creuse que les courtisanes replongèrent dans leurs sacs/poches/membranes, à la recherche fébrile de mouchoirs. Ta sécurité et celle des tiens sont plus importantes. Et je n'ai pas... Betty n'a pas le temps que nous en discutions. Très Haut Mage Demiderus !

Elle avait haussé la voix et la moitié de la salle sursauta. Les sorts d'amplification du son étaient un peu trop puissants.

— Mon Héritière ? dit le mage en sortant de l'assemblée.

— J'ai fait mon choix. Vous aviez raison, bien évidemment. Me comporter comme si la magie n'était pas importante et refuser de l'utiliser n'est pas digne de votre lutte pour la sauvegarde de cette planète, que ce soit contre les démons ou contre ceux qui, comme Magister, veulent faire de nous leurs esclaves. J'ai compris la leçon. AutreMonde a besoin de moi tout autant que, moi, j'ai besoin d'AutreMonde.

Le discours était un brin pompeux mais c'était ce que Selena lui avait conseillé de déclarer lorsqu'elle lui avait demandé son avis. Tara aurait été nettement plus directe, genre : « OK, c'est bon, rendez-moi mon pouvoir et on va aller éclater la tête de ceux qui embêtent nos copains. »

Fafnir, qui écoutait distraitement, fit une petite grimace. Les Nains détestaient la magie et les sortceliers déploraient leur attitude qui privait AutreMonde de magiciens puissants. Ce que venait d'admettre Tara faisait passer ceux de son peuple pour des égoïstes infantiles. Lors des grandes batailles de la Faille, cinq mille ans auparavant, les Nains avaient été décimés pour avoir refusé d'utiliser la magie contre les démons. Depuis, le dogme était inchangé : Magie = Mauvais. Tara avait commencé par refuser, comme les Nains, la magie mais désormais elle comprenait qu'elle faisait partie d'elle-même. La naine supputait les raisons de ce revirement. Cela était-il lié à la perte de pouvoir de Tara ?

En fait, ce n'était pas cela du tout. Huit mois passés au village d'O'possum avec sa mère, dans un cadre domestique, avaient ouvert les yeux de Tara. Grâce aux sortceliers et à leur magie, AutreMonde ne connaissait ni pollution ni destruction de l'environnement. Les sorts de purification assainissaient l'eau, les sorts météorologiques pacifiaient les éléments, permettant à l'ensemble de la planète de bénéficier de pluies régulières, excepté dans le torride désert des Salterens que ses farouches habitants désiraient le plus chaud et inhospitalier possible. La planète était en bien meilleur état que la Terre tout en bénéficiant d'un niveau de confort équivalent. Les shamans pouvaient guérir quasiment toutes les affections physiques mais également mentales et les Diseurs de Vérité, étranges végétaux télépathes de la planète Sentivor, détectaient les menteurs, les voleurs et les tueurs avec suffisamment d'efficacité pour que les crimes et délits soient presque inexistants sur AutreMonde. Chacun mangeait à sa faim et si la pauvreté, hélas, n'avait pas été totalement éradiquée, la misère, elle, n'avait pas sa place sur le monde magique.

Tout n'était pas idyllique, bien évidemment. AutreMonde était une planète rude et dangereuse. Et l'ambition des Hommes, des Nains, des Tatris, des Centaures, des Elfes ou encore des Dragons pouvait envenimer la vie aussi facilement que sur Terre.

Mais, l'un dans l'autre, on pouvait téléphoner avec sa boule de cristal dans n'importe quelle grande ville d'AutreMonde sans risque de se faire taper dessus pour se la faire arracher. Et se balader avec une bourse pleine de crédits-muts d'or ne faisait pas de vous une cible sur pattes...

En contrepartie, reprendre le fardeau de sa magie lui coûtait. Tara baissa la tête. Elle disait adieu à son enfance insouciante. À présent, elle faisait face à ses responsabilités, en pleine conscience.

— Ce n'est pas juste pour sauver Betty, jeune Sortcelière, dit doucement Demiderus, presque comme s'ils étaient seuls dans la pièce immense, mais pour le reste de ta vie. Tu as le choix.

Ah, si c'était aussi simple, vieil homme ! pensa fort irrévérencieusement la jeune fille.

— Non. C'est une question d'honneur. Je ne vivrai pas avec la mort de Betty sur la conscience. C'est dit.

Les mains de l'Impératrice, crispées sur les accoudoirs de son trône au point d'en être blanches, se détendirent un peu.

— Avez-vous tous les ingrédients nécessaires à notre projet ? demanda Tara.

Demiderus eut un sourire mince.

— Si, sous le terme d'« ingrédients », tu penses à tes amis, alors oui : nous avons tout ce qui est nécessaire. Placez-vous, je vous prie !

Robin vit alors qu'un octogramme brillant d'une faible lueur dorée avait été tracé au sol.

Cal, flanqué de Blondin, lui fit un petit geste amical en se plaçant à l'une des pointes. Il hésitait entre une forte envie d'étreindre son ami Robin, soulagé qu'il soit vivant, et lui botter les fesses pour ce qu'il venait de faire à Tara. Fabrice et Barune, son mammouth bleu, le suivirent, visiblement à contrecœur pour le garçon blond, puis vint Fafnir qui le salua de sa hache, Moineau et son ravissant sourire, flanquée de Sheeba, sa panthère, enfin prirent place Manitou, Selena et Sembor son puma, et Isabella. Hésitant, il se plaça lui aussi à l'une des pointes et ils entourèrent Tara qui devint le centre de l'étoile à huit branches matérialisée par Demiderus. Beaucoup des courtisans avaient déjà assisté aux manifestations pour le moins... incontrôlables de la magie de Tara. Prudents, ils reculèrent et, çà et là, des bulles de protection fleurirent. Un silence pesant tomba sur la salle.

Tara se tourna vers Fabrice dont les yeux brillaient d'angoisse.

— J'aurais préféré te laisser mon pouvoir, crois-moi, je suis désolée.

— Pas autant que moi, grinça le garçon, mais bon ! peut-être que la manœuvre échouera ?

— Si nous voulons sauver Betty, prie pour qu'elle fonctionne, Fabrice. Prie fort !

Le garçon baissa la tête, laissant ses cheveux blonds recouvrir ses yeux noirs et dissimuler sa peine, crucifié par un choix... qu'il n'avait même pas.

Demiderus sortit un objet qu'ils reconnurent. L'Étoile de Zendra ! Étrange objet, convoité par le savant Vlour Mabri et qui avait causé sa mort, l'Étoile de Zendra était un artefact, mi-magie, mi-rouages électroniques, mélange contre-nature de magie et de science. Maître Chem l'avait récupérée après la mort du dragon renégat et remise à Blour Mabri, le fils du savant assassiné. Tara ignorait comment Demiderus était entré en sa possession... et contempla le mage avec d'autant plus de méfiance qu'il plaça l'objet brillant sur la poitrine de la jeune fille avant de sortir de l'octogramme. Tara loucha sur l'Étoile, vraiment inquiète d'un seul coup.

— À mon signal, ordonna le Très Haut Mage, incantez et répétez après moi : « Par le Transferus, que ce qui ne m'appartient pas, à présent, ici et maintenant, retourne à Tara ! »

Les sortceliers obéirent et les jets de leur magie illuminèrent, bleu, violet, rose, jaune (à part Manitou qui ne pouvait faire de magie même s'il en avait absorbé involontairement) le corps de Tara.

Soudain il y eut un murmure et le premier miracle de ce moment unique se produisit. Un violent jet de magie verte fusa, émis par... Fafnir ! Les nains présents dardèrent des regards noirs sur leur compatriote rousse mais elle les ignora et se concentra sur Tara. Personne ne pourrait dire qu'elle n'avait pas fait son devoir... et, en plus, ce surcroît de magie lui avait posé quelques problèmes, autant en profiter pour s'en débarrasser.

Tara, baignée de lumière, ferma les yeux et se concentra. De toutes les magies qu'elle percevait, celle de sa mère était la plus faible et celle de Cal la plus puissante, devançant très légèrement celle de Fabrice.

De la poche de Cal jaillirent également un mouchoir brodé aux initiales de Tara, un paquet de chewing-gum, des stylos, des gommes et deux kidikois, sucettes prophétiques, que Cal avait « empruntés » à Tara et ne lui avait jamais rendus. Les objets se posèrent aux pieds de la jeune fille et, embarrassé, Cal rougit.

Puis Demiderus frappa le sol de marbre jaune de son bâton de mage, ce qui fit un bruit de tonnerre, jaillir de petites étincelles et grimacer dame Kali qui jeta un regard peiné vers son sol impeccable.

— FELANBOUR GEODAGRIL VENDAR EOCRIK !

De son bâton fusa sa puissante magie qui frappa l'Étoile de Zendra puis Tara, la faisant gémir. Sous la force du choc, ses jambes faiblirent et elle s'écroula, sans perdre conscience. Robin amorçait un mouvement en avant lorsque Demiderus l'arrêta en rugissant :

— Stop, jeune Elfe ! Ne bouge pas, sous peine d'être détruit !

La magie changea de couleur, prenant soudain une teinte coruscante et enveloppa Tara comme une couverture moelleuse et lumineuse. La jeune fille, suffoquée, tenta d'inspirer.

Mais la magie se heurtait à une barrière inexpugnable. Si Tara désirait consciemment reprendre sa magie, son inconscient, lui, avait fait le même amalgame que les Nains. Pour lui, Magie = Mauvais. L'Impératrice fit un signe à Demiderus. Elle allait mettre son plan en application.

Comme venue de nulle part, une onde de pression irrésistible frappa Moineau dans le dos. Avec un cri d'angoisse, l'adolescente bascula dans le cercle, les deux mains en avant. Ses avant-bras passèrent la barrière colorée et elle hurla. Comme ponctionnée par un vampyr invisible, sa chair, grise et crevassée, commença à se ratatiner sur ses os. Sous la douleur, Moineau se transforma et la Bête tenta désespérément de se soustraire au piège mortel.

— Tara ! hurla Demiderus, nous ne pouvons pénétrer dans le cercle. Tu es la seule à pouvoir la sauver. La magie va drainer toute sa vie !

Effectivement, le sort montait à l'assaut du corps de la Bête et celle-ci se recroquevilla.

— NON ! cria Fabrice.

Et dans un geste d'amour et de sacrifice inouï, il plongea ses mains lui aussi dans le cercle, hoquetant lorsque la souffrance lui coupa le souffle.

Ce fut efficace. La magie ralentit son action destructrice sur Moineau.

Cal, Fafnir, Robin n'hésitèrent pas. Pour sauver leurs amis, ils plongèrent leurs mains à leur tour et bientôt tous furent prisonniers sous les yeux affolés de Tara.

Dans son esprit s'opéra un déclic.

Et soudain, ce fut de nouveau là. Comme si un fardeau invisible était ôté des épaules de Tara, et non ajouté. Elle se redressa, incrédule. L'air s'irisa, les couleurs, les sons, les odeurs furent plus forts. Elle eut l'impression qu'on lui avait retiré un bandeau des yeux et des oreilles. La communication avec Galant, auparavant amortie, lui parvint claire comme du cristal. Son Familier était content. Il avait détesté toute cette période où elle avait perdu ses pouvoirs. Elle sourit et ils s'envolèrent tous les deux comme deux oiseaux, en une ronde endiablée sous le magnifique plafond. Le cercle se relâcha, expulsant ses amis comme on crache un pépin. Elle étendit sa magie et les guérit si facilement qu'elle eut envie de crier d'allégresse en les voyant se redresser, incrédules.

Puis les yeux de Tara devinrent totalement bleus, sa mèche crépita d'énergie et la Pierre Vivante joignit sa joie à la sienne.

Mais ce n'était pas fini. La seconde incantation de Demiderus se déclencha à ce moment et Tara se retrouva brusquement connectée à la salle tout entière. Les sortceliers présents s'illuminèrent eux aussi, joignant bien involontairement leur magie à celle des Neuf. L'Impératrice et l'Imperator crièrent d'une même voix outragée lorsque leur pouvoir s'additionna à celui des autres. Le dragon, éberlué puis furieux, vit un jet de magie sortir de son corps et se mêler à celle des sortceliers. Tous ceux qui possédaient une once de pouvoir furent touchés, y compris Demiderus.

Une colonne de lumière bourdonnante s'éleva au-dessus de Tara, perçant le toit sans effort, et la magie éclaboussa le ciel comme une surnaturelle aurore boréale. Stupéfaite, l'Impératrice regarda son plafond troué, avec une déplaisante impression de déjà-vu [1].

Elle se consola en se disant que son plan avait magnifiquement fonctionné et qu'elle avait enfin retrouvé son héritière si compliquée.

Enfin, un à un, les jets de magie s'éteignirent et Galant se posa.

Mais Tara resta suspendue dans les airs, resplendissante.

Le dragon noir la regardait, gueule bée. De toute sa longue vie, il n'avait jamais vu une telle manifestation de puissance. Cette... chose n'était pas humaine, c'était impossible !

Et tout à coup lui vint à l'esprit qu'ils étaient bien gentils, les Grands Anciens, de lui ordonner d'empêcher les humanoïdes d'aller sur le Continent interdit mais que ni lui ni leur barrière ne résisteraient longtemps à *ça*.

Cette fois-ci, il y eut une fanfare. La joie de la Pierre Vivante se révéla par un son éclatant de cuivre qui exprimait un pur ravissement. Elle jaillit de la poche de la Changeline et se plaça au-dessus de la tête de Tara comme une étonnante couronne de cristal. Et le son s'amplifia jusqu'à retentir au-dehors du palais.

Les courtisans se bouchèrent les oreilles, enfin, pour ceux d'entre eux qui en avaient et les fées s'envolèrent en un nuage multicolore et effrayé. Les cristallistes parlaient dans leurs boules de cristal à toute vitesse, relatant les images incroyables, relayés par les scoops.

---

1. Dans *Tara Duncan. Les Sortceliers*, Tara avait déjà détruit le plafond de la salle d'audience. Si elle n'était pas l'héritière d'Omois, elle pourrait sérieusement songer à créer une entreprise de démolition...

— Nous sommes de retour ! dit Tara d'une étrange voix chorale, un énorme sourire sur le visage.

— Ça, on l'avait remarqué ! ne put s'empêcher de grommeler Xandiar qui n'aimait pas qu'on fasse des trous dans le palais de son impératrice. Est-ce que quelqu'un a réfléchi avant de rendre tout ce pouvoir à cette enfant ?

Les gardes à ses côtés hochèrent la tête, inquiets. L'année précédente, certains d'entre eux s'étaient réveillés sous des formes très différentes de celle qu'ils avaient au moment de s'endormir à la suite de certains cauchemars de l'Héritière, seule sortcelière à leur connaissance capable de faire de la magie même inconsciente. Hélas !

Tara, toujours suspendue dans les airs, se tourna vers le dragon noir.

Le gros reptile ne put retenir un mouvement de recul face au regard impitoyable. La vue des dragons était incroyablement fine et il était probablement le seul à discerner les petites étoiles d'or qui nageaient dans l'océan bleu des yeux de Tara. Par la déesse Chantoulirachiva la Radieuse ! Qu'est-ce que les yeux de l'humaine contenaient... l'univers ? Il frissonna. S'il avait eu des poils, ils se seraient dressés sur son échine comme ceux d'un vrrir. C'était sa crinière qui se hérissait, en dépit de tous ses efforts pour dissimuler sa peur.

— Cette petite démonstration ne me convainc pas, gronda-t-il, maudissant sa voix qui dérapa sur les dernières syllabes. Rien ni personne n'ira sur le Conti...

Ceux qui connaissaient bien la Pierre Vivante et son peu de patience eurent juste le temps de penser qu'il commettait une grosse erreur. Un énorme rayon de magie pure et dorée le cueillit et le plaqua au plafond trente mètres plus haut au niveau du trou qu'il bouchait à peu près, une conjonction assez pratique. Tout le monde avait la tête en l'air. Distraitement, Tara se dit que c'était tout de même dingue de manipuler quelque chose d'aussi volumineux aussi facilement.

Inattention fatale.

Sa fusion avec la Pierre Vivante vacilla et elles lâchèrent le dragon.

Six tonnes hurlantes tombèrent droit sur les courtisans. Si les plus agiles sautèrent en tous sens pour l'éviter, plusieurs, dont une grosse courtisane engoncée dans sa robe parsemée de petites pommes dorées, furent bien trop pétrifiés pour bouger.

Tara rattrapa le dragon par la queue juste au moment où il allait transformer la malheureuse en bouillie. Sous l'effet du coup de frein brutal, la gueule du reptile claqua net au nez de la grosse dame.

Celle-ci émit un bruit bizarre, ses yeux exorbités fixés sur la masse qui la surplombait, puis elle fit ce qui n'est pas recommandé dans une telle situation : elle s'évanouit.

Cal fut le premier à reprendre ses esprits. Il cessa d'agiter les doigts, trop heureux de les avoir récupérés intacts et dit, du ton le plus calme possible :

— OK, Tara. Maintenant tu le décales de six mètres sur la gauche ou sur la droite, tu as toute la place dont tu as besoin.

Et pour cause, tous les courtisans s'étaient regroupés au fin fond de la salle et on sentait que les officiels, sur le trône, mouraient d'envie d'en faire autant.

— *Gn gne a* ! souffla Tara entre ses dents serrées.

— Quoi ?

— JE PEUX PAS ! hurla Tara, le front baigné de sueur. Je sens qu'il glisse !

— Écoute, tu vois les petites pommes sur la dame qui est étalée là ?

— Gni ?

— Ben, ça va devenir de la compote si tu lâches le dragon dessus.

— C'est pas grave, lança une voix du bout de la salle, c'est juste ma femme, que la petite laisse tomber le dragon !

Une houle de gloussements hystériques se propagea comme une vague. Tara eut un sourire crispé puis, centimètre par centimètre, commença à faire glisser le dragon sur le côté, pour finir par le poser à côté de la grosse dame.

Qui ouvrit un œil, vit le dragon à côté d'elle et se réévanouit aussi sec.

Sentant le sol sous son corps, Sal résista au besoin subit de l'embrasser et de se rouler en boule pour ne plus bouger pendant, oh, un siècle ou deux.

Il savait que les scoops retransmettaient la scène y compris sur les autres planètes et espéra très fort que les Grands Anciens allaient se bouger un peu les écailles pour venir le sortir de cette horrible chausse-trappe.

Tout doucement, il se redressa. Allez, pour l'honneur des dragons, il ne pouvait laisser impuni le fait d'avoir été balancé par la queue comme un vulgaire lézard. Levant haut les pattes (mais bon, sans beaucoup d'espoir quant au résultat, c'était plutôt une sorte de baroud d'honneur), il incanta :

— Par le Destructus, que ma magie détruise et me laisse agir à ma guise !

Un murmure d'effroi monta de la foule des courtisans dont une bonne partie décida de sortir prestement. Un Destructus ? Le dragon avait perdu la tête !

Les gardes eurent tout juste le temps de tirer à l'abri le corps inconscient de la grosse dame, à la grande déception de son mari.

La magie de Sal jaillit vers Tara comme un torrent furieux et rugissant... pour se trouver stoppée, incapable d'aller plus loin, à une dizaine de centimètres de la jeune fille.

Mais Tara n'avait aucun point d'appui et fut repoussée par le jet destructeur dans toute la salle, à la grande terreur des courtisans qui ne savaient plus où se mettre pour éviter de se retrouver sous elle. Sa magie amortissait les coups contre les murs de marbre mais elle ressemblait à une boule de billard et sentait monter un gros mal de cœur. Bon, elle allait commencer par éviter de vomir sur les gens. Elle s'arc-bouta, ordonna à son corps d'acquérir une énorme densité puis, lorsqu'elle pesa plus lourd qu'un trente tonnes, banda des muscles magiques imaginaires et son bouclier commença à repousser le flot. Elle perçut la puissance de la Pierre Vivante se joindre derechef à la sienne et hop ! elles fusionnèrent de nouveau.

La magie destructrice fut repoussée encore et encore jusqu'à quelques centimètres des écailles du dragon, risquant de le détruire, lui. Vaincu, il annula l'incantation juste avant d'être rongé vivant.

— Tss ! Tss ! Tsss ! ce n'était pas très gentil de lancer un Destructus contre nous, fit la voix chorale. Recommencez et cette cour pourra s'approvisionner en sacs à main et chaussures pendant les trois prochains mois, est-ce clair ?

— Limpide, grinça le dragon. Et votre puissance n'y change rien, nous ne vous donnerons pas accès au continent.

— Allons, Dragon ! Nous n'avons pas l'intention de vous demander la permission. Pensez-vous toujours que votre barrière résistera à notre pouvoir ?

Mais pourquoi cette *chose* parlait-elle comme si elle était plusieurs ?

Le dragon se racla la gorge, ce qui produisit à peu près le même bruit qu'une voiture ayant des problèmes d'allumage.

— Peut-être que non, mais risquerez-vous une guerre avec les Dragons pour aller sur ce continent ?

— Vous nous menacez d'une guerre, Saludenrivachirachivu ? s'écria alors l'Impératrice, incrédule. À nous, vos plus anciens alliés contre les démons ?

— Nous ne voulons que vous protéger, souffla le dragon, à demi étranglé.

— C'est faux ! fit la voix chorale. Nous sentons ta peur, Dragon, elle nous laisse un goût métallique dans la bouche. Ce n'est pas nous que tu veux protéger. Mais ta race ! Cela suffit. Nous partons dans l'heure pour le Continent interdit. Assez de temps a été perdu.

Tara se mit en mouvement, voulut se poser gracieusement et passa à travers le sol de marbre !

Elle avait oublié qu'elle avait densifié son corps. Elle réapparut, tout ébouriffée, tandis que ses amis se précipitaient pour la sortir de là.

— C'est bon ! dit-elle en annulant le sort, je vais bien, j'avais juste oublié de régler un détail.

L'Impératrice soupira et son regard navré naviqua du trou dans son plafond au trou dans son plancher. Peut-être serait-il judicieux de proposer une réunion en plein air la prochaine fois ? songea-t-elle fort sérieusement. Cette enfant allait finir par lui coûter une fortune en sorts de réparation.

— Wahou ! fit Cal, les yeux pétillants, en donnant de grandes baffes dans le dos de Tara qui laissa échapper des nuages de poussière, tu as pris du poids depuis la dernière fois qu'on s'est vus. Tu pèses encore plus que ce gros dragon, dis donc ! Qu'est-ce que tu prends comme balance ? Une plateforme de pesage ?

Attends avant de bouger, je crois qu'il faut qu'on consolide le sol et surtout, surtout Tara...

— Quoi ?

— N'oublie pas que ce que tu fais a du poids !

— Ha ! Ha ! Ha ! fit Tara d'un ton funèbre, très drôle Cal, de nous deux c'est plutôt toi qui es lourd. Alors si tu n'arrêtes pas et de me taper dessus et de te moquer de moi, je sens que ma magie va encore m'échapper.

Moqueur, le petit Voleur s'inclina mais la malice de son sourire arracha un éclat de rire à Tara.

— Merci, Moineau ! dit-elle à son amie qui achevait de la dépoussiérer, plus délicatement que Cal. Et te jeter dans le cercle pour m'aider à retrouver ma magie était incroyablement courageux et tout aussi incroyablement stupide.

— Mais je n'ai rien fait de tel, protesta Moineau. J'ai senti comme une poussée dans le dos et je me suis retrouvée prisonnière du cercle, les mains rongées par la magie. Heureusement que Fabrice a réagi, quelques secondes de plus et je faisais un régime express !

Tara croisa le regard de Demiderus et le Très Haut Mage baissa les yeux. Ah, encore une manigance. Elle rangea l'information dans un coin de sa tête. Elle lui serait certainement utile un jour.

Sal n'avait pas encore digéré sa petite balade dans les airs. Les yeux écarquillés, il regardait Tara comme s'il avait eu un monstre devant lui, ce qu'il pensait peut-être d'ailleurs. Puis sa queue, qui pendait lamentablement par terre, se redressa et il inspira violemment.

— Très bien ! Je n'ai aucun moyen, à part vous tuer, de vous empêcher d'aller sur le Continent interdit.

— Ça, tu peux toujours essayer, Dragon ! sourit Fafnir sauvagement. Nous protégerons notre amie contre vos manigances de serpents...

Le dragon siffla mais la naine rousse se contenta de croiser ses deux haches devant elle, impassible.

— Je prie mes dieux pour que notre barrière soit suffisamment puissante pour vous résister, gronda-t-il. Mais si ce n'est pas le cas, alors...

— Alors ?

— Alors, nous vous escorterons, mes compagnons et moi.

Ce fut au tour de Tara d'être surprise.

— Pourquoi ?

— Parce qu'en dépit de ce que vous pensez, nous serons les seuls capables de vous défendre contre ce qui vit là-bas.

Tara haussa les épaules. Puis la Pierre Vivante réintégra la poche de la Changeline et elle ramassa au sol les divers objets que lui avait involontairement rendus Cal.

— Faites à votre guise, je m'en fiche. Je veux seulement retrouver mon amie Betty. À présent, j'aimerais bien une explication. Demiderus ? Qu'est-ce que c'était que cette seconde incantation ? Qu'avez-vous bidouillé, au juste ? Sans me prévenir, à votre habitude. Et vous ne pouviez pas inclure un kit de contrôle de cette fichue magie, non ?

Le Haut Mage sourit. Il avait pris un gros risque en exposant la jeune fille à un tel afflux de magie mais le magicoglobinogrammeur, appareil bien pratique, il devait en convenir, lui avait indiqué au gramme près la dose de magie que l'organisme de Tara modifié par le dragon renégat supporterait. Plus de risque qu'elle soit consumée par la magie. Et grâce à son incantation, lorsqu'elle aurait besoin d'un surcroît de puissance, elle pourrait puiser momentanément dans le pouvoir des sortceliers autour d'elle, ce qu'elle venait de faire instinctivement.

Il le lui expliqua et la seule réaction de la jeune fille fut un soupir. Elle commençait à avoir l'habitude d'être utilisée comme un pion. Et comme tous les pions, se disait de plus en plus qu'être une reine, tout de même, était plus confortable.

— Alors, Tara ne risque plus de faire Boum ! et tout le monde voire une ou deux galaxies avec elle ? interrogea Cal.

— Non, jeune Voleur, plus de Boum ! répondit Demiderus, amusé par le langage de Cal.

— Cooool, ma vieille ! Puisque tu as retrouvé ton pouvoir et apparemment plus encore, cela te dirait d'aller faire une petite balade avec moi au Salterens ? Il paraît que les gros chats ont trouvé une sorte de trésor que j'aimerais bien voir de plus près...

— Cal ! s'exclama Moineau qui avait été vivement touchée par la détresse de Betty sur la vidéo, nous avons une Mission.

On sentait le M majuscule dans sa voix. Élevée avec les Nains des montagnes d'Hymlia, Moineau possédait un sens très aigu du devoir.

— Oui, oui ! je sais, répliqua le petit Voleur, sauver les gens, sauver le monde, comme d'hab.

Soudain une idée le frappa et son visage s'éclaira.

— Ehhhh, mais j'y pense, c'est peut-être ça ?

— Quoi donc ?

— Ce que les Dragons nous cachent. Un mirifique trésor ! Tu sais comme ils aiment l'or et les bijoux, ils en sont fous. Et si c'était à cet endroit qu'est caché leur trésor ? Bon, on y va ?

Moineau le regarda puis éclata de rire, imitée par Tara, Selena et Manitou. Isabella ne broncha pas, l'humour étant un truc qu'elle connaissait mais ne pratiquait pas, tout comme Eleanora qui trouvait Cal plutôt amusant mais se gardait bien de le lui montrer. Robin était trop occupé à dévorer Tara des yeux, Fabrice faisait des tests de lévitation avec Barune, le visage cramoisi sous l'effort et désespéré d'avoir perdu son surcroît de magie et Fafnir ne voyait pas ce qu'il y avait de drôle à voler le trésor des autres. Plus loin, l'Impératrice et l'Imperator affrontaient la reine de l'Air et des Ténèbres qui avait l'air perturbée par la puissance de Tara. Quant à Sal, il était en grande conversation avec sa boule de cristal et on voyait bien que ce qu'on lui disait ne lui plaisait pas du tout. Ce n'était décidément pas sa journée.

— Tu as dû être un dragon dans une vie antérieure, grogna la naine rousse, encore sous le choc d'avoir fait de la magie, surtout volontairement. Il n'y a que toi et ces gros reptiles à aimer autant l'or et les joyaux !

— Ah-ah ! fit Cal en bougeant l'index de droite à gauche, ce n'est pas vrai, les Nains disposent d'une cinquantaine de termes pour désigner l'or, n'est-ce pas ? Et ce sont les Nains qui possèdent les plus gros trésors...

— Que leur volent les dragons, l'interrompit Fafnir, raison pour laquelle nous avons de grosses haches pour aller avec nos gros trésors. Te voilà donc impatient d'affronter une horreur sans nom parce que tu penses qu'il y a un trésor à piller au passage ? Vous autres humains, vous êtes vraiment fous.

— Et toi, pourquoi y vas-tu ?

— Les nains aiment la bagarre et Tara trouve toujours le moyen d'en déclencher de belles. Et puis, vu la tête de mes compatriotes, j'ai l'impression que cette situation les ennuie, ils sont tellement coincés dans leurs habitudes que je suis curieuse de savoir ce qu'ils vont faire, cette fois-ci. Ils ne peuvent plus me bannir depuis qu'ils m'ont célébrée comme une sorte d'héroïne débile !

Tara sourit. Elle se rendit compte à quel point elle avait été malheureuse, privée à la fois de magie et de ses amis. À présent qu'elle avait retrouvé son pouvoir, celui-ci lui paraissait bien plus naturel que lorsqu'elle l'avait perdu.

Tout lui paraissait plus riche, plus fort, plus coloré. Elle avait enfin accepté son étrange héritage après avoir lutté contre lui pendant des années. Son cœur restait lourd malgré tout : si elle avait retrouvé son pouvoir, elle semblait avoir perdu Robin.

Soudain, le son de trompettes invisibles retentit, les faisant sursauter.

Chacun se tourna vers la haute silhouette qui venait de les activer.

Le regard étincelant, la reine de l'Air et des Ténèbres rappelait à l'assemblée qu'elle n'était pas là pour assister à un affrontement entre un dragon et une gamine dont elle se fichait comme de sa première incantation mais pour signer un traité primordial pour son peuple.

L'Impératrice fit signe au majordome qui ordonna la mise en place de la cérémonie du traité entre Omois et Selenda.

Tara, comme le dragon, dut attendre. Patiemment dans le cas du gros reptile qui accueillait chaque délai avec soulagement et continuait à parler dans sa boule de cristal, et fébrilement pour Tara qui songeait à Betty.

Du fait de la gravité de la mission de Tara et compte tenu des circonstances, le cérémonial de la signature historique fut écourté et les deux conseillères de la reine de l'Air et des Ténèbres grommelèrent à cause du manque de décorum. La Reine, elle, s'en fichait. Ce qu'elle était en train de signer était bien plus important que quelques courbettes et simagrées.

Enfin les deux grands livres furent paraphés, les plumes posées, les sceaux apposés, les deux souveraines se serrèrent la main pour le plus grand bonheur des scoops et, amusée, Tara remarqua que sa tante avait subitement grandi car elle était de la même taille que l'elfe.

Dès que ce fut fini, l'Impératrice ordonna un débriefing pour organiser l'expédition et les courtisans durent vider les lieux. Les trois elfes restèrent car la souveraine d'Omois avait besoin d'elles.

— Je commence à être fatiguée que l'on me dise ce que je dois faire ou non, indiqua Lisbeth. (Ah oui ? bienvenue au club, songea Tara.) Je vais être très claire. Avant que mon héritière ne retrouve ses pouvoirs, je n'ai pas vraiment lutté contre cette idée stupide d'obéir à Magister puisque sans magie Tara ne pouvait aller sur le Continent interdit. Maintenant que le problème est réglé, voici ce que j'ordonne, en tant qu'impératrice d'Omois. Nous enverrons une escouade d'elfes, thugs et Camouflés délivrer Betty. Tara a raison, il est hors de question de laisser une Humaine en danger si nous pouvons la sauver.

Tara ouvrit la bouche, prête à protester, le dragon fit de même mais l'Impératrice leva la main et les interrompit.

— Ah ! laissez-moi terminer. Tara, ton frère a raison de parler de tes devoirs. Tu n'es pas un personnage de roman ou de film. Tout ne repose pas sur ta capacité à faire le travail pour les autres. En tant qu'Héritière, tu dois aussi apprendre à déléguer. Tu n'es pas notre meilleure guerrière, tu n'es pas notre meilleure espionne et encore moins notre meilleure Camouflée ou Voleuse Patentée. Il y a des gens qui sont payés pour ce genre de job. Laisse-le leur, s'il te plaît. Magister pense avoir toutes les cartes en main pour te forcer à te rendre sur le Continent interdit. Il a tort.

Tara réfléchit puis admit de mauvaise grâce que sa tante avait raison.

— Ensuite, pointa Lisbeth en s'adressant, impitoyable, à Sal, les Dragons s'imaginent, je ne sais pas très bien pourquoi, que leur barrière peut résister à nos pouvoirs. Aux miens, à ceux de quelques-uns, je suppose que c'est le cas. Mais à ceux de tous les sortceliers d'AutreMonde, ou du moins d'Omois, réunis ? Votre barrière ne tiendrait pas longtemps.

Le dragon ne réagit pas, trop stupéfait pour faire autre chose que de laisser sa mâchoire pendre comme un stupide bééé. Houlà ! Il croyait impossible d'être davantage dans la bouse de traduc et, apparemment, il avait tort. Le marasme paraissait sans fond.

Lisbeth vit que personne n'y avait pensé dans son entourage et eut un sourire triomphant. Un point pour elle. Leur montrer qu'elle était plus rapide, plus maligne, plus coriace faisait partie de son métier d'impératrice.

— Conformément à notre traité, continua-t-elle en s'adressant à T'avila, je dois à présent vous informer du péril qu'il y a pour vos soldats à accomplir cette mission. Sur une échelle de 1 à 5, 1 impliquant un risque minime et 5 un risque maximal, je placerais la barre à 5 pour cette mission. C'est-à-dire uniquement des volontaires avec prime de risque. Cela vous convient-il, Majesté ?

La reine de l'Air et des Ténèbres sourit.

— Parfaitement, Votre Altesse impériale. V'ilara ! préviens nos elfes que nous désirons des volontaires pour une mission-suicide.

— Bien, ma Reine ! s'inclina V'iladra.

— Mission-suicide ? protesta l'Imperator. C'est un peu exagéré, non ? J'accompagnerai cette expédition et je ramènerai cette enfant ! Personne ne dira qu'Omois ne fait pas face à ses obligations.

Lisbeth le regarda et eut un sourire froid.

— Ah ! mais, non ! Tu ne peux pas partir sur le Continent interdit, tu seras bien trop occupé par les préparatifs avec Selena !

Selena et l'Imperator la regardèrent, interloqués.

— Les préparatifs ? Quels préparatifs ?

— Mais les préparatifs de votre mariage, bien sûr !

CHAPITRE XIII

L'EXPÉDITION
ou, lorsqu'on affronte un ennemi inconnu,
il vaut mieux être bien armé sous peine de terminer
en chair à krakdent...

Le spatchoune s'affola et se mit à glousser à tue-tête dans sa cage. Tara fixa l'Imperator. Elle n'avait jamais réussi à le surprendre et ce n'était pas faute d'avoir essayé. Cet homme était presque imperturbable, inoxydable et monolithique. Là, il avait la bouche ouverte et l'air horrifié.

Son affolement s'accentua car Lisbeth se dressa soudain, auréolée de lumière, se mit à gonfler et se transforma en une jolie vache ronde et blanche avec des taches dorées et des crins jaunes. Une mèche plus claire tombait devant ses grands yeux bleus.

La couronne de guingois entre les cornes, elle se mit à beugler misérablement.

Tout le monde se tourna d'un bloc vers Tara. Celle-ci contemplait ses mains avec horreur.

— Tara ! s'écria l'Imperator, qu'as-tu fait ?

— Mais... rien du tout ! s'écria la jeune fille.

Vu les mines accusatrices, personne ne la croyait.

— Je vous le jure ! insista-t-elle. Bon sang, je sais quand même quand ma magie agit ou pas... non ? Demiderus ! Ne me dites pas que je peux *aussi* faire des trucs sans qu'on le voie, parce que ma vie va devenir vraiment compliquée, hein !

— À quoi pensais-tu, mon enfant ? questionna le Très Haut Mage, désemparé et qui était en train de réfléchir frénétiquement à ce qui était noté sur le mode d'emploi de l'Étoile de Zendra...

Tara agita les mains et chacun s'écarta.

— Ben, je me disais qu'elle m'énervait mais c'est tout ! Et moi elle me fait penser à un chat, cruel et malin, pas du tout à une grosse vache !

— Tara ?

— Oui, Cal ?

— Tu peux pointer ta main devant toi, s'il te plaît ?

Tara, croyant qu'il voulait se livrer à une expérience, obéit. Immédiatement, un couloir se forma devant elle.

— Bouge un peu la main de droite à gauche...

Tara obéit de nouveau. Et les courtisans se bousculèrent pour éviter de se trouver sur la trajectoire de sa main.

— C'est top ! rigola Cal. Tu crois qu'on peut leur faire danser le hip-hop en allant un peu plus vite ?

Tara baissa sa main, au vif soulagement de l'assistance.

— Cal ! fulmina-t-elle, tu trouves que c'est le moment ! Tu te rends compte de la galère où je suis !

— Laissez-la ! s'interposa Selena en fendant la foule. Je suis la seule responsable.

Pour la deuxième... non, la troisième fois (la deuxième ayant été au moment où Tara avait balancé le dragon dans les airs), l'Imperator demeura bouche bée. Il secoua la tête et se ressaisit.

— Vous ? Mais...

Selena eut un mince sourire et s'avança vers la vache qui pointa ses cornes vers elle.

— Tss-tss ! fit-elle en imitant sa fille. Toi pas bouger ou je te transforme en steak haché.

La vache hésita puis releva la tête.

— Bieeeeen ! (Elle se retourna vers l'Imperator :) Je sais, c'est un crime de lèse-majesté et tout, vous pouvez me jeter en prison pour cela, voire me faire un peu torturer au passage, mais ma fille vous transformerait d'abord en marshmallow et tous vos gardes avec, vous ne le ferez donc pas ; aussi épargnons-nous le dialogue et les menaces. D'ailleurs, je vous signale que votre sécurité est nulle, si j'avais été un assassin...

— Vous auriez déjà été neutralisée, dit Xandiar dans son dos. Vous n'aviez aucune intention meurtrière, raison pour laquelle vous avez pu lancer votre sort. Mais c'est une bonne leçon.

J'ajouterai ce nouveau paramètre aux sorts de protection du trône.

— Meuuuuh ! fit la vache.

— Glou, glou ! fit le spatchoune.

— Mais pourquoi avoir fait cela ? demanda l'Imperator avec une nuance d'admiration indéniable.

Selena croisa les bras sur sa poitrine et prit un air buté.

— J'en ai assez que votre demi-sœur décide de tout pour tout le monde. Elle va finir par se croire la reine du monde. Se mettre un peu à quatre pattes va lui faire un bien fou et lui rappeler qu'elle n'est pas intouchable, loin de là. Qu'elle essaye encore de me marier sans mon autorisation et elle risque de se retrouver à brouter de l'herbe pour la fin de ses jours.

— Meuuuuuh ! insista la vache qui s'était emmêlé les pattes dans les manches de sa robe.

— Glou, glou ! s'égosilla le spatchoune.

— Euh, je crois qu'elle a compris et qu'elle aimerait bien qu'on la retransforme, indiqua l'Imperator qui tentait de gommer le rire dans sa voix.

Selena contempla la vache pendant quelques secondes puis haussa les épaules, dans un geste qui la fit ressembler étonnamment à sa fille.

— Très bien, s'il le faut ! « Par le Transformus, que Lisbeth reprenne, à l'instant, forme humaine ».

La vache dégonfla, Lisbeth batailla avec sa robe qui tentait désespérément de s'adapter à ses changements impromptus de structure et hurla :

— ESPÈCE DE SALE GARCE ! GARDES ! ATTRAPEZ-LA ET FLANQUEZ-LA DANS LE PLUS HUMIDE DE NOS CACHOTS !

— Euh, Votre Majesté impériale ? osa un garde. Nous ne possédons pas de cachot humide !

Le jet de magie le cueillit, il y eut un Cling ! lorsque la lance tomba au sol près d'un petit crapaud rouge et or.

— QUELQU'UN D'AUTRE VEUT DISCUTER MES ORDRES ?

Comme un seul thug, les autres se précipitèrent vers Selena et Tara commença à bourdonner, comme à son habitude lorsqu'elle s'énervait. L'Imperator s'interposa, tentant de ramener un semblant de raison dans une réunion qui tournait à la folie la plus totale.

— STOP ! rugit-il à ses soldats qui freinèrent sur le sol de marbre glissant et faillirent se percuter. PERSONNE NE MET PERSONNE EN PRISON ET ON SE CALME !

Tous ces hurlements commençaient à fatiguer Tara qui sentait poindre une migraine.

— Tu l'as mérité ! lança sévèrement Sandor en menaçant du doigt sa demi-sœur. Oser essayer de nous marier sans notre accord !

Lisbeth darda un regard courroucé sur Selena.

— Elle n'avait qu'à dire non, c'était suffisant ! ragea-t-elle. Me transformer en animal, comment... quel affront !

Elle en bégayait.

Le spatchoune à ses côtés gloussa comme un fou, selon toute apparence entièrement d'accord avec elle.

— Bien ! Nous avons mis les choses à plat, déclara Sandor d'un ton uni. Selena ne te transforme pas en vache et tu ne la maries pas contre son gré, c'est convenu ?

— J'exige des excuses ! imposa Lisbeth avant de s'asseoir sur son trône et de rajuster sa couronne qui était encore de travers, histoire de bien montrer qui était l'impératrice ici, non mais !

— Glou, glou ! refit le spatchoune.

— Toi, menaça l'Impératrice, encore un Glou ! et je te transforme en grillade, c'est clair ?

— Gl...

Le gloussement s'étrangla dans la gorge du volatile. Un énorme doute effleura tout à coup Tara. L'animal paraissait bien intelligent pour un membre de sa race...

Selena s'inclina, bonne joueuse, et obéit, ce qui déconcerta Lisbeth et épargna un sort funeste au pauvre spatchoune.

— Mais bien sûr, chère belle-sœur, répondit la mère de Tara avec un délicieux sourire plein de fossettes. Je suis désolée de vous avoir transformée en grosse vache.

— Ça va ! murmura Sandor du coin des lèvres, pas la peine d'insister sur le côté « grosse vache ».

— Excuses acceptées, laissa tomber Lisbeth. Et maintenant, expliquez-moi ce qui vous a tant dérangée dans ma proposition. Je sais que Sandor vous aime beaucoup vu la façon dont il vous court après comme un petit toutou.

L'Imperator sursauta mais ne réagit pas. Lisbeth avait été assez affectée comme cela, inutile de s'énerver pour cette vengeance mesquine.

— Je ne suis pas amoureuse de Sandor, martela Selena sans le moindre tact. C'est un homme formidable dont toute femme serait fière d'être l'épouse mais j'ai trop souffert de mon mariage avec votre frère, qui m'a menti et mise en danger par son mensonge, puis avec Medelus dont les circonstances ont fait un monstre qui a tenté de tuer ma fille. Il n'est pas question que je m'intéresse à un autre homme pour le moment.

L'Imperator se mordit la lèvre. Zut, elle ne l'aimait pas ! Bon, il allait la sauver et sauver sa fille et aussi Betty, voire tout AutreMonde, comme ça Selena tomberait amoureuse de lui.

Il y eut un Gling ! et les grands panneaux de cristal de la salle s'illuminèrent. Un masque miroitant s'afficha et l'Impératrice ainsi que la majorité de l'assistance bondirent sur leurs pieds. Le sangrave qui venait d'apparaître s'inclina en une ironique révérence.

— Que votre magie illumine ! grasseya-t-il d'une voix inconnue de Tara. Je vous contacte au nom de Magister.

— Xandiar ! ordonna l'Impératrice, rouge de colère, trouve immédiatement qui a piraté le circuit vidéo interne et neutralise-le.

Le thug, aussi énervé que sa souveraine, se précipita hors de la salle. L'exploit des sangraves portait atteinte à la sécurité du palais et il ne grinçait pas des dents de frustration mais tout juste.

— Hou, fit le sangrave masqué, on ne s'énerve pas ! Nous supposons que vous êtes en train d'imaginer des tas de plans pour contourner notre projet. Vous n'avez pas le choix. Juste un léger détail de la part de mon maître. La boule de cristal est accordée sur Tara Duncan et sur personne d'autre. Le Continent interdit est immense. Sans elle pour la guider, cent ans ne vous suffiraient pas pour localiser la Terrienne. Dès lors, envoyer une escouade de vos meilleurs elfes-chasseurs ne servira à rien. De plus, nous avons inoculé un poison à cette Betty. Elle l'ignore encore mais elle est en train de mourir, lentement. Seul le sang de Tara pourra la sauver. Envoyez l'Héritière sur le Continent interdit et, surtout, cessez de prendre mon maître pour un imbécile, cela lui fera des vacances. Il... zzzzcrouiic crouiiiic.

Le reste se perdit dans un brouillard de parasites puis les écrans s'éteignirent tout à fait. Xandiar revint, brandissant un petit appareil.

— J'ai trouvé leur système de dérivation. Le message était retransmis de l'extérieur, probablement d'un tapis camouflé en vol devant le Palais. Mes thugs sont à sa recherche.

— C'était trop facile, aussi, soupira Tara. Dommage, ma tante, ton plan était bon et, pour une fois, je pensais que mes amis et moi, grâce à toi, allions échapper à de nouvelles batailles.

Fafnir afficha un petit sourire satisfait. Elle, elle avait *craint* d'échapper à de nouvelles batailles !

— Tu ne peux pas y aller, s'affola l'Impératrice, c'est trop dangereux !

— Il n'y a pas d'autre moyen de sauver Betty. Tu as dit toi-même qu'il n'était pas question de l'abandonner.

Lisbeth se mordit la lèvre, maudissant Magister et ses plans tortueux pour la dix millionième fois au moins mais dut s'incliner. Elle était prise au piège de sa propre logique, surtout après avoir démontré que pratiquer une ouverture dans la barrière n'était pas vraiment un obstacle pour Omois.

Sal éteignit sa boule de cristal et se redressa.

— J'ai reçu mes instructions, déclara le dragon en s'adressant à Tara. Votre Altesse Impériale, si vous parvenez à briser la barrière, qu'en dépit de toutes vos déclarations nous n'ouvrirons pas avant d'être sûrs de ne pas avoir le choix, alors nous aurons huit heures pour pénétrer sur le site, extraire la jeune humaine et revenir.

Il se tourna vers Lisbeth.

— Nos Grands Anciens acceptent uniquement une escouade d'elfes guerriers et l'Héritière, personne d'autre et ceci n'est pas sujet à discussion.

Tous le regardèrent, surpris par son langage soudain très militaire. L'étoile à son poitrail était-elle une forme naturelle ou l'équivalent d'un grade ?

— Vous voulez dire que nous ne pourrons pas venir non plus ? s'enquit Moineau, devançant ses amis.

Le dragon ne la regarda même pas.

— Seule l'Héritière et les elfes, répéta-t-il sèchement.

Tara était fatiguée de discuter et elle voyait avec angoisse le temps s'écouler.

— Très bien ! dit-elle. Seuls les elfes et moi, c'est entendu. Je vais me préparer. On se retrouve ici dans une heure.

Elle s'inclina devant la reine de l'Air et des Ténèbres ainsi que devant sa tante. Bon, un peu de protocole pour terminer...

— Vos Majestés, vous excuserez mon impatience mais je dois vous quitter à présent, afin d'accomplir ma mission. Je suis heureuse et fière que notre Empire ait signé un traité aussi important entre nos deux nations. J'espère qu'il sera aussi bien respecté que celui qui unit notre peuple et celui des Dragons.

Et paf ! Que le dragon le prenne dans les naseaux. Le reptile souffla avec irritation lorsque les courtisans saluèrent le commentaire caustique d'un murmure approbateur.

— Oh ! et, ma tante ?

— Mon Héritière ?

— Je n'aimerais pas, mais alors pas du tout, découvrir ma mère mariée contre son gré à mon retour. Vous pouvez jouer avec ma vie, pas avec la sienne.

— Je ne joue pas, mon Héritière, répondit l'Impératrice. Je ne fais que tenter d'œuvrer pour le bien de tous. Et je te rassure, je n'ai pas l'intention de me mesurer à ta mère. Je me préfère en bipède plutôt qu'en quadrupède. J'ai l'intention de conserver ma forme actuelle.

Tara ne répliqua pas, se contentant de hausser un sourcil dubitatif. L'Impératrice soupira :

— Très bien. Je ne ferai rien en ton absence. Et toi, si tu ne veux pas que ton frère, Jar, prenne ta place comme il brûle de le faire, je te conseille de revenir. Vite.

L'Impératrice n'attendit pas sa réaction et l'autorisa à quitter la salle. Elle demanda également à Selena de rester encore quelques instants avant de rejoindre sa fille.

Tara tourna les talons. L'espace d'un moment, elle croisa le regard de son frère, empli d'un calcul glacial. Elle frissonna. Si

Jar en avait la possibilité, il ferait tout pour qu'elle ne survive pas au Continent interdit. Avoir Magister pour ennemi lui avait appris à ne pas sous-estimer ses adversaires. Bien. Elle ne sous-estimerait pas celui-ci au motif qu'il était du même sang qu'elle.

Dans le couloir, Cal se porta vivement à sa hauteur.

— Eeeeh ! Attends-moi ! Qu'est-ce qui te prend, tout à coup ? Tu vas obéir au dragon ? Même de Chemnashaovirodaintrachivu, tu n'acceptes pas d'ordres ! Il est hors de question que tu partes sans nous !

— Ça tombe bien, je n'en ai pas l'intention, répondit Tara du coin des lèvres.

Cal ouvrit de grands yeux.

— Il va falloir que tu trouves un moyen de nous suivre, Cal, glissa la jeune fille du coin de la bouche après avoir vérifié que les scoops se concentraient sur l'Impératrice et l'Imperator et ne les avaient pas suivis.

— Tu n'as pas réduit le dragon en bouillie, cela aurait dû me mettre la puce à l'oreille. De plus, tu n'as pas insisté pour que nous venions, réfléchit le jeune Voleur. Vas-y, explique.

— Les plus puissants alliés des Dragons ne sont pas les Elfes mais les Humains. Éliminer quelques elfes ne posera pas de problème aux dragons.

Cal déglutit.

— Pour les elfes, tu as malheureusement raison. Mais ils ne s'en prendraient tout de même pas à l'Héritière, non ?

— Cal, ils ont manipulé mes gènes pour me rendre plus puissante, au risque de détruire une planète entière. Hésiteront-ils un instant à manipuler mon esprit ? À me persuader que j'ai voulu secourir Betty et échoué ? Je ne peux pas accepter de prendre ce risque, pas alors que la vie d'une innocente dépend de moi. Tu as réussi à me retrouver à O'possum malgré nos camouflages. Alors, utilise ce don ! Tu seras ma seconde ligne de défense... et mon unique protection.

Cal sourit.

— Je suis heureux que tu acceptes enfin de te reposer sur nous. La Tara dont j'ai fait la connaissance voici deux ans n'aurait jamais risqué nos vies ainsi !

— Ouais, ce monde déteint sur moi ! Emmène les autres et explique-leur. Je ne veux pas qu'ils soient ici lorsque nous partirons. Je vous indiquerai l'endroit où nous nous rendrons grâce à la Pierre Vivante. Ensuite, vous nous rejoindrez. Si j'arrive à briser la barrière et à entrer sur le continent, il faudra vous débrouiller pour me suivre sans être remarqués.

— Tu peux compter sur nous. Et, Tara ?

— Oui ?

— Fais attention à toi, hein ?

— Sur le Continent interdit, Prudence sera mon second prénom, aie confiance !

Cal fit volte-face et attrapa Robin par le bras au moment où celui-ci s'approchait de Tara. Le demi-elfe voulait expliquer à la jeune fille les motifs profonds de sa décision mais Cal l'empêcha d'aller plus loin.

— Attends ! murmura-t-il. Nous avons une autre mission. Venez avec moi !

Le demi-elfe faillit passer outre mais le sérieux de Cal et la force de sa main sur son bras le firent hésiter. Puis ce fut trop tard : Tara s'était engouffrée dans une Salle de Transfert qui menait à sa chambre.

Moineau, Fabrice, Fafnir avaient vu Cal arrêter le demi-elfe et ils se détachèrent du petit groupe qui suivait Tara, laissant Isabella et Manitou poursuivre leur chemin sans eux. Eleanora fit de même.

— Eh bien ? s'enquit Robin, irrité.

— Tara a besoin de nous, murmura Cal en leur faisant signe de se rapprocher.

Ils formèrent un cercle autour de lui pendant qu'il leur confiait la demande de Tara. Fafnir arbora un énorme sourire.

— Par mes haches ! souffla-t-elle. J'ai redouté que cette aventure-là se fasse sans moi.

— Quel est le plan, alors ? questionna Fabrice, morose.

— Nous allons d'abord chez moi, dit Cal. J'ai besoin d'un certain nombre d'équipements qui sont à la maison, dont les sorts de Camouflus qu'utilise ma mère. Ensuite, nous attendons que Tara me contacte et nous la rejoignons pour la suivre. Euh, ce sera sans doute dangereux...

— Oh ? Tu veux dire : plus que lorsque le Ravageur d'Âme a manqué tous nous infecter, ou que Tara et Jeremy ont failli nous « fais-le rouler pour avoir le chiffre, fin de zinzin, boisson aromatique, roche dure », dé zin thé grès, désintégrer ? ironisa Fabrice.

— D'accord : aussi dangereux que d'habitude. Eleanora ?

— Tout cela est une manigance de Magister. Je viens avec vous, j'ai bon espoir de repérer son principal contact au palais grâce à cette mission.

— OK ! Fabrice ?

— Depuis que je suis sortcelier, j'ai oublié ce qu'est une existence normale, observa Fabrice en haussant les épaules. En fait, tous ces mois sans Tara furent « période de douze mois, sans vêtements, organes de vision » : an nu yeux, ennuyeux. Et qui sait ? Peut-être cette nouvelle aventure me permettra-t-elle de retrouver la magie que je viens de perdre !

— Donc ?

— Donc, même pas peur ! Et toi ma douce Gloria ?

Moineau lui sourit. Son petit ami n'aimait pas son surnom et ne manquait aucune occasion de le faire remarquer.

— Où tu vas, je vais, bien sûr. Et puis, Tara ne peut pas s'en sortir sans nous ! Cal, comme toujours depuis que nous sommes devenus amis, c'est tous pour un et un pour tous, comme dans ces vieux films terriens.

Fabrice lui avait fait ingurgiter un nombre impressionnant de DVD : « Tu vas voir, celui-ci est génial ! Oh ! et celui-là, aussi ! Ah, et celui-là, il est top ! », au point qu'elle commençait à craquer un peu lorsqu'elle entendait le mot « cinéma ». Autant que cette terrienne culture lui serve à quelque chose.

— Parfait, dit en souriant Cal, qui avait un faible pour James Bond plutôt que pour d'Artagnan. Fafnir ?

— Mes haches n'ont rien tranché d'intéressant depuis huit mois. Ces dragons ne sont que de gros lézards. S'ils bougent une écaille, j'en ferai des hamburgers. Géants.

— Je comprends pourquoi tu t'entends aussi bien avec la mère de Tara ! marmonna Cal en frissonnant à l'idée de la naine hachant un dragon et du temps que cela prendrait, sans compter les frais de teinturier. Alors suivez-moi, allons nous préparer.

Ils s'éloignaient du palais par l'une des allées bordées de sculptures de granit représentant des phénix lorsqu'un jeune homme brun aux grands yeux noirs se précipita pour leur barrer le passage.

Moineau le reconnut immédiatement, Robin aussi, qui ne risquait pas de l'oublier : il l'avait boxé, le prenant pour son rival auprès de Tara.

— Aidez-moi ! supplia Jeremy sans même les saluer. J'ai suivi l'audience sur les écrans. Mes parents sont là-bas !

— De quoi parles-tu donc, par les Limbes ? gronda Robin, sur la défensive.

— Je les ai cherchés partout, enchaîna Jeremy d'une voix précipitée, sur Terre et sur AutreMonde. Isabella m'a fait placer sous la tutelle d'Omois tant que la part des biens de ma famille qui me revient en l'absence de mes parents ne sera pas à ma disposition. J'ai un appartement au palais.

La jalousie mordit Robin. Ce bellâtre habitait au voisinage de Tara ? Il dut se maîtriser car ses poings se crispaient dangereusement.

— Wow ! Calme-toi, tenta Cal, nous ne comprenons rien à ce que tu dis !

— J'ai interrogé le Discutarium, continua Jeremy, de l'urgence dans la voix. Travaillant par élimination, il a déduit que, puisque mes parents ne sont pas morts, qu'ils ne se trouvent ni sur Terre ni sur l'une des planètes en liaison avec AutreMonde et qu'on ne peut les localiser sur cette planète-ci, il n'y a qu'une seule explication.

— Laquelle ? interrogea Fabrice, qui avait du mal à suivre.

— C'est qu'ils sont enfermés depuis des années dans un endroit qui empêche les localisateurs de les situer. Et le seul endroit qui corresponde est... le Continent interdit !

— Tu as entendu le dragon, rétorqua paisiblement Cal, attentif aux gardes qui tendaient l'oreille. Seule Tara est autorisée à se rendre sur ce continent avec des elfes et des dragons... Si toutefois elle parvient à ouvrir la barrière !

— Vous ne comprenez rien ! cria le garçon, désespéré. S'ils sont là-bas et ne sont pas morts, cela signifie que l'on peut y vivre ! Les Dragons nous mentent !

Cal le saisit par le bras et l'éloigna des gardes.

— Écoute : là, on part à l'ambassade du Lancovit pour aller discrètement chez mes parents, je veux que les gens d'Omois ignorent où nous nous rendons. Si tu le veux, retrouve-nous au Lancovit dans deux heures. Je vais te donner mon adresse et tu nous rejoindras. Nous discuterons de ce qu'il convient de faire, d'accord ?

Jeremy se dégagea d'un geste brutal.

— Non ! Vous en profiterez pour partir sans moi sur le Continent interdit et c'est ma seule chance de les retrouver !

Cal plissa les yeux.

— Comment cela, partir sur le continent ? Où es-tu allé pêcher une histoire pareille ?

— Tara n'a pas écrabouillé le dragon lorsqu'il lui a interdit de vous emmener ! (Ah, zut ! il l'avait remarqué.) Sur le coup, cela m'a paru bizarre, vous êtes inséparables, j'ai bien vu comment vous fonctionniez, à Stonehenge. Donc vous avez un plan. Je vous préviens. Si vous ne m'emmenez pas avec vous, je vais dire à tout le monde ce que vous comptez faire !

Robin, à bout de patience, incanta :

— Par le Mintus, tu nous oublies, ça ne fait pas un pli ! (Côtoyer de rudes marins pendant huit mois avait quelque peu dégradé son impeccable vocabulaire.)

La magie frappa Jeremy... et reflua à un centimètre de sa peau !

Ils se regardèrent. Jeremy avait perdu ses pouvoirs en même temps que Tara. Et pourtant la magie ne l'atteignait pas. Il n'y avait qu'une seule explication. Moineau la formula pour eux :

— Tu... as retrouvé tes pouvoirs ?

— Précisément en même temps que Tara, confirma Jeremy. Il semble exister une sorte de... connexion entre nous.

Robin lui jeta un regard féroce. Comment cela, une connexion ?

— Le temps de demander un contre-sort de protection au Discutarium, expliqua le jeune garçon, et j'ai foncé à votre poursuite. Vos Mintus ne serviront à rien, je suis protégé.

Il leur adressa un sourire insolent qui se mua en un clignement d'yeux étonnés... puis s'affala mollement au sol.

Derrière apparut Fafnir, grimpée sur l'un des phénix de granit et qui se massait le poing avec affectation.

— Pfff ! Vous autres sortceliers ne savez faire qu'avec la maudite magie. Mais un imbécile s'assomme aussi bien manuellement, hein !

— Wow ! apprécia Cal. Rappelle-moi de ne pas te mettre en colère, Fafnir. Robin ! mets-le sur ton épaule, on ne va pas l'abandonner là. On décidera que faire de lui à la maison.

Robin utilisa un discret Levitus et un Invisiblus pour dissimuler le corps, histoire d'éviter de se faire arrêter. À l'ambassade du Lancovit, son statut de fils du chef des services secrets lui permit de faire franchir à Jeremy inanimé la Porte de Transfert. Le temps de respirer deux fois et ils se retrouvèrent dans le pays natal de Cal. Le changement fut étourdissant, comme toujours. Omois était aussi insolente, peuplée et orgueilleuse que le Lancovit était harmonieux, discret et calme.

La reine Titania avait coloré le ciel d'orange, les deux soleils d'AutreMonde étaient bleus, on avait la tenace impression d'être dans un tableau de Van Gogh... le peintre aurait-il séjourné à Travia, sa superbe capitale ? Les fresques jouaient sur les murs, les sortceliers et sortcelières sillonnaient le ciel sur toutes sortes d'engins ensorcelés, allant du tabouret au lit à baldaquin pour les plus paresseux ou handicapés. Plusieurs patrouilles d'elfes à pégases et de soldats sur tapis surveillaient la ville, dans les airs comme sur terre ou sous l'eau : Travia était réputée pour ses merveilleux canaux entretenus par les tritons et les sirènes d'eau douce aux écailles plus vertes que celles de leurs bleues cousines des mers profondes.

Ils arrivèrent rapidement à la ravissante maison bleu et argent qu'habitait Cal. La bâtisse était imposante car Cal était le dernier d'une fratrie de cinq enfants.

Leur mère, Aliana-Léandrine, appartenait aux services secrets du Lancovit, dont elle était l'une de leurs meilleures Voleuses Patentées. Comme elle conservait chez elle quantité de potions et de parchemins dangereux, la propriété était gardée par une hydre féroce : Toto. L'énorme animal fit fête à Cal lorsqu'il le vit et ses sept têtes vinrent flairer soigneusement tous ses invités. Sheeba sortit ses griffes et Robin grogna. Il n'aimait guère l'hydre et lorsqu'elle s'attarda devant lui en laissant pendre ses langues comme un chien affectueux et surdimensionné, il l'écarta d'une sèche tape sur le museau. Surprise, l'hydre glapit puis les laissa passer.

Cal jeta à son ami un regard lourd de reproches et calma l'animal en le flattant affectueusement de la main.

— Papa, Maman ! C'est moi ! cria-t-il en entrant dans le hall décoré d'un magnifique mur de roses roses.

Un visage surgit dans les airs devant eux, faisant sursauter Fabrice. C'était celui du père de Cal.

— Cal, nous sommes absents. Ceci est un message enregistré. Nous serons de retour après-demain. Maman t'a ensorcelé quelques plats à la cuisine, il te suffira de les faire réchauffer. Sois sage, mon fils, et à après-demain.

Cal soupira :

— Zut ! J'aurais préféré que maman soit là pour me donner quelques tuyaux. Robin, dépose Jeremy dans le salon et essaye de le ranimer.

Le sofa s'avança docilement pour recevoir le corps puis se rangea près de la cheminée. L'Élémentaire de feu fit crépiter quelques étincelles pour signaler qu'il était prêt à fonctionner mais Cal ne l'activa pas, la température étant bien assez estivale.

La pièce était colorée de jaune et de gris, chaleureuse et joyeuse à la fois. Partout, de vastes fauteuils et des coussins confortables étaient prêts à les accueillir et ils firent un cercle autour de Cal et Jeremy.

— Si ses parents sont prisonniers sur ce continent, dit Moineau en désignant le garçon toujours inconscient, nous devons l'emmener !

— J'allais le lui proposer, indiqua Cal, mais Fafnir m'a devancé. Et puis, il m'énerve. Je ne sais pas pourquoi mais il m'énerve.

— Je ressens la même chose, grogna Robin.

— Cal, Robin ! s'exclama Moineau, si nous devions boxer tous ceux qui vous horripilent, nous passerions notre temps à assommer des gens !

— Moi je suis d'accord, lança en souriant Fafnir. C'est amusant, d'assommer !

Moineau ouvrit la bouche et la referma, vaincue.

Un gémissement les alerta. Jeremy se redressait, se tenant la tête à deux mains.

— Ooooh ! Que m'est-il arrivé ?

— Combien de doigts vois-tu ? questionna Cal en agitant sa main devant le regard vitreux de Jeremy.

— Trop, gémit le garçon. Par pitié, arrête de gesticuler, s'il te plaît, j'ai mal au cœur !

— Reste tranquille, tu as reçu un sérieux coup sur la tête.

— J'ai été renversé par un camion ?

— Non, par moi ! fit Fafnir avec une infinie satisfaction. Nous menacer n'est pas la meilleure façon d'obtenir quelque chose de nous... à part des horions, ça, c'est sûr !

— La prochaine fois que tu voudras un service, l'avertit Fabrice qui, comme Jeremy, avait été élevé sur Terre, demande-le poliment. Tu verras, c'est fou ce que c'est efficace avec des gens qui sont infiniment plus puissants, retors et malins que toi.

— Mais vous vous apprêtiez à partir sans moi !

— Pas du tout, rectifia Cal. Je t'ai proposé de nous retrouver chez moi. Tu as voulu employer la manière forte. Tant pis pour toi.

— Vous... vous acceptez que je vienne avec vous ? bredouilla le garçon, stupéfait.

— Pourquoi refuserions-nous ? intervint Moineau. Ta quête vaut la nôtre, si tes parents sont prisonniers sur le Continent interdit ! Sois le bienvenu !

Vaincu par tant d'émotions contradictoires, le garçon se mit à pleurer. Moineau vola à son secours et lui tendit un mouchoir. Il y souffla bruyamment puis voulut le lui rendre. Toutefois, ayant constaté l'état dans lequel il se trouvait, Moineau lui en fit cadeau.

— Nous devons nous préparer, intervint Cal, mais nous avons un peu de répit, le temps que les elfes de Tara soient sur le pied de guerre. Alors Robin, j'aimerais comprendre : par mes ancêtres, qu'est-ce qui t'a pris, de dire à Tara que tu renonçais à son amour ?

Le demi-elfe soupira. Il aurait dû parier que l'infernale curiosité de Cal se manifesterait dès qu'ils seraient seuls ensemble.

— Vous connaissez les grandes lignes de notre histoire. Le baiser avec Tara, l'Impératrice qui prend la mouche et la reine de l'Air et des Ténèbres qui me bannit pour lui faire plaisir, expliqua-t-il. T'avila craignait tant que l'Impératrice cesse d'utiliser les elfes pour ses armées qu'elle m'a interdit d'approcher Tara. Mon père a trouvé plus simple de m'éloigner pendant quelque temps. Le problème est que nous avons une ennemie féroce à la cour, E'rée, une elfe violette. Elle considère les unions mixtes, par exemple celle de mes parents, comme une injure à notre race. Alors elle a décidé de me faire... disparaître.

Ses amis le regardaient, les yeux ronds.

— Nooooon, souffla Cal, c'est ahurissant ! Juste parce que ta mère est une sortcelière humaine ?

— Et pourquoi maintenant ? questionna Moineau en même temps.

— Parce que je suis un métis, oui, répondit Robin à Cal. Et parce qu'elle en a eu l'occasion, probablement. Nous n'en sommes pas tout à fait sûrs, précisa-t-il honnêtement à Moineau. Mais tous les indices convergent vers elle. La semchanach qui nous a enlevés, emprisonnés et torturés n'aurait pas eu assez de pouvoir pour s'emparer de nous aussi facilement. Elle y a été aidée.

— Cela signifie qu'E'rée s'en prendra de nouveau à toi pour t'éliminer ? interrogea Jeremy.

— Je l'ignore. Mon père est en train d'enquêter discrètement afin de comprendre ses motivations profondes et tenter de la contrer. Mais ce n'est pas facile, E'rée étant l'une des proches conseillères de la Reine.

— Sa position est-elle élevée ?

— Plus haut, il faudrait un masque à oxygène, précisa amèrement Robin.

— Pffffffuuuiit, siffla Cal qui venait de comprendre. C'est pour cette raison que tu as dit à Tara devant tout le monde que tu renonçais à elle ?

— Oui. E'rée peut s'en prendre à ma famille. Le danger nous menace tous. Si j'affiche mon affection pour une sortcelière humaine comme mon père le fit pour ma mère, E'rée y verra une confirmation que nous faisons tout pour affaiblir le sang des elfes !

219

Eleanora hocha la tête, pensive, mais Fabrice, sensible aux enjeux de pouvoir, ne comprenait pas.

— Mais Tara est l'héritière d'Omois. Une alliance comme celle-ci devrait lui plaire ?

— Tara pourrait être l'impératrice d'AutreMonde que cela n'y changerait rien. Elle est humaine. C'est une tare absolue pour E'rée qui fait partie des *Vainoi Elvorus*.

— Des *quoi* ?

— Cela signifie : « La terre pour les Elfes ». Le terme désigne ceux qui pensent qu'AutreMonde devrait nous être attribué, à nous les Elfes qui avons combattu au côté des Dragons bien avant les Humains. Les démons ont détruit notre terre natale. AutreMonde était la terre qui nous avait été promise.

— Historiquement c'est en effet ce qui était prévu, confirma Moineau, leur experte *es* peuples. Les Dragons avaient attribué AutreMonde aux Elfes avant de découvrir les pouvoirs des humains. Cela entraîna l'ouverture d'AutreMonde à la colonisation humaine. Il y eut des conflits entre les peuples au début. Les Elfes n'acceptèrent pas sans peine que les humains soient aussi puissants, voire plus, que leurs propres sortceliers. Les Dragons y mirent bon ordre, en forçant les Humains et les Elfes à s'allier.

— Dans ce cas, tes ennemis sont nos ennemis, conclut négligemment Fafnir. Les Elfes et les Nains n'ont guère d'affection les uns pour les autres. Cette violette va se faire prestement faucher si elle s'en prend à toi !

Soudain, dans un fracas épouvantable, la fenêtre vola en éclats. Une des énormes têtes de Toto apparut, toutes dents dehors. L'hydre faillit happer... Robin !

Le demi-elfe roula sur le côté, bousculant Jeremy.

— Cal ! hurla celui-ci, traumatisé par ce qu'il venait d'entendre et évitant de justesse la gueule baveuse. E'rée a jeté un sort sur ton hydre !

Moineau se transforma en un clin d'œil. Trois mètres de fourrure rousse, de crocs et de griffes prirent la place de la frêle jeune fille. L'arc de Llilandril apparut au bras de Robin et il encocha une flèche. Et les couteaux d'Eleanora surgirent si vite dans ses mains qu'on eut l'impression qu'ils s'étaient matérialisés à partir du vide.

— Noooon ! hurla Cal, il n'est qu'une victime ! Il faut le neutraliser sans le tuer !

Ils hésitèrent mais deux autres têtes brisèrent les fenêtres et Fafnir qui s'était placée devant Robin fut propulsée à travers la pièce lorsque l'une d'elles la percuta.

L'hydre ne se préoccupait pas d'eux. Elle ne voulait que Robin. Celui-ci l'esquiva avec grâce et Jeremy, qui se tenait derrière lui, fut heurté de plein fouet par un mufle plus gros qu'un camion. On entendit distinctement le bruit des côtes qui se brisaient et le Oooooouf ! du garçon, à demi assommé.

Fafnir qui revenait, furieuse et échevelée, écarta du plat de sa hache une tête qui s'approchait trop près de Moineau. Celle-ci agrippa un cou vert qui se redressa, la soulevant sans effort. Eleanora lança un couteau qui entailla un cou de l'hydre, la faisant rugir. Elle fonça sur la jeune fille qui l'évita de justesse, prenant appui sur le mur pour retomber sur ses pieds après une impressionnante culbute arrière.

Cette fois-ci, c'en était trop. Robin encocha sa flèche. Évitant de viser les yeux qu'il ne voulait pas crever, il se positionna sous l'une des mâchoires qui s'abaissait vers lui, béante et pleine de crocs, bien décidé à la fermer.

Comme il lâchait sa flèche, Cal hurla de nouveau quelque chose qu'il ne comprit pas.

L'instant d'après il avait une flèche dans la gorge et une immense douleur le terrassait.

— Robin, arrête ! Toto ne te veut aucun mal !

Hébété, Robin porta une main à sa gorge. Il n'avait rien. Il leva les yeux vers l'immense gueule percée d'une flèche. Une pensée étrangère, venue d'un autre esprit, traversa son cerveau.

— *Mal ! Mal !*

L'hydre venait de se faire transpercer mais ils souffraient tous les deux.

— Qu'est-ce que... ?

— Bon sang, tu n'as pas entendu ! vociféra Cal, furieux. Toto n'était pas en train de t'agresser ! Il est ton Familier !

CHAPITRE XIV

TOTO
ou si votre Familier est une hydre, il vaut mieux avoir un grand appartement... de préférence avec une piscine

Hébété, Robin vit Cal faire disparaître la flèche et appliquer un Reparus à l'hydre qui tentait toujours de se rapprocher de son nouveau compagnon d'âme. La douleur disparut de sa gorge par enchantement, lui arrachant un hoquet stupéfait.

Soudain, le demi-elfe comprit ce qu'il venait d'entendre et une intense horreur l'envahit en sentant l'esprit de l'hydre se tendre timidement vers le sien.

Reculant à une vitesse non-humaine, il se recroquevilla le plus loin possible des gueules baveuses, le regard vitreux.

— Il... dit qu'il s'appelle Toto, bredouilla-t-il.

— C'est en effet le nom que je lui ai donné quand j'avais quatre ans, confirma Cal d'un ton calme et raisonnable.

— Il... il dit qu'il s'appelle Toto.

— Hum ! émit Fabrice. Je crois bien qu'il est sous le choc. Tu crois qu'il va le répéter encore ?

Avoir à partager son esprit avec une hydre de quinze mètres de hauteur avait secoué Robin au point de le déconnecter de toute rationalité. Il se roula en boule et se mit la tête sous les bras.

— Ahhhhhhh !

— Robin ? Tu te sens bien ? s'enquit Moineau, très inquiète.

— Miam, poisson, gloub-gloub, l'eau ! répondit Robin d'une voix étouffée. *Bon sang, sors de mon esprit !*

L'hydre eut un violent mouvement de recul, oubliant qu'elle était partiellement engagée dans une maison. Toute la bâtisse trembla et des objets qui avaient résisté vaillamment à la bagarre connurent une fin aussi rapide qu'irrémédiable en tombant au sol.

— Ehhhhh ! hurla Cal. Reste tranquille, Toto, ne bouge plus, surtout !

L'hydre obéit. Elle laissa pendre ses têtes qui avaient pénétré dans la pièce avec un gémissement angoissé.

— Robin, enchaîna Cal d'un ton pressant en s'accroupissant à côté de son ami, tu ne peux pas refuser ton Familier. Il t'a choisi comme tu l'as choisi.

Un visage rouge et furieux sortit de sous les bras.

— JE N'AI RIEN CHOISI DU TOUT ! JE NE VEUX PAS DE FAMILIER !

Toto fit entendre un gémissement sépulcral et son corps gigantesque coincé à l'extérieur appuya sur le mur, accablé. La bâtisse tout entière craqua. Cal frémit.

— Robin ! s'écria-t-il, arrête tes idioties. Personne ne refuse son Familier. Ça n'est jamais arrivé dans toute l'histoire d'AutreMonde. Si tu continues à le rejeter, Toto va devenir fou d'angoisse et détruire ma maison. Et s'il le fait, crois-moi, avoir un Familier sera le moindre de tes problèmes comparé à la colère de ma mère !

— C'est *ta* bestiole, *ton* hydre, fais quelque chose ! répondit Robin d'un ton buté et Cal eut envie de grincer des dents de frustration.

Toto gémit de nouveau de toutes ses têtes à la fois. Le son était si puissant et si désespéré qu'ils se bouchèrent les oreilles.

— Ça suffit, Robin ! s'énerva la paisible Moineau, sensible à la détresse de l'animal. Cesse de te comporter comme un enfant. Avoir un Familier est un honneur.

Puis se souvenant que les elfes étaient des guerriers, elle ajouta :

— De plus, les hydres sont des animaux rares et puissants. Toto pourra t'aider en combattant à tes côtés aussi bien que Sheeba pour moi ou Bar... ou Galant avec Tara (Elle s'était reprise à temps : Barune, le mammouth bleu de Fabrice, détestait se battre et ne vivait que pour les rouges-bananes). Pourquoi refuser cette chance ?

Le demi-elfe, la tête à nouveau blottie sous ses bras, grogna :

— Les Elfes m'acceptent déjà mal. Si, en plus, j'ai un Familier, ce sera pire ! E'rée y verra la preuve que mon sang humain est en train de corrompre mon sang elfique. J'étais déjà mort, là, je suis carrément enterré !

Moineau fit la grimace. L'angoisse de Robin avait donc un fondement logique. Elle avait été étonnée de sa réaction mais la comprenait mieux à présent.

— Tu pourrais la cacher, proposa Fabrice.

L'hydre trompeta et il remit ses mains sur ses oreilles.

— Ouch ! Non, oublie ce que je viens de dire.

Cal regarda le mur qui commençait à se fissurer, avec angoisse.

— Robin, je t'en supplie, tu ne veux pas aller dehors, hein ? Juste histoire que j'aie encore un toit sur la tête dans les jours à venir.

— Nan ! répondit la voix étouffée du demi-elfe. T'as qu'à trouver une solution. C'est toi le plus malin de la bande, tu m'as lié avec ton animal, débrouille-toi pour me délier.

Si Cal trouva sympa que son ami le qualifie de « malin », la suite de la phrase lui plut nettement moins.

— Ce-n'est-pas-po-ssi-ble ! articula-t-il avec soin. Bon sang, en combien de langues dois-je le répéter, Robin ? Tu as un Familier comme la majorité des sortceliers et tant pis pour E'rée. De toutes les façons, elle te détestait déjà, un peu plus ou un peu moins n'y changera rien.

Cette fois-ci ce fut Robin qui gémit et Toto l'imita avec enthousiasme. Fabrice se frotta les oreilles avec affectation lorsque le son mourut enfin.

— Je vais y laisser mes tympans, moi. Bon, on fait quoi, alors ?

— Il faut que Robin ouvre son esprit à Toto, sinon le lien ne pourra pas se faire complètement et ils risquent de devenir fous tous les deux ! expliqua, très inquiet, Cal.

— Ton hydre est déjà dingue ! railla méchamment Robin. Ça ne la changera pas beaucoup !

— Même pas vrai ! rétorqua Cal, qui se reprit aussitôt. Et puis, le problème n'est pas là. Je suis peut-être malin mais je ne suis pas un dieu. À part la mort, rien ni personne ne peut séparer un Familier de son maître.

Robin releva la tête si vivement que Cal, surpris, tomba sur les fesses.

— La mort, voilà la solution ! Tu as raison !

— Ça ne va pas, non ? Tu ne vas pas te tuer ! s'exclama Cal, affolé.

— Me tuer ? répéta Robin. Pas du tout ! Pas moi, ta bestiole, là. Je vais m'en débarrasser, comme ça, hop ! Plus de Familier ! Angelica n'a pas eu l'air de tant souffrir lorsque son Familier Kimi[1] est mort dans le vortex. C'est la meilleure solution.

Il se leva résolument puis appela son arc. Celui-ci se matérialisa à son bras et il encocha une flèche, le temps que Cal se relève.

— Mais tu as perdu la tête ! hurla Cal en se plaçant devant Toto, les bras en croix. Je t'interdis de lui faire du mal !

— Pousse-toi, Cal ! fit Robin d'une voix horriblement raisonnable. Tu dois me laisser faire, aucun elfe ne peut vivre avec un Familier. C'est trop... perturbant. Il va m'empêcher de me battre. S'il est blessé, cela me fera mal et peut me coûter la vie. Je refuse de prendre ce risque.

Cal regarda son ami puis, à la grande surprise de Robin, s'écarta :

— Vas-y. Si la seule solution que tu trouves à tes problèmes est d'assassiner un animal innocent, alors E'rée a tort. Tu es bien plus elfe qu'elle ne le pense.

Robin regarda l'hydre. L'animal n'avait plus des yeux verts de serpent mais les yeux dorés des Familiers, emplis du chagrin de se voir rejeté. Il y lut une intense supplication puis, comme résignés, les yeux se fermèrent les uns derrière les autres. L'hydre avait accepté son sort. Si son maître disait qu'elle devait mourir pour son bien, alors il ne lui restait plus qu'à obéir.

Robin banda son arc. La pointe de la flèche visa l'une des têtes, trembla puis se rabaissa.

— Ha ha ! triompha Cal avec un éclatant sourire, je savais que tu ne pourrais pas la tu...

---

1. Dans *Tara Duncan. Les Sortceliers*. Robin oublie de dire que la perte de son Familier faillit bien rendre folle Angelica et que cela n'améliora pas son caractère pour le moins... difficile.

— C'est une hydre, Cal, l'interrompit Robin sèchement. Transpercer ses têtes ne servira qu'à me faire épuiser mes flèches. C'est son cœur que je dois toucher.

Il se tourna vers Toto et dit :

— Sors d'ici.

Les yeux se rouvrirent. Les grosses têtes vertes obéirent et se retirèrent de la maison.

Robin quitta le salon, suivi par ses amis et Cal qui n'arrivait pas à croire que Robin allait vraiment tuer son hydre.

— Tu as changé, fit remarquer Fafnir à Robin. Tu es devenu plus dur. Cal a raison, le sang des elfes bat fort dans tes veines.

Le demi-elfe se retourna si vite qu'elle sursauta.

— Et que ferais-tu, toi, à ma place ? Tu crois que cela m'amuse de sacrifier l'animal domestique de mon meilleur ami ? Que j'aime être rejeté par mes pairs comme je rejette la fusion avec Toto ? J'en suis malade mais je suis déjà trop différent des miens. Un signe aussi évident de mon sang humain serait de trop.

— Alors il te faut aussi teindre ces cheveux noirs qui te trahissent, ironisa Fafnir, ah ! Et tuer ta mère serait aussi une bonne idée, elle est tellement... humaine ! Moi, je ne crois pas que le problème soit l'hydre. Tu passes sur cet animal ta colère et ton angoisse par rapport à Tara, à la menace d'E'rée et à ce que tu as subi ces derniers mois...

Robin la regarda, furieux. Les paroles de la naine faisaient d'autant plus mal qu'elles étaient justes. Il contempla l'hydre qui essayait de se faire toute petite, ce qui n'était pas gagné, puis son arc qui avait pris tant de vies sur l'océan des Brumes et ses épaules se crispèrent.

Il s'écoula un long moment pendant lequel seuls les chants des oiseaux et le cri-cri des kri-kri troublèrent le silence. Surprise de ne pas être morte, l'hydre ouvrit un œil puis un autre. Son regard croisa de nouveau celui de Robin et celui-ci comprit qu'il ne pourrait jamais tuer quelqu'un qui ne lui avait rien fait à part lui vouer une fidélité absolue.

— Tu as raison, Fafnir. Me venger sur cet animal n'est pas digne de moi. (Il inspira profondément.) Très bien. Expliquez-moi ce qu'il faut que je fasse.

— Déjà, si tu pouvais poser ton arc, ce serait bien, indiqua Cal, immensément soulagé.

Robin ordonna à son arc de reprendre sa place sur son épaule.

— Cooool, merci Robin. Ensuite, il faut que tu ouvres ton esprit à Toto.

— Par mes ancêtres, soupira Robin, ce nom est vraiment ridicule. Penses-tu que Toto serait vexé si je le rebaptisais ?

— Tu n'as qu'à le lui demander. À la minute où vos deux esprits seront accordés, tu pourras ressentir ce qu'il ressent, pas uniquement les émotions fortes, comme la douleur ou la peur, mais également ce qu'il aime ou ce qu'il n'aime pas.

Robin fit face à Toto. Puis il lui ouvrit son esprit.

À sa grande surprise, l'hydre était bien plus intelligente qu'il n'y paraissait. En dehors d'une adoration effrénée pour Cal qu'elle avait vu grandir (adoration partagée à part égale entre Cal et le poisson pour être plus précis), elle était une excellente gardienne et savait reconnaître ennemis et amis avec une grande efficacité.

Et elle aimait bien son surnom de Toto mais ne voyait pas d'inconvénient à en changer si cela faisait plaisir à Robin.

— Alors je t'appellerai Sourv, déclara Robin à voix haute. Cela signifie « fidèle » dans ma langue.

L'hydre fit rouler la sonorité de son patronyme tout neuf dans son esprit puis lui envoya une pensée heureuse. Son nouveau nom lui plaisait.

Cal se laissa tomber dans l'herbe, les jambes coupées par l'émotion. Il flatta l'une des têtes de l'hydre qui ronronna de satisfaction.

— Tu vas me manquer, lui dit-il affectueusement, mais tu ne pouvais trouver de meilleur maître que Robin. Et puis nous sommes tout le temps ensemble, alors je te verrai souvent.

Blondin, un peu jaloux, le poussa du bout du museau. Cal sourit en le caressant aussi.

— Euh, quelqu'un pourrait-il faire quelque chose pour mes côtes ? gémit Jeremy qui virait au vert, je commence à avoir vraiment mal, moi.

Cal lui appliqua un Reparus. Le jeune Terrien soupira de soulagement lorsque la douleur s'évanouit. Puis le petit Voleur proposa :

— Allons dans la bibliothèque de ma mère, c'est là qu'elle range ses Camouflus et d'autres équipements dont nous pourrions avoir besoin. Ensuite nous attendrons l'appel de Tara.

Ils se dirigeaient vers la maison lorsque des Boum ! Boum ! Boum ! firent trembler le sol. Sourv suivait Robin, très contente, et sautait tout autour de lui pour manifester sa joie.

Robin, les yeux écarquillés, regardait dix tonnes d'hydre se tortiller comme un chien expansif et très encombrant.

— Mais que fait-elle ? balbutia-t-il.

— Elle est très joueuse, le renseigna Cal, embarrassé. Jette-lui un bâton et elle sera ravie de te le rapporter. Elle aime beaucoup sauter, aussi.

— Tu plaisantes ?

— Pas du tout. Regarde.

Il saisit par terre un bout de bois et le lança au loin de toutes ses forces. Sourv fonça dessus comme si sa vie en dépendait et ils vacillèrent tant ses bonds enthousiastes ébranlaient la terre.

Robin se frotta les yeux et grommela :

— Je sens que je vais regretter de n'avoir pas fait l'autre choix.

Il contempla pensivement Sourv qui revenait vers eux comme une dératée, rapportant le bâton que venait de lui jeter Cal en remuant sa queue de serpent.

— Fabrice, lança le demi-elfe, quelle incantation utilises-tu pour Barune, déjà ? Pour le miniaturiser ?

— J'ai fini par acheter un sort presque permanent mais réversible parce que durant mon sommeil, ma magie avait tendance à se relâcher et Barune reprenait sa taille normale. À la troisième quasi-crise cardiaque et au quatrième lit ruiné, j'ai pensé que ce serait mieux. Mais celui que j'employais auparavant est le même que celui de Tara : « Par le Miniaturus, que Barune réduise, que je puisse le promener à ma guise ».

Il avait évité de projeter de la magie en incantant et le mammouth bleu ne broncha pas.

— Merci, Fabrice ! fit Robin d'un ton reconnaissant. Par le Miniaturus, que Sourv réduise, que je puisse la promener à ma guise.

Sa magie verte jaillit et toucha l'hydre qui trompeta avec angoisse en se sentant rétrécir. En quelques secondes, elle n'était pas plus grosse que Sheeba et Barune (également miniaturisé). Le mammouth bleu la renifla avec circonspection, étonné par toutes ces têtes qui s'agitaient. Puis recula en barrissant lorsque l'hydre s'approcha de lui à son tour. Fabrice lui donna une rouge-banane pour le calmer et une autre à Sourv qui lâcha son bâton pour l'engloutir avec enthousiasme.

— Ne lui donne pas de nourriture en dehors des repas, précisa Cal. Fabrice gâte beaucoup trop son mammouth. Toto... je veux dire Sourv, mange du poisson deux fois par jour. Et tu dois lui faire suivre une cure de vitamines tous les trois mois afin qu'elle garde de belles écailles. Parfois, elle a des crises d'eczéma, il faut alors lui frotter les endroits qui pèlent avec de l'huile de tolis douce. Ah, et une hydre a besoin d'eau. Chaque fois que ce sera possible, emmène-la se baigner dans un lac, elle adore. Et vérifie ses griffes, il lui arrive d'en casser une et parfois elles repoussent mal. Tu devras te débrouiller pour l'opérer si elle se fait une griffe incarnée...

— Cette fois-ci, j'en suis sûr, tu te moques de moi, le coupa brusquement Robin.

— Ben, non, pas du tout ! répondit sincèrement Cal. Tu n'as jamais eu d'animal à la maison ?

— Cal, nous autres elfes, les animaux, soit nous les chassons, soit nous les mangeons, et parfois les deux à la fois. Alors, non : je n'ai jamais possédé d'animal domestique. Et maintenant, je comprends pourquoi mon père s'est toujours opposé à ce que ma mère me prenne un chien de compagnie ! C'est... pire qu'un bébé !

— Les recommandations de Cal, en réalité, ne sont plus tout à fait de mise, tempéra Moineau. Les Familiers sont bien plus intelligents que leurs congénères ordinaires. Ton hydre fera seule un grand nombre de choses dont les autres animaux seraient incapables.

Ils regardèrent Sourv qui sautait tout autour de Sheeba, la queue agitée du félin indiquant un état d'agacement qui allait très vite se traduire par un museau réduit en charpie si l'hydre continuait à l'ennuyer.

— Ah oui ? Ce n'est pas flagrant, je trouve, murmura Robin. Puis il appela mentalement : « Sourv, laisse Sheeba tranquille et viens ici. »

L'hydre se dressa aussitôt sur ses pattes arrière et fonça vers lui puis bondit pour lui lécher le visage.

Ce fut donc en compagnie d'une hydre miniature surexcitée et d'un Robin complètement déprimé que Cal rentra dans sa maison en réprimant une furieuse envie de rire, qui ne s'apaisa pas lorsqu'il se rendit compte que Moineau avait les yeux pleins de larmes tant elle peinait à contenir son propre fou rire et que Fabrice se mordait les lèvres pour éviter d'éclater.

Ils s'immobilisèrent au seuil du salon. La pièce ressemblait à un champ de bataille.

— Hou ! Ta mère va nous en vouloir, constata Moineau. Nous ferions mieux de ranger avant son retour.

Les autres opinèrent et entreprirent de réparer les dégâts occasionnés par le combat contre l'hydre. Concentré, Robin en oublia Sourv quelques instants. L'hydre sauta sur des bouts d'objets inidentifiables et ses têtes les attrapèrent, les réduisant rapidement à des machins pendouillants et baveux. Toute fière, elle accourut vers Robin et lui trompeta à l'oreille pour attirer son attention sur ses trouvailles. Robin, qui venait de ramasser un pot de fleurs miraculeusement intact, sursauta d'au moins cinq centimètres et lâcha la poterie qui s'écrasa en miettes au sol.

C'en fut trop pour Cal.

— Ex... excusez-moi, balbutia-t-il.

Et il fila à toute vitesse dans sa chambre dont il n'eut que le temps de refermer la porte avant de s'écrouler de rire sur son lit.

Cinq bonnes minutes lui furent nécessaires pour se calmer et redescendre dans le salon, les yeux brillants et le visage rouge.

Aidé de Jeremy et d'Eleanora, Robin s'activait dans la pièce, suivi pas à pas par Sourv. En voyant l'hydre s'emmêler les pattes pour ne pas quitter Robin d'une semelle, Cal sentit remonter son envie de rire.

— Où sont les autres ? s'étonna-t-il d'une voix qu'il espéra ferme.

— Aucune idée, répondit Robin, maussade. Ils ont filé en même temps que toi.

Moineau et Fabrice réapparurent sur ces entrefaites, évitant soigneusement de croiser le regard de Cal. Leurs yeux, aussi brillants que les siens, et leur visage encore empourpré prouvaient qu'ils avaient été gagnés par la même crise de fou rire que lui... et qu'ils n'étaient pas loin d'y succomber à nouveau.

— Par tous les dieux d'AutreMonde ! soupira Robin. Me voilà flanqué du Familier le plus enthousiaste de cette planète. Par pitié, Cal, dis-moi qu'il lui arrive de se calmer.

Cal eut une folle envie de faire marcher son ami... et y renonça, devant ses yeux écarquillés d'angoisse.

— Elle est sans doute énervée par suite de la fusion mais je pense qu'elle ne va pas tarder à se fatiguer de tant d'émotions.

Puis, parce qu'il avait décidé d'être honnête, il ajouta :

— Enfin, je l'espère !

Robin regarda Sourv, l'air encore plus accablé.

— Je la sens très mal, cette histoire, moi. Est-ce que...

Ils ne surent jamais ce qu'allait demander le demi-elfe car, à cet instant-là, la boule de cristal de Cal sonna. Il plongea fébrilement la main dans sa poche et l'en sortit. Dès qu'il l'activa, le visage de Tara s'afficha devant eux. Elle ouvrit de grands yeux en découvrant le désastre derrière l'image de Cal.

— Cal ? Tout va bien ?

Cal préférait que Robin explique lui-même qu'il avait fusionné avec un Familier un peu... particulier.

— Pour l'instant, on a eu un petit problème mais il est réglé. Et toi ? Où en êtes-vous des préparatifs ?

— Ils sont presque terminés. Les dragons nous ont révélé l'existence d'une petite plage, sur le Continent interdit, placée juste en dehors de la barrière et qui permet d'accoster. Il semble qu'une sorte de cérémonie s'y déroule tous les ans. Ils sont six dragons à m'accompagner plus quinze elfes. Voici la localisation, je l'ai fait noter sur la carte.

Elle brandit la carte qu'elle avait achetée deux ans auparavant dans une boutique. Le parchemin afficha l'image du continent avec une petite flèche genre néon qui s'allumait et s'éteignait en indiquant : « c'est là, c'est là ».

— Carte, agrandissement, s'il te plaît ! ordonna Tara.

— Voilà, voilà ! bougonna la carte. Ces dragons n'ont pas précisé la forme exacte de la plage alors il faudra vous contenter d'approximations. Toutefois, je peux vous fournir les coordonnées spatiales si vous désirez utiliser un Transmitus.

— Affiche-les au cas où ! (La carte obéit et les coordonnées apparurent sur le papier.) Mais mieux vaut vous rendre sur le site en bateau, c'est d'ailleurs ce que comptent faire les dragons. L'île la plus proche, Renvers'an, possède une Porte de Transfert dont voici les coordonnées. Partez maintenant et dissimulez-vous aux alentours de la plage. Si je parviens à ouvrir la barrière, les dragons réagiront. À vous de me protéger contre toute manœuvre magique ou autre.

Cal plissa le front, anxieux.

— Euh, je sais que tu as une grande confiance en nous mais j'aimerais bien que tout ne repose pas uniquement sur nos épaules.

— Xandiar a souhaité nous accompagner et s'est vu refuser l'accès au continent, tout comme Sandor et maman. Il était si furieux que je m'attendais à voir sortir de la fumée de ses oreilles. Contactez-le et proposez-lui de venir avec nous. Je suis sûre qu'il en sera ravi. Demandez-lui s'il a d'autres volontaires, je veux mettre toutes les chances de mon côté pour sauver Betty.

— OK, je m'en occupe. Essaye de ralentir un peu le mouvement pour nous laisser le temps d'arriver avant vous.

— Je ferai mon possible mais tout le monde sait que Betty est en grand danger et si je retarde les préparatifs, ils auront des doutes. (Elle baissa un peu la voix.) As-tu de nouveaux renseignements au sujet de l'Endroit qui a été Effacé ?

— À propos de la fleur de Kalir ? Je regrette. J'ai interrogé plusieurs Discutariums, y compris celui d'Omois mais nul ne sait ce qu'est cet endroit et je n'ai pas plus d'informations sur cette plante. C'est d'autant plus agaçant que le nom m'est familier, bien que je sois incapable de me souvenir où je l'ai entendu.

— Vous parlez de l'Endroit qui a été Effacé ? intervint Fafnir qui avait écouté sans vergogne la conversation. Pourquoi ?

— Tara en a besoin pour un sort qu'elle est en train de préparer, expliqua le Voleur. Enfin, pas du lieu lui-même mais d'une plante qui pousse uniquement à cet endroit

— Oui, la fleur de Kalir, fit calmement Fafnir. Je sais très bien où on peut la trouver !

CHAPITRE XV

LE CONTINENT INTERDIT
ou quand on vous dit que c'est interdit, vraiment, c'est pour une bonne raison

— Quoi ?

Cal et Tara s'étaient exclamés en même temps. Fafnir sourit, amusée.

— C'est Medelus qui nous en a parlé, précisa la naine rousse.

— Ouuui, c'est ça ! confirma Cal en claquant des doigts. J'ai le vague souvenir d'une conversation à ce sujet.

— Medelus ? se récria Tara, qu'est-ce que ce malade vous a raconté ?

— Tu te rappelles sa spécialité ? interrogea Fafnir.

— Il faisait de la bio-ingénierie. J'avoue que je n'écoutais guère lorsqu'il parlait.

— C'est une manière sophistiquée de dire qu'il s'occupait de plantes. Il a notamment travaillé à Selenda, chez les elfes. Je le questionnais sur la flore d'AutreMonde, tout particulièrement sur les fameuses roses noires de l'île de la Désolation qui avaient fait disparaître ma maudi... hrrrm, la magie en moi. Bref, il avait parcouru un ancien parchemin, bien ensorcelé et conservé par le service des archives de Selenda. Ce document avait pour auteur un habitant de l'Endroit qui a été Effacé.

Tara se pencha sur sa boule, ce qui eut pour effet d'agrandir son nez et ses yeux.

— Il y est question de la fleur de kalir ?

— Oui. Cet indigène avait répertorié toutes les plantes de ce continent avant que ses compatriotes et lui n'en soient chassés. La fleur de kalir a pour particularité d'attirer les fantômes et, aux endroits où il y en a beaucoup, son parfum leur permet presque de se rematérialiser. Il y aurait eu des accidents, aux dires du botaniste : certains fantômes se montrèrent agressifs envers les vivants lorsqu'ils découvrirent qu'en consommant leur chair et en buvant leur sang, ils pouvaient revenir physiquement.

Cal fit la grimace.

— Yerk. Tu es sûre d'avoir besoin de cette fleur, Tara ?

La jeune fille avait blêmi.

— Malheureusement, oui. Et cet homme, a-t-il précisé où se trouvait cet endroit ?

— Ce n'était pas un homme mais oui, il l'a fait. Il a indiqué une longitude et une latitude. Et si je regarde celles qui sont affichées par ta carte, cela paraît correspondre assez bien.

Cal la contempla avec stupeur puis son cerveau effectua la connexion.

— Tu veux dire que le Continent interdit *serait* l'Endroit qui a été Effacé ?

— Exactement.

— Mais pourquoi le désigner sous cette appellation bizarre ?

— Les habitants indigènes en ont été chassés par les Dragons. Ils en ont conçu une profonde amertume et ont eu le sentiment d'être « effacés » d'AutreMonde. Alors ils ont décidé d'appeler leur continent ainsi.

— Mince ! souffla Cal, cela expliquerait que les Dragons aient condamné le continent. Parce qu'il y aurait des fantômes mangeurs d'hommes là-bas !

— Mon Dieu ! murmura Tara, pourvu que Betty ait trouvé un endroit où s'abriter ! Magister a dit qu'elle était encore vivante. J'espère de tout mon cœur qu'il n'a pas menti, pour une fois.

Elle se redressa et soupira, soudain plus fatiguée qu'au cours des huit derniers mois.

— Merci, Fafnir. Ce renseignement est ultraprécieux. Désormais, j'ai *deux* raisons majeures d'entrer sur le Continent interdit. Avant de partir, rassemblez tout ce que vous pourrez contre les fantômes. Les dragons n'en ont pas parlé mais équipez-vous, je ne veux pas que vous soyez blessés par ma faute. Ah, et, Cal ?

— Oui ?

— Regarde.

Tara approcha de la boule un objet rond terminé par une tige. Le petit Voleur reconnut une kidikoi.

— L'une des sucettes que tu m'as rendues, expliqua Tara. Je ne comprends jamais le message de leur cœur prophétique mais, pour une fois, celle-ci a été un peu plus explicite.

La sucette annonçait : « La clef te trahira et de périr tu risqueras. »

Le front de Cal se plissa.

— « La clef te trahira » ? Comment une clef peut-elle te trahir ?

— En se cassant, en disparaissant, je ne sais pas. Mais je trouve angoissante cette prophétie lorsqu'est en jeu une clef qui ouvre le Continent interdit. Alors, surtout, soyez sur vos gardes ! À tout à l'heure.

Elle coupa la communication avant que Cal n'ait le temps de lui parler de Jeremy et de ses parents.

Le jeune Terrien avait écouté l'entretien avec angoisse.

— Et mes parents qui sont sur ce continent ! C'est monstrueux !

— D'une part, rien n'est moins sûr, l'apaisa Moineau, ce n'est qu'une hypothèse du Discutarium. D'autre part, rien ne dit que cette histoire de fantômes n'est pas de la désinformation destinée à écarter les curieux !

Jeremy opina mais ses yeux trahissaient son inquiétude.

Cal les équipa avec tout ce qu'il put trouver pour leur mission. Des vivres miniaturisés, des armes (sauf pour Fafnir qui était une armurerie à elle toute seule, pour Eleanora qui possédait tout ce dont elle avait besoin et pour Robin qui se cantonna à son arc), des cordes, des chaussures capables de projeter une fine membrane afin de leur éviter de s'enfoncer dans le sable, du sel (que les fantômes avaient en horreur), des ceintures Levitus Inc® permettant de voler sans employer la magie et très utilisées par les nonsos et enfin les fameux Camouflus.

Ces derniers étaient des armes militaires. Inutile de dire que ce genre de technologie ne traînait pas les rues. Par chance pour eux, la mère de Cal en possédait une dizaine qu'elle distribuait à son équipe lors de missions collectives. Ils se présentaient sous forme de brassards qu'il suffisait d'activer pour disparaître totalement. Cal leur en fit la démonstration en appuyant sur le bouton de celui de Robin. Immédiatement, le demi-elfe disparut et Sourv trompeta vigoureusement jusqu'à ce qu'il réapparaisse.

— Il va vraiment falloir faire quelque chose pour cet animal, fit remarquer Fabrice. Il est passablement... bruyant.

— Oui, comment faire pour nos Familiers ? s'enquit Moineau. Tu n'as pas assez de brassards pour nous tous !

— Nous les miniaturiserons jusqu'à les faire tenir dans nos sacs à dos.

— Pourquoi pas dans les poches de nos robes ?

— Bien qu'elles puissent contenir une salle de bain entière sans nous gêner, il n'y a pas d'air dans les espaces générés par les robes de sortceliers. Nos Familiers mourraient asphyxiés. C'est pourquoi nous devrons les porter. Nous allons les réduire aux proportions de petites pouics et les mettre dans ces cages.

Il exhiba une minuscule cage.

— En cage ? protesta Fabrice. Barune est très...

— Cela lui évitera d'être écrabouillé si tu tombes sur le dos. Elle supporte jusqu'à trois tonnes de pression.

— Wow ! fit Moineau, admirative. On a l'impression que tu as fait cela souvent.

— Certaines des épreuves que j'ai dû passer pour l'université des Voleurs Patentés étaient de vraies missions. Crois-moi, on y apprend vite ce qu'il faut faire ou non. Bon, tout le monde est prêt ? Vous avez les Bannisseurs ?

Un certain nombre de sortceliers, souvent semchanachs, utilisaient les fantômes pour défendre leurs biens. Les Bannisseurs permettaient aux Voleurs Patentés de renvoyer lesdits fantômes dans l'au-delà d'où ils n'auraient jamais dû sortir.

Chacun opina. Ils étaient prêts.

Cal laissa un message enregistré à l'intention de ses parents, leur expliquant dans le détail ce qu'il faisait et surtout pourquoi leur précieuse hydre gardienne avait disparu ainsi qu'une dizaine de Camouflus et de Bannisseurs dont la valeur équivalait à la dette extérieure d'un petit pays.

Et, quelque part, il fut assez content de ne pas assister à la réaction de sa mère. De tous les enfants d'Aliana-Léandrine Dal

236

Salan (Cal avait quatre frères et sœurs bien plus âgés que lui), il était le plus casse-cou et le plus turbulent. D'ailleurs elle avait décidé qu'il serait le dernier. Il lui donnait plus de soucis que l'ensemble de la famille.

Le trajet jusqu'à Renvers'an fut rapide. La Porte de Transfert du Lancovit n'était pas directement connectée à la petite île et ils durent prendre deux correspondances mais mirent moins de vingt minutes pour arriver au port. Louer un bateau en se faisant passer pour des touristes en vacances se fit aisément. Le loueur, un tatris tatoué de partout comme un vieux loup de mer, s'assura qu'ils savaient manœuvrer le petit catamaran et l'Élémentaire d'air qui en gonflait les voiles. Robin et Cal connaissaient bien ce genre d'engin et n'eurent aucun mal à le convaincre. Il leur rappela de ne pas approcher du Continent interdit et se montra soulagé lorsqu'ils lui confirmèrent gravement qu'ils n'avaient pas la moindre intention de caboter dans cette direction.

Fafnir vira à un beau vert pomme peu après la sortie du port. Bien que la houle ne soit pas très accentuée, les nains n'ont pas le pied marin et Fafnir détestait tout ce qui pouvait faire rouiller ses haches et son armure. Le majestueux spectacle des balbounes rouges remontant vers les mers du nord pour frayer et des superbes sirènes et des tritons qui conduisaient le troupeau ne parvint pas à la détourner de sa misère. Et comme elle refusait que l'on utilise la magie sur elle, il ne fut pas possible de lui administrer un antivomitif.

Heureusement pour son estomac, le trajet était court. Ils furent bientôt en vue de la plage et, à leur vif soulagement, elle était parfaitement déserte.

La barrière entourant le continent n'était pas bornée à la terre émergée. Elle englobait une large portion d'eau, loin dans l'océan, sans doute pour permettre à ce qui vivait ici de pêcher. Parfaitement opaque, elle se présentait sous la forme d'un dôme immense et bleu, dont le sommet se fondait dans le ciel. La seule partie visible du continent était la plage où, curieusement, la barrière semblait ouverte : ils distinguaient clairement les falaises qui la surplombaient.

Ils décidèrent d'ancrer le bateau en pleine mer, loin du rivage afin qu'il ne trahisse pas leur présence. Robin et Fabrice affalèrent les voiles, couchèrent le mat et Moineau altéra les couleurs des coques en bleu et vert. Lorsqu'ils eurent terminé, le catamaran était quasiment indécelable. Ils utilisèrent les Levitus Inc® pour gagner la plage. Fafnir dut employer la ceinture, ce qu'elle accepta avec force grommellements. Sa dernière expérience du vol lui avait laissé une mauvaise impression [1] qui se confirma lorsqu'elle s'aperçut qu'elle était aussi sujette au mal de l'air.

— Regarde, Cal ! cria Fabrice dans le vent qui se levait en se stabilisant au-dessus du sable sans le toucher, il y a là des tas de rochers derrière lesquels nous pourrons nous dissimuler !

— Robin, tu es le meilleur d'entre nous pour le camouflage, qu'en penses-tu ?

— Je crois me souvenir qu'Omois a mis au point des lentilles spéciales permettant de détecter les Camouflus. J'ignore si les dragons en possèdent mais autant ne pas courir de risque. Restons dissimulés. Fabrice a raison, ces rochers feront parfaitement l'affaire.

Soudain le petit Voleur jura.

— Cal ? Tout va bien ?

— Nan ! Je suis un imbécile, j'ai oublié les lunettes spéciales qui permettent de voir les autres Camouflus afin de se repérer quand on est en groupe.

— Ah, railla Eleanora, tu as trop l'habitude de travailler en solo.

— Tu n'as qu'à venir travailler avec moi, comme ça je ne serai plus seul, répondit machinalement Cal.

Eleanora le regarda les yeux ronds et Cal, gêné, enchaîna aussitôt :

— Bon, au moins, la fonction « parole » peut être commandée manuellement. Les autres ne vous entendront pas car les Camouflus dissimulent aussi les sons mais nous pourrons échanger entre nous.

---

1. Dans *Tara Duncan. Les Sortceliers*. Tara s'était changée en dragon et disons qu'elle ne maîtrisait pas très bien l'art noble et complexe du vol. Fafnir, après avoir failli mourir de peur, se jura que plus jamais elle ne volerait. Inutile de préciser qu'elle n'a qu'une confiance très limitée dans la Levitus Inc® et qu'elle aimerait bien que ses amis restent un peu plus les pieds sur AutreMonde.

Ils se posèrent délicatement et effacèrent toutes leurs traces.

— N'allumez pas vos Camouflus tout de suite, conseilla Cal. Leur autonomie est de plusieurs heures mais nous ignorons combien de temps les dragons mettront pour arriver jusqu'ici.

Fafnir ronchonna qu'ils avaient intérêt à faire vite parce qu'elle avait envie de faire pipi, Cal programma son brassard et celui des autres, sauf celui de Fabrice qui voulut le faire tout seul puis ils se turent, aux aguets.

Prudent, Robin avait appliqué un Silencius sur son hydre afin d'éviter qu'elle ne les trahisse par des cris de joie ou de frayeur. Mais au fur et à mesure que le lien se renforçait entre lui et l'étrange animal, celui-ci comprenait de mieux en mieux ce que voulait son compagnon d'âme et se tenait tranquille et attentif.

Ils attendirent.

...dirent...

...dirent.

Au bout de deux heures, Fafnir, n'y tenant plus, se redressa et fit un tour d'horizon. Personne. Elle fonça derrière un rocher à quelque distance et ils entendirent le froissement de ses vêtements puis un soupir de soulagement.

Ce fut bien évidemment au moment précis où Fafnir avait les fesses à l'air qu'un dragon se rematérialisa sur la plage, détaché de l'armada qui venait d'apparaître au large.

Ils avaient les soleils dans les yeux et ne pouvaient pas voir s'il s'agissait de Sal ou d'un autre dragon. Ils appuyèrent tous frénétiquement sur les boutons des brassards et disparurent instantanément aux regards.

Le dragon se mit à renifler partout, ils entendaient son inspiration puissante qui se rapprochait d'eux.

Soudain, Cal cessa de respirer, les yeux fixés sur le sol.

Par les crocs cariés de Gelisor ! Les traces de Fafnir !

Le jeune Voleur se raidit. Mais il ne pouvait rien faire pour effacer les empreintes bien distinctes qui s'éloignaient de leur rocher vers celui où se tenait Fafnir.

Toutefois, que le reptile les repère ou non n'aurait rien changé. Car, juste à ce moment, Fafnir ressortit de derrière son rocher et se retrouva nez à nombril avec le dragon.

Ils se figèrent tous deux, aussi surpris l'un que l'autre.

— Ah ! fit le dragon d'une voix satisfaite, je me doutais que vous seriez ici. Vous devriez être plus discrets. J'ai senti votre odeur à la seconde où j'ai posé la patte sur la plage.

Fafnir qui avait dégainé ses deux haches d'un mouvement fluide plissa des yeux dans la luminosité aveuglante.

Puis le nom qu'elle prononça les stupéfia tous.

— Maître Chem ?

— En chair et en écailles, répondit le dragon. File vite rejoindre tes amis. Je vais jeter sur vous un Anti-Odorus.

Fafnir ne posa plus de questions. Elle se précipita derrière le rocher et activa son Camouflus. Maître Chem marcha soigneusement sur ses traces et effaça tout indice de leur présence.

— Par Bendruc le Hideux ! grogna dans le vide la voix de Cal, j'ai oublié que les Camouflus dissimulent les odeurs mais pas tant qu'on ne les a pas activés. La vache ! On a eu de la chance !

— Mais que fait maître Chem ici ?

— Voilà qui est fait ! annonça le dragon, qui ne pouvait les entendre, le dos soigneusement tourné au large et aux bateaux. Soyez prudents avec les autres dragons. Une seule erreur et vous serez découverts. Nous sommes six volontaires pour cette mission et croyez-moi si je vous dis que réunir notre équipe a été difficile. J'ai insisté pour venir car j'appartiens à une faction qui veut l'ouverture du Continent interdit, sans compter que je me suis douté que Tara aurait besoin de mon aide. Les autres ne vont pas tarder, ils sont accompagnés par quinze elfes et Tara. Je me charge des dragons, qu'ils ne lui jouent pas un tour en douce, vous, vous surveillez les elfes, on ne sait jamais.

Fabrice ne dit rien mais, pour la centième fois, il se demanda pourquoi le gros dragon bleu tenait tant à protéger son amie Tara, au point de s'embarquer dans une mission du plus haut danger.

Jeremy, lui, n'entendit que le mot « volontaires ». Que pouvaient donc craindre les dragons ? Les fantômes ne pourraient faire grand mal à ces bestioles cuirassées.

Il n'eut pas le temps de spéculer davantage. Les dragons débarquaient, les elfes et Tara sur leur dos.

Robin tressaillit. Les quinze elfes composant l'escorte étaient des elfes violets, sous les ordres d'une jeune et magnifique commandante. Plus rapides, plus dangereux mais aussi plus cruels que les autres elfes, les elfes violets chérissaient les missions désespérées pour lesquelles ils se portaient systématiquement volontaires.

Sautant avec légèreté de sa monture sans attendre que le dragon lui propose son aide, Tara lévita jusqu'au sol.

Dès qu'elle avait vu maître Chem, l'expédition lui avait paru nettement moins inquiétante. Même si sa confiance dans le dragon était mitigée, il lui avait sauvé la vie à de nombreuses reprises et elle savait qu'elle pouvait se reposer sur lui en cas de danger. En revanche, quelle n'avait pas été sa surprise en reconnaissant Charm, la magnifique dragonne pourpre, dans l'équipe qui l'attendait ! Celle-ci n'avait pas renoncé à haïr Chem, qui avait dû abattre son père, le dragon renégat, afin de sauver la Terre. Et Tara soupçonnait fort la belle dragonne de s'être engagée juste pour garder un œil sur Chem. Le regard de celui-ci s'emplissait de tristesse chaque fois qu'il se posait sur la dragonne pourpre et, de fait, il la fuyait du mieux qu'il le pouvait.

— Tout va bien ? interrogea-t-elle sans laisser deviner qu'elle scrutait le paysage, à l'affût du moindre signe de ses amis.

— Parfaitement, répondit joyeusement le dragon. Il y a plein de bêtes sur cette plage, au moins une demi-douzaine.

Tara plissa le front, interloquée, puis comprit. Moineau pouvait se transformer en Bête. Maître Chem lui annonçait indirectement que ses amis étaient là. Elle lui sourit. Elle ne lui avait rien confié (après tout, il était un dragon !) mais elle était contente de voir qu'il n'avait pas vendu la mèche.

— Tu as jeté un Anti-Camouflus et un Detectus afin de vérifier qu'il n'y a personne d'autre que nous ? questionna Sal, méfiant.

Ouille ! Tara n'avait pas prévu que les dragons se montreraient aussi prudents. Heureusement que maître Chem s'était porté volontaire pour sonder la plage !

— Ab-so-lu-ment, répondit gaiement ce dernier. Tout va bien, nous allons être parfaitement protégés.

— Le temps nous est compté, grinça Sal en baissant son museau vers Tara. La barrière est juste devant vous. Allez-y.

Les autres dragons, Chanvitramichatrinchivu et Santramivinkratrinchiva, deux verts plus petits que les autres et qui paraissaient jumeaux, Charm, Chem et un gros rouge aux écailles plus claires que celles de Charm, dont Tara ignorait le nom mais qui s'était montré aimable avec elle, s'illuminèrent de bulles de protection. Tara leva un regard interrogateur.

— Pour que vous n'utilisiez pas notre magie contre nous, expliqua posément Sal en les imitant. Nous avons vu ce que vous avez fait dans la salle d'audience d'Omois. Vous ne pourrez pas puiser en nous, grâce à ces protections.

Tara, qui n'avait pas songé une seconde à ce détail, haussa les épaules.

Les dragons se positionnèrent autour d'elle en un parfait demi-cercle, face à la barrière, et les elfes prirent place dans leur dos, leur arc prêt à entrer en action si les reptiles faisaient mine d'attaquer leur Héritière.

Mais comment faire pour voir l'obstacle ? Le dôme opaque paraissait troué en son milieu mais, logiquement, pour être invisible, la barrière n'en existait pas moins...

Elle avança prudemment, Galant la précédant. Le pégase dépassa l'endroit où le dôme devenait transparent, fit encore quelques pas puis émit un « Ouch ! » de protestation lorsque ses naseaux tendres heurtèrent un obstacle invisible. Tara tendit la main. Elle sentit une résistance qui s'accentua lorsqu'elle tenta d'enfoncer le bras. Quelques millimètres de plus et c'était comme si elle avait eu un mur d'acier devant elle.

— Par le Colorus, incanta Tara, que la barrière apparaisse et que son invisibilité cesse !

Sa magie frappa la barrière... qui absorba l'impact sans broncher. Pas le plus petit bout de couleur, pas la moindre molécule. Elle restait invisible.

— Alors, Damoiselle, renoncez-vous ? suggéra très poliment Sal.

Tara ne lui fit même pas l'honneur d'un coup d'œil. Elle réfléchit. Elle voulait que la barrière devienne visible mais la magie était absorbée. Qu'avait donc dit Fafnir, sur la nécessité d'utiliser des méthodes alternatives ?

Elle toucha son cou et dit :

— Couleurs que j'ai sauvées, venez, il faut m'aider !

L'étrange bijou incrusté dans son cou se mit à pulser puis cinq serpents de couleur jaune, bleue, noire, rouge et blanche bondirent devant Tara, faisant sursauter Sal.

Les couleurs s'inclinèrent devant la jeune fille, avides de lui rendre service.

— Bonjour ! jolies couleurs, j'ai une mission pour vous. Devant moi, il y a une barrière invisible que je veux faire apparaître. Pourriez-vous la colorer pour moi ?

Les couleurs, qui étaient déjà en train de colorer le sable, les rochers et un bout de la queue de l'un des dragons qui glapit lorsqu'il s'en rendit compte, se mirent à frétiller. Enthousiastes, elles bondirent vers la barrière et commencèrent à la parcourir de long en large.

Au début, il ne se passa rien. Chaque couleur laissait derrière elle un large trait lumineux qui s'effaçait aussitôt. Cela dut les agacer car elles s'élargirent et s'épaissirent. Jaune, bleu, rouge, noir, blanc, bientôt la barrière ne put résister et les traits devinrent de plus en plus épais, jusqu'à la recouvrir d'un bout à l'autre de la plage, jusqu'à toucher les deux parties du dôme qui étaient d'un bleu clair opaque.

Satisfaites, les couleurs se refixèrent sur le cou de Tara après qu'elle les eut remerciées.

— Bien, ce sera facile maintenant que je peux la voir. Dites donc, les dragons, vous avez fait les choses en grand !

Savoir que la barrière recouvrait tout le continent était une chose, le voir en était une autre. Les couleurs n'avaient pas recouvert tout le dôme jusqu'au ciel car il montait si haut qu'il leur aurait fallu des heures.

— Rien ni personne ne peut s'échapper du continent, affirma Sal. Seuls la pluie, l'atmosphère et les rayons solaires ou lunaires peuvent traverser le dôme. De l'intérieur, la barrière est invisible afin que les soleils nourrissent les plantes. Face à notre puissance, renoncez-vous, Damoiselle ?

Tara nota qu'il évitait de lui donner son titre, ce qui provoqua un mouvement d'humeur chez les elfes. Mais elle-même ne laissa rien paraître.

— Pierre Vivante ?

— *Jolie Tara ?*

— Montrons à ces dragons comment nous nous battons pour nos amis.

— *Pouvoir tu veux ? Pouvoir je te donne !*

La magie de la Pierre Vivante fusionna avec celle de Tara. Avec un frisson, Sal la vit s'élever dans les airs, la Pierre Vivante lui faisant comme une couronne au-dessus de la tête. Les yeux de la jeune humaine devinrent totalement bleus et sa mèche blanche crépita d'énergie.

Les dragons verts et le rouge, qui découvraient le pouvoir de Tara, ouvrirent de grands yeux. Charm et Chem, blasés, se contentèrent d'observer.

— Par le Destructus, chanta la voix chorale, que la barrière se détruise, que nous puissions entrer à notre guise !

Et sa magie frappa la barrière.

Comme pour l'incantation de couleur, la barrière absorba le flux. Tara intensifia sa magie et une légère dépression se forma au centre de la barrière. Un vent violent provoqué par le choc entre les deux pouvoirs se leva, faisant voler le sable. Le son produit par le rayon frappant la barrière évoquait une craie géante crissant sur un tableau et les dragons faisaient la grimace, les tympans en feu.

Mais la barrière résistait.

— Vous n'y parviendrez pas ! cria le dragon au milieu de la tempête, vous allez épuiser votre magie bien avant que la barrière ne cède, Damoiselle.

Cela rendit Tara furieuse. Elle lança toute sa puissance contre la barrière et, sur sa poitrine, l'Étoile de Zendra brilla. Soudain les sorts dont s'étaient entourés les dragons volèrent en éclats comme des bulles de verre. Leur magie vint alimenter celle de Tara, en dépit de leur résistance.

Prudente, elle évita d'englober la magie de ses amis, histoire de ne pas faire sauter leur Camouflus.

Puis l'Étoile de Zendra étendit le champ de son action et engloba l'armada pleine de sortceliers qui croisait au large. Tara se mit à resplendir comme une petite étoile, presque ivre de puissance. C'était... une sensation incroyable, dont elle se délecta.

Effrayés, les dragons glapirent et s'écartèrent à toute vitesse. Leurs protections avaient empêché la magie de Tara de les atteindre mais, à présent, ils étaient vulnérables. Et de voir les résidus de magie creuser de véritables ravins dans le sable fumant les fit foncer vers la mer et s'immerger, histoire de ne pas se faire griller les écailles au passage.

Quelques bobelles qui survolaient la plage voulurent goûter à la magie. Il y eut des « Couac ! » puis des dizaines de plumes irisées se posèrent doucement sur le sable...

Les elfes s'écartèrent aussi mais sans pénétrer dans l'eau. En une seconde, l'espace était déserté près de Tara et elle donna la pleine puissance de son extraordinaire pouvoir.

Face à ce flux furieux et destructeur, la barrière se mit à donner des signes de faiblesse. Le point d'impact commença à s'enfoncer tout doucement et la barrière s'irisa, comme une bulle de savon sur le point d'éclater.

— Arrêtez ! hurla Sal. Stop ! Vous allez la briser tout entière !

Tara maintint l'attaque, impassible. Elle découvrait avec stupeur combien le fait d'avoir enfin accepté sa magie lui donnait envie de s'en servir. Et son cœur chantait tandis que la barrière gémissait.

Le dragon capitula.

— Ne la détruisez pas ! Vous libéreriez le plus grand des dangers ! Nous cédons, nous allons vous donner la clef.

C'était ce qu'elle voulait entendre. À regret, Tara stoppa le flot magique mais ne se dégagea pas de son union avec la Pierre Vivante.

— Ouvrez le passage, ordonna-t-elle, ensuite, nous le franchirons.

Le dragon lui jeta un regard rageur mais obéit. Il exhiba un magnifique dragon de cristal noir dont il fit pivoter la tête vers la droite. Aussitôt la barrière devant eux s'effaça, sur une portion englobant un tiers de la plage et les couleurs, n'ayant plus de support, dégoulinèrent par terre. Le sable devint blanc, bleu, jaune, rouge, noir. Le paysage au-delà de la barrière ne changea pas. On distinguait juste un chemin peu tracé qui descendait de la falaise.

Tara se posa puis sortit de sa poche la boule de cristal de Magister, non sans répugnance.

L'image de son ennemi s'afficha. Il parla d'un ton sobre et Tara eut l'impression fugitive qu'il était ennuyé.

Parfait. Tout ce qui contrariait Magister ne pouvait que lui plaire, à elle.

— Une fois que tu auras franchi la barrière, la boule t'indiquera le chemin jusqu'à Betty. Je ne saurais trop te conseiller de te presser.

— Allez vous faire voir ! rétorqua inélégamment Tara, toujours sous l'influence de la Pierre Vivante qui cultivait les injures terriennes. Un jour, quelqu'un vous présentera l'addition et nous pensons que vous n'aurez pas les moyens de la payer.

Elle coupa la communication sans laisser à son interlocuteur le temps de répliquer. Puis elle rompit la symbiose avec la Pierre Vivante, qui regagna sa poche.

À présent, comment permettre à ses amis de franchir la barrière ? Elle se retourna vers la mer et désigna les bateaux. L'Impératrice n'avait pas lésiné sur les moyens. Sous les ordres de l'amiral V'elson, une véritable armada croisait face à la plage. Instinctivement, tous les yeux se fixèrent sur les puissants cuirassés.

— Combien de temps nous attendront-ils ? questionna-t-elle.

— Si nous ne sommes pas de retour d'ici huit heures, c'est que nous serons morts, répondit sincèrement Sal. Tel est donc le laps de temps qui nous a été accordé par le Grand Conseil. La clef est programmée pour se détruire dans huit heures. Notre navire restera ici en avant-garde de la nouvelle protection de la barrière. Pour ceux de l'Impératrice, j'ignore leurs instructions.

— Lisbeth'tylanhnem n'abandonnera pas son héritière prisonnière, blessée ni même morte sans intervenir, précisa Chem. Elle tentera de pénétrer sur le continent et fera tout pour détruire la barrière, n'aie aucun doute à ce sujet. La magie des Humains, appuyée par ces gros canons qui équipent leurs navires, mettra à mal notre protection.

— Les nôtres interviendront d'ici moins d'une heure pour renforcer la barrière, répliqua Sal. Déjà, une dizaine de dragons est en train de franchir les Portes de Transfert dans ce but. Plus personne ne pourra briser cet obstacle lorsqu'ils auront terminé. Notre technologie a évolué, je ne doute pas qu'ils sauront la protéger contre les assauts des sortceliers humains.

— Magister ne m'enverrait pas dans un endroit où je risquerais de périr, observa Tara. Il a besoin de moi vivante pour récupérer ses maudits objets démoniaques. Alors, je ne suis pas vraiment inquiète.

— Tu as tort ! releva sèchement Chem. Magister n'est pas infaillible et un accident est vite arrivé. Quoi qu'il en soit, Sal, le secret du Continent interdit sera dévoilé, que ce soit par Tara ou par l'Impératrice. Ce n'est qu'une question de jours. Je ne comprends même pas que...

— Il n'y a rien à comprendre, rétorqua Sal avec flamme. Nous obéissons aux ordres, voilà tout.

— Tu as vu ce qui se passe lorsqu'on obéit aveuglément aux ordres, Sal ? suggéra tout doucement Chem, et les conséquences de la servilité ? Même les Humains ont compris qu'obéir à un ordre inique ou criminel est inacceptable.

— Damoiselle ! reprit Sal, ignorant délibérément l'accusation implicite de Chem. En vous aidant à sauver votre amie, nous comptons sur l'antique accord entre les Humains et les Dragons pour que tout ce que vous verrez reste entre nous. Nous vous le demandons... humblement.

Tara sentit que le dernier mot avait failli étrangler le dragon. Mais il n'avait pas hésité. Sans s'engager à rien, elle hocha la tête.

Et, plus troublée que jamais, elle franchit la barrière, en espérant fort que ses amis avaient réussi à passer, eux aussi.

Tous les elfes de son escorte étaient des sortceliers et léviter jusqu'en haut de la falaise en éclaireurs leur fut chose aisée. Un RÀS[1] parvint très vite en direction du groupe resté en arrière.

---

1. RÀS : acronyme de Rien À Signaler. En fait, il arrive souvent que les éclaireurs n'aient rien à signaler parce que l'ennemi s'est tellement

Tara et les dragons les rejoignirent. Sur la falaise se dressait un gigantesque mécanisme flanqué d'une trompe.

— Qu'est-ce que c'est ? interrogea Tara.

— Un dispositif qui sert à appeler. Surtout, n'y touchez pas, Votre Altesse impériale ! lui expliqua Sal, très inquiet à l'idée que la jeune fille active involontairement le mécanisme.

Elle rangea l'information dans un coin de sa tête et ressortit la boule de Magister.

Le sangrave ne désirait pas une nouvelle confrontation car seule une carte s'afficha, marquée d'une croix indiquant le lieu où se trouvait Betty : un site distant d'à peine quelques dizaines de kilomètres de leur position actuelle.

Mais ce qui fit chanter le cœur de Tara fut que la croix se déplaçait. Elle hurla de joie, faisant sursauter les elfes.

— Elle est en vie ! Merci, mon Dieu ! Elle est en vie ! (Elle attrapa rapidement la carte vivante). Carte, peux-tu noter l'endroit où se trouve Betty, s'il te plaît ?

La carte se mit en relation avec la boule de cristal puis poussa un soupir dédaigneux.

— Pfff, donnez-moi des choses difficiles à faire, pour une fois ! Cela me changera !

Elle imprima le chemin qu'ils devaient suivre sur son corps de papier.

Tara se sentait si soulagée qu'elle ne put s'empêcher de sourire à Sal. Qui ne lui rendit pas son sourire.

Et referma la barrière.

— Eeeeeh ! protesta Tara, mais que faites-vous ?

— Je referme la barrière, commenta sobrement le dragon.

---

bien caché qu'on ne le voit pas. Donc, RÀS n'est en aucun cas une garantie qu'il n'y a effectivement rien à signaler... Spécialement si, dix minutes plus tard, des tas de gens armés jusqu'aux dents vous tombent dessus. Dans ce cas vos derniers mots ont de fortes chances d'être : « Arrrgh, sa....perie d'éclaireurs ! »

— Oui, j'avais vu. Pourquoi ?

— Nous ne pouvons courir le risque que quoi que ce soit s'échappe d'ici. Même des sentinelles peuvent être éliminées. Je ne laisserai rien au hasard.

Ah, ils avaient vu les mêmes films, notamment *Stargate*, où les goa'uld s'obstinaient à placer des Jaffas pour protéger leurs Portes des Étoiles et où lesdits Jaffas se faisaient régulièrement dégommer par SG1[1]. Tara grimaça mais admit les raisons du gros dragon noir.

— Alors, fais bien attention à cette clef, Sal, mon ami ! dit Chem, tendu. Je n'ai aucune envie de rester enfermé dans cet endroit.

— Pas plus que moi. Avez-vous localisé votre amie, Damoiselle ?

— Oui, confirma Tara en désignant la boule.

Elle baissa les yeux et pâlit.

— Mais qu'est-ce que...

La boule s'était éteinte.

Sal eut un mauvais sourire, plein de crocs.

— Ah ! J'ai dû oublier de vous mentionner qu'aucun message, aucune onde, rien ne peut passer la barrière. Elle filtre absolument tout à part l'air, les photons et la pluie. Et sans la clef, Damoiselle, vous ne pourrez ressortir, en dépit de toute votre puissance. Car la barrière n'a pas été construite en prévision d'une attaque extérieure, raison pour laquelle vous êtes parvenue à l'endommager. Toutes ses défenses sont intérieures. Et croyez-moi quand je vous affirme que ce qui est enfermé ici a essayé pendant des siècles de s'échapper et n'y est jamais parvenu.

— Pour l'instant, je me préoccupe de retrouver mon amie. J'aviserai au sujet de la barrière en temps voulu.

Elle allait s'envoler lorsque la patte de Chem atterrit sur son épaule.

— Ce n'est pas une bonne idée, déclara-t-il. Personne ne doit voler. Nous, les dragons, allons vous porter pour vous éviter d'être repérés.

---

1. Tara a un sérieux faible pour le très mignon Daniel Jackson et le colonel Jack O'neil la fait mourir de rire.

— Mais...

— Ne discute pas, Tara. La situation est compliquée. Il est vital que nous soyons remarqués aussi peu que possible. D'ailleurs je te suggère de demander à la Changeline un débardeur et un simple pantalon. Ta robe de sortcelière d'Omois est trop visible. Cache aussi ton étoile, on ne sait jamais.

Tara faillit observer que six énormes dragons n'étaient pas discrets-discrets mais l'inquiétude de maître Chem était si manifeste qu'elle préféra s'abstenir. Elle donna l'ordre à sa Changeline de transformer sa robe et d'absorber l'Étoile de Zendra.

Si une partie des elfes obéit et se dirigea vers les dragons pour monter sur leur dos, l'autre, les trois gradés de l'équipe, refusa catégoriquement. Chem eut beau arguer que la belle commandante V'ala et ses deux sergents ne pourraient soutenir leur rythme, la jeune elfe lui répondit par le dédain :

— Très drôle. J'ignorais que les dragons avaient le sens de l'humour. Nous ne sommes pas de simples elfes. Nous sommes les elfes violets. Nous possédons l'endurance des chatrix et pouvons rattraper une licorne à la course. Ne vous inquiétez pas pour nous.

Les autres s'étaient déjà répartis sur le dos des dragons. Charm prit Tara sur le sien et soudain, sans avertissement, les dragons se mirent à courir.

Tara ne s'y attendait pas et trouva l'expérience... mouvementée. Debout sur leurs pattes postérieures, les dragons couraient à la façon des tyrannosaures, secouant leurs passagers comme des sacs de prunes. Galant, avec un hennissement de protestation, s'envola de son épaule. À cette allure, environ celle d'un cheval au galop, ils allaient atteindre l'endroit où se trouvait Betty en moins d'une heure.

Les elfes violets évoluaient à leur côté, agiles et gracieux, tenant sans effort apparent la cadence. Ils étaient impressionnants.

— Charm ?

Sans ralentir sa course, la dragonne pourpre tourna son long cou vers Tara.

— Oui ?

— Ma tante a essayé de contacter Chem mais n'y est pas parvenue, raison pour laquelle Sal est chef de la mission. Que s'est-il passé ? Je croyais que Chem était l'unique responsable d'AutreMonde pour les Dragons ?

— C'est exact, confirma Charm, fixant de nouveau son attention sur le terrain. Mais suite aux récents événements sur Terre, qui ont entraîné la mort de mon père, Chem fait l'objet d'une enquête et a été suspendu de ses fonctions officielles. Seul le fait de s'être porté volontaire pour cette mission lui a valu l'autorisation de quitter provisoirement le Dranvouglispenchir.

Allons bon ! Une enquête ? Tara rumina l'information. Puis questionna :

— Et vous ? Pourquoi êtes-vous ici ?

— Je ne suis pas en mission officielle. J'ai été écartée de l'enquête parce que je suis trop impliquée, puisqu'elle concerne mon père. Mais je ne voulais pas quitter des yeux son assassin, répondit Charm d'un ton si amer que Tara en frissonna. J'ai cru que Chem saisissait un prétexte pour s'enfuir de notre planète. J'avoue que je suis surprise de constater qu'il n'en est rien.

— Je pense que vous le jugez mal, dit doucement Tara qui s'agrippa à sa monture lorsque celle-ci fit un écart pour éviter un obstacle. Maître Chem est... particulier, il a commis des erreurs dont la plus monumentale est sans doute Magister mais il agit constamment pour le bien de tous. Il n'y a pas d'égoïsme chez ce dragon.

De nouveau, la dragonne fit pivoter sa tête vers Tara, soudain très attentive.

— Quel est le rapport entre Magister et Chemnashaovirodaintrachivu ?

Ouille ! Ouille ! Ouille ! Tara se mordit la langue. Elle avait parlé sans réfléchir.

— Euh, il vaudrait mieux que vous lui posiez directement la question.

La dragonne lui darda un regard de ses pupilles en forme de lame, faillit, en trébuchant, désarçonner sa passagère, se rétablit de justesse et déclara :

— Fais-moi confiance pour m'en occuper. Et très vite.

Soudain le dragon rouge que Sal avait appelé Malgoriselanchivu tendit une patte vers un point sur l'horizon.

Les dragons ralentirent l'allure, circonspects, leurs six têtes levées vers le ciel.

La silhouette avait la forme d'un gros oiseau. Il s'abattit comme une flèche et des rugissements furieux retentirent au loin.

D'accord ! Pas un oiseau ou alors les oiseaux du coin poussaient de drôles de cris.

— Soyons prudents, dit Sal, nous allons voir ce que c'est mais évitez de vous faire remarquer. Vous savez combien *ils* sont sensibles à notre magie alors interdiction de l'utiliser. Posture de combattants en embuscade.

Charm se laissa tomber sur ses quatre pattes et se transforma en une sorte de lézard plat et mince.

— Couche-toi sur mon cou, souffla-t-elle à Tara en la tutoyant, je vais assouplir mes écailles pour qu'elles ne te blessent pas.

Tara obéit, tout en supputant quelle pouvait être la nature exacte de ces « ils ». Les elfes violets se placèrent au centre de la formation adoptée par les six dragons. Et tous progressèrent avec lenteur et précaution.

Plus ils approchaient du point d'impact, plus les cris devenaient effrayants. Puis vint une odeur que Tara reconnut immédiatement.

Celle du sang.

Enfin, le groupe parvint sur la crête d'une petite falaise qui surplombait une vallée au fond de laquelle se serrait un troupeau de chèvres atrocement effrayées.

Tara se sentit mal lorsque l'incroyable scène lui sauta aux yeux.

Devant elle, deux dragons se battaient. L'un des deux, de couleur verdâtre, était dans un état pitoyable. Même de là où ils étaient, ils distinguaient ses flancs creux, ses écailles ternies par le jeûne et ses côtes saillantes.

Le second, nettement plus gros, défendait visiblement le troupeau. Ce qui frappa le plus Tara fut que l'agresseur se battait avec la rage instinctive d'un animal alors que l'autre restait calme et froid, parant les attaques du premier dragon dont le corps était déjà couvert de sang. Pourtant, à leur grande surprise, celui-ci puisa une force insoupçonnable dans son désespoir. Avec une vitesse sidérante, alors que son adversaire le croyait presque éliminé, il crocheta soudain l'autre au cou, juste sous la mâchoire. Ses crocs se refermèrent et ils entendirent, le cœur retourné, le craquement des vertèbres. Le second dragon émit un hurlement d'agonie et s'abattit comme une masse.

Ce qui se produisit ensuite resta gravé dans la mémoire de Tara, comme imprimé au fer chaud.

Le dragon affamé se jeta sur le corps encore palpitant de son adversaire et commença à le *dévorer* !

Tara sentit Charm tressaillir sous elle puis, très lentement, la dragonne commença à reculer.

Les autres firent de même. Enfin, les affreux bruits de déglutition et les pitoyables chevrotements des chèvres qui prévoyaient qu'elles allaient servir de dessert s'éteignirent.

Les elfes violets dévisageaient les dragons et s'écartèrent imperceptiblement. Pour ceux qui étaient grimpés sur leur dos, c'était plus difficile et on sentait bien qu'ils le regrettaient.

Lorsqu'ils furent suffisamment éloignés, Tara s'éclaircit la gorge.

— C'est donc cela que les Dragons voulaient nous cacher ? Vous êtes cannibales ?

— Nous ne le sommes *pas* ! protesta Charm avec vigueur. Cela ne viendrait à l'esprit d'aucun d'entre nous. Nous respectons nos morts autant que vous, les vôtres.

— Oh ! et la scène que nous venons de voir, c'était une manifestation de ce respect, c'est cela ? ironisa V'ala. Les dragons sont dignes, les dragons sont sages, ils sont les meilleurs des partenaires pour aider les peuples d'AutreMonde et de la galaxie à se développer. Maintenant je comprends pourquoi ce fameux Magister insistait pour que nous venions ici !

Sal secoua tristement la tête.

— Vous n'avez rien compris. Ceci n'est rien.

Cette réplique cloua le bec de la belle elfe.

— Ne traînons pas ici, reprit le gros dragon noir.

Ils reprirent leur cadence infernale en gardant un œil braqué vers le ciel. À plusieurs reprises, ils dépassèrent des villages prospères mais dont les champs cultivés s'étaient vidés bien avant qu'ils puissent voir qui s'en occupait.

Tara sentait que les dragons étaient perturbés de voir autant de villages dont les maisons semblaient convenir à des humains.

Mais lorsque Tara en fit la réflexion à voix haute, Sal refusa tout net de s'étendre sur le sujet.

Enfin, au bout de trois quarts d'heure de cavalcade, ils parvinrent, grâce aux indications de la carte de Tara, à environ un kilomètre de l'endroit où se trouvait Betty.

Devant eux, s'étendait une ville. Une grosse ville.

Une ville humaine, car c'étaient bien des humains qui vivaient là, une race courtaude et musclée aux cheveux noirs, raides et épais. Mais aussi une cité dragonnienne et Tara fut effarée de la quantité de dragons qui se pressait dans la ville et sur son pourtour. Les bâtiments étaient magnifiques même si, à son goût, leurs teintes, de toutes les nuances de rouge, laissaient une impression quelque peu sanglante dans l'esprit de l'observateur. Des dizaines de palais dépassaient des murailles, l'or et le bleu de leurs tours égayant un peu tout ce rouge.

Soudain Tara retint son souffle. Il y avait également une pyramide, pas aussi grande que celles de Khéops ou Mykérinos en Égypte, et dont le sommet était carré au lieu d'être pointu. En son centre, un escalier étroit menait à la plateforme, surmontée par la statue d'un énorme dragon d'or, ses ailes étendues brillant d'un vif éclat.

— Les Anazasis ! murmura Charm. Le peuple que mon père a utilisé pour construire Stonehenge puis a emprisonné sur le Continent interdit afin que nul ne découvre jamais son crime.

— Ainsi, souffla Tara, tu n'es pas venue uniquement pour surveiller Chem. Tu voulais aussi sauver ces gens de ce qui vit enfermé ici, n'est-ce pas ?

La dragonne baissa la tête, ce qui déséquilibra Tara.

— Eeeehh ! Un simple « oui » suffira, pas besoin de me faire tomber, hein !

— Pardon. Tu as raison. J'espérais qu'ils auraient péri mais je voulais tout de même le vérifier.

Mince alors ! Qu'est-ce qui pouvait être pire que la mort aux yeux de la dragonne ?

Sal les interrompit. S'il avait été un humain, il serait en train de se mordre les lèvres. On le sentait indécis et troublé. Même s'il avait vu les villages, il était clair qu'il ne s'attendait pas du tout au spectacle qui s'étalait devant eux.

La carte vivante qui n'affichait jusqu'alors que des routes et des collines venait de produire le plan des abords de la ville, se complétant au fur et à mesure grâce à un incompréhensible savoir.

— Si j'en crois la carte, il nous faut entrer dans la ville. Je ne vois aucun elfe, il vaut mieux que vous restiez ici.

— Hors de question, protesta V'ala. L'Héritière est sous notre protection.

— Que préférez-vous, Elfe ? Nous accompagner et attirer tous les regards ? Ou rester ici et nous laisser accomplir notre mission discrètement ?

— Nous pourrions nous transformer ? lui opposa V'ala.

— Nous ne savons rien des méthodes de détection de ces gens, jeune Elfe, et ce scintillement au-dessus des remparts me fait terriblement penser à un Revelus. Ceci expliquerait qu'il n'y ait aucun dragon sous forme humaine ou autre. J'en déduis qu'il ne faut pas que je me transforme, ni vous. Toute forme de camouflage serait immédiatement détectée, d'autant que nous n'avons pas de Camouflus.

— Vous êtes capables de déceler un dragon sous sa forme humaine ? s'enquit V'ala, très intéressée.

— Oui, nous ne discernons pas sa véritable identité mais nous savons si c'est l'un d'entre nous que nous avons devant nous ou non. Bien, c'est dit ! Damoiselle Duncan et moi-même irons dans la ville et nous ramènerons la jeune Terrienne, nous serons moins repérables en petit comité.

— Mais elle ne ressemble pas du tout aux gens d'ici ! protesta Chem, en désignant Tara.

— Il y a des humains à la peau claire et aux cheveux blonds comme les siens, répondit Sal en pointant la patte vers le flux des piétons se pressant aux portes de la ville. Ils ne sont pas nombreux mais on la prendra pour l'un d'entre eux. Êtes-vous prête, Damoiselle ?

Tara avait autant envie d'entrer dans la cité que de sauter dans une cuve d'acide et la remarque du dragon la troublait affreusement car ses amis, s'ils avaient réussi à la suivre, ce qu'elle espérait fort, étaient camouflés et risquaient de se faire repérer. Mais elle opina.

Les elfes protestèrent encore mais sans succès. Et sous le regard très inquiet de Chem qui aurait souhaité les accompagner mais ne pouvait défier son chef de mission, Tara et Sal prirent le chemin de la ville.

— Mieux vaut dissimuler votre pégase, remarqua le dragon noir en désignant Galant qui bâillait sur l'épaule de Tara. Je ne pense pas que quiconque possède un pégase en guise de Familier sur ce continent.

Tara obéit et fit entrer Galant dans la cage spéciale, dans son sac à dos. Cela faisait une bosse mais le pégase était bien dissimulé. Aux aguets, il replia ses ailes mais resta sur le qui-vive, prêt à bondir de sa cachette si on menaçait sa sœur d'âme.

Observant les gens qui la croisaient sans lui prêter attention, Tara demanda à la Changeline d'adapter la texture et la couleur de ses vêtements. Ici, on portait du lin léger, tirant vers le beige.

— Il y a des sortceliers ici ?

— Nous n'en sommes pas sûrs, hésita le dragon, embarrassé. Nous ne venons que pour la cérémonie, une fois par an, et nous ne pénétrons jamais à l'intérieur des terres.

— La cérémonie ?

Le dragon la regarda et poursuivit son chemin sans répondre.

Ah, j'ai touché un point sensible. Cela paraît important pour lui.

Elle dressa mentalement la liste de ce qu'elle savait déjà. La cérémonie, une fois par an, le fait que les fameux « ils » semblaient terroriser les dragons et étaient sensibles à la magie, enfin l'effrayant spectacle d'un dragon en dévorant un autre. Il avait eu l'air affamé et s'était comporté de manière anormale. Soudain la frappa la pensée qu'elle ignorait un détail important. Sur toutes les planètes, chaque race avait son prédateur. Quel était donc celui des dragons ? Et si c'était cela qu'ils avaient réussi à enfermer ? Leurs prédateurs naturels ? Intelligents, comme eux, mais plus forts, plus dangereux. L'idée, intéressante, méritait d'être développée.

Ils continuèrent de progresser en silence. Les soleils d'AutreMonde chauffaient agréablement sans atteindre la terrible température des mois d'été à Omois. Le dôme devait filtrer l'excès de chaleur. Partout autour d'eux s'étendaient des champs de blé, de kalornas ou des plantations de mmroumiers et il régnait une atmosphère paisible. La terre était grasse et l'herbe, aussi bleue qu'au Mentalir, poussait à profusion. Dans l'air pur et légèrement bleuté évoluaient de nombreux oiseaux. D'énormes traducs paissaient dans les champs mais on n'y voyait ni licornes ni pégases. Le dragon avait bien fait de lui ordonner de cacher le sien.

Le cœur serré par l'inconnu, ils arrivèrent enfin aux portes de la ville. Deux dragons gris montaient la garde devant l'entrée monumentale.

Les lances qu'ils tenaient étaient tout aussi monumentales. Et ils interrogeaient sans exception tous les dragons qui se présentaient.

Aussi Tara et Sal ne furent-ils pas surpris lorsque les gardes ignorèrent la jeune fille mais se dressèrent devant le dragon, lui interdisant le passage. Son mouvement de recul renseigna Tara. Il avait peur de ses congénères, terriblement peur. Craignait-il qu'ils lui sautent dessus comme le cannibale ?

— Vous n'êtes pas enregistré, fit remarquer le premier. Nous devons vous poser les questions d'usage.

Interloqué, Sal hocha le museau.

— Euh, oui ? Je suis prêt à répondre.

— Combien font deux fois deux ? interrogea gravement le second garde.

Sal le dévisagea, incapable de savoir si l'autre plaisantait. Mais à leur posture de combat et au mouvement nerveux de leur queue, il comprit qu'il était mortellement sérieux. Il voulut reculer mais les deux gardes l'entourèrent promptement. Il n'avait même plus la place de décoller. Les lances s'appliquèrent sur la peau de son cou et le piquèrent un peu. S'il avait voulu changer de plan, il était trop tard.

— Quatre, répondit-il rapidement.

Les deux dragons se détendirent imperceptiblement.

— Citez-moi les dix premiers nombres premiers.

— Deux, trois, cinq, sept, onze, treize, dix-sept, dix-neuf, vingt-trois, vingt-neuf.

— Quelle est la racine carrée de mille deux cent cinquante-trois ?

— Trente-cinq virgule trente-neuf sept cent soixante-quatorze, répondit Sal après avoir réfléchi une seconde.

Tara ouvrit de grands yeux. Elle aurait été capable d'extraire une racine carrée, mais pas si vite !

— Enfin, démontrez qu'un espace N à quatre dimensions est infini.

Sal ne se démonta pas.

— Là, je pense qu'il va me falloir un tableau. Et une grosse provision de craie.

Les deux dragons lui sourirent.

Et s'écartèrent.

— C'était pour rire. Vous savez ce que c'est, la fonction mathématique est la première chose *qu'ils* perdent, et l'humour et la patience la deuxième et la troisième. Vous avez répondu correctement à toutes les questions, approuva le premier.

Soudain le second fronça les sourcils et pointa une griffe vers le cou de Tara.

— Comment se fait-il que votre esclave n'ait pas de collier ? Vous savez que c'est obligatoire, et sur tout le continent !

Sal posa une patte sur l'épaule de Tara qui fléchit un peu sous son poids.

— Elle est très sage, jamais elle ne me désobéirait !

— On s'en fiche ! répliqua le premier en tendant à Sal un large collier de cuir rouge. Ou vous le lui mettez, ou vous ne pénétrez pas ici. Et en plus, on vous colle une amende.

Le dragon n'avait pas le choix. Il s'empara du lien de cuir rouge. Tara croisa son regard qui la suppliait de ne pas s'énerver.

Elle ne broncha donc pas lorsque le collier infamant se referma sur sa nuque avec un froid cliquetis. Un léger bourdonnement la fit tressaillir et elle dut déglutir pour se déboucher les oreilles.

Les dragons ne surent jamais à quel point ils avaient été près de terminer en orbite autour des satellites d'AutreMonde, Madix et Tadix.

Tara fut dédommagée de sa patience quelques secondes plus tard lorsque le second dragon tendit à Sal un élégant collier noir tout à fait à sa taille.

— Et voici le vôtre, indiqua-t-il au gros dragon noir. Vous avez de la chance, c'est le dernier qui nous reste de cette couleur, les autres sont plus voyants.

Et il exhiba, hilare, un collier rose fuchsia. Sal le regarda sans comprendre.

— Mon... collier ? finit-il par balbutier.

Tara esquissa un sourire railleur. Ah, il voulait bien lui passer un collier au cou mais c'était une autre affaire lorsque c'était pour lui !

Ce fut au tour de Tara de lui faire des yeux de chat botté à la Shrek[1] pour qu'il reste calme.

— Mais vous-mêmes n'en avez pas ! objecta néanmoins Sal en désignant les cous libres des deux dragons.

— Certains d'entre nous n'en ont pas besoin, d'autres en portent et tous les visiteurs doivent en avoir, c'est obligatoire.

Sal tendit le cou de très mauvaise grâce et le collier fut placé.

— C'est bon, vous pouvez passer, indiqua le premier qui se désintéressa d'eux pour faire avancer ceux qui attendaient derrière eux.

— Un dernier détail, lança l'autre en se retournant. On a oublié de vous dire que si l'humaine essaye d'ôter elle-même le collier, elle aura une très mauvaise surprise. Seuls les dragons gris peuvent le lui enlever sans dommage. Quant au vôtre, les officiels de cette ville sont seuls habilités à vous en délivrer. N'oubliez pas de vous en occuper à votre départ. Bonne journée !

Tara attendit qu'ils se trouvent à plusieurs dizaines de mètres des deux dragons pour s'énerver.

— Si c'est cela que vous voulez nous cacher, souffla-t-elle en tirant sur son collier, alors j'avais tort et Magister raison ! Vous réduisez des humains en esclavage ! Voilà pourquoi vous ne vouliez pas que je vienne sur ce continent ! Je vous dénoncerai à tout AutreMonde et ceci va cesser, ici et maintenant !

---

1. Évidemment Tara a des références que ne peut connaître Sal, il a juste l'impression que la jeune fille louche soudain furieusement. Et si vous ne connaissez pas ce dessin animé génial, ben alors... qu'est-ce que vous attendez ?

Sal glissa une griffe entre le collier et sa peau pour le tirer un peu, profondément malheureux, et désigna la ville grouillante de monde.

— Ils m'en ont mis un à moi aussi, je vous signale. Tout cela est ahurissant. Nous ignorions qu'ils étaient si nombreux ! Je vous en supplie, vous devez nous croire ! Nous pensions que seuls quelques humains vivaient ici ! Ceux qui n'avaient pas voulu abandonner leurs...

Il s'interrompit brusquement et enchaîna :

— D'après les comptes rendus faits par notre roi en personne, le continent était quasiment désert. Je n'y comprends rien.

Tara se fichait de ses excuses et ses yeux viraient petit à petit au bleu total sous l'effet de sa rage. Sal la sentit prête à réduire tous les dragons de la ville en cendre pour ce qu'ils faisaient subir à ces humains.

Il lui aurait bien prêté main-forte, n'ayant pas apprécié non plus le coup des colliers, malheureusement, même avec la magie surpuissante de la jeune humaine, ils n'étaient pas de taille.

— Votre Altesse impériale, implora-t-il, souvenez-vous, nous sommes ici pour votre amie Betty. J'aurais pu vous lancer un sort, vous hypnotiser et vous persuader que votre amie était morte mais j'ai décidé de vous aider. Ne me faites pas regretter mon choix en nous faisant tuer parce que vous êtes en colère contre nous.

Tara releva la tête et, soulagé, Sal vit la rage refluer. Il ne sut jamais qu'elle se calma à cause de l'une de ses phrases, celle où il parlait du roi des Dragons. Ce dernier avait enlevé un peuple de l'ancienne Amérique terrienne afin qu'il lui construise l'arme de Stonehenge et l'avait relégué sur ce continent puis avait falsifié les rapports afin que personne ne sache ce qu'il avait fait. Tara ne voulait pas que le dragon s'appesantisse sur ce fait. Charm, la fille du dragon renégat, avait son lot de problèmes et de chagrins sans qu'il soit besoin d'en ajouter. Habilement, elle orienta la conversation.

— J'ai d'ailleurs été surprise que vous ne me lanciez pas de sort. Je m'étais préparée, vous ne m'auriez pas prise en traître mais j'apprécie de n'avoir pas eu besoin de me battre contre vous.

— Tel était notre plan initial, avoua le dragon d'un ton piteux, et puis, en dehors du fait que l'armada de l'Impératrice s'est jointe à nous, ce qui n'était pas prévu, deux dragons se sont élevés contre ce plan.

— Chem et Charm, n'est-ce pas ? affirma Tara avec un sourire.

— Non ! Charmamnichirachiva ne s'était pas encore jointe à nous. Mais vous avez raison pour Chemnashaovirodaintrachivu. Nous ne l'aurions pas écouté toutefois, compte tenu de son inadmissible faible pour vous, si Malgoriselanchivu n'était intervenu.

Tara était curieuse. Elle ne connaissait le dragon aux écailles rouge clair que depuis quelques heures. Pourquoi avait-il donné cet avis ?

— Il a été mortifié par le vol temporaire de la clef qui a permis à Magister d'introduire la jeune Terrienne sur le Continent interdit car il était de garde ce jour-là et n'a rien vu. Il s'est donc porté volontaire et a rédigé le rapport sur vous.

— Et ?

— Il soulignait que vous étiez bien protégée, par votre pouvoir mais également par vos amis, soupira le dragon. Que plusieurs ennemis puissants s'étaient heurtés à vous et en avaient payé le prix. Et que si nous tentions de vous tromper et que cela ne marchait pas à cent pour cent, non seulement vous briseriez la barrière par mesure de rétorsion mais en plus vous feriez tout pour nous empêcher de la rétablir. Et plus encore si, à cause de nous, votre amie Betty périssait (Ah ! le dragon rouge clair, que Tara décida d'appeler Mal, avait bien travaillé. C'était exactement ce qu'elle aurait fait, oui). Le cercle des Grands Anciens a étudié son rapport et a conclu que le risque était trop élevé compte tenu de votre pouvoir. Dès lors, si vous parveniez à fléchir la barrière, notre mission était de vous donner la clef, d'extraire Betty puis de ressortir, le tout le plus rapidement possible.

— Mais maintenant, votre mission a changé, indiqua fermement Tara. Il faut ramener Betty *et* libérer les humains. Vous vous rendez compte du scandale sur AutreMonde lorsque les gens apprendront que les Dragons ont asservi des humains ?

— Oui, murmura Sal en observant les hommes et les femmes qui les entouraient comme une marée brune, mais comme vous l'avez si justement dit au Très Haut Mage Demiderus, ceci n'est pas juste une question de choix, c'est une question d'honneur. Et, entre nous, Damoiselle, même si je ne fais pas partie, comme Chemnashaovirodaintrachivu, du groupe qui veut que la barrière soit ouverte, ce qui se passe ici n'est pas honorable.

Ce n'était pas de l'asservissement des humains qu'il parlait. Par tous les dieux d'AutreMonde, mais qu'avaient fait les Dragons ?

Elle ne risquait pas de répondre à cette question pour l'instant. Tara sentit un tiraillement autour de son cou, se rendit compte qu'elle triturait son collier et le lâcha.

Elle consulta sa carte, qui indiquait la dernière position connue de Betty. Le plan de la ville venait de s'y afficher et l'espace d'un fugitif instant, elle se demanda comment faisait la carte... avant de se dire qu'elle s'en fichait, du moment que cela fonctionnait.

— Elle est à cinq pâtés de maisons, dit-elle, il faut prendre la prochaine à droite.

Ils se remirent en route et Tara observa la ville avec attention.

Contrairement à la majorité des villes qu'elle connaissait sur AutreMonde, celle-ci avait été clairement dessinée pour les dragons. Les bâtiments exhibaient des façades orgueilleuses, chargées d'ornements et chaque maison ressemblait à un palais, avec une aire d'atterrissage pour les gros reptiles. Les rues étaient larges et ombragées par des géants d'aciers qu'une mutation inattendue avait dépouillés de leur couleur grise habituelle pour les transformer en arbres chatoyants bleu et jaune.

Quant aux dragons, ils proliféraient, petits ou gros, rouges, verts, noirs ou blancs. Certains avaient des colliers, comme Sal, d'autres non. Ils vaquaient à leurs occupations, suivis par un ou plusieurs esclaves au collier rouge, tel celui de Tara. Celle-ci remarqua que la plupart des humains, filles et garçons, étaient torse nu, uniquement vêtus d'un pagne, ce qui la fit rougir. Apparemment, les dragons se fichaient de la décence de leurs animaux humains comme de leur première vache.

Certains dragons se montraient brutaux, n'hésitant pas à maltraiter ou à battre leurs esclaves lorsqu'ils tardaient à obéir et Tara serra plus d'une fois les poings en voyant que les humains ne se défendaient pas et subissaient les coups sans révolte apparente.

Soudain Sal se mit à renifler d'une façon si ostensible qu'elle s'arrêta, surprise. Une brusque poussée dans son dos faillit l'envoyer au sol. Son compagnon la rattrapa de justesse, la fit pivoter face à celui qui venait de la bousculer et lui murmura à toute allure :

— Surtout, ne bougez pas ! Je ne l'avais pas senti avant mais nous avons un gros problème !

Devant elle se tenait un humain. Torse nu comme les autres, très large d'épaules, il ne devait pas avoir plus de quinze ou seize ans. Son comportement était des plus bizarre. Levant haut la tête, il flairait l'air comme Sal quelques secondes auparavant, toute son attention focalisée sur Tara.

— Tu... tu sens bon, dit-il en articulant avec peine, comme s'il avait la bouche pleine de bonbons.

Il s'approcha encore, ferma les yeux en inspirant bruyamment et se tint si près de Tara qu'il aurait pu l'embrasser sans difficulté. Sal la maintenait fermement, aussi ne bougea-t-elle pas, le cœur battant la chamade. Le garçon inclina la tête et plongea sa figure contre le cou de Tara, qui regretta que la Changeline lui ait autant dégagé les épaules.

— Si c'est un vampyr et qu'il me mord, souffla-t-elle, vous allez le regretter tous les deux.

— C'est pire, murmura le dragon, sincèrement effrayé. Il y va de notre vie à tous les deux, Damoiselle. Laissez-le faire.

Pour l'instant, le garçon se contentait de frotter son nez avec délices contre la peau de Tara. En dépit des avertissements de Sal, Tara tendit la main pour l'écarter d'elle. Sans en tenir compte, le garçon s'y appuya avec une force démentielle. Il était incroyablement chaud, au point que Tara eut l'impression de toucher une bouillotte alors que la température extérieure était déjà très douce.

Puis il se mit à lui mordiller le cou et là, Tara en eut assez.

— Sal, ou il arrête, ou il va se prendre la baffe de sa vie, gronda-t-elle.

Sous ses doigts, les muscles se tordirent en une vie anormale et vigoureuse. Effrayée, elle retira sa main. Le garçon ouvrit alors ses yeux, Tara plongea dans un regard animal et doré et comprit soudain pourquoi le garçon avait eu du mal à parler.

Sa bouche n'était pas pleine de bonbons.

Elle était pleine de dents.

Déjà son museau s'allongeait et du poil commençait à recouvrir son corps. Il contemplait Tara avec appétit, comme une succulente friandise.

— T'il ! hurla soudain une voix. Arrête tout de suite !

Une femme accourait, horriblement effrayée. Elle s'inclina devant Sal comme devant un dieu, avec une ferveur qui retourna le cœur de Tara. Puis elle attrapa fermement le garçon par le cou et le souleva de terre d'une seule main en dépit de ses efforts pour s'échapper. Sa force phénoménale n'avait rien à envier à celle du garçon.

— Veuillez excuser mon fils, Seigneur. Il ne sait pas encore bien se contrôler. Il n'avait jamais senti une humaine de pure souche. Son odeur l'a poussé à se transformer. Je vous en supplie, Seigneur, épargnez sa vie !

Et, toujours d'une seule main, elle força le garçon à s'agenouiller devant Sal.

Sous l'effet de la peur, il commença à redevenir humain. Sal avisa le petit cercle de curieux qui s'était formé autour d'eux et fit la grimace. Il avait voulu passer inaperçu, c'était manqué.

— Ce n'est rien, dit-il.

Un murmure surpris s'élevant, il rectifia :

— Je n'ai pas le temps de le punir, je suis pressé. Veillez vous-même à son châtiment pour avoir osé toucher mon esclave.

La femme poussa un inaudible soupir de soulagement.

— Bien, Seigneur, je ferai selon votre souhait.

Et, de sa main brusquement transformée, elle griffa le visage de son fils si profondément qu'elle toucha l'os.

Le sang jaillit et il hurla puis se recroquevilla par terre, les mains sur la tête. Tara, horrifiée, voulut s'avancer pour le soigner mais la patte de Sal se resserra sur son bras.

Les sanglots du garçon s'espacèrent puis cessèrent. Il releva la tête et Tara n'en crut pas ses yeux. Les chairs étaient en train de repousser ! À une vitesse incroyable, le sang cessa de gicler, la chair recouvrit les os de la pommette et de la mâchoire à nu et bientôt il ne restait plus rien de la terrible blessure.

Tous les yeux restaient fixés sur le dragon, attendant ce qu'il allait faire.

Soudain retentit un affreux tintamarre, comme si quelqu'un s'amusait à peu de distance à taper sur des poubelles et toutes les têtes pivotèrent avec un ensemble effarant dans la direction du bruit.

Sal en profita. Tenant toujours fermement Tara par le bras, il bondit dans la rue adjacente. Vu que la jeune fille mesurait un petit tiers de la hauteur du dragon et devait faire quatre pas pour une seule de ses enjambées, disons plutôt que Sal la porta quasiment jusqu'à ce qu'ils soient hors de vue des spectateurs.

Enfin il la lâcha, s'adossa à un mur qui, heureusement, était solide et mit une patte sur l'un de ses deux cœurs[1].

— Par mes ancêtres, murmura-t-il, dans quel horrible traque-nard sommes-nous venus nous fourrer ?

— Qu'est-ce que c'était ? Qui sont ces gens en réalité ? interrogea Tara en réprimant une forte envie de vomir.

— Des loups-garous ! répondit Sal d'une voix lugubre, toute la f...ue ville est remplie de f...us lycanthropes !

Wow, sous le choc, le langage du dragon venait de connaître une sérieuse régression.

Des loups-garous. Super. Tara savait qu'ils existaient sur AutreMonde sous le nom de « changelins » mais de là à se faire

---

1. Oui, les dragons ont deux cœurs. Ce qu'un grand nombre de cheva-liers n'a découvert que trop tard et avec beaucoup de regret. Et le premier qui me fait remarquer que qui-vous-savez n'avait transpercé qu'un seul cœur du dragon qui-vous-savez (dans le tome précédent, je ne mets pas les noms pour ceux qui ne l'auraient pas encore lu) avec sa lance de quoi-vous-savez, sera jeté aux chatrix sans pitié, qui-vous-savez a bien transpercé les deux cœurs, même si je n'en ai cité qu'un puisque lorsque Tara m'a raconté son aventure, elle a juste dit « il lui a transpercé le cœur » en oubliant qu'ils en avaient deux... Ah mais !

humer et mordiller par l'un d'eux, il y avait une énorme différence.

Elle pâlit.

— Il m'a mordue !

L'esthéticienne était déjà bien assez chère sans qu'elle se couvre de poils sur tout le corps une fois par mois !

— Vous ne risquez rien, Damoiselle, les loups-garous ne sont contagieux que sous leur forme de métamorphe. Et puis, il n'a fait qu'effleurer votre peau. Croyez-moi, s'il vous avait vraiment mordue, vous n'auriez plus de gorge pour parler.

Glurps ! Ce fut précisément l'onomatopée qui vint à l'esprit de Tara, qui porta une main à sa gorge comme pour la protéger.

— Je comprends pourquoi vous en avez peur ! constata-t-elle, assez peu diplomatiquement.

— Nous n'en avons pas peur ! protesta le dragon.

Il croisa le regard limpide de Tara et se dégonfla.

— D'accord, disons que nous ne les aimons guère. Vous avez pu voir ce qui s'est passé lorsque sa mère l'a corrigé.

— Quand elle lui a déchiré la moitié du visage ? Oui. Dites donc, ils ont une conception musclée des punitions, ici !

— À part avec une arme en argent et à moins de leur arracher la tête ou de les brûler si profondément qu'ils ne peuvent plus se régénérer, les loups-garous sont presque impossibles à tuer. Leurs capacités de régénération sont tout simplement fantastiques. Et ils chassent en meute. Quatre loups-garous peuvent tuer un dragon. Alors vous imaginez ce que j'ai ressenti lorsque je me suis rendu compte que toute la ville était contaminée !

Son regard était grave.

— Je crois que ce qui se passe ici excède amplement le problème de votre amie Betty, Votre Altesse impériale (Hop ! il était repassé sur le mode officiel). Il faut que nous rentrions au plus tôt. Je dois avertir les Grands Anciens !

— Ben voyons, et abandonner Betty ? Je croyais que votre barrière devait justement contenir ce genre de problème à l'intérieur du continent, remarqua Tara, sarcastique. Alors notre mission reste de trouver mon amie et de la sortir d'ici. Ensuite, vous avertirez qui bon vous semblera de ce que vous voulez.

Sal dévisagea la jeune fille, pris à son propre piège.

Tara avait bien compris que ce n'étaient pas les loups-garous que les Dragons avaient emprisonnés. La surprise et la peur de Sal n'étaient pas feintes ou alors ce dragon pouvait remporter tout de suite l'oscar du meilleur acteur.

— Faisons vite, Votre Altesse Impériale ! reprit-il en se ressaisissant, sommes-nous loin encore ?

— Vu que vous avez foncé droit devant vous en me traînant sans me laisser le temps de réagir, répondit aigrement Tara, non, nous ne sommes pas loin mais nous devons revenir sur nos pas d'une rue pour prendre celle qui est parallèle, ensuite il reste environ deux cents mètres et nous y serons.

Le dragon se décolla du mur.

— Allons-y !

— Après vous, s'inclina Tara, je n'ai pas envie de servir de casse-croûte à un loup-garou alors soyez gentil de bien montrer que nous sommes ensemble, hein !

Le dragon hocha la tête et fonça.

De fait, quelques minutes leur suffirent pour arriver devant une agréable maison au jardin fleuri, un peu à l'écart de l'animation des grandes artères. Comme la majorité des résidences devant héberger des dragons, elle était grande mais bien moins ostentatoire que les palais qu'ils avaient dépassés. Sa façade donnait sur une petite place que fermaient deux autres bâtisses. Une variété de vigne bleue escaladait les murs blancs et Tara comprit qu'elle était ensorcelée lorsqu'une de ses vrilles se détendit comme un fouet et happa une bizzz qui passait sans rien demander à personne. Bon, une vigne insectivore. La question se posait de savoir si la plante était également humanivore. Elle se tint à distance respectueuse.

— La carte indique que Betty se trouvait voici une heure dans cette propriété, précisément. Elle doit y être esclave, je n'ai vu aucun humain sans collier dans la ville et je doute qu'elle ait pu se cacher des loups-garous pendant toutes ces semaines.

Soudain, une pensée horrible lui traversa l'esprit.

— Mon Dieu, et si elle a été contaminée ?

— Il n'y aura malheureusement rien à faire, déclara Sal. Il n'existe aucun remède contre cette maladie. Nous nous contenterons de la sortir d'ici mais elle ne pourra pas retourner sur sa planète.

— Oh, là là ! Si elle ne me hait déjà pas pour ce qu'elle subit par ma faute, elle aura vraiment une bonne raison de ne plus jamais me parler de sa vie ! Comment fait-on pour la délivrer de ce guêpier ? On reste devant et on attend qu'elle sorte pour l'emmener avec nous ?

— Nous n'avons pas le temps, répondit Sal. Si elle est seule, nous partons ensemble et nous la protégerons. Si son maître est avec elle, alors nous le neutralisons à l'abri des regards. Il suffira de nous faire inviter à l'intérieur et de nous enfuir avec Betty ensuite.

Et avant que Tara puisse protester, Sal s'avança et, de sa griffe dégainée, appuya sur la sonnette.

— Betty, modula agréablement une voix qui fit passer des frissons déplaisants dans le dos de Tara, je crois que nous avons des visiteurs.

La porte s'ouvrit et Tara eut un hoquet de surprise. En face d'elle se tenait une parfaite inconnue !

Appuyée sur la hampe d'une lance, elle était maigre dans sa courte robe de lin fendue sur le côté, bien loin de la confortable corpulence de Betty, et on voyait ses muscles jouer sous sa peau veloutée. Mais ce qui frappa le plus Tara fut son visage. Si une moitié était intacte, l'autre avait été ravagée par le feu. La chair avait fondu et l'œil disparu, formant un masque monstrueux.

Enfin, l'inconnue avait les cheveux bien plus longs que ceux de Betty, qui les portait courts afin qu'ils ne lui tiennent pas trop chaud en été.

Tara allait se détourner pour avertir Sal que ce n'était pas la bonne Betty lorsqu'elle croisa le regard de la jeune fille.

Sa bouche s'assécha brusquement et elle frémit. Une terrible lassitude se reflétait dans l'œil marron qui la dévisageait et soudain, ce fut évident. La forme du nez, le sourcil, l'attitude gracieuse en dépit de l'arme (Betty avait toujours été délicate dans ses mouvements, malgré ses kilos en trop), Tara venait de reconnaître son amie dans cet épouvantail blessé.

Derrière elle, un dragon surgit à travers le mur. Tara comprit qu'une partie des bâtiments n'était qu'une illusion car la maison ne s'effondra pas. Les dragons aimaient bien passer à travers les murs, ce n'était pas la première fois qu'elle le voyait dans la ville. Elle ne réagit donc pas. Les goûts et couleurs en matière de décoration...

Si Sal était corpulent, alors le dragon devant eux était gigantesque, probablement le plus gros spécimen que Tara ait jamais contemplé. Contrairement à Charm qui était pourpre, celui-ci était rouge, tout comme Mal. Les motifs de ses ailes et de son corps étaient argentés, ce que Tara n'avait jamais vu jusqu'alors.

Il sourit de toutes ses dents en avisant Sal.

— Bonjour, fit-il d'une voix mélodieuse et Tara modifia son jugement. Pas un *il*, une *elle*. Que pouvons-nous faire pour vous ?

— Je recherche une compagne pour mon esclave, improvisa Sal, les yeux clignotant d'admiration pour la radieuse beauté de la dragonne. Une jeune humaine qui pourrait l'aider pour les petits travaux d'entretien. Seriez-vous d'accord pour que je vous rachète votre esclave ?

À son air énamouré, on avait plutôt l'impression qu'il voulait la demander en mariage et qu'il imaginait déjà la tête de leurs futurs bébés. D'ailleurs, et alors qu'elle était tendue comme la corde d'un arc, Tara eut une pensée absurde : les dragons se mariaient-ils ?

La dragonne sourit de plus belle, faisant vaciller Sal qui se mit à ressembler à un gros chien, la langue limite pendante.

— Vous savez, elle n'est pas très utile. Elle mange beaucoup, rechigne à travailler, il a fallu que je la punisse souvent pour lui apprendre à obéir.

Tara se força à inspirer calmement pour chasser la colère qui montait en elle. Pulvériser la dragonne ne pouvait qu'attirer l'attention sur eux et elle n'avait pas envie d'affronter une ville pleine de loups-garous et de dragons. De plus, Sal avait l'air de bien mener la transaction. Dans quelques instants, ils allaient pouvoir repartir avec Betty et la sauver de cet horrible endroit.

Elle aurait dû savoir que vendre la peau du dragon avant de l'avoir tué n'était pas recommandé sur AutreMonde.

— Cela n'est pas grave, je saurai m'en accommoder, gente Dame, susurra Sal en s'emparant d'une des pattes de la dragonne, qui la lui abandonna bien volontiers en papillonnant des cils comme une folle. Combien m'en demanderiez-vous ?

— Oh, sa valeur n'est pas très élevée, le rassura la dragonne.

— Tout ce que vous voudrez, votre prix sera le mien.

Mais qu'est-ce qu'il racontait, le dragon ? Il n'avait aucune idée de la sorte de monnaie que ces gens utilisaient. Il était censé la faire rentrer, l'assommer et s'enfuir avec Betty, pas lui faire la cour !

— Dans ce cas, nous allons aisément parvenir à un accord, minauda la dragonne, qui avait l'air de s'amuser follement, ce qui mit Tara mal à l'aise. Je veux juste que vous me donniez la clef de la barrière !

Avant que Sal ne puisse réagir, une voix incanta derrière eux et tout bascula. La magie de Tara n'eut pas le temps de jaillir : un puissant courant émis par son collier la paralysa, ainsi que Galant. Du coin de l'œil, elle vit que Sal était également immobilisé et qu'il paniquait. Au-dessus d'eux, l'air scintilla et une foule de gens très surpris apparut dans le ciel mais aussi aux quatre coins de la place. Cal, Fabrice, Moineau, Eleanora et Jeremy lévitaient, tandis que Fafnir et Robin s'étaient posés, prêts à venir en aide à Tara au premier signe de danger. Un peu plus loin, aussi étonné que les autres, se tenait un grand thug, une épée dégainée à chaque bras. Cal avait manifestement réussi à joindre Xandiar. Tara remarqua qu'ils avaient tous des colliers mais cela ne les empêcha pas d'activer leur magie, contrairement à elle.

— Attrapez-les, cria la dragonne, mais ne les tuez pas !

La dizaine de dragons gris qui se tenaient embusqués se précipita et une jolie bagarre s'engagea. Xandiar et les amis de Tara profitaient du fait que les dragons n'avaient pas le droit de les tuer pour leur infliger un maximum de dommages. Robin et son arc menaient la danse et bientôt les attaquants hurlèrent, les pattes, le cou, la gueule hérissé de flèches imparables.

Fafnir aussi leur donna du fil à retordre avec ses deux haches. Selon toute apparence, ils n'avaient jamais eu affaire à des Nains et encore moins à une naine rousse, folle de rage, qui n'avait pas l'air de les craindre et leur fonçait dessus en hurlant :

— Par les Forgeafeux, venez ! Venez ! Je vais vous transformer en chair à pâté !

Il fallut que l'un des dragons se fasse à demi trancher une patte avant qu'il tendait négligemment vers Fafnir pour qu'ils se rendent compte que l'expression « chair à pâté » était à prendre au sens littéral. Manipulant ses deux haches devant elle à toute vitesse, Fafnir ressemblait à un furieux mixer aux yeux verts.

Ils durent la maîtriser avec la magie. Et, même paralysée, Fafnir ressemblait encore à un paquet de dynamite : à manipuler avec précaution.

Malheureusement, la magie des dragons était plus forte que celle des amis de Tara. Et si les sortceliers et le thug répliquèrent de leur mieux, il était évident qu'ils étaient en train d'avoir le dessous.

Lorsqu'elle avait vu les dragons se précipiter vers eux, Moineau n'avait pu empêcher son métabolisme de se transformer sous l'effet de la peur et de l'adrénaline. Cela lui arrivait de plus en plus fréquemment et l'inquiétait. La Bête prenait le pas sur elle. Elle évitait autant que possible de se métamorphoser afin d'essayer de se contrôler.

Furieuse contre elle-même (elle aurait préféré garder son atout secret), elle avait lutté avec ses griffes et sa magie puis, voyant ses amis et Xandiar si bien ensevelis sous les dragons qu'ils ne pouvaient plus remuer, elle fit la seule chose à faire.

Elle se rendit.

— Bravo ! Bravo ! applaudit la dragonne lorsque ses lieutenants firent le décompte de leurs prisonniers. Des tas et des tas d'invités ! Quel bonheur pour notre modeste continent, de recevoir tant de personnalités prestigieuses. Gardes ? Ôtez-leur ces ridicules ornements factices et mettez-leur de vrais colliers, s'il vous plaît.

Ah, de faux colliers ! Tara comprenait mieux.

Des loups-garous jusque-là dissimulés se précipitèrent. Ils avaient bien l'allure de gardes et l'uniforme qui allait avec : vêtus de rouge des pieds à la tête, ils arboraient un dragon de cristal noir sur la poitrine et Tara sentit son cœur se serrer en identifiant une représentation stylisée de la clef, celle qui ouvrait la barrière isolant le Continent interdit.

Soudain, l'un des gardes hurla et serra sa main, profondément brûlée.

— Qu'est-ce encore ? interrogea impatiemment la dragonne rouge.

L'un des dragons gris se pencha et la renseigna, d'un ton indifférent :

— Il a été brûlé. Les étrangers ont utilisé des clous d'argent pour confectionner les colliers.

Une lueur d'inquiétude brilla furtivement dans l'œil de la dragonne. Elle se planta devant Eleanora, fermement maintenue par un dragon gris.

— Comment saviez-vous qu'il fallait utiliser de l'argent, petite Humaine ? Que savez-vous des loups-garous ?

Eleanora la fixa dans les yeux, sans répondre.

La dragonne sourit.

— Ah ! j'avais oublié combien les humains non soumis se montrent volontiers fatigants.

Elle fit tendrement courir sa patte sur la joue d'Eleanora et lorsqu'elle la retira, ils virent le sang qui la maculait. Ses écailles volontairement dressées avaient arraché la peau tendre.

Cal faillit devenir fou et parvint presque à échapper à l'étreinte de ses geôliers qui durent se mettre à deux pour le maîtriser mais, en dépit de la terrible douleur, Eleanora resta stoïque.

La dragonne promena une langue rose sur ses crocs.

— Je ne peux te laisser défier mon autorité, petite Humaine.

Elle désigna Eleanora à l'un des loups-garous.

— Arrache-lui le bras.

Le garde s'avança et saisit le bras d'Eleanora. Puis, sans effort, il commença à tirer.

Cette fois-ci, la jeune fille hurla.

— Arrêtez ! Je vais vous apprendre pourquoi j'ai utilisé des clous d'argent.

Tous les yeux se fixèrent sur la naine rousse qui venait d'intervenir. Fafnir n'aimait pas les dragons et là, sa haine venait de faire un grand bond en avant. Pas question de laisser torturer une amie. Le loup-garou jeta un regard vers la dragonne rouge.

Celle-ci opina. Il lâcha le bras d'Eleanora qui se laissa tomber par terre, à demi évanouie.

— Je n'avais que des clous d'argent ou des clous en or. Je me suis dit qu'en or, c'était un peu trop, grogna la naine. Nous ne savions rien de vos bébêtes à poils, là.

La dragonne la contempla un moment. Ce qu'elle vit dans les prunelles vertes qui la défiaient dut la convaincre.

— Betty ? appela-t-elle, détournant la tête.

La jeune Terrienne s'agenouilla immédiatement aux pieds de sa maîtresse.

— Ma Reine ? fit-elle, l'œil baissé.

Encore ? Ce devait être une sorte de... malédiction, juste inventée pour gâcher la vie de Tara. Elle ne pouvait faire un pas sans se heurter à un chef de quelque chose, une impératrice de truc ou une reine de bidule... et le plus souvent en faisant quelque chose qui leur déplaisait.

— Montre à ton amie comment nous souhaitons la bienvenue à nos invités.

— Bien, ma Reine.

Betty se releva avec agilité puis se planta devant Tara. Celle-ci était en train de tester la puissance du f...tu collier qui la paralysait et espérait parvenir à le vaincre. Elle fixa son amie dans son œil unique, tentant de faire passer un message. Son vis-à-vis l'ignora.

— Bienvenue sur notre continent, Tara, dit calmement la jeune fille au visage brûlé.

Puis elle leva la hampe de sa lance et, sans prévenir, frappa violemment Tara à la tête.

Cela lui fit un double choc, le premier d'être abattue par son amie et le second causé par l'horrible douleur qui éclatait dans son crâne, emportant sa conscience.

Puis tout devint noir.

CHAPITRE XVI

FABRICE
ou lorsqu'on utilise du matériel sophistiqué,
c'est mieux quand il fonctionne...
surtout à deux cents mètres du sol

Au début, tout s'était bien passé. Cal et ses amis avaient franchi la barrière pendant que Tara distrayait l'attention des dragons. Là où les choses s'étaient compliquées, ç'avait été lorsque les dragons et les elfes s'étaient tout à coup mis à courir comme des dératés.

Les Levitus Inc® n'étaient pas construits pour soutenir une cadence aussi infernale et, très vite, ils avaient été distancés.

Au moment où elle flottait au-dessus de Tara, Moineau avait eu la présence d'esprit d'enregistrer la carte de Magister sur sa boule de cristal (qui faisait aussi appareil photo, caméscope et limite-le-chocolat-du-matin) si bien qu'ils savaient où les dragons se rendaient. Au bout d'une dizaine de minutes, la ceinture de Cal émit des Crrrrr ! Crrrrr ! Crrrrrr ! inquiétants et il décida de se poser.

Il prévint les autres de son atterrissage (comme ils ne pouvaient se voir les uns les autres, impossible de savoir qui était où) et regretta de nouveau d'avoir oublié les lunettes spéciales qui permettaient de voir à travers les Camouflus.

Après que Fabrice eut violemment percuté Eleanora, ils avaient mis au point un code vocal pour se situer par rapport à la route, aux arbres ou aux rochers qu'ils dépassaient. Dès qu'ils virent Cal se rematérialiser, ils l'imitèrent.

— Bon sang, grogna Fafnir, contente de se poser, ils sont malades, ces dragons. Pourquoi courir ainsi ?

— Je l'ignore, répondit Cal. Nous allons continuer à les suivre, pour le moment ils sont trop occupés à détaler pour lancer un sort sur Tara. Et puis leur chef a l'air de vouloir jouer franc-jeu, enfin, pour l'instant du moins. Il a laissé passer le meilleur moment pour agir, lorsqu'ils étaient encore sur la plage.

Soudain Moineau tourna la tête en tous sens.

— Fabrice ? glapit-elle. Où est Fabrice ?

— Il était près de moi, les renseigna Eleanora, c'est bizarre mais je ne l'ai pas entendu depuis notre décollage et après notre collision. Peut-être sa ceinture a-t-elle eu une avarie à cause du choc ?

Paniquée, Moineau se transforma en Bête et repartit au petit trot en arrière, reniflant comme un gros chien poilu. Mais si son flair était incomparable, un support, de la terre, un rocher, même des arbres ou de l'herbe lui était nécessaire pour chercher et Fabrice n'avait apparemment pas touché le sol car elle ne décela aucune trace de lui.

Ils explorèrent les environs dans l'espoir de le retrouver mais durent se rendre à l'évidence.

Fabrice avait disparu.

Fabrice suivait le cortège des dragons, attentif à ne pas percuter Eleanora une seconde fois : la première avait été douloureuse pour les deux et il n'avait pas l'intention de renouveler l'expérience, tout en pensant, amusé, que Cal aurait bien voulu être à sa place.

Ils survolaient des champs lorsque, tout à coup, une rafale de vent le fit dévier. Sa ceinture se mit à clignoter et sans prévenir, le hissa dans les airs de plusieurs dizaines de mètres.

— Oooooh, gémit Fabrice, qui avait laissé son estomac trente mètres en dessous, mais qu'est-ce qui...

Il n'eut pas le temps de s'interroger que la ceinture le fit plonger.

Son hurlement aurait dû alerter les autres mais il avait refusé que Cal programme son brassard et maintenant mesurait à quel point cela avait été une grosse bourde. Car s'il les entendait très bien, eux ne percevaient absolument pas ses appels au secours.

Épouvanté, Fabrice vit le sol se rapprocher à une vitesse terrifiante et, juste au moment où il allait s'écraser, la ceinture le relança dans les airs comme une boule de yo-yo, mais la tête en bas.

Le jeune Terrien était depuis trop peu de temps sur AutreMonde pour songer un seul instant à se servir de sa magie. Ou plus précisément, il n'en eut pas le temps. D'abord parce qu'il était trop occupé à éviter de vomir, ensuite parce la ceinture émit un Brrrmm ! Brmmm ! funèbre et s'éteignit pile à l'aplomb d'une sorte d'entrepôt.

La toiture amortit sa chute puis céda sous son poids. Il tomba sur une gigantesque meule de foin, roula et s'aplatit enfin sur des formes chaudes et caquetantes qui s'éparpillèrent en tous sens dans un nuage de plumes.

Il était dans une grange, mi-réserve à foin, mi-spatchounier et les spatchounes couraient en se cognant, affolées par son atterrissage-catastrophe.

En heurtant le sol, son Camouflus s'éteignit sans qu'il s'en rende compte.

Sa première réaction fut de se palper sous toutes les coutures. C'était étonnant mais à part une belle collection de contusions et de meurtrissures, il n'avait rien. La ceinture avait dû affaiblir le choc. Les genoux en coton, il entreprit de se redresser.

— La vache ! murmura-t-il, j'ai eu de la chance.

Puis il jeta un regard noir vers sa ceinture.

— Maudite machine ! Pouvait pas faire ça un autre jour, non ! Et à quelqu'un d'autre, de préférence ? Pourquoi c'est toujours sur moi que ça tombe ?

Un minuscule barrissement étouffé le fit tressaillir et il sortit la petite cage de Barune à toute vitesse, angoissé à l'idée que son Familier soit blessé.

Mais si Barune avait été ébouriffé par la chute, il était indemne. Fabrice soupira, soulagé, et le replaça dans son sac à dos.

Puis en clopinant, il se dirigea vers la sortie et se figea. La porte d'entrée du spatchounier possédait une petite ouverture grillagée par où il distinguait l'extérieur.

Alerté par le tintamarre, un énorme chien de garde avait les yeux fixés sur la porte, attendant ce qui allait en sortir. Fabrice recula.

— Normalement, avec le Camouflus, il ne peut ni me voir ni me sentir. Qu'est-ce qu'on fait, Barune ? On lui jette un Paralysus ou on trouve une solution moins risquée ? Depuis que Tara a récupéré sa magie, je ne suis plus si sûr de l'immobiliser assez longtemps pour que nous filions en douce.

Le Familier lui communiqua un sentiment d'agacement. Si le chien était gros, il l'était bien moins qu'un mammouth. Il pouvait l'écraser sans même y penser. Enfin, sous sa forme normale.

Cela fit rire Fabrice et le détendit un peu.

— Euh, on est censés être discrets. Un mammouth bleu dans leur cour de ferme, cela pourrait sembler suspect. On va plutôt adopter un profil bas.

Dehors, le molosse se recouchait, plus intéressé par le gros os qu'il était en train de ronger que par les spatchounes auxquelles il n'avait de toutes les façons pas le droit de toucher.

La patte avant posée sur l'os encore bien garni, il détachait la viande, se léchant les griffes lorsque des morceaux y adhéraient. Il n'allait par tarder à finir et Fabrice n'avait aucune envie qu'il s'intéresse à lui.

— Voyons ce qui se passe si j'ouvre la porte et libère les spatchounes. Il leur courra sans doute après et je pourrai tranquillement m'échapper.

Il entrouvrit doucement la porte. Le chien dressa les oreilles mais resta couché. Fabrice se retourna vers les spatchounes qui, tassées au fond du spatchounier, le regardaient avec méfiance.

— Allez, les cocottes ! On va lui donner un joli spectacle.

Et il leur fonça dessus en hurlant et en agitant les bras. Affolées, elles jaillirent dans tous les sens et s'égaillèrent dans la cour, Fabrice à leurs trousses.

Il se produisit alors deux choses.

La première fut que Fabrice réalisa que les spatchounes avaient eu peur lorsqu'il avait agité les bras, *parce qu'elles le voyaient* !

La seconde fut que le chien s'était redressé et grognait, son regard fixé sur Fabrice. Celui-ci fit demi-tour et fonça dans l'entrepôt, poursuivi par le molosse qui bondit.

— Par le Levitus, je m'envole et, sans attendre, je décolle !
hurla-t-il.

Sa volonté était bien suffisante car la magie le propulsa sans
effort sous le toit, sans toutefois lui permettre de s'échapper par
le trou qu'il avait fait.

En dessous, le chien le regardait, l'air prodigieusement intéressé. Ces humains étaient vraiment rigolos quand ils le voulaient ! Agilement, il gravit le tas de foin mais celui-ci n'était
pas assez haut, et de loin, pour atteindre le garçon.

Lorsqu'il comprit qu'il n'avait pas l'intention de descendre
pour jouer avec lui, il se mit à aboyer, d'un bel aboiement bien
sonore qui allait probablement ameuter toute la ferme.

Fabrice agrippa une poutre et souffla :

— Chuuuut ! Chuuuut ! Gentil, le chien, gentil ! Couché !

À sa grande surprise, le chien obéit. Mais dès que Fabrice
bougea, il se remit illico sur ses quatre pattes et recommença à
aboyer.

Soit les exploitants de la ferme étaient sourds, soit ils étaient
absents. Autre hypothèse, ce bâtiment était suffisamment éloigné
de l'habitation pour qu'ils n'entendent pas le chien.

Fabrice ne pouvait pas y compter très longtemps. Il fallait
qu'il sorte de cet endroit au plus vite. Il regarda la porte. Au-
dessus, il y avait une lucarne. En volant jusque-là, il pourrait
l'ouvrir et léviter dehors en restant hors de portée du chien.

Bon, autant se lancer avant que sa magie ne fasse des siennes.
Il fit un pas dans le vide.

Et tomba directement sur le molosse en dessous.

Difficile de dire lequel des deux fut le plus étonné. Fabrice,
si concentré sur la lucarne qu'il en avait oublié de soutenir sa
magie ? Ou le chien ? Ils roulèrent au bas du tas de foin et atterrirent pour la seconde fois (pour Fabrice) par terre. Cette fois, il
n'y avait pas de spatchounes pour amortir la chute. Méfiantes,
elles étaient restées dehors en attendant que l'énergumène qui
les harcelait soit neutralisé.

Coup de chance pour Fabrice mais pas pour le chien, ce dernier était en dessous lorsqu'ils reprirent contact avec la terre battue. Il y eut un Wouf ! lorsque Fabrice, en tombant sur lui, chassa tout l'air contenu dans ses poumons et l'animal ne bougea plus, à demi assommé.

Fabrice, passablement égratigné, se secoua et clopina du plus vite qu'il put vers la sortie.

Plus il approchait de la porte et plus il prenait de la vitesse, pour littéralement fuser au-dehors.

C'est alors qu'il rentra tête baissée dans quelque chose de mou qui fit Oooouuf ! aussi et le fit chuter pour la troisième fois de la journée. Mais de moins haut, cette fois.

Ce qui avait fait Oooouuf ! apparut. Au grand soulagement de Fabrice, c'était Cal, plié en deux, qui se tenait l'estomac.

— Fabrice ? Mais qu'est-ce qui...

— Ferme la porte ! hurla Fabrice en agitant frénétiquement le bras, ferme la porte !

Cal regarda dans la grange, vit un énorme chien qui, la bave aux babines, fonçait vers eux et claqua le battant juste au moment où le molosse bondissait.

Il y eut un choc sourd, suivi d'un Kaiiii ! et d'un silence. Le chien en avait pour son compte apparemment.

Cal releva Fabrice.

— Que s'est-il passé ?

Tremblant, Fabrice mit quelques secondes avant de répondre.

— Ta foutue ceinture est tombée en panne ! finit-il par cracher. Je suis passé à travers le toit, mon Camouflus s'est arrêté, j'ai dû accrocher le bouton en tombant, je ne m'en suis pas rendu compte et j'ai failli servir de déjeuner à cet animal ! Voilà ce qui s'est passé !

Et, furieux, il partit droit devant lui et commença à boiter dans la campagne, le dos tourné à l'ensemble des bâtiments de la ferme que l'on voyait au loin... heureusement trop loin pour que ses habitants aient entendu le chien.

— Attends ! cria Cal, donne-moi ta ceinture ! J'ai peur que la porte soit conçue pour retenir des volailles, non des dogues furieux. Et celui-ci avait l'air de t'en vouloir. Je dois pouvoir la réparer et nous mettre à l'abri de cette grosse bête.

Sensible à la menace, Fabrice détacha l'appareil et le lui tendit en bougonnant.

— N'importe quoi... quincaillerie de bazar... !

Cal sortit de sa poche un petit tournevis et fit sauter la boucle.

— Tu vas bien ? Il ne t'a pas mordu ?

— Non, il n'a pas eu le temps. Je suis juste écorché et j'ai mal partout.

— Tant mieux. Ah, je vois ce que c'est ! dit Cal, le nez au raz des fils de toutes les couleurs et des quartz qui composaient le mécanisme. Une connexion a lâché. Voilà ! C'est arrangé.

Il remit la boucle, rangea son outil puis regarda le brassard de Fabrice.

— Ah, voilà pourquoi on ne t'a pas entendu. Tu n'as pas sélectionné les bons boutons. Une fois que le Camouflus est activé ou même avant, il faut appuyer ici et ici.

Immédiatement, Fabrice entendit les appels des autres et put y répondre.

— Ça va ! dit-il. Cal m'a retrouvé, je vais bien. Nous sommes près d'une ferme que nous venons de quitter, nous vous rejoignons dans une seconde.

Puis il se tourna vers son ami.

— Comment as-tu fait ?

— Nous nous sommes partagé le terrain. J'étais en train de remonter cette partie de la route lorsque j'ai vu un nuage de spatchounes affolées sortir de l'entrepôt. Je me suis dit que tu y étais peut-être pour quelque chose et je suis venu le vérifier.

— Merci ! fit Fabrice à contrecœur. Bon, tout fonctionne à présent ?

— Oui, j'ai aussi vérifié et reprogrammé ton brassard. Appuie simplement sur le bouton noir et ton Camouflus se mettra en route. Idem pour la ceinture. Les deux fils devaient être déjà descellés, le choc avec Eleanora n'a rien amélioré et la poursuite derrière les dragons a dû finir de les faire lâcher. Maintenant, elle ne devrait plus te poser de problème.

Prudent, Fabrice testa sa ceinture avant d'activer son Camouflus. Tout avait l'air de fonctionner correctement. Il se reposa au sol... pour se retrouver de nouveau propulsé dans les airs.

C'était sa petite amie, la Bête, qui, folle de joie, le fit tournoyer avant de le plaquer contre son cœur.

D'habitude, Fabrice avait horreur qu'elle fasse cela. Mais de voir les larmes dans ses yeux et son sourire ravi (d'accord, plein de crocs, mais ravi tout de même) l'apaisa. Il la serra tendrement contre lui... enfin pour autant qu'on puisse faire un câlin à un machin plein de poils et de trois mètres de haut.

Moineau parut enfin se rendre compte du ridicule de la situation car elle reprit sa forme humaine... et se serra de plus belle contre Fabrice.

Eleanora et Fafnir, qui l'avaient suivie, désactivèrent leurs Camouflus et levèrent les yeux au ciel avec un bel ensemble et la même moue dégoûtée.

— Allons-y ! décida Cal alors que tout le monde demandait à Fabrice le récit de ses aventures. Il vous expliquera en route. Nous devons retrouver les dragons.

Du fait de leur retard, ils survinrent après que les dragons eurent quitté la scène de cannibalisme et furent donc surpris de les croiser, revenant sur leurs pas. Les questions de Tara à Charm leur apprirent ce qui était arrivé au dragon qui gardait les chèvres et, du coup, ils passèrent aussi beaucoup de temps à surveiller le ciel d'un œil prudent.

Enfin, les dragons arrêtèrent de courir. Cal fut très inquiet lorsqu'ils parlèrent des protections de la ville.

— Venez ! dit-il. Trouvons une autre porte pour entrer, il ne faut pas que les dragons et les elfes nous voient et nous ne pourrons pas utiliser les Camouflus. Sal a raison, un Revelus a été jeté sur les remparts. Quiconque franchit le seuil des portes est obligé de montrer sa véritable forme. Même chose si on tente de s'introduire dans la ville par les airs.

— Alors, Fafnir et moi allons avoir un problème, fit remarquer Robin. Il n'y a pas d'elfes ici et un demi-elfe est suffisamment différent d'un humain pour que je sois remarqué. De même, je n'ai vu aucun nain.

Fafnir croisa ses bras musclés sur sa poitrine.

— Pas question de me... de nous laisser en arrière ! Cal, Eleanora, vous êtes des Voleurs Patentés. Trouvez-nous une solution.

— Hum, réfléchit Cal, ce n'est pas un Detectus.

— Non, répondit Eleanora. Avec un Detectus on n'aurait aucune chance.

— Mais avec un Revelus...

— ... il nous en faudrait deux, c'est ça ? D'abord le premier, puis le second ?

Cal et Eleanora se sourirent, parfaitement en phase.

— Euh, pouvez-vous traduire ? s'enquit Moineau. Parce que votre duo, là, est certes très au point mais peu compréhensible pour nous...

Les deux Voleurs se tournèrent vers elle, si semblables avec leurs yeux gris et leurs cheveux noirs qu'on les aurait crus frère et sœur. Mieux, leurs attitudes étaient identiques, bien plus qu'Eleanora ne se l'avouait.

— Vas-y, Eleanora ! proposa galamment Cal. Explique-leur.

— Nous entrerons dans la ville à pied donc nous n'aurons pas besoin de nos Camouflus. Nous en donnerons deux à Robin et deux à Fafnir. Si le sort avait été un Detectus, c'était mort. Vous auriez été détectés. Mais avec un Revelus, c'est tout autre chose. Le sort va briser le premier Camouflus, juste au moment où vous allez le franchir. Dès que vous le sentirez agir, il faudra appuyer sur le second Camouflus. Le sort n'aura pas le temps de le briser, vous serez déjà dans l'enceinte. Je connais ce genre de magie. Elle est trop gourmande en énergie pour être étendue sur une grande surface. À mon avis, elle ne doit pas recouvrir plus d'un mètre, grand maximum.

— Et si tu te trompes ? interrogea Jeremy qui ne connaissait pas encore Eleanora.

La jeune fille le foudroya du regard. Puis posa calmement ses mains sur ses lames de chaque côté.

— Je ne me trompe pas.

Jeremy ouvrit la bouche mais le coude de Moineau dans ses côtes le dissuada d'insister.

À l'approche de la ville, Cal et Eleanora s'immobilisèrent avec un bel ensemble.

— Attendez, il y a un problème ! s'exclamèrent-ils en chœur.

Ils s'arrêtèrent, se regardèrent, interloqués, puis reprirent :

— Ils ont tous des colliers autour du cou, s'écrièrent-ils.

— C'est rigolo, observa Fabrice, vous parlez en même temps. Vous avez répété ou quoi ?

— Nous sommes habitués à repérer ce qui peut compromettre une mission, répondit dignement Cal. Il est normal que nous fassions les mêmes remarques.

— Certes, sourit doucement Moineau, mais au même moment, cela dénote une impressionnante communion d'esprit, je trouve.

— Vous avez raison, intervint Robin dont les yeux perçants de demi-elfe sondaient les piétons loin devant eux. Ils ont tous des colliers rouges.

— Il faut que nous ayons les mêmes.

— Comment faire ? objecta Fabrice. Si nous les créons magiquement, les dragons de garde le décèleront au moment où nous passerons par le Revelus !

— Je crois que j'ai ce qu'il nous faut, déclara Fafnir.

De son justaucorps pourtant très ajusté, elle sortit une magnifique robe en cuir rouge. Même si elle n'aimait pas la magie, les poches de la naine, comme celles des robes de sortcelier, pouvaient contenir un nombre incalculable d'objets.

— Tu ne vas pas abîmer cette robe, tout de même ? dit Moineau avec un petit cri navré. Elle est splendide !

Fafnir haussa les épaules.

— Elle est fichue, soupira-t-elle. C'est celle que je portais pour l'anniversaire de Tara et qui a reçu un bol de sauce[1]. Impossible de faire partir la tache, le teinturier a tout essayé avant de renoncer. Je la gardais dans l'espoir d'une solution mais puisque nous avons besoin de cuir rouge, autant l'utiliser.

Et avant que Moineau ne puisse protester, elle découpa la robe en longues bandes.

Robin forma l'ossature des colliers à l'aide des lanières de cuir dur qu'il utilisait pour protéger ses doigts et Fafnir sortit

---

1. Voir *Tara Duncan. Le Sceptre maudit*. Où, lors d'une mémorable bagarre qu'elle n'avait même pas déclenchée en plus, Fafnir s'était retrouvée coiffée d'un bol de sauce brune. Et oui : celui qui a osé commettre l'irréparable est encore vivant, Fafnir s'étant contentée de l'assommer. Deux fois.

des clous d'argent afin de les fixer ainsi qu'une demi-douzaine d'épingles d'argent pour les attacher et créer les boucles.

Cela fut fait prestement, toutefois Tara et le dragon étaient déjà dans la ville quand ils se remirent en route.

— Fafnir, Robin, on se retrouve de l'autre côté ! dit Cal lorsqu'ils furent tous équipés.

— Par mes ancêtres, grogna Fafnir en activant sa ceinture à regret, j'aimerais bien que cette aventure se passe un peu plus sur le sol et un peu moins dans les airs !

Elle disparut. Robin sourit.

— Moi, j'aime bien voler, fit-il remarquer.

Puis il eut un regard songeur, caractéristique d'une communication mentale avec un Familier, et entrouvrit son sac.

— Comment ça, tu as mal au cœur ? dit-il en regardant à l'intérieur. Bon, d'accord, je vais essayer de ne pas trop monter et descendre. Et je te laisse le sac ouvert pour que tu aies un peu d'oxygène. Mais surtout tu ne fais pas de bruit, hein ? Ni « Clik ! », ni « Couic ! », ni « Brraaaa ! », OK ?

Sourv était un peu comme Fafnir. Le vol, ce n'était pas pour elle. Robin vit l'œil amusé de Cal et il eut un soupir navré avant de s'évanouir à son tour dans les airs.

Les sentinelles ne les regardèrent même pas. Bien qu'ils aient une jolie trouille de se faire prendre par le Revelus, Fafnir comme Robin déjouèrent facilement le sort.

Eleanora ne dit rien mais adressa un sourire triomphant à Jeremy. Genre « Na na na na nèreuh, j'avais raisoneuh ! »

La naine rousse et le demi-elfe restèrent invisibles au-dessus des autres et comme eux furent choqués de ce qui se passait dans cette ville riante et claire. Les dragons et les humains avaient des rapports de dominants à dominés qui n'existaient sur aucune autre planète. Et les amis de Tara commencèrent à se dire, comme Tara un peu plus tôt, que Magister avait eu raison de dénoncer cette atroce situation, même si ses méthodes étaient inacceptables.

Tout se déroula selon le plan prévu jusqu'au moment où Fafnir percuta une poubelle.

Elle contemplait, fascinée, l'étrange ville et ses habitants, oubliant qu'elle était en vol et donc en mouvement, lorsqu'une dragonne, après avoir vidé une grosse poubelle de métal dans un container, la fit léviter pour le faire rentrer dans sa maison.

Fafnir et la poubelle entrèrent en collision sous les yeux de la dragonne stupéfaite et la poubelle, sous le choc, se retourna sur la naine. Aveuglée, celle-ci perdit le contrôle de son vol et heurta les murs dans un boucan épouvantable.

La dragonne vit sa poubelle se mettre à faire des bonds comme un kré-kré-kré en folie.

Sans le moindre support mental auquel se raccrocher, la rationalité de la naine déserta son cerveau et elle hurla :

— Ahhhhhh, sortez-moi de là !

Robin piqua dans sa direction, manqua être assommé lorsque le projectile remonta brusquement vers le ciel. Il entreprit un sprint aérien avec elle et parvint, au terme d'une série de loopings très spectaculaires, à la dégager de la poubelle.

La dragonne, qui avait fini par comprendre que quelque chose d'invisible avait pris le contrôle de sa poubelle, s'apprêtait à vociférer des appels à la garde : Robin fit la seule chose qui pût l'arrêter.

Il lui lâcha la poubelle sur la tête, l'assommant à demi et l'aveuglant tout à fait.

Cela leur laissa le temps de filer. Cal et les autres, guidés par leur voix, les suivirent.

— Par mes ancêtres, haleta Moineau, lorsqu'ils s'arrêtèrent enfin, pliés en deux à force d'essoufflement, qu'est-ce que j'ai eu peur ! Fafnir, tu vas bien ?

— Grmmm... Groommmr... Grrmmmmm, fit une voix dans le vide.

— Comment ?

— Imbécile de dragonne. Quelle idée de faire léviter des objets sans prévenir ! Ça devrait être prohibé !

— Bon, résuma Cal, maintenant que nous avons averti tous les habitants de cette ville de notre arrivée, on pourrait retrouver Tara ?

Un silence boudeur accueillit sa remarque.

Cal, Eleanora, Moineau, Fabrice et Jeremy décidèrent d'activer leur Camouflus aux abords de la maison où était censée se trouver Betty.

Flottant invisibles au-dessus de la petite place, ils arrivèrent tout juste pour voir le gros dragon noir sonner à la porte de la maison.

Robin, voyant Sal papillonner autour de la belle dragonne rouge, eut exactement la même réaction que Tara. Il s'étonna :

— Mais que fait-il ?

— La même chose que toi avec Tara, l'éclaira Cal, sarcastique. Il drague.

— Je ne drague pas ! s'étrangla Robin. En plus, je te signale que j'ai publiquement renoncé à Tara.

— Mon œil ! Tu m'as l'air vachement prêt à renoncer à elle ! Oooohhhh !

Robin, concentré sur le jeune Voleur, ne comprit pas son exclamation consternée. Mais quand il en découvrit la cause, ce fut un juron directement hérité de Llilandril qu'il poussa.

Car soudain, la place s'était emplie de dragons gris et de gardes... et leur Camouflus venait de se désactiver !

CHAPITRE XVII

LA REINE FOLLE
ou il y a des gens, vraiment, qu'il ne faut pas contrarier

Le retour à la conscience fut... douloureux. Très douloureux. La tête de Tara lui faisait tellement mal qu'elle se demanda si elle pouvait s'en débarrasser pour quelques instants. Genre la poser quelque part et la reprendre lorsque la douleur serait calmée, partie, évanouie, Pfffuit !

Elle ouvrit une paupière.

Bonne nouvelle, elle était vivante.

Mauvaise nouvelle, elle était en prison.

Encore.

Boucler les gens au fond de cachots était une vraie manie sur cette planète ! Elle serait bientôt en mesure d'écrire un guide des geôles d'AutreMonde, avec un code de une à trois étoiles pour distinguer les meilleures : moins humides, mieux aménagées...

Elle décida de se lever. Mauvaise idée. Son crâne était d'un avis contraire. Le cachot se mit à virevolter autour d'elle et elle se rallongea illico.

Bien, bien ! Et elle faisait comment, pour sauver le monde (parce que, bien évidemment, vu la technique vicieuse de la dragonne rouge, elle devait avoir un plan tordu pour conquérir la planète) si elle n'était même pas en état de se lever ?

Le seul avantage sur AutreMonde était la magie qui permettait de soigner facilement les contusions et blessures. Alors, par tous les démons des limbes, pourquoi avait-elle la tenace impression qu'un marteau-piqueur forait une ligne de métro dans son crâne ?

Il y avait sur sa main du sang séché qui s'écaillait. Du coup, elle ouvrit les deux yeux tout grands :

M... alors ! Ça fait combien de temps que je suis inconsciente ?

Bon. Vérification de l'état général.

Première chose, sous la mince couverture de laine râpeuse, elle était nue à l'exception du collier de cuir rouge. Deuxième, on lui avait retiré sa Changeline, ce qui était logique, car l'entité était une sorte d'arme ou plutôt un arsenal complet incluant missiles et lance-roquettes, autant qu'un atelier de fabrication de vêtements/chaussures/accessoires du dernier chic. Et vu la douleur qu'elle ressentait à la nuque... en plus de celle de sa tête, on avait dû arracher l'entité symbiotique assez brutalement.

Troisième, nettement plus grave, elle ne voyait ni Galant, ni la Pierre Vivante et ne les sentait pas dans son esprit. Elle soupira. Elle se préoccuperait de ses amis, Familiers et alliés un peu plus tard, hein ? Pour l'instant, elle devait se concentrer sur ses propres problèmes.

Elle tourna très lentement sa tête vers son aisselle et respira un bon coup.

Yerk ! Au moins deux jours de macération, ce qui expliquait une tenace envie de faire pipi, au moins aussi forte que son mal de tête.

OK, la prochaine mission, cher corps, si vous l'acceptez, sera de tenir debout, de vous diriger vers les toilettes que j'aperçois devant moi, sans vous autodétruire au passage et de vous débarrasser immédiatement de tout ce liquide inutile.

Ce fut long. Ce fut compliqué. Tara manqua se casser la figure une bonne demi-douzaine de fois et sa démarche n'aurait pas déparé chez un poivrot cuit à point mais elle parvint jusqu'aux toilettes, put se doucher grâce à un petit Élémentaire d'eau qui se fit un plaisir de l'arroser (et lui permit de boire en même temps) et de laver ses cheveux poisseux de sang. Un Élémentaire d'air torride acheva sa toilette. Il y avait même une brosse à dents et du dentifrice, qu'elle utilisa avec bonheur.

Ahhhhh ! Ce que cela faisait du bien !

L'avantage d'être prisonnière d'un dragon, c'était que la cellule était immense, probablement plus faite pour retenir l'un de ces gros reptiles qu'une petite humaine de quatorze, presque quinze ans. Si elle avait été plus mince, elle aurait même pu passer à travers les barreaux.

Elle s'enroula dans sa couverture comme dans une toge romaine et marcha doucement vers la grille, attentive à ne pas remuer la tête.

Les autres cellules étaient occupées. Elle se rendit compte avec un choc de la couleur de la peau de ses compagnons d'infortune : violette.

V'ala dut se sentir observée car elle ouvrit un œil d'un vert saisissant, inhumain, et vive comme l'éclair mit un genou à terre. Elle avait elle aussi un collier autour du cou, dont la couleur jurait avec son teint.

— Vous êtes vivante, Votre Altesse impériale, nous étions très soucieux.

Puis elle croisa les bras sur sa poitrine et avoua :

— Nous avons failli. En dépit d'un combat acharné où nous perdîmes trois valeureux guerriers, l'ennemi possédait une écrasante supériorité numérique : trente dragons et plus de deux cents guerriers, apparemment humains. Nous avons été submergés. Je suis la seule responsable et vous prie d'accepter mon zegrooudril.

Elle parlait comme un livre d'histoire ou un barde et Tara, fascinée par son étrange archaïsme, mit un moment à percuter ce que venait de dire la splendide jeune femme.

— Un zegrooudril ? Votre suicide rituel ? Ça ne va pas, non ? Le thug Xandiar m'a fait le même coup, l'année dernière ! Dites donc, les gars, si vous vous suicidez chaque fois que vous échouez dans quelque chose, vos races ont du souci à se faire, hein ! Allez V'ala, explique-moi ce qui s'est passé.

L'elfe ouvrit la bouche et Tara devina qu'elle allait s'embarquer pour une chanson de geste épique d'une heure ou deux.

— La version courte, s'il te plaît, précisa-t-elle.

L'elfe referma la bouche, maussade.

— On s'est fait avoir comme des bleus [1]. Les dragons gris et leurs foutus toutous nous sont tombés dessus une demi-heure après que vous avez pénétré dans l'enceinte. Au fait, vous avez vu que cette ville est remplie de loups-garous ?

_____

1. Les elfes violets sont bleus à la naissance. C'est d'ailleurs de leur race que vient notre expression « se faire avoir comme un bleu », c'est-à-dire un débutant ou un bébé. Mais après le Mintus, bien évidemment, nous ne nous en souvenons pas.

— Nous l'avons remarqué, oui, répondit Tara en réprimant un frisson.

— Ils savaient exactement où nous étions, combien, et comment nous soumettre, même si nous avons réussi à en tuer un grand nombre. Mes soldats sont morts en braves et tout à fait inutilement. Nous rendre pour pouvoir combattre plus tard aurait été plus intelligent. Nous avons mal réagi.

Tara la regarda, surprise.

— Oh ? Je croyais que combattre était votre principale motivation dans la vie.

— Nous aimons nous battre, oui, répondit V'ala, mais nous ne sommes pas stupides. Élaborer des stratégies, enserrer l'ennemi dans nos filets puis l'égorger après qu'il s'est rendu compte du piège imparable dans lequel nous l'avons fait tomber, oui, ce sont là de bonnes victoires, comme il peut aussi y avoir de bonnes défaites. Celle d'avant-hier était une mauvaise défaite.

Elle inspira profondément et ajouta :

— Et j'aimerais vraiment savoir comment ils nous ont repérés, ces scrogneuplufs !

Ah ! avant-hier. Son odorat ne l'avait pas trompée. Une horrible pensée la fit vaciller.

— Mince, deux jours ? Mais alors, la clef ? La barrière ? Qu'est-ce qui...

— Ne vous inquiétez pas pour la clef, ma chère, nous avons fait ce qu'il fallait. Je suis contente de vous voir éveillée. Quelques heures de plus et il aurait fallu vous appliquer un Reparus ; or, j'aime que mes prisonniers comprennent dans leur chair ce qu'il en coûte de me résister.

Tara tourna la tête vers la voix mélodieuse. Celle de la dragonne rouge, bien sûr. Betty à ses côtés telle une ombre pétrifiée, elle était restée sans bouger dans l'obscurité de l'immense couloir et Tara ne s'était à aucun moment avisée de sa présence. V'ala non plus manifestement, en dépit de ses sens d'elfe surdéveloppés, car elle se raidit.

Et recula silencieusement au fond de sa cellule.

La dragonne rouge sourit. Tara ne savait pas expliquer pourquoi mais le sourire de la dragonne lui semblait bien plus terrifiant que les vociférations de Magister.

— Ne restons pas ici, ma chère, tes amis et tes alliés vont nous accompagner dans ma salle d'audience et nous discuterons un peu.

Elle appuya sur un bouton et certaines des portes des cages coulissèrent. Elle ne libéra pas les elfes violets, au grand dépit de V'ala qui avait eu l'intention de lui montrer ce que valaient ses soldats en combat singulier, fût-ce contre un dragon.

Robin, Jeremy, Fafnir, Eleanora, Cal, Fabrice, ainsi que Xandiar et enfin Moineau sortirent avec méfiance. Cette dernière, éperdue de soulagement, se jeta au cou de Tara et la serra à l'étouffer.

— Nous avons entendu un horrible Crac ! lorsque la lance a heurté ta tête, dit-elle en dardant un regard meurtrier vers Betty. J'ai cru que tu avais une commotion cérébrale. Mais ils ne nous ont pas laissé te soigner.

— Si vous aviez fait de la magie, gronda Betty, le collier vous aurait blessés. Sans l'autorisation de ma Reine, c'est interdit.

La Reine opina gentiment puis, sans prévenir, gifla Betty si violemment que la jeune fille alla s'écraser sur le mur. Fabrice se précipita pour la relever mais elle le repoussa et se redressa toute seule.

— Je ne t'ai pas autorisée à leur donner ce renseignement, déclara aimablement la dragonne. Il aurait été amusant de les voir se tortiller sous l'action du collier. Et la prochaine fois que tu m'abîmes l'un de mes jouets au point que je doive attendre deux jours, je te tranche la tête avec les dents. Est-ce clair ?

Betty essuya le sang qui perlait de sa bouche et s'inclina :

— Très clair, ma Reine. Merci de votre grande bonté pour cet avertissement.

La Reine capta le regard incrédule de Tara et précisa :

— Je pardonne rarement les erreurs, expliqua-t-elle. Betty me remercie naturellement de l'avoir avertie au lieu de la tuer et de prendre une autre esclave comme servante personnelle.

Quoi ? Betty était la servante personnelle de cette psychopathe ? Par tous les démons des Limbes, comment la jeune Terrienne s'était-elle fourrée dans un tel pétrin ?

Bon ! D'abord sauver la vie de son amie, ensuite lui poser des questions.

Tara ne pouvait faire de magie. Elle n'avait donc pas le choix, ignorant si la formule sanguine de Betty était compatible avec la sienne. Sans magie, l'opération était trop risquée.

— Betty a été empoisonnée, avoua-t-elle à la Reine rouge. Je suis venue la sauver. L'antidote est dans mon sang. Il faut lui faire une transfusion, sinon elle mourra.

La Reine la regarda attentivement.

— Hum, celui qui m'a laissé Betty en cadeau a été prudent, à ce que je vois. Donne-moi ta main, Betty.

Betty pâlit mais obéit. La dragonne passa une griffe sur la paume qui se mit à saigner. Impassible en dépit de la douleur, Betty ne broncha pas.

La Reine se pencha, renifla le sang puis en préleva une goutte qu'elle posa sur sa langue bifide. Elle la recracha aussitôt.

— Du venin de Harpie !

Tara fit la grimace. Elle aurait dû se douter que Magister choisirait ce venin. Car il en avait possédé l'antidote, volé par Cal et administré à Tara alors qu'elle se mourait. Depuis, Robin, le comte de Besois-Giron et Tara faisaient partie du club très fermé des gens capables de survivre au venin des Harpies... et même, en utilisant leur sang, de guérir d'autres victimes de ce poison.

— Saleté ! grogna la dragonne. Très dilué mais reconnaissable. Très bien ! Je n'ai nulle envie de former une nouvelle servante. Tendez vos bras, toutes les deux !

Elles obéirent. La dragonne incanta et un peu de sang de Tara passa dans les veines de Betty, qui fronça les sourcils lorsque le sang chargé de magie s'introduisit dans son corps.

Tara, qui n'était déjà pas au mieux de sa forme, vacilla, prise de vertige.

Immédiatement, Robin se porta à son côté et la soutint. Il plongea ses merveilleux yeux de cristal dans les siens.

— Comment te sens-tu ? demanda-t-il doucement.

— Ça pourrait aller mieux, admit Tara qui, pour l'instant, avait vraiment envie de se faire consoler et trouvait que l'épaule robuste (Wahou ! Il s'était drôlement musclé ! Elle ne s'en était pas rendu compte à Omois) du demi-elfe ferait un oreiller parfait pour une jolie crise de nerf.

Elle lui sourit.

Il lui sourit.

Elle tomba dans les pommes.

Lorsqu'elle reprit conscience, Tara n'était plus en prison, ce qui constituait une indéniable amélioration. Elle sentait sous ses épaules et son dos une surface moelleuse. Elle ouvrit les yeux et découvrit au-dessus d'elle des tas de visages anxieux qui la regardaient.

— Wahou ! lança Cal d'un ton jovial quoiqu'un peu forcé, je ne savais pas que Robin te faisait un tel effet ! Je n'ai jamais fait s'évanouir une fille juste en la regardant, moi. Elles ont plutôt tendance à s'enfuir !

Tara eut un faible, minuscule sourire. Elle ne se sentait pas mieux. Soudain une grande ombre tomba sur elle et la reine dragon se pencha.

— C'est assez agaçant, cette manie de défaillir pour un oui ou pour un non que vous avez, vous autres humains. Comment une race aussi fragile a-t-elle pu affronter les démons des Limbes ? Je suis consternée.

Tara sentait monter une autre raison de la consterner un peu plus et elle décida de ne pas se retenir.

De tout son cœur, elle vomit toute l'eau qu'elle avait absorbée sur les pattes écailleuses. Puis, très contente d'elle-même, elle se réévanouit.

Le troisième réveil fut le bon. La Reine avait dû finir par admettre qu'un humain abîmé ne lui serait d'aucune utilité et lui avait fait administrer un Reparus, parce que Tara se sentait dans une forme éblouiss... d'accord, disons en assez bonne forme.

Il y avait toujours autant de gens autour d'elle mais une bonne moitié affichait un air goguenard : ses amis, sauf Xandiar qui, lui, semblait catastrophé, tandis que l'autre moitié, Betty et les gardes, paraissait plutôt terrifiée.

Elle était allongée sur un banc recouvert de velours rouge, au milieu d'une grande salle qui aurait pu servir de piste d'atterrissage à un Airbus... ou à un dragon évidemment. Des tapisseries pendaient partout, célébrant les exploits de la Reine rouge. Tara les regarda de plus près et le regretta. Apparemment, la souveraine avait une certaine prédilection pour l'extirpage (Tara savait que le bon mot était extraction mais extraction la faisait penser à des caries, alors qu'extirpage lui semblait plus approprié) de boyaux vivants, le fracassage (idem que pour extirpage) de cervelles ou encore l'arrachage de membres divers et variés, sans oublier quantité d'autres termes en « -age » que le sanguinaire reptile pratiquait avec une absolue détermination.

Et un frisson lui descendit le long du dos en découvrant les armoiries de la Reine, une tête de mort de dragon sur fond rouge, au-dessus de deux fémurs de dragon entrecroisés. Elle avait trop regardé *Pirates des Caraïbes*, la dragonne !

— Alors ? fit la voix, trop mélodieuse pour être honnête, de la Reine, avez-vous fini de salir mes parquets, jeune fille ?

Tara ouvrait la bouche pour l'envoyer paître lorsque Betty la força à se lever et la poussa dans le dos pour la faire avancer.

Elle allait protester mais la Terrienne lui murmura :

— Ne lui réponds pas. Elle tue comme tu respires et si elle a besoin de toi, il n'en va pas de même pour tes compagnons ou les miens. Alors, boucle ta maudite ironie et range ta grande gueule ou c'est nous qui allons déguster.

Betty ne lui avait jamais parlé sur ce ton mais bon, d'un autre côté, elle n'avait jamais été kidnappée et jetée en esclavage chez un dragon psychopathe. Tara décida d'écouter son avis et s'abstint de tout commentaire. Cal allait parler mais Moineau qui, même sous sa forme d'humaine, conservait sa sensibilité auditive de Bête, lui lança son coude dans les côtes avant que le petit Voleur ne lance une fine plaisanterie qui les aurait fait tous exécuter. Elle remarqua aussi que Betty se frottait machinalement son horrible cicatrice lorsqu'elle était perturbée. Apparemment, c'était devenu une sorte de tic.

Tara s'avança. Se prélassant sur une sorte de gros trône rembourré, son immense corps rouge recouvert d'un brocard de soie d'aragne précieuse et dorée, la Reine savourait son triomphe. Sal, Chem, Charm, Mal le dragon aux écailles rouge clair, Santra et Chanvi, les dragons jumeaux verts, avaient été rassemblés devant elle et de lourdes chaînes accompagnaient les inévitables colliers. Ils avaient dû résister car, à part Sal, ils étaient tous couverts de blessures qui n'avaient pas été soignées.

La Reine sortit alors la clef de cristal de sa poche écailleuse et Sal sursauta. La Reine enregistra son tressaillement et ricana.

— Ehhhhhh non ! Elle ne s'est pas autodétruite au bout de huit heures comme tu l'espérais, pauvre, pauvre dragounet, quelle déception ! Mais où allons-nous, si les objets n'obéissent pas à leur mode d'emploi ! Tsss ! Tssss ! Tssss ! c'est in-sup-por-ta-ble !

Sal, devinant qu'elle se moquait de lui, serra les crocs si fort qu'ils grincèrent.

— Comment ?

La Reine se redressa, les yeux luisant de joie.

— Grâce à un humain. Vois comme c'est ironique. Cet humain nous déteste et il voudrait que nous disparaissions de sa planète et retournions sur la nôtre. Ce que, entre nous, je serais ravie de faire. Alors, il a volé la clef et a introduit cette jeune humaine ici pour que son amie la princesse héritière d'Omois vienne la délivrer. J'aurais pu lui prendre la clef à ce moment-là mais mes ingénieurs m'ont expliqué qu'elle était programmée pour exploser dans un laps de temps très court. Les dragons du Dranvouglispenchir ne mettent que vingt minutes au maximum entre leur planète et notre continent grâce aux Portes de Transfert, ce qui leur laisse le temps de nous consacrer une petite heure. (On sentait son amertume comme un venin dans sa voix.) La clef était programmée pour une autodestruction au bout de deux heures. Nous n'aurions pu faire sortir toute notre armée et, de toutes les façons, je n'étais pas encore prête. J'ai donc décidé d'être patiente. Pour localiser la petite Terrienne et repartir d'ici, vous aviez besoin de programmer la clef pour un laps de temps bien plus important. Au moins huit heures. Mes dragons l'ont déprogrammée en moins de cinq heures. Je peux donc ouvrir la barrière quand bon me semble.

Sal frémit.

— Que comptez-vous faire ?

— Chaque année, lorsque vous nous faites la grâce de nous apporter les médicaments, la technologie et les outils indispensables à notre survie, en échange de nos œufs (Aaah ! C'était donc cela, la fameuse cérémonie ? Tara commençait à comprendre), et que vous nous amenez d'autres dragons, nous apprenons un peu plus de choses sur AutreMonde et ce qui s'y passe.

Sal promena une langue bifide sur son museau, mouvement qui, Tara le savait, révélait une grande tension.

— Nous n'ignorons rien, par exemple, de la tenue, d'ici six mois, du grand conclave dragonnien au Dranvouglispenchir, comme tous les six siècles. Et nous savons qu'il n'y aura aucun dragon sur AutreMonde à cette occasion, tous les dragons de l'univers devant assister à cette cérémonie. Sauf nous, bien évidemment.

Elle se pencha.

— Eh bien, vous allez regretter de ne pas nous avoir invités ! Sal déglutit si fort que ce fut presque comme un cri.

— Vous... vous allez envahir AutreMonde ?

— Bravo ! applaudit la Reine. Quelle magnifique déduction ! C'est exactement cela. Depuis cinq cents ans, nous avons infecté presque tous les humains de notre continent en faisant d'eux de redoutables guerriers, notre armée de loups-garous. Ils m'obéissent à la griffe et à l'œil. Nous ne sommes pas tout à fait prêts, nous avons encore quelques régions à conquérir. Mais chaque jour me permet d'asseoir ma domination sur ce continent. Et maintenant que tu m'as apporté la clef de notre libération, ma foi, nous allons mettre en place notre beau projet. (Elle éleva la voix.) TARA ?

La jeune fille sursauta et s'avança.

— Votre Majesté ? dit-elle avec une prudente courtoisie.

— Ah ! Je vois que tu es une enfant polie. Très bien. Cela te permettra de rester en vie plus longtemps. À ce sujet, laisse-moi te préciser un détail. Nous t'avons mis ce collier autour du cou afin d'inhiber ta magie. Les rapports que j'ai reçus sur toi m'ont incitée à la prudence. Tu as dû entendre un léger bourdonnement, lorsqu'il s'est refermé ?

Tara écarquilla les yeux. C'était exactement ce qui s'était passé et à présent que la Reine en parlait, le bourdonnement lui redevenait perceptible. Puis, ce qu'avait dit la dragonne rouge frappa son esprit. Des rapports ? Quels rapports ? Et surtout, apportés par *qui* ?

Elle regarda Mal qui se tortillait, peu à son aise. Mal, de garde lorsque la clef avait disparu la première fois. Mal qui s'était porté volontaire. Mal enfin, dont les écailles étaient aussi rouges que celles de la Reine...

— C'est un dispositif créé spécialement pour toi, continua cette dernière, inconsciente des interrogations subites de Tara. Il te dissuade d'utiliser tes pouvoirs. Si tu essayes, tu auras l'impression qu'on t'arrache la tête. Et si tu persévères, eh bien ! C'est exactement ce qui t'arrivera. Est-ce clair ?

— Limpide, Votre Majesté, répondit froidement Tara.

Voilà pourquoi elle ne s'était pas méfiée sur la place alors qu'elle aurait dû sentir le piège si elle avait été dans son état normal. Voilà aussi pourquoi elle n'entendait ni la Pierre Vivante ni Galant ! Elle avait été trompée !

— Je vais aussi te montrer ce qui arrive si tu essayes de l'enlever. Toi, et toi (La dragonne désignait deux gardes, qui pâlirent), venez ici.

Les deux loups-garous posèrent un genou à terre devant elle.

— Relevez-vous, et toi, enlève le collier de ton compagnon.

— Nous avons besoin de chacun de nos soldats, murmura Betty à ce moment. Cela les détruira tous les deux.

— Tu as raison, Betty. Choisis donc celui qui va mourir.

— J'ai très bien compris, avança vivement Tara, on enlève le collier et Couic ! Message reçu cinq sur cinq. Je ne tenterai rien, rassurez-vous.

La Reine ne la regarda même pas.

— Betty ? susurra-t-elle.

— Toi ! ordonna Betty, le visage figé, désignant l'un des deux loups. Tu obéis à ta Reine et tu retires ton collier.

— Non ! cria Tara, ce n'est pas la peine !

Elle voulut s'approcher de la souveraine mais, sur un signe de Betty, deux gardes vinrent l'immobiliser et la forcèrent à reculer.

Le condamné jeta un regard de pure haine vers la dragonne rouge. Mais il était inutile de discuter et tous le savaient très bien. Le second serra le premier dans ses bras en une brève accolade, lui murmura quelque chose puis recula loin de son compagnon. Très vite, l'autre ouvrit le collier. Il y eut une énorme déflagration et la tête du loup-garou explosa. Ce qui restait du corps tomba dans un silence de mort. Tara saisit alors pourquoi le second s'était éloigné. S'il était resté près de son ami, il aurait été détruit par l'explosion, lui aussi. La Reine, prudente, s'était protégée avec un champ de force. Car la boule de feu était assez large pour tout dévaster dans un rayon de dix mètres de diamètre.

En contemplant avec horreur la dragonne qui souriait de toutes ses dents, ravie de son petit effet, Tara comprit ce qui se passait sur ce continent. Elle comprit ce que les dragons avaient fait à leurs propres congénères. Elle croisa le regard horrifié de Sal, il y eut un fulgurant échange entre eux et d'un signe de tête imperceptible, il lui confirma ce qu'elle venait de découvrir.

La Reine éclata de rire.

— Haa ! Haa ! Haaa ! C'est trop drôle, vous verriez vos têtes ! Bien, je pense que les prisons sont inutiles. Betty, mène-les dans les quartiers des domestiques. Qu'ils prennent du repos jusqu'à demain. Ensuite, nous leur apprendrons à nous servir. Tara sera, avec toi, mon esclave personnelle.

Elle toisa la tenue peu conventionnelle de Tara, fouilla dans la poche de sa traîne et lança quelque chose à la jeune fille. Celle-ci l'attrapa de justesse. C'était une petite boule frémissante dans laquelle elle reconnut la Changeline.

— Je te permets de la remettre, indiqua la Reine avec dédain. Nous avons désactivé sa fonction « armes » mais elle peut toujours te créer des vêtements. À présent, suis Betty et sois une gentille petite humaine. Va !

Tara serra les dents et regretta fort que l'armement de sa Changeline ne soit plus actif. L'horrible reine rirait moins face à une roquette ou à un joli missile...

Puis la dragonne concentra son attention sur Sal et ajouta :

— J'ai encore des questions à te poser, joli dragounet. Et surtout n'essaye pas de me mentir, j'ai tous les renseignements nécessaires pour vérifier tes réponses... et un excellent bourreau, très consciencieux à la tâche.

Sal ouvrit la gueule... puis la referma et baissa la tête.

Tara et ses amis s'éloignèrent mais la jeune fille eut le temps de voir l'expression de Sal. Et la peur abjecte qu'elle lut dans ses yeux la glaça, tout autant que les regards, désespérés, de Chem et de Charm. Les deux dragons avaient dû se réconcilier car ils se tenaient étroitement serrés, cherchant l'un contre l'autre un impossible réconfort.

Ils attendirent de sortir de la salle avant de prononcer la moindre syllabe. Lorsqu'ils parlèrent, Betty n'eut pas l'air de s'en préoccuper et ils en déduisirent qu'ils avaient le droit de communiquer entre eux.

— Par mes ancêtres ! grogna Fafnir, cette dragonne est complètement dingue.

— Malheureusement, elle semble n'être pas la seule dans ce cas sur ce continent, confirma Tara en fixant la Changeline sur sa nuque.

Celle-ci s'étendit et lui créa ses vêtements habituels, jean, chemisier et tennis. La toge improvisée fut dédaigneusement rejetée et Tara la posa sur un siège, qui partit à toute vitesse donner le linge à la buanderie.

— Oui, confirma gravement Moineau, qui avait compris, elle aussi. Tu crois qu'ils le sont tous ?

— À part ceux qui sont nés ici et n'ont pas été échangés contre de la technologie, oui, probablement, même si ce n'est pas toujours apparent.

— Dîtes, les filles, ce serait bien si vous nous expliquiez, parce que moi, là, je nage un peu, se plaignit Fabrice.

— Vous en avez sur Terre, intervint Cal qui avait décrypté la situation à toute allure. On les voit dans plusieurs films comme *Vol au-dessus d'un nid de coucou* ou encore *Gothika*, nous n'en avons pas sur AutreMonde parce que nos shamans sont capables de soigner tous les désordres, qu'ils soient psychiques ou physiques, ce qui n'a pas l'air d'être le cas pour nos chers dragons.

Fabrice s'arrêta. Il n'était pas stupide. Juste déconcerté de temps à autre par la magie.

— Noooon, souffla-t-il, tu veux dire que ce continent est...

— Un gigantesque asile de fous !

CHAPITRE XVIII

L'ASILE DES DRAGONS...
à côté duquel l'enfer, c'est de la rigolade

Fabrice eut l'air choqué, comme si les dragons ne pouvaient pas être aussi malades que d'autres êtres vivants.

— Tu te souviens ? lui rappela Tara. Chem a évoqué les dragons fous. Il a expliqué que l'ennui était un de leurs plus terribles ennemis et que la mauvaise réputation des dragons sur Terre était une réminiscence d'attaques de dragons fous qui, il y a cinq mille ans, attaquaient tout ce qui bougeait, y compris les humains, au lieu de s'en prendre aux démons.

— Mais... ils ne les soignent pas ? La magie...

— ... ne peut pas tout ! coupa Moineau, encore horrifiée. Tara a raison. Ils ne savaient que faire de leurs dragons malades... ils les ont parqués sur notre monde ! C'est... monstrueux !

— Cela dépend, répliqua honnêtement Fabrice, si l'alternative était de les supprimer. Après tout, nous en faisons autant sur Terre, non ?

Il n'était pas agréable d'en convenir mais il n'avait pas tort.

— Sauf que nous nous efforçons d'atténuer les souffrances de nos malades et même de les guérir ! Les Dragons, eux, se contentent de les parquer dans ce... ghetto... puis de les y oublier ! protesta Tara. L'échange d'œufs contre de la technologie est un prétexte pour contrôler la démographie ici, sous couvert de sauver généreusement des bébés dragons innocents et sains. Aussi, même s'ils sont malades, je comprends la colère de ces prisonniers.

— En quoi réside leur folie ? interrogea Jeremy, troublé. J'ai vu des villages bien gérés, des plantations, une ville superbe et

300

correctement entretenue et même si la Reine paraît sanguinaire, elle ne l'est pas plus, à vrai dire, qu'un Caligula ou un Néron sur Terre !

N'ayant pas assisté à l'atroce festin du dragon cannibale, il ne pouvait comprendre. Tara se chargea de lui expliquer la scène, en passant sur les détails.

— Cela dit, conclut-elle, il s'est produit ici quelque chose d'assez stupéfiant pour bouleverser Sal et les autres dragons en mission. Ils ne s'attendaient pas à voir autant d'humains ni à découvrir une organisation aussi élaborée, ou des dragons apparemment en contrôle de leur colère. Ils m'ont interdit de voler comme s'ils redoutaient à tout instant qu'un dragon comme le cannibale nous agresse. Et ils ne voulaient pas que je fasse de magie pour le même motif, car les dragons fous sont ultra-réceptifs à la magie même s'ils ont refusé de me l'expliquer sur le moment.

Betty, sentant comme un vide derrière elle, se retourna et vit les adolescents et le thug arrêtés.

— Venez ! intima-t-elle d'un ton sec en touchant machinalement sa cicatrice. Je dois retourner auprès de ma Reine au plus vite.

Elle commençait à agacer Tara qui se sentit tout à coup suprêmement républicaine.

— Elle n'est pas *ta reine*, répliqua-t-elle sur le même ton. La France, où tu es née, a guillotiné son dernier monarque absolu en 1793, deux ans après la prise de la Bastille. Alors, arrête de te comporter avec nous comme si nous étions des ennemis. Nous sommes venus jusqu'ici pour te délivrer, je te signale.

— Magnifique ! commenta Betty avec un rictus méprisant. Je suis impressionnée par votre efficacité. Parce que, bien sûr, se faire capturer par ma... par la Reine fait partie d'un plan ?

Voyant leur air consterné, elle soupira.

— Non, bien sûr. Pas de plans B, ni C, selon toute apparence. Pour l'instant, la Reine va vous garder en vie : Tara parce qu'elle est l'héritière d'Omois, Gloria parce qu'elle est apparentée à la reine du Lancovit, Robin parce qu'il est le fils du chef des services secrets de ce pays. Ils sont des otages précieux. Mais Caliban, Jeremy, Eleanora, Fabrice, Xandiar et moi-même (elle leur avait demandé leur nom pendant qu'ils étaient emprisonnés), comme les elfes et les dragons, à part Charm qui est la fille de l'ex-roi et qu'elle va sans doute torturer avec joie, n'avons strictement aucune valeur à ses yeux. Alors permettez-moi de vous annoncer que, grâce à votre intervention, des millions de gens vont mourir sur cette planète. Et nous aussi, probablement.

Fabrice se plaça devant elle et plongea ses grands yeux noirs dans l'œil marron de Betty.

— Qu'est devenue la gentille fille qui nous faisait rire et ne connaissait pas le mot « pessimisme » ?

— Elle a été détruite en même temps que mon visage, rétorqua Betty, refusant de se laisser amadouer.

Et elle tourna les talons pour se diriger vers les appartements des esclaves.

Fabrice, qui ne s'attendait pas à être rejeté de la sorte, sachant que Betty et lui étaient les meilleurs amis du monde avant qu'il ne devienne sortcelier, pâlit puis rougit.

— Laisse-la, dit Tara, je comprends son amertume, c'est sans doute ce qui lui a permis de tenir et de ne pas devenir aussi folle que ces dragons.

— Elle n'est pas très... aimable, fit remarquer Moineau. Qu'est-ce qu'on va faire maintenant ?

— Nous avons toujours des solutions, intervint Xandiar en se tapant le bout du nez de l'index et en roulant des yeux.

— Ah bon ? s'enquit Cal. Lesquelles ?

— Des qui sont extérieures, si vous voyez ce que je veux dire, précisa le grand garde tout en continuant à loucher furieusement dans toutes les directions.

— Vous avez une poussière dans l'œil ? s'inquiéta Moineau, que les gesticulations oculaires de Xandiar impressionnaient.

Le garde interrompit son manège dès que Betty se retourna pour leur faire signe d'avancer.

— Suivons-la ! dit-il tout en se tapotant le nez de nouveau.

— Xandiar ? appela Tara.

— Votre Altesse impériale ?

— Les derniers cours de sécurité ont-ils été réactualisés ? Parce que moi, j'en suis restée au tapotement d'oreille puis pincement de sourcil. Le nez n'était pas impliqué.

— Oh ! fit le garde, penaud, pardon, c'est l'ancien co... Hrrrrm ! l'ancien vous-savez-quoi. Oreille-sourcil, vous avez dit ? Hum ! Alors ce doit être cela.

Et il se tapota le visage puis les genoux et les coudes à une vitesse folle. On avait l'impression qu'il était agressé par une armée de puces.

— Nooooon, s'écria Tara, c'est pas vrai ? Incroyable ! J'en suis ravie.

Puis les gesticulations de Xandiar cessèrent, les deux se sourirent et, sans rien expliquer à leurs amis, emboîtèrent le pas à Betty.

— Tara ?

— Oui, Cal ?

— Ça t'ennuierait de nous trad...

— Sincèrement, oui : cela m'ennuierait. Donc, pas de questions, s'il te plaît.

Il était rare de parvenir à surprendre le jeune et talentueux Voleur Patenté mais là, Tara le coupa net dans son élan.

— Grmmmlellm, grmmmle, grmmll, grogna-t-il.

— Que dis-tu ? s'étonna Moineau.

— Que Tara devient moins rigolote en vieillissant, précisa le Voleur. Et je déteste qu'on me fasse des cachotteries.

— Dis plutôt que tu détestes que les autres sachent quelque chose que toi, tu ne sais pas ! intervint Fabrice, ironique. Bon, j'espère que quelqu'un a un plan intelligent pour nous sortir de ce « poursuite, quatorzième lettre de l'alphabet, sculpture ou peinture » Traque n art, traquenard, parce que là, on a vraiment un gros problème !

— Nan ! lança Cal, encore fâché.

— Comment ça, « nan » ?

— Je n'ai aucun plan. Si tous les dragons réunis n'ont pas réussi à briser la barrière de l'intérieur, Tara n'y parviendra pas malgré tout son pouvoir, c'est sûr. Et la Reine est la seule à détenir la clef.

— Mais tu es un Voleur, non ? Voler une clef ne doit pas être difficile pour toi ?

— Voler la clef n'est pas le problème. La question est : comment s'enfuir avec ? Je n'avais jamais réalisé de mission dans une ville pleine de loups-garous où je ne peux pas utiliser ma magie sous peine de perdre la tête. Alors pour l'instant : nan, je n'ai aucun plan.

— Cela dit, le défi est excitant, releva Eleanora. Moi non plus, je n'ai jamais eu à affronter une épreuve aussi difficile. Cela devrait nous valoir pas mal de points supplémentaires aux examens si nous nous en sortons.

Les deux Voleurs échangèrent un sourire de connivence et Jeremy leva les yeux au ciel. Ces AutreMondiens étaient complètement malades ! Ils semblaient considérer leur dramatique situation comme une sorte d'épreuve !

— Et toi, Robin ? enchaîna Cal, tu as des idées ?

— Hmmmm ?

Robin paraissait plus intéressé par Tara que par la conversation.

— Il faut que je lui parle ! décida-t-il.

Et il accéléra le pas, plantant Cal sur place.

— Cette manie de ne pas répondre à mes questions commence à devenir agaçante, ronchonna le jeune Voleur.

Betty s'était arrêtée devant une grande arche peinte de ravissantes fleurs ondulant sous une brise invisible qui ouvrait sur une succession de petites pièces aux couleurs différentes.

— Il y a de la place pour tout le monde, indiqua-t-elle. Vous pouvez choisir vos chambres. Le service est assuré par les Élémentaires habituels. La Reine possède un odorat très développé et n'aime pas les gens qui sentent mauvais. Je vous conseille donc vivement de vous laver à chaque occasion.

Puis elle désigna une petite scoop immobile, posée sur une des moulures du plafond.

— La Reine n'insultera pas votre intelligence en vous dissimulant le fait que vous êtes écoutés et observés. La surveillance est maintenue vingt-six heures sur vingt-six. Ces scoops sont disséminées partout dans le palais, il est donc inutile d'essayer de les éviter. Elles fonctionnent aussi dans le noir et vous ne pouvez pas utiliser la magie pour un Occultus. N'ayez aucun espoir. Ah ! encore un détail. Au cas où vous entendriez des cris ou des hurlements, ne sortez sous aucun prétexte, si vous tenez à rester en vie.

Puis, sans leur laisser le temps de protester, elle tourna les talons et s'éloigna d'un pas vif.

De moelleux sofas rouges étaient disséminés dans le sas distribuant les chambres et ils s'y laissèrent tomber, découragés.

— Même chez Magister, dans la forteresse grise, ce n'était pas aussi difficile, maugréa Fafnir. Ai-je signalé que les nains ont horreur d'être enfermés ?

— Tu n'es pas exactement enfermée, dit doucement Moineau. Tu as tout un continent pour te balader.

— C'est le principe que je n'aime pas. Je suis enfermée à l'intérieur d'un dôme avec des dragons fous... enfin, encore plus que d'habitude, et des loups-garous, surveillée par des scoops et avec un collier autour du cou. Tu appelles cela comment, toi ?

— Évidemment, soupira Moineau, présenté ainsi, tu as raison, c'est nettement moins glam.

— Je suis inquiète pour nos compagnons dragons, avoua Tara qui se faisait beaucoup de souci pour Chem et Charm. Cette dragonne n'avait pas l'air de rigoler lorsqu'elle a dit qu'elle avait des questions à leur poser.

Moineau regarda le groupe dont les visages étaient gris de fatigue. Même s'ils avaient eu deux jours d'inactivité dans les cellules, ils n'avaient quasiment pas dormi, trop anxieux pour Tara et leur propre sort.

— Et si on allait se reposer un peu ? proposa la ravissante jeune fille en frottant ses grands yeux noisette. J'ai du mal à réfléchir et à bâiller en même temps. Nous aurons tout le temps, demain, de mettre au point un plan qui va nous sortir de ce saccatier [1].

Jeremy sauta sur ses pieds, très énervé.

— Mais vous avez perdu la raison ! Nous pouvons nous faire tuer par les dragons ou les loups-garous, nous sommes devenus des espèces d'esclaves au centre d'un complot qui risque de dévaster votre planète et tout ce que vous trouvez à dire, c'est que vous allez *dormir* !

---

1. Saccatier : nid de saccats. Pour ceux qui n'auraient pas tout suivi, rendez-vous au lexique détaillé d'AutreMonde, c'est à la fin de l'ouvrage !

— Ben oui, dit Cal, tu voudrais qu'on fasse quoi, là, dans l'immédiat ?

— Je ne sais pas moi ! brailla Jeremy en se passant les mains dans les cheveux, ce qui ne les arrangea pas. Agir !

— Je suis assez d'accord avec le gamin, souligna Eleanora en se massant le bras, encore endolori après deux jours. Cette dragonne et moi avons un compte à régler.

— Je ne suis pas un gamin, protesta Jeremy.

Tara allait parler mais elle bâilla et par réflexe tout le monde l'imita.

— Je suis désolée, Jeremy, sourit-elle, mais pour l'instant je suis trop fatiguée...

— Comment cela ? l'interrompit Robin très inquiet.

— Non, non ! pas comme lors de mes surdoses de magie ! Juste fatiguée, une fatigue normale. Ne te fais pas de souci, je ne vais pas exploser !

— Alors ? continua Jeremy d'un ton plus calme.

— Alors, on ne se lance pas dans la bagarre sans savoir où on met les pieds.

— Oh ? grogna le jeune Terrien, tu veux dire : pas comme ce que nous avons fait en nous introduisant sur le Continent interdit ?

— Hum ! Tu n'as pas tort et je regrette que tu sois mêlé à cette histoire.

Jeremy s'affaissa et leur révéla la cause véritable de son agitation.

— En plus, avec ce maudit collier, je ne peux même pas rechercher mes pare... vous savez qui.

Il jeta un regard noir vers la scoop plantée au plafond.

— Raison de plus pour ne pas s'énerver, dit gentiment Tara. Demain matin nous y verrons sans doute plus clair.

— Quelle chambre veux-tu ? interrogea le demi-elfe, rompant la conversation.

— Euh, n'importe laquelle, pourquoi ?

— Je t'accompagne, j'ai à te parler.

Il se tourna brusquement vers Cal qui ouvrait déjà la bouche pour placer une fine plaisanterie et lança, d'un ton menaçant :

— Et le premier qui dit quelque chose ou qui nous interrompt, je le transforme en ver de terre, c'est clair ?

— Pas possible, tu ne peux pas faire de magie, fit remarquer prosaïquement Cal.

— Mais je sais très bien étrangler, répliqua Robin. Oh, et assommer aussi, ou encore asphyxier, bref, rendre inconscient d'une façon douloureuse et rémanente. Viens, Tara !

Tara rougit et le suivit. Il entra dans une chambre d'un joli rose qui fit grimacer la jeune fille et claqua la porte sur les visages hilares de ses compagnons... enfin, sur le visage hilare de Cal, parce que les autres paraissaient plutôt soucieux.

— Tu...

Ils avaient commencé en même temps et s'interrompirent, gênés.

Robin la fit asseoir sur le sofa blanc et rose et l'imita. Puis il plongea ses magnifiques yeux de cristal dans ceux de Tara. Et lui prit les mains.

— En fait, je ne sais pas très bien par où commencer. Par ce que je t'ai fait à cause de la menace de la reine de l'Air et des Ténèbres contre ma famille, ou par celle de ta tante qui ne m'apprécie guère, ou encore par celle d'E'rée qui semble avoir l'intention de détruire mon père et ma mère par mon intermédiaire.

Tara ne s'attendait pas du tout à ce préambule. Le nombre de personnes qui en voulaient à Robin était assez impressionnant. Elle fronça les sourcils et repéra la menace la plus immédiate.

— E'rée ? L'elfe violette ?

— Elle-même. Une xénophobe qu'insupporte l'existence des demi-elfes comme moi. Nous pensons que c'est elle qui a aidé la semchanach à s'emparer de nos marins. Mais le prouver est une autre histoire. C'est à cause d'elle que j'ai déclaré que je renonçais à ton amour devant la cour. Je n'ai pas voulu t'en avertir car tu n'aurais pas pu mimer aussi parfaitement le choc et la douleur.

Tara se dégagea sèchement.

— Tu veux dire que c'était de la comédie ?

Ouille ! À en croire le ton de sa voix, elle était en colère.

— Je... suis désolé, bredouilla Robin. Je savais que la scène serait filmée et les elfes sentent lorsque les humains leur mentent, c'est aussi pour cette raison que nous sommes d'aussi bons traqueurs de semchanachs.

— Vous n'êtes pas si bons que cela. Cal n'arrête pas de te raconter n'importe quoi et tu tombes systématiquement dans le panneau, pointa Tara.

Robin fit la grimace.

— Cal est un Voleur Patenté, son cas est un peu différent. Tara, je t'en supplie, je n'ai pas fait cela pour moi mais pour ma famille. À présent que nous sommes prisonniers de cette dragonne, tout ceci n'a plus grande importance. Je... je t'aime toujours comme un fou.

Il attendit, suppliant, et Tara ne put résister. Humilier quelqu'un pour lui rendre la monnaie de sa pièce n'était tout simplement pas dans son tempérament.

— Tu m'as horriblement manqué, avoua-t-elle, je ne comprenais pas pourquoi tu ne m'appelais pas, pourquoi tu avais disparu. Je t'ai détesté. Mais lorsque j'ai vu la vidéo où tu étais torturé, j'ai cru qu'on m'arrachait le cœur. Et lorsque tu as renoncé à notre amour devant tout le monde, j'ai eu l'impression de plonger dans un monde obscur et froid.

— M'aimes-tu toujours, Tara ? interrogea le demi-elfe d'une petite voix incertaine.

Tara prit une grande goulée d'air et sourit.

— Oui, je t'aime encore.

Voilà, elle l'avait dit et la terre ne s'était pas ouverte, le tonnerre n'avait pas grondé et rien ne s'était produit de spécial. C'était presque... bizarre, tout ce calme.

Robin mit un genou à terre et déclama d'une voix vibrante de joie :

> S'lil embri chal vari.
> S'lil géomsili, mel chalandri.
> S'al s'li ss éov'ul loc echal t'eom, echal maril.
> S'lil vol em t'éoul éril chanmi, solu echal vilaoul,
> S'lil chuu em trek ul sulvil.
> Gree ul vrri em vulr mru s'lol, hrrmm echul iirvi ul voulul [1].

---

1. Quelques indications pour les distingués linguistes. *S'lil* est l'équivalent de « ta », *s'lol* est « toi », le verbe être c'est *emer*, donc *em* est l'équivalent de « est » et devient *om* avant ou après un « qui, que, quoi, dont,

Puis il traduisit :

« Ta beauté est de velours liquide qui engloutit mon âme.

Ton esprit est la plume qui trempe dans l'encre de mon sang.

Sans toi, je suis ombre et l'eau de tes larmes est le puits où je me noie.

Ta voix est le chant d'un oiseau, qui emprisonne mon cœur,

Ta force est chaleur qui embrase et purifie.

Froid, stérile est le monde sans toi, les cendres me recouvrent et je disparais. »

Comme dans toutes les grandes villes sur AutreMonde, le palais de la Reine rouge était équipé d'un sort traducteur. De plus, lors de l'évasion de Cal du palais d'Omois, Moineau leur avait appris l'elfique. Tara avait donc parfaitement compris le poème même sans la traduction en omoisien. Elle se garda bien de le rappeler à l'elfe. L'instant était trop romantique pour céder au pragmatisme.

— Oh, Robin ! soupira-t-elle, c'est magnifique !

— Pas autant que toi, ô mon aimée ! répondit Robin.

Et il se pencha vers la jeune sortcelière. Celle-ci sentit l'émerveillement l'envahir, comme la première fois où Robin l'avait embrassée. Mais cette fois-ci, méfiante, elle garda les yeux ouverts. Évidemment, elle louchait quelque peu mais au moins, si un stupide sort devait l'atteindre de nouveau, elle le verrait. Attentive, elle observait son environnement, prête à réagir.

Robin dut la sentir peu concentrée car il recula.

— Tara ? Tout va bien ?

La jeune fille rougit.

— Euh, pardon, excuse-moi. Tu sais ce qui s'est passé les deux dernières fois où on s'est embrassés. La première, j'ai été

---

où » (j'ai mal recopié dans *Le Dragon renégat*, ce n'était pas *Loc echal t'eol*, mais *Loc echal t'eom*... oopps), *ul* signifie « et », *echal* est « mon », parfois on dit également *chal* ou il est accroché comme dans *chaldandri* et *vilaoul* est « cœur ». Comme en langue arabe, le « je » est implicite et n'est pas forcément cité. Pour le reste, c'est une traduction approximative alors on ne râle pas, je fais de mon mieux !

touchée par un sort qui m'a contrainte à aimer Jeremy et la seconde, l'Impératrice a décidé de te déclarer la guerre. Alors, forcément...

— Tu te méfies, oui, je comprends, répondit Robin. Mais pour l'instant, tout semble bien se passer.

Tara se détendit.

— Tu as raison, c'est stupide.

Et cette fois-ci, ce fut elle qui se pencha sur la bouche de Robin, toute de soie et de chaleur.

Personne ne vint les interrompre, le palais ne s'effondra pas et, soudain, Tara se rendit compte que Robin était discrètement en train de défaire son chemisier. Elle recula comme si on l'avait brûlée.

— Ehhhh ! mais qu'est-ce que tu fais ?

L'elfe, interrompu brutalement, sursauta.

— Je défais tes vêtements pour pouvoir te faire l'amour, bien sûr. Avec, ce ne sera pas très pratique.

Tara s'étrangla.

— Me *quoi* ?

Elle bondit hors du fauteuil comme une biche effarouchée et recula de deux bons mètres.

La Changeline, attentive à son désarroi, ne l'interpréta pas correctement. Elle se transforma en armure qui recouvrit Tara.

Robin fit volte-face, croyant qu'on les attaquait. Mais il n'y avait personne derrière lui.

— Tara ? interrogea-t-il d'un ton plaintif, que se passe-t-il ?

Il avança, Tara s'éloigna d'autant, heurtant le mur dans un grand bruit de ferraille. Le demi-elfe se pétrifia, déconcerté.

— Pourquoi t'écartes-tu ?

Tara, les yeux écarquillés, les mains crispées sur le col trop dur de son armure, s'exclama :

— Mais enfin, Robin ! On ne fait pas l'amour comme ça !

— Ah bon ? Et tu veux le faire comment ? Tu as des préférences ?

— Non, non ! Ce n'est pas ce que je veux dire ! bredouilla Tara, écarlate. Comment vous faites chez les Elfes ?

Robin la regarda comme si elle avait soudain deux têtes.

— Eh bien, on se déshabille, expliqua-t-il comme à un enfant de deux ans, et puis...

Il n'y avait plus de mot pour la couleur du visage de Tara.

— Wow ! l'interrompit-elle, pas de détails, s'il te plaît. Non, pour faire la cour à une...

Soudain elle comprit ce que le demi-elfe était en train de lui dire.

— Tu... tu veux dire que tu l'as déjà fait ?

— Bien sûr ! répondit Robin, très décontracté. Chez les Elfes, c'est aussi courant que de s'embrasser pour se saluer. Pourquoi ? Pas toi ?

Tara déglutit, elle oubliait constamment que Robin n'était pas totalement humain. Et qu'il était plus âgé de deux ans.

— Non, jamais ! Je n'ai même pas quinze ans !

Robin sourit.

— J'aurais préféré que ce soit le cas mais ce n'est pas grave.

Les yeux de Tara s'étrécirent.

— Comment cela, « pas grave » ?

Robin rata le premier avertissement.

— Je serai patient. J'en ai parlé à ma mère et...

La voix de Tara atteignit le zéro absolu.

— Tu as *quoi* ?

Robin rata *aussi* le second avertissement.

— Ben oui ! Vous autres humaines êtes plus fragiles que les elfes alors je lui ai demandé comment faire et j'ai eu droit à un cours de biologie avec des croquis très détaillés. Dis donc, c'est drôlement compliqué le corps d'une fille humaine. Les zones éro...

— Robin ?

— Oui ?

— Sors de ma chambre !

— Comment ?

— En plus d'être totalement dingue, serais-tu devenu sourd ? le cingla Tara. Sors-de-ma-chambre ! Je ne suis pas une elfe, je veux bien sortir avec toi mais je ne ferai pas l'amour comme un... *lapin* sous prétexte que tu as interrogé ta mère ou je ne sais pas qui sur je ne sais quoi. Et, tu sais quoi...

— Euh, quoi ?

— Les filles humaines sont très jalouses. Je déteste l'idée que tu aies déjà couché avec d'autres filles... elfes, ou quoi que ce soit.

Et, sans lui laisser le temps de protester, elle prit par le bras le demi-elfe stupéfait, le mit dehors et claqua la porte derrière lui.

Elle fit face à la glace qui courait le long du mur et, soudain, éclata de rire. Au point qu'elle dut se laisser glisser au sol... après que la Changeline eut escamoté son armure.

— Oh là là ! finit-elle par soupirer, en essuyant les larmes de sa crise de fou rire, je sens que ma relation avec Robin ne va pas être simple !

— *Tara ?*

La jeune fille qui allait se relever se figea. Une voix venue de nulle part résonnait dans sa tête.

— *Ne t'immobilise surtout pas. Relève-toi et ne parle pas à voix haute. Le mieux serait que tu t'étendes sur ton lit et que tu éteignes la lumière. Vas-y.*

Tara hésita mais la voix ne paraissait pas hostile. Et sans cordes vocales à entendre, elle n'avait aucune idée de l'identité de son mystérieux interlocuteur. Elle obéit donc, se releva, s'étira puis, ayant ordonné à sa Changeline de se transformer en chemise de nuit, s'allongea et ordonna à la chambre de faire l'obscurité.

— *Parfait, je ne te vois plus mais la scoop va passer en mode infrarouge alors évite de trop bouger. Ça y est ! Je te vois de nouveau. Surtout, n'essaye pas de me répondre. Le collier inter- préterait cela comme un acte magique et tu en paierais le prix. Frotte-toi les yeux pour me signaler que tu as compris, s'il te plaît.*

Tara bâilla et se frotta les yeux.

— *Merci. Alors voici le topo. Je suis dans les appartements de la Reine.*

La respiration de Tara se bloqua un instant mais la voix continua :

— *C'est le seul endroit où il n'y a pas de scoops et où je peux voir également ce qui se passe dans tout le palais, y compris dans ta chambre. Je suis désolée d'avoir été aussi brutale avec toi mais je n'avais pas le choix. La Reine doit absolument croire que je te déteste.*

Soudain Tara comprit. C'était Betty qui était en train de lui parler ! Elle faillit se redresser et contint son mouvement instinctif.

— *Ton pégase va bien. La Reine l'a emprisonné dans une cage car elle aime beaucoup ce qui est beau. Elle y garde également les autres Familiers miniaturisés de tes amis. Et je te parle par l'intermédiaire de la Pierre Vivante. La Reine l'avait placée dans un étau de confinement afin qu'elle ne puisse pas communiquer avec toi mais je l'en ai sortie pour quelques instants.*

— *Jolie Tara ?* fit la voix de la Pierre dans sa tête.

— *Tara ne peut pas te répondre*, indiqua Betty, *cela la blesserait mais je suis sûre qu'elle est très contente de savoir que tu vas bien.*

— *Jolie Tara éliminer reine dragon dingue ? N'aime pas confinement. Conscience presque éteinte.*

Tara sourit dans le noir. Certes oui, elle ferait tout ce qui était en son pouvoir pour neutraliser la reine dragonne.

— *Tara*, reprit la voix de Betty, *nous devons absolument t'aider à t'enfuir. La Reine a plus ou moins confiance en moi, j'ai donc accès libre à ses appartements... et à la clef de la barrière. Je peux m'en emparer. Ce qu'il faut, c'est travailler avec les loups-garous qui nous sont acquis, organiser une diversion suffisamment durable pour que l'un d'entre nous soit en mesure de franchir la barrière et d'obliger les Dragons à l'ouvrir, en vue de neutraliser la Reine. Toi seule possèdes un poids politique suffisant pour obtenir ce résultat. C'est donc sur toi que vont porter nos efforts. Tara, tu ne dois pas mourir. Tous nos espoirs reposent sur toi !*

Alors là, cela tombait super bien, parce Tara n'avait pas, mais alors pas du tout, l'intention de mourir.

— *Ce type, Magister, lorsqu'il m'a enlevée, m'a laissée dans la campagne pendant qu'il allait négocier avec la Reine. Malheureusement, ceux qui me gardaient ont été attaqués par un dragon fou. Il a tué toute l'équipe. J'étais encore inconsciente et je me suis réveillée en pleine nuit au milieu des corps, près de lui. Il m'a vue et m'a grièvement blessée. Ce sont les gardes de la Reine qui m'ont sauvée.*

Ah, c'était donc là l'explication de son horrible blessure. Tara frissonna.

— *La Reine m'a prise à son service en attendant ta venue. Elle a prié Magister de laisser s'écouler quelque temps avant de te faire venir car elle ne contrôle pas encore l'ensemble du continent. C'est la raison pour laquelle je suis prisonnière depuis un mois. Elle m'aime bien mais son impatience grandit à mesure que le temps s'écoule et elle se maîtrise de moins en moins. Alors, si c'est effectivement par ta faute que je suis ici, disons que j'estime ta dette remboursée puisque tu as risqué ta vie pour sauver la mienne.*

Tara, elle, estimerait en être quitte lorsqu'elle aurait sorti son amie de ce traquenard, certainement pas avant.

— *Je ne peux te parler plus longtemps, elle ne tardera pas*, conclut la voix. *Demain matin, fais comme si tu étais furieuse contre moi et ignore-moi le plus possible. Obéis-lui instantanément. Elle ne veut pas ta mort mais elle n'est pas saine d'esprit, du moins pas autant qu'elle le prétend et une maladresse est vite commise. Sois très, très prudente, d'accord ?*

Tara se frotta les yeux une seconde fois. Oui, elle avait parfaitement compris.

— *Parfait. À demain matin. Je viendrai te réveiller à sept heures pour le petit déjeuner. Ne parle pas de ce que nous venons de faire à tes amis, le moindre murmure est immédiatement capté. Dors bien.*

Comme un écho, la voix de la Pierre Vivante la salua puis ce fut le silence.

Dans son lit, Tara soupira. Elle avait toujours partagé toutes ses informations avec ses amis. Leur taire ce qui venait de se passer allait compliquer les choses.

Elle se releva car elle avait oublié de se laver les dents et se rendit dans la petite salle de bain. Bien équipée, celle-ci alignait brosse à cheveux et à ongles ainsi que plusieurs sortes de savons et d'huiles pour la peau et le bain. Tara se souvint de ce qu'avait dit Betty à propos de l'odorat de la Reine et décida de se laver à fond. L'eau chaude la détendit et elle manqua s'endormir sous la douche. L'Élémentaire d'air dissipa l'humidité résiduelle et elle fila sous les couvertures.

Aussi, lorsque la main de Betty la secoua rudement, quelques heures plus tard, elle eut l'impression de n'avoir dormi que quelques minutes.

— Lève-toi ! ordonna la jeune Terrienne. Prends ta douche et habille-toi, je t'attends en salle de petit déjeuner. Le Guideur t'indiquera le chemin. Tu as dix minutes.

Et, sans attendre la réponse de Tara, elle tourna les talons et quitta la chambre.

À l'attention exclusive de la scoop, Tara fit la grimace puis se leva promptement. En quelques minutes, elle était prête. Prudente, elle demanda à la Changeline de copier la tenue de Betty.

Elle se regarda dans la glace. Hum ! Un peu courte, la tunique, et vraiment fendue mais, à Rome, faisons comme les Romains. Elle devait s'adapter, faire croire qu'elle était domptée.

Le Guideur était une sorte de grosse grenouille bleue, haute d'un mètre environ, dont la tête s'ornait d'une flèche pointant dans la direction à prendre. Dotés d'un sens de l'orientation infaillible, les Guideurs étaient de moins en moins utilisés sur AutreMonde depuis que les cartes conscientes avaient été mises au point par les sortceliers. Une fois de plus, Tara s'avisa de l'archaïsme de certaines des installations du palais. La technologie que fournissaient à leurs congénères malades les dragons sains n'était pas à la pointe du progrès.

Le réfectoire était comble : quelques dragons et beaucoup de loups-garous sous leur métamorphe humain. Mais s'ils flairaient l'air à son passage comme s'ils humaient soudain une odeur délicieuse (et surtout appétissante, devina Tara), ceux-ci, plus disciplinés que celui qui avait sauté sur elle dans la rue, se contentaient de la dévisager en inspirant profondément. Personne ne s'approcha d'elle ou de Betty, qui terminait son petit déjeuner et lui ordonna de la rejoindre.

Puis Robin, suivi par les amis de Tara, pénétra dans la salle et, dans un ensemble effarant, tous les Anazasis se figèrent.

— *Sidhe Daoine*, murmurèrent-ils avec déférence, *Sidhe Daoine* !

Elle savait qu'elle devait communiquer le moins possible avec Betty mais toute information pouvait faire la différence entre la vie et la mort. Aussi se décida-t-elle :

— Que disent-ils ? questionna-t-elle.

La jeune fille lui lança un regard froid puis daigna répondre :

— C'est le nom des Elfes : *Sidhe Daoine*. Le Beau Peuple, les Lumineux, les *Sidhes*, les *Tuatha Dé Danann*[1], la gentry, ceux qui engendrent terreurs et merveilles. La Reine a décrit les elfes comme les plus dangereux ennemis que nous aurons à combattre lorsque nous sortirons d'ici, bien plus redoutables que les dragons et que les armes des humains. Cette légende a suscité une grande ferveur chez nos loups. Ils les craignent mais, d'un autre côté, estiment que mourir de la main d'un elfe serait un honneur.

Mais le mot changea lorsque de nouveaux venus s'avancèrent, fiers et gracieux. La Reine avait dû décider qu'ils ne présentaient pas un grand danger car elle avait libéré les elfes violets. Les loups tordirent la bouche et murmurèrent :

— *Sluàghs Sidhes* !

Betty répondit au regard interrogateur de Tara.

— Les *Sluàghs* sont les esprits dangereux, les plus cruels des elfes, « les esprits maléfiques ». Nos loups ont été dressés à les reconnaître. Le fait que, lors de leur interpellation, tes violets ont réussi à tuer plusieurs d'entre eux a contribué à leur légende.

V'ala n'avait pas l'air d'apprécier l'épithète peu flatteuse. Elle se redressa et la menace qui émanait d'elle s'intensifia, provoquant un recul de la part des Anazasis. Certains, plus agressifs, commencèrent à se transformer.

— STOP ! hurla Betty, furieuse. Pas de combat autour de la nourriture, c'est l'ordre de la Reine. Tous ceux qui désobéiront seront châtiés. Alors ne perdez pas la tête !

Tara tressaillit en s'avisant qu'il ne s'agissait pas, dans le cas présent, d'une figure de style.

Les loups reprirent place aux tablées à contrecœur et les museaux redevinrent visages. L'incident fut clos et V'ala put s'asseoir sans se faire dévorer. Ils se réunirent tous autour d'une très grande table.

— Comment s'est passée votre... nuit ? demanda finement Cal.

---

1. Tous ces noms, y compris pour les *sluàgh,* sont authentiques et fréquemment cités dans les légendes écossaises, le peuple des « fey, elves » provient de cette source.

— J'ai très bien dormi, merci Cal, répondit Tara qui, gênée, évitait de regarder Robin, et toi ?

— Vous n'avez pas le temps de discuter ! trancha Betty. Vous n'avez que quinze minutes pour manger, ensuite vous devez vous occuper de vos corvées. La gouvernante, Endora, vous donnera ses ordres.

De la pointe de sa lance qui ne la quittait décidément pas, Betty indiqua une grande femme rousse autour de laquelle des Anazasis s'agglutinaient.

— Elle est une louve alpha[1] et l'une des adjointes de la Reine. Mécontentez-la et c'est la Reine que vous mécontenterez...

Elle n'eut pas besoin d'en rajouter. Seule Fafnir grommela que, louve ou non, si la bestiole venait l'asticoter, elle ne ferait pas de vieux os. Sa main chercha machinalement ses deux haches et s'immobilisa lorsqu'elle se souvint qu'elle était désarmée. Elle soupira et se servit copieusement de lait de balboune et d'un gros morceau de fromage avec son pain.

X'andiar qui, en général, ne s'entendait guère avec la naine, opina, tout à fait d'accord. Puis il adressa quelques signes cabalistiques à Tara qui écarquilla les yeux.

Ce que proposait le garde était dangereux. Elle espéra qu'il savait ce qu'il faisait.

Une jolie fille brune aux grands yeux noirs leur apporta du chocolat, du thé et du café. Jeremy lui sourit et elle lui rendit son sourire. Elle était un peu plus jeune que lui mais pleine d'assurance.

— Salut ! lança-t-il dans le plus pur style terrien.

La jeune fille eut un regard surpris puis se reprit.

— Que votre magie illumine ! dit-elle gracieusement.

— Ah oui, et, euh, qu'elle entoure... non, c'est pas ça... qu'elle protège le monde. Tu t'appelles comment ?

— Catherine, mais on me surnomme Cat. Et vous ?

---

1. Dans les meutes, les loups et les louves alpha sont les chefs. Ils se nourrissent en premier, dirigent la meute et sont dominants. Les hiérarchies se font en combattant. Plus un loup est fort et combatif, plus il monte dans la hiérarchie. Idem pour les louves.

S'appeler Cat[1] dans un endroit où il n'y avait que des chiens, ou plutôt des loups, n'était pas la meilleure idée. Mais le jeune Terrien garda ses pensées pour lui. Après tout, le langage qu'il entendait n'avait rien à voir avec le bon vieil anglais.

— Jeremy. Tu ne ressembles pas aux autres habitants de cette ville.

Catherine se rembrunit.

— Je sais. Nous sommes un petit nombre à ne pas être du peuple anazasi. Les gens d'ici nous acceptent mal, d'autant que notre Reine a interdit que nous soyons transformés en changelins. Cela ne facilite pas notre intégration.

Jeremy la fixa, incapable d'imaginer que quelqu'un souhaite devenir volontairement loup-garou.

— Tu rigoles ? s'exclama-t-il d'une voix trop forte, qui est-ce qui voudrait être transformé en truc plein de poils et qui marche à quatre pattes ?

Un grognement sourd dans son dos lui rappela soudain où il se trouvait.

— Je veux dire en un noble loup aux dents tranchantes et blanches, rectifia-t-il à toute vitesse.

Catherine mit une main sur sa bouche, histoire de cacher son amusement.

Elle essuya un peu de lait qui avait débordé puis planta son regard dans le sien.

— Fais attention à tes paroles. Nos loups ont les oreilles fines. Cela dit, c'est sympa d'avoir de nouveaux venus au palais. Je suis contente d'avoir fait votre connaissance.

Jeremy voulut poursuivre la conversation mais Catherine fut appelée et elle partit, non sans lui avoir adressé un dernier sourire éclatant. Le garçon en avait l'estomac tout retourné. Cal lui jeta un regard carnassier mais s'abstint de tout commentaire, ce dont Jeremy lui fut reconnaissant. Ce n'était pas parce qu'il était mort de peur qu'il devait se priver d'apprécier une jolie fille...

Ils se dépêchèrent de finir. Les loups mangeaient proprement et rapidement et les humains comme les elfes avaient du mal à

_____

1. Cat signifie « chat » en anglais. Oui, je sais que vous saviez, mais bon, je précise quand même pour ceux d'entre vous qui font une grosse allergie à la langue de Shakespeare...

garder le rythme. Excellent moyen pour les empêcher de comploter, ils ne pouvaient à la fois manger et parler.

La gouvernante, Endora, les jaugea de ses perçants yeux verts. À Fabrice et Robin, elle confia des corvées dures et salissantes, exigeant de la force physique. Le thug, lui, hérita des écuries à nettoyer. Car, si les dragons n'avaient pas besoin de montures, les Anazasis voyageaient souvent à cheval, ce qui leur évitait d'avoir à se transformer pour courir. Moineau, Jeremy, Cal, Eleanora et Fafnir furent engagés dans l'équipe d'entretien des cuisines. Tara, quittant ses amis à regret, emboîta le pas à Betty.

Les appartements de la Reine rouge, gigantesques, fourmillaient de gens qui allaient et venaient au pas de course. Lorsque Betty et Tara s'inclinèrent devant elle, la Reine était en train de visionner un taludi. Le petit animal en forme de cloche d'os blanc avec ses trois yeux avait dû être spécialement adapté à la conformation des dragons car il était bien plus gros que ceux que Tara connaissait.

— Ils l'ont enfin capturé ! s'exclama la Reine avec satisfaction. Voilà presque cent ans qu'il m'échappait, celui-là. Nous allons en faire un exemple...

Elle posa le taludi à côté d'elle, attrapa un gros bloc-notes et griffonna quelque chose. Puis elle regarda Tara et sourit.

Comme chaque fois qu'un dragon lui souriait, Tara se fit la réflexion que la nature était dingue d'avoir doté une espèce d'une telle quantité de crocs.

— Alors, petite Humaine, interrogea gentiment la dragonne rouge, comment as-tu trouvé ta première véritable nuit dans mon royaume ?

— Meilleure que les deux premières, merci, Votre Majesté, répondit très poliment Tara.

— Parfait.

Le corps imposant s'étira.

— J'ai besoin d'un bon bain et qu'on me frotte le dos. Pendant que tu dormais, j'ai beaucoup travaillé pour notre grand projet et j'avoue qu'il me reste encore un détail à régler avant d'être pleinement satisfaite.

Tara attendit. Ce n'était pas une question. Et plus la Reine parlerait, plus elle pourrait glaner d'informations.

— J'ai, depuis de nombreuses années, un ennemi, tout aussi puissant que moi. Il a lui aussi découvert une potion qui lui a permis, comme à moi, de guérir la majorité des dragons qui vivent ici.

— Vous savez soigner les dragons ?

Betty siffla à ses côtés et Tara referma vivement la bouche. Coup de chance, la Reine était de bonne humeur et ne se formalisa pas.

— Oui, il existe ici une plante, la kalir, dont la fleur permet l'élaboration d'une potion. Administrée régulièrement, elle nous guérit de la folie. C'est en mangeant les animaux qui se nourrissaient de cette fleur que j'ai découvert ses étranges propriétés.

La fleur de kalir ! Les dragons possédaient la fleur qui pouvait lui rendre son père ! Elle se raidit, très attentive.

La Reine n'interpréta pas correctement le soudain intérêt de Tara.

— Tu te demandes sans doute pourquoi je n'en ai rien dit aux dragons de l'extérieur, lorsqu'ils sont venus, chaque année, nous faire don de leur technologie comme à des mendiants ? Oh, mais je l'ai fait ! Et ils ne m'ont pas crue. Ils soupçonnent un stratagème. Ils ont refusé de nous envoyer un observateur. À part quelques irréductibles et ceux qui, vraiment, sont au-delà de tout traitement, cela a convaincu les autres dragons de se rallier à ma cause. Grâce à leur appui, j'ai décidé de détruire cette planète, plus précisément de faire d'AutreMonde mon nouveau royaume après avoir réduit les autres races en esclavage puis de lancer mes loups contre le Dranvouglispenchir pour l'anéantir. Notre race n'est pas très nombreuse car nous vivons longtemps. Ce ne sera pas vraiment difficile.

Quelque chose, dans sa voix, mit Tara en alerte, comme si une faille imperceptible s'ouvrait sur de sombres abysses. Mais elle ne connaissait pas assez la dragonne pour être capable d'identifier ce qui avait attiré son attention. Puis une idée chassa l'embryon de soupçon qui lui venait à l'esprit.

— Mais avant que le dragon renégat n'exile sur ce continent tout un peuple et que vous le réduisiez en esclavage, comment viviez-vous ?

— Tu penses que nous avons besoin de vous, petits humains, pour survivre ? Voilà une idée stupide et arrogante.

Tara se retint fort de lui renvoyer son compliment. La dragonne fit claquer ses griffes.

— Ceux qui m'ont précédée étaient fous mais pas impuissants. Ils possédaient toujours leur magie, le continent est fertile et regorge d'animaux, ils chassaient, se battaient, survivaient. Quelques humains avaient accompagné volontairement certains d'entre eux pour continuer à les servir mais ils ont souvent terminé sous forme d'apéritifs. La venue des Anazasis a été un grand bienfait puisque j'ai pu les transformer en guerriers que même les dragons craignent.

— Quelque part, vous dépendez donc de nous, réfléchit Tara à voix haute, ignorant le sursaut terrifié de Betty.

Mais la Reine était de bonne humeur. Elle souffla par les naseaux et répondit :

— Votre race nous a bâti des villes mais nous aurions pu tout aussi bien les édifier nous-mêmes. Comment crois-tu que nous avons fait sur notre propre planète ? Et les vaisseaux spatiaux, à ton avis, comment les avons-nous construits ?

Tara écarquilla les yeux.

— Vous... vous avez des vaisseaux spatiaux ?

— Oui, ils nous permettent de ne pas dépendre des Portes de Transfert dont nous nous défions. C'est à bord de vaisseaux que nous avons envahi la Terre afin de la défendre contre les démons. En dépit des Mintus et de l'Amémorus jeté sur votre planète, vous avez gardé la trace de certains de nos sites d'atterrissage, dans les Andes par exemple.

Tara absorbait toutes ces étonnantes informations mais la Reine rouge s'étira de nouveau et plissa son museau lorsque son dos craqua. Betty comprit l'ordre implicite et courut dans l'immense salle de bain.

Quelques instants plus tard, la Reine chantait, faux, pendant que les deux jeunes filles lavaient et polissaient ses écailles.

Elles lui rognèrent un peu les griffes et Tara remarqua que la Reine portait un anneau de fer noir à l'un de ses doigts, anneau qui lui sembla curieusement familier, mais Betty la rappela à l'ordre et elle dut s'en désintéresser.

Un Sechus s'occupa de dissiper la moindre trace d'humidité et Tara eut pour mission de tresser la longue crinière rouge de la dragonne.

— Pas mal, accorda la Reine lorsqu'elle eut terminé. À présent, c'est l'heure de notre petit divertissement, histoire de s'ouvrir l'appétit avant le déjeuner.

Tara regarda l'hor incrustée dans son avant-bras avec son accréditation [1]. Incroyable ! il s'était déjà écoulé deux heures d'AutreMonde. Épuisée par le dur labeur, elle patienta auprès de Betty et suivit la dragonne lorsque celle-ci s'ébranla.

En chemin, elles passèrent devant une ouverture donnant sur des serres où poussaient et embaumaient des fleurs que Tara identifia immédiatement. Les fleurs de kalir ! Elle s'arrêta net.

La dragonne devait la surveiller du coin de l'œil car elle fit halte aussi.

— Ces fleurs sentent merveilleusement bon ! soupira innocemment Tara, qu'est-ce que c'est ? Je n'en ai jamais vu sur AutreMonde.

— Ce sont les fameuses kalirs que j'emploie dans mes potions qui guérissent de la folie... Mais aussi pour d'autres usages que tu découvriras plus tard. Tu ne peux les connaître, elles ne poussent que sur le Continent interdit.

— M'autorisez-vous à en faire un bouquet pour le mettre dans ma chambre, s'il vous plaît, Votre Majesté ? Elles sentent si bon... indépendamment de leurs vertus thérapeutiques.

La Reine haussa les épaules en un mouvement très humain.

— Ce n'est pas pour leur odeur que je les cultive mais si tu n'en prends pas trop, tu peux en cueillir de quoi confectionner un bouquet.

— Merci, Votre Majesté.

— Tu vois, ronronna la Reine, je ne suis pas un monstre. Obéis-moi, sois polie et respectueuse et nous nous entendrons très bien, toi et moi...

Tara ne répondit pas que son but était de transformer rapidement la Reine en sac à main avec chaussures assorties, histoire qu'elle ne dévaste pas AutreMonde, mais elle le pensa très fort, dissimulant son dégoût sous une mine radieuse.

---

1. Équivalent de notre carte d'identité, l'accréditation permet de circuler dans le palais d'Omois et dans les autres palais sans se faire découper en morceaux par la garde. Comme elle est incrustée magiquement sous la peau, on ne risque ni de se la faire voler ni de la perdre.

Elles parvinrent dans une partie du palais que Tara voyait pour la première fois : une immense arène à ciel ouvert, dont le centre ovale était recouvert d'un épais tapis de sable. Tara se raidit : ce lieu rappelait irrésistiblement les cruels amusements, deux milliers d'années auparavant, sur Terre, des Romains. Le terme qui les désignait lui revint en mémoire :

Les jeux du cirque.

Hélas ! les Romains étaient de petits rigolos à côté de la Reine rouge. Au moins, les gladiateurs ou les victimes qui affrontaient ours, lions ou féroces jaguars mouraient très vite.

Ce n'était pas le cas des loups-garous. Ils pouvaient survivre et hurler longtemps.

Car ils n'affrontaient pas de simples fauves mais des êtres conscients, intelligents.

Des dragons.

Tara eut un haut-le-cœur en reconnaissant celui qu'amenaient, enchaîné et rugissant, les gardes gris : c'était le cannibale aux écailles verdâtres, celui qui avait tué le dragon et probablement les chèvres. La bave aux babines, les yeux fous, il hurlait d'incompréhensibles imprécations.

— Nous le traquons depuis longtemps, expliqua paisiblement la Reine. Nous n'avons jamais réussi à lui faire prendre la potion qui aurait pu le guérir et il a tué un grand nombre de mes dragons. Il était si méfiant que tous nos pièges ont échoué. Il repérait aussitôt le moindre danger. Alors nous avons drogué un dragon, l'avons envoyé, tout seul, garder un troupeau de chèvres et, bien sûr, ce pauvre fou lui est tombé dessus. Il l'a mangé, s'est empoisonné et nous avons enfin réussi à le capturer.

Tara la regarda avec horreur. Apparemment, la Reine avait omis de consommer sa propre potion ! Comment avait-elle pu condamner à une fin aussi atroce l'un des siens, seulement pour attraper le dragon fou !

Toutefois elle nota aussi que la Reine faisait régner la loi, une loi implacable, certes, mais la loi tout de même.

Petit à petit, un public fourni emplissait les gradins. Les hommes-loups étaient conviés à la fête. Car, Tara le constata lorsque cinq d'entre eux foulèrent le sable de l'arène, c'étaient les leurs qui allaient mourir. Ils n'avaient pas de collier et, à l'exception d'un pagne, étaient entièrement nus, exhibant leur superbe musculature. Il y avait quatre hommes et une femme. Il faisait chaud et l'odeur musquée des milliers d'hommes-loups épaississait l'air chargé de pollen. Tara essuya la sueur qui coulait sur son front. Le sable d'un vert doux luisait sous les soleils, les écailles des dragons aussi, la scène était colorée et bruyante, empreinte d'une excitation mal contrôlée.

La Reine rouge se leva et un rugissement la salua. Les loups rendaient hommage à leur souveraine. Et Tara s'aperçut avec surprise que beaucoup d'entre eux avaient l'air de l'adorer. Elle rencontra le regard de Betty qui inclina lentement la tête. La conspiration n'était pas si facile à mettre au point si la majorité des loups était loyale à la reine folle.

Cela dit, Tara pouvait les comprendre. S'ils se faisaient dévorer par les dragons fous avant d'être transformés en loups-garous capables de se défendre et si la Reine avait instauré sa loi et amené la paix, le prix à payer était minime. Qu'aurait-elle choisi, à leur place ? De vivre comme une proie dans la peur ou de vivre en esclave dans la paix ?

La Reine, inconsciente des pensées qui agitaient ses servantes, leva les pattes et un jet de magie rouge fusa. Les chaînes du dragon tombèrent. Il n'avait pas de collier, pourtant il n'essaya pas d'utiliser sa magie. Il balança la tête, comme un fauve, grondant et rugissant, faisant claquer ses mâchoires. Puis il avança sur les proies minuscules qui l'attendaient. Les cinq loups se métamorphosèrent prestement, certains en partie seulement, restant bipèdes, d'autres complètement, et leurs formes de loups, immenses et velues, firent passer un frisson atavique dans le dos de Tara. Pourtant, les changelins ne ressemblaient que vaguement à des loups : ils étaient bien plus gros, bien plus rapides, bien plus dentés, infiniment plus dangereux...

Mais pas autant que le dragon, véritable machine à découper. Ses écailles le protégèrent des premières attaques et avec une vivacité inouïe, il attrapa en plein vol un loup qui bondissait. Il y eut un craquement sinistre et le blessé hurla. Le dragon ne le relâcha pas, comme l'aurait fait un animal, lorsque les autres attaquèrent. Il évita les crocs qui visaient les tendons de ses pattes postérieures, ruse ordinaire des loups qui immobilisent ainsi leur proie, et sa queue écailleuse envoya l'un des assaillants bouler contre le mur de pierre qui se macula de rouge lorsque le loup glissa, étourdi. Un autre homme-loup, partiellement transformé, attrapa la queue qui passait à sa portée et s'y accrocha. Puis, refusant de lâcher en dépit des chocs, il plongea ses crocs dans la chair, arrachant les écailles protectrices. Cette fois-ci, ce fut le dragon qui hurla sa douleur. Il lâcha le loup inconscient et Tara réprima à grand-peine une nausée. Le changelin était quasiment coupé en deux.

À présent que le dragon n'avait plus rien dans la gueule, il pouvait cracher du feu et ne s'en priva pas. Mais les assaillants, s'ils craignaient les flammes, étaient bien trop rapides pour qu'il les atteigne.

La Reine se pencha, les yeux brillants. Tara, alors, se rappela pour quelle raison les dragons craignaient tant les loups-garous. Les chairs se reconstituaient à une vitesse incroyable. Et le temps que le dragon se retourne vers sa proie, toujours inconsciente, c'était un corps intact qui gisait à terre.

Furieux, il fit claquer ses crocs et cette fois-ci, ne fit pas de quartier. La tête du loup se détacha. Il était mort.

Cela rendit les survivants fous de rage, comme si l'odeur du sang les transformait en bêtes furieuses et ils attaquèrent encore et encore, sans relâche, jusqu'à ce que le dragon, épuisé, commence à reculer. Sa flamme se fit moins vive, ses mouvements moins précis.

Il voulut s'envoler mais la meute s'y attendait. D'une part l'arène était fermée, haut dans le ciel, par des filins d'acier, d'autre part les changelins avaient des filets d'un fin maillage de fil d'aragne, qu'ils déployèrent. En quelques secondes, le dragon était ramené à terre en dépit de ses efforts désespérés pour brûler le filet, visiblement ignifugé.

L'un des loups referma sa mâchoire sur sa patte arrière et ce fut le début de la fin. Handicapé par sa blessure, le dragon fut désormais incapable de se déplacer aussi vite que les loups et bientôt les puissants changelins hurlèrent leur victoire, les babines dégoulinantes de sang. La Reine ne connaissait pas le mot « compassion ». Elle ordonna la mise à mort. La carcasse fut retirée de l'arène et les loups la suivirent sous les acclamations délirantes de leurs congénères.

La Reine sourit.

— Bien, bien ! fit-elle, je crois que mes troupes sont prêtes. Voyons un peu si cela fonctionne aussi bien avec un adversaire plus... réfléchi.

Elle fit un signe et sur le sable de l'arène s'avança un dragon aux écailles bleu et argent, que Tara connaissait bien.

Chemnashaovirodaintrachivu.

Chapitre XIX

La vampyr
ou l'hypnose, à côté d'une bonne morsure, c'est de la gnognote...

Le garde passait et repassait inlassablement devant sa chambre. Fabrice, allongé sur son lit, écoutait la cadence de son pas. Un-deux-trois-quatre, glissement, retour, un-deux-trois-quatre, glissement, retour. C'était presque hypnotique.

Il ferma les yeux, épuisé, revoyant sa première journée de servitude sur l'étrange continent. On les avait fait trimer comme des bêtes toute la matinée puis, sans explication, on les avait enfermés dans leurs chambres. Fabrice n'aimait pas être séparé de ses amis et encore moins de Moineau. Et lui qui en général admirait et recherchait la puissance était effrayé par la Reine rouge. Elle lui donnait des frissons dans le dos.

Soudain, il se redressa.

Un pas, deux pas puis plus rien. Quelque chose venait d'interrompre la progression de son garde. Un son étrange lui parvint, comme si quelqu'un aspirait un milk-shake géant. Puis, la porte s'ouvrit et le garde entra. Fabrice quitta son lit, méfiant, mais l'intrus se contenta d'osciller d'avant en arrière sans un mot, tête ballante. Il avait l'air... mort.

Fabrice sursauta lorsque le corps s'abattit à ses pieds. Stupéfait, il vit alors que la scoop qui veillait sur lui était attrapée et piétinée par quelque chose d'invisible. Il contempla, fasciné, les débris écrabouillés.

Lorsqu'il releva la tête, il se pétrifia, terrorisé.

Car devant lui se tenait le Chasseur. La vampyr Selenba, toujours aussi belle, aussi blême et, selon toute apparence, toujours aussi impitoyable.

Elle essuya sa bouche comme un énorme chat repu.

— Wahou, ronronna-t-elle, je n'avais jamais bu de sang de loup-garou. C'est... capiteux, bien plus consistant que celui des simples humains. Le seul inconvénient est que ces changelins sont fichtrement difficiles à tuer. J'ai voulu le faire obéir mais impossible ! Son sang de loup-garou le protège de mon influence hypnotique, alors ma foi, tant pis pour lui ! Il m'a servi d'encas.

— Que... qu'est-ce que...

— Je fais ici ? C'est simple, je suis venue protéger l'investissement de mon maître, cette chère Tara (son visage se tordit en un rictus ironique). Heureusement, d'ailleurs ! Parce que vous vous débrouillez vraiment comme des manches. Sans moi, c'est l'éternité qu'elle passait ici, cette petite.

— Mais... mais com...

— Comment j'ai pénétré sur le Continent ? Comme vous, avec un bon Camouflus. Sauf que moi, je n'ai pas été capturée. Je me suis transformée en chauve-souris et comme c'est réellement ma nature [1], le Revelus ne m'a pas trahie. Trop facile. Je m'étais dissimulée dans une maison parce que je savais que la Reine rouge allait vous jouer un tour de cochon, ce qui n'a pas raté d'ailleurs. Pffff ! ce que vous êtes crédules, vous autres. Maintenant, il va falloir que je vous sorte d'ici puis que je redonne la clef à la Reine rouge pour qu'elle puisse envahir AutreMonde et que les dragons soient définitivement bannis par les Humains. Après une guerre sanglante si possible, qui mettra mon maître à la tête de cette planète. J'adore ses plans, ils sont toujours si délicieusement tordus !

— Pour... pourq...

— Pourquoi je viens de pénétrer dans ta chambre et ainsi de révéler ma présence ? L'occasion était idéale. La Reine est en train de faire découper deux, trois personnes dans ses arènes et

---

1. Classique chez les vampyrs. Vous vous croyez à l'abri, tranquille, et paf ! ils se transforment en fumée, en chauve-souris ou en loup, et viennent vous planter leurs crocs dans la jugulaire pendant que vous dormez dans votre lit. Et comme ils se transforment réellement, que cela fait partie de leur nature de vampyr, ben aucun Revelus ou Detectus ne peut fonctionner sur eux...

personne ne surveille les scoops. On croira que tu as piqué une crise et détruit ta caméra, ce qui te vaudra probablement d'être fouetté mais pas tué. Et je vais me débarrasser du garde. Ils n'ont pas que des loups-garous ici mais aussi quantité d'autres bêtes carnivores qui seront ravies d'un bon repas.

Fabrice déglutit. Le mot « fouetté », surtout, avait retenu son attention.

— Et j'avais une autre raison, continua la vampyr en s'approchant de lui. J'ai besoin de toi.

— De... de mmm...

— Oui, de toi. Allez, ne résiste pas ! s'amusa la vampyr en l'acculant au mur. Tu ne sentiras presque rien.

Fabrice était tellement effrayé qu'il avait l'impression que son cœur allait exploser dans sa poitrine. Il se reprit et surmonta son effroi. Si cette horrible bonne femme imaginait qu'il se laisserait faire sans broncher, elle allait être surprise. Il lança son poing de toutes ses forces. Effectivement, la vampyr ne s'y attendait pas : elle fut atteinte au visage, projetée en arrière et tomba assez inélégamment sur ses fesses.

Fabrice bondit vers la porte en hurlant mais elle fut plus rapide. Elle crocheta son pied et le fit chuter. En une fraction de seconde, elle fut sur lui et le maintint sans effort, immobilisant ses deux mains. Son sang goutta sur le visage de Fabrice qui se débattait comme un fou.

— Hum, pas mal, pas mal du tout ! savoura la vampyr en contrôlant le corps tressautant. Je ne te savais ni si rapide ni si fort. Bravo ! Mais pas encore assez, non, pas assez.

Et avant que Fabrice n'ait le temps de réagir, elle plongea ses crocs dans sa gorge.

Elle avait raison. Ce ne fut pas vraiment douloureux. Le poison de sa salive apaisa la coupure aiguë et bientôt il ne résista plus du tout. Pendant qu'elle lui volait sa vie, il se sentait léger ! Léger !

Enfin, la vampyr se releva et l'attrapa d'une seule main pour le placer dans un fauteuil.

— Désormais, tu seras mes yeux et mes oreilles. Tout ce que tu verras ou entendras, je l'entendrai aussi et tu m'obéiras instantanément, compris ?

— Yeux, voir, oreilles, entendre, obéir. Oui, répondit mollement Fabrice, les yeux mi-clos, comprends.

— Parrrrfaaaaaait, sourit la vampyr, satisfaite. À présent, voyons un peu cette écorchure. Par le Reparus, que la blessure disparaisse et le saignement cesse !

La double marque de crocs s'effaça.

La vampyr hocha la tête.

— Bien, bien ! Fabrice, par le Sommeillus, dors, et ton âme, et ton corps !

Et ce fut le noir complet.

Lorsqu'il se réveilla, Fabrice se sentit très endolori. Mais vu les tâches harassantes auxquelles il avait été astreint toute la matinée, cela n'avait rien de surprenant. Il se leva du fauteuil où il s'était endormi et écarquilla les yeux. Au sol gisaient les débris de sa scoop, écrasée.

Sa porte s'ouvrit brutalement et un flot de gardes fit irruption dans la chambre. L'un d'eux, un puissant homme-loup aux cheveux argentés, le plaqua au mur.

— Où est-il ? gronda-t-il, fou de rage.

— Où est qui ? bredouilla Fabrice.

— Ne joue pas au petit malin avec moi. Le garde qui était devant ta porte a disparu. Alors je réitère ma question : où est-il ?

Fabrice fronça les sourcils. La question, comme sa position contre le mur, lui rappelait vaguement quelque chose mais ce fut si fugitif qu'il l'oublia aussi vite.

— Mais je n'en sais rien, moi ! Je viens de me réveiller ! Ma scoop était par terre et puis vous êtes arrivés, c'est tout ce que je sais ! Je ne suis pas sorti de ma chambre !

— Il dit vrai, Général T'eal, intervint l'un des gardes. Regardez, la scoop du couloir a filmé la porte, on voit seulement G'il entrer.

T'eal s'empara de la petite caméra et projeta la séquence sur le mur blanc. Le garde s'éloignait, disparaissait un instant du champ mais la porte de la chambre demeurait close. Puis le garde revenait d'une démarche zigzagante.

— Il est saoul ou quoi ? grommela T'eal, déconcerté.

Le garde ouvrait la porte, pénétrait dans la chambre et la porte se refermait sur lui. Puis elle se rouvrait et le garde, toujours vacillant, sortait et partait dans le couloir.

— Il quitte son poste ! s'exclama T'eal. L'ud, va le chercher, vite ! Son comportement ne me dit rien qui vaille.

— Que fait-on de l'humain qui a écrasé sa scoop ?

— Je vais en référer à la Reine. Elle décidera de son châtiment.

Ils quittèrent la pièce et la porte claqua. Fabrice voulut la rouvrir mais les hommes-loups l'avaient bloquée. Profondément déconcerté, il s'assit sur son lit. Il avait l'impression de détenir une information, un truc crucial, mais impossible de se souvenir de quoi.

Et il était sûr et certain d'une chose : jamais il n'avait touché à la scoop, pour la simple et excellente raison que, même à l'aide d'une chaise, il était trop petit pour l'atteindre. La question demeurait entière : qui l'avait détruite et, surtout, pourquoi ?

Pendant que Fabrice tentait de comprendre ce qui lui était arrivé, les dragons capturés testaient les limites de leur collier dans leur cellule.

— Vas-y, Malgoriselanchivu, ordonna Sal, il fait chaud dans la prison, essaye de te refroidir, envoie ta magie non pas vers l'extérieur mais vers l'intérieur.

Le jeune dragon eut un regard effrayé.

— Mais, balbutia-t-il, le collier me fera mal !

— Mal risque d'avoir mal, ricana Santramivinkratrinchiva, la petite dragonne verte. Quel dégonflé ! Laisse-moi faire, Sal.

Elle se concentra. Le collier autour de son cou réagit immédiatement et elle s'écroula avec un gémissement de douleur.

— Sal...erie ! grogna-t-elle, c'est ultrasensible, Sal, rien à tenter de ce côté-là.

Elle avait vraiment dû souffrir pour jurer de la sorte.

Mal lui jeta un regard mauvais.

— Ce n'était pas la peine de m'insulter, Santra, je ne suis pas stupide, juste réaliste. Cette Reine est prudente, il était évident que la manifestation de notre magie nous blesserait !

— Depuis que je t'ai largué, siffla Santra avec un méchant sourire, je trouve que tu as perdu de ta superbe, mon petit Mal.

Le dragon rugit et voulut se jeter sur elle mais Sal l'immobilisa sans effort.

— Par mes ancêtres ! gronda-t-il, vous ne trouvez pas notre situation assez difficile sans en rajouter avec vos disputes imbéciles ? Vous pourrez vous taper dessus jusqu'à la fin des temps si vous le voulez mais pas avant que nous soyons hors d'ici, est-ce clair ?

— Oui, renchérit Chanvitramichatrinchivu, le jumeau vert de Santra, pour l'instant, c'est sur la Reine rouge et ses gardes qu'il faut cogner. Alors ? Quelqu'un a un plan ?

Sal lâcha Mal puis se laissa tomber sur la paille du cachot, découragé.

— Depuis des milliers d'années, nous savions que ce que nous faisions ici n'était pas bien. Si la Reine rouge échappe au Continent interdit et met cette planète à feu et à sang, nous aurons fait cher payer notre alliance aux Humains, Elfes, Vampyrs et autres Nains !

— Nous les avons sauvés des démons, rétorqua Mal, nous n'avons aucune responsabilité envers les humains !

— Moi, j'estime que si, répondit Sal et je sais où se trouve mon devoir.

— Que vas-tu faire ? s'enquit Mal avec une pointe d'inquiétude dans la voix.

— Cinq, répondit Sal en regardant la scoop, dix-huit, vingt-trois, quatorze. Cinquante-huit, quatre-vingt-deux, cinq, trente-trois, cent dix-huit.

— Quatre ! s'exclama Mal, tu n'es pas sérieux !

— Vingt-deux, renchérit Santra, seize, treize, trente-trois !

— Ça suffit ! trancha Sal, nous n'en parlons plus, c'est tout.

Et sans plus se préoccuper de ses compagnons, le chef de la mission ferma les yeux et se mit à fredonner, passant en mode méditation.

Charm et Chem avaient assisté à la scène de loin. Comme les autres prisonniers, ils avaient été placés ensemble, mais dans une cellule séparée.

— Mais qu'est-ce que ce charabia ? souffla Charm dans l'oreille de son compagnon, espérant que les scoops ne l'entendraient pas.

— Les dragons fous ne peuvent pas utiliser les mathématiques. Avant de partir, les officiers de la force d'intervention, comme Sal, Mal, Santra et Chanvi, ont reçu un code secret qui leur permet de communiquer entre eux. On ne m'a pas mis dans la confidence parce que je suis suspect.

— Mais moi, je ne le suis pas, s'indigna Charm, et ils ne me l'ont pas appris !

— J'ignore pour quelle raison, répondit le dragon bleu, très ennuyé. Tu fais partie des officiers de l'armée ?

— Non, pourquoi ?

— Tous les volontaires, à part moi, sont des officiers, soit des services secrets dragonniens, soit de l'armée. Ceci explique cela. En attendant, je ne sais ce que compte faire Sal, mais cela n'a pas l'air de plaire aux autres. Tiens-toi prête.

— Prête à quoi ?

— À n'importe quoi. Avec les scoops, ils ne pourront pas nous apprendre leur plan avant de l'exécuter.

Charm hocha la tête puis se recula, prenant conscience qu'elle était blottie dans les pattes du dragon bleu.

— Chem ?

— Oui ?

— Tu n'aurais pas dû le tuer. L'immobiliser était suffisant.

Son père. Dieu des dragons, vais-je porter ce fardeau jusqu'à la fin de mes jours ?

Il secoua la tête et ses yeux jaunes étaient las.

— Charm, ton père était bien plus puissant que moi. Il était en train de me tuer. J'ai retenu mes coups, autant que faire se peut. Mais sa machine aurait détruit la Terre et ses milliards d'habitants. Je te jure, du fond de mes cœurs qui ne battent que pour toi, que je n'ai pas pu faire autrement. La corne de licorne ne devait toucher que l'un des deux cœurs de ton père. Malheureusement, son élan était si violent qu'il a poussé la corne trop loin. Son second cœur a aussi été transpercé. Il est mort sur le coup, sans que je puisse réagir. Si je pouvais recommencer, si je pouvais me racheter à tes yeux, je le ferais sans hésiter. Mais Charm, *il était coupable.* Si ce qu'il a tramé, ce peuple qu'il a décimé pour construire sa machine puis relégué en esclavage sous le joug de ces monstres, avait été dévoilé, il aurait été exécuté ou aurait terminé ses jours sur ce continent. Combien de temps crois-tu que la Reine rouge aurait laissé vivant celui qui l'a condamnée ? Ce qui s'est passé est monstrueux et très triste. Mais c'était également la seule façon de sauver l'honneur de ton père. Et je te jure que je tiendrai ma parole. Jamais je ne révélerai rien de ce qui s'est passé...

Charm avait les larmes aux yeux. Elle avait tant aimé Chem ! Sa maladresse l'amusait, son courage l'émerveillait, son ingéniosité l'impressionnait et, plus que tout, elle savait le dragon bleu aussi sensible que chaleureux. Mais la mort affreuse de son père l'avait cruellement marquée, au point qu'elle n'avait pu s'empêcher de haïr son auteur. À présent, plusieurs mois s'étaient écoulés et si la blessure était toujours aussi vive, elle se refermait lentement. Elle comprenait qu'elle s'était montrée injuste.

— Nous n'avons aucune chance de nous en sortir, n'est-ce pas ?

— Il ne faut pas perdre espoir, ma chérie. Jamais.

Elle plongea ses magnifiques yeux verts cerclés de noir dans ceux de Chem.

— Si nous devons mourir, je ne veux pas partir aux Dravoulirogirg[1] sans avoir fait ceci...

Et tout doucement, elle posa son museau sur celui de Chem, l'embrassant avec une grande tendresse.

Le grand dragon bleu jeta un coup d'œil aux scoops puis les voua aux Glbuil[2], le moment n'était pas à la pruderie. Si cela déplaisait à la Reine, tant pis.

---

1. Les paradis des dragons, qui en ont plusieurs... Et ne me demandez pas lesquels, je n'en ai aucune idée !

2. L'équivalent du diable pour les dragons, là aussi, il y en a plusieurs. Peut-être un diable par type de châtiment, comme dans les légendes chinoises ?

Il pencha la tête car Charm murmurait quelque chose. Et se figea lorsqu'il comprit ce qu'elle disait.

— Quel est le rapport entre Magister et toi ? Tara a dit qu'il était ta pire bêtise mais que tu étais digne de confiance. Je dois savoir, Chem, si cela a un rapport avec mon père...

— Aucun ! l'interrompit vivement Chem. Absolument aucun. Et je ne peux rien te dire ici, cette dingue pourrait l'utiliser contre moi.

Il se mordit les babines. Il était celui qui avait formé Magister, donnant le pouvoir à leur pire ennemi. Comment l'avouerait-il à la dragonne ? Et quand pourrait-il le faire sans risque que la reine démente capte sa confidence et l'utilise contre lui ? Charm le dévisagea puis sourit et l'embrassa de plus belle pour le remercier de sa confiance.

Soudain le fracas des pas sur la pierre et des grilles qui coulissaient les immobilisèrent, tendus, angoissés.

Ils se séparèrent et firent face aux hommes-loups et aux dragons gris qui venaient les chercher.

Ni les uns ni les autres ne daignèrent répondre à leurs questions. Mais l'odeur de sang devenait de plus en plus prégnante et, bientôt, Chem comprit où on les emmenait : dans les arènes qu'il avait entrevues lorsqu'on les avait emprisonnés, derrière le palais, au pied de la pyramide.

Charm laissa échapper un cri d'horreur en découvrant le combat qui se déroulait dans l'arène. Un dragon affrontait cinq loups. Elle le reconnut soudain. C'était le dragon cannibale !

— Observe bien leur façon de combattre, murmura Chem, la forçant à regarder. Cela pourrait te sauver la vie plus tard !

— Me sauver la vie ? répliqua la dragonne choquée. Tu crois que...

Son souffle s'étrangla dans sa gorge et elle ne put terminer sa phrase.

— Je ne pense pas que nous soyons ici pour assister au spectacle, confirma Chem, sinistre. Je prévois que nous *sommes* le spectacle...

Il avait raison. Quelques minutes après la victoire sanglante des loups, plusieurs d'entre eux contraignirent Chem à pénétrer à son tour dans l'arène. Charm voulut le retenir mais son collier se serra au point de l'étouffer. Sa dernière vision avant de s'affaisser fut le regard douloureux que Chem lui lança avant de s'avancer sur le sable.

Il cligna des yeux. Il était déjà une heure de l'après-midi et les soleils étaient hauts dans le ciel. Puis sa vision s'accoutuma à la luminosité et il vit les milliers de loups, pressés dans les gradins, qui hurlaient et s'esclaffaient, sûrs de la victoire des leurs. Il soupira. Il était un penseur, non un guerrier. Sa place n'était pas ici. D'un pas qu'il voulut ferme, il s'avança vers la loge de la Reine rouge où Tara et Betty flanquaient leur tortionnaire.

Il leva ses deux pattes enchaînées et claironna :

— Vous me craignez tant qu'il me faille combattre entravé ?

— Mais pas du tout, ronronna la Reine, qui fit un signe à ses sbires.

Un tour de clef et Chem se retrouva libre.

Il frotta ses poignets que le métal avait irrités.

— Lorsque vous envahirez AutreMonde, observa-t-il, vous aurez à nous combattre, magie contre magie. Vos loups ne savent que mordre et déchirer, pensez-vous vraiment qu'ils feront le poids contre nous ? Ou veux-tu juste leur faire croire que la victoire sera facile ?

La Reine rouge grogna, outragée.

— Tu veux combattre avec ta magie ? Je n'y vois aucun inconvénient.

Et à la stupéfaction de Chem, elle ordonna que son collier lui soit retiré. Chem agit aussitôt que ce fut fait. Sa magie fulgura, visant la Reine... et se heurta à un solide bouclier.

Grabu[1], *elle a protégé l'arène !*

— Amusant, fut le seul commentaire de la dragonne.

Elle leva une griffe et cinq nouveaux loups pénétrèrent prudemment dans l'arène.

Chem se retourna et les étudia. À leur façon de se déplacer, il paria qu'ils étaient équipés du même type de bouclier magique que la Reine. D'autres dragons devaient les protéger. Employer

---

1. Ils jurent beaucoup, ces dragons... Cela dit, moi à sa place, je pense que je jurerais aussi. Ah oui, et je tremblerais et serais un peu terrorisée.

la magie contre eux ne servirait à rien. Alors de la magie pour lui.

Il se transforma.

En loup-garou.

Plus gros, plus puissant, plus rapide et nettement plus bleu. Cela déconcerta les hommes-loups. Chem mit à profit leur instant d'hésitation. Il savait que ses résistance, force et rapidité étaient uniquement dues à la magie. S'il tardait à vaincre les loups, il était un dragon mort. Comme une traînée bleue, il attrapa l'un des loups qu'il fit tournoyer et utilisa comme un bélier vivant pour en assommer un second avant de le précipiter violemment contre le mur.

Deux évanouis, restaient trois. Il avait évalué précisément la durée de leur inconscience. Cela lui laissait quelques minutes à peine pour vaincre.

Silencieux, froid, il bondit de nouveau. Cette fois-ci, sa cible s'y attendait et parvint à le mordre. Chem réprima un rugissement et repartit à l'attaque. Les loups étaient désorientés. Leurs adversaires habituels hurlaient, les insultaient, s'énervaient et étaient souvent des proies faciles bien que dangereuses. Ce grand loup bleu qui se déplaçait comme eux restait calme et muet, et surtout évitait de les blesser, ils ne le comprenaient pas.

L'un d'eux bondit, prenant l'initiative. Chem lui échappa par un roulé-boulé qui le mit à portée d'un autre. Celui-ci ne vit pas le poing qui l'expédia au pays des songes.

En moins d'une minute, il ne restait que deux assaillants et toute l'arène était étrangement silencieuse. La Reine grinçait des dents. Elle n'avait pas prévu que le dragon serait aussi malin.

Éliminer les deux derniers ne fut pas si facile et Chem écopa de plusieurs sérieuses blessures mais il y parvint juste à temps avant que les premiers ne se réveillent. Il empila les corps très proprement devant la loge de la Reine puis, fatigué, se retransforma.

— Je les ai vaincus, observa-t-il calmement. Quel est mon prix ? Tu me libères ? C'est cela ?

La dragonne goûta peu son humour caustique.

— Remettez-lui son collier ! ordonna-t-elle sèchement. Et faites venir les autres dragons.

Sal, Santra, Chanvi, Mal et Charm, qui avait suivi avec passion le combat de son champion, furent traînés dans l'arène à leur tour. Leurs naseaux dilatés révélaient toute leur appréhension.

Le dragon noir leva les yeux vers la Reine rouge puis s'avança.

— J'ai des révélations à faire, déclara-t-il. Mais je désire parler avec vous en tête-à-tête, Majesté.

— Traître ! hurla Mal en se débattant, tu n'as pas le droit !

Sal ne le regarda même pas. La Reine passa une langue bifide sur ses babines et sourit.

— Ah. De plus en plus intéressant. Amenez-le moi.

Les gardes obéirent et, quelques minutes plus tard, Sal se tenait devant la souveraine.

— Je suis d'accord pour coopérer, annonça-t-il. Mais j'ai des conditions...

— Je m'en doute, ironisa la Reine. Vas-y, je t'écoute.

— Tout d'abord, retirez-moi ces chaînes, elles sont insupportables.

La Reine hocha la tête à l'intention des gardes gris qui libérèrent le dragon noir. Celui-ci se frotta les marques laissées par les chaînes et soupira d'aise.

— Ensuite, je veux un poste directement auprès de vous après l'invasion d'AutreMonde. Pas question d'obéir à quelqu'un d'autre.

— Hors de question, répliqua la Reine. J'ai déjà composé mon équipe. Il n'est pas prévu de place pour un nouveau maréchal, général, commandant ou même capitaine. Ta loyauté n'a pas été testée. Donc pour l'instant, ma réponse est non.

Tara était atterrée. Voir le gros dragon noir discuter de sa trahison avec autant de nonchalance lui donnait la chair de poule.

— Pour l'instant ? releva le dragon. Cela signifie-t-il que vous pouvez changer d'avis ?

— Tout dépendra de ce que tu vas me révéler et de ton attitude dans les prochains mois. Une guerre fait aussi des victimes. Qui sait, peut-être des places seront-elles vacantes.

— Je... saurai m'en souvenir. Bien. Et je veux que vous libériez mes compagnons.

— Ils ne vont pas essayer de te tuer alors que tu les trahis ?

— J'ai le moyen de les faire changer d'avis, laissa tomber Sal. Vous avez une belle vie ici après tout. Des esclaves à profusion, tout un continent, bientôt toute une planète, j'ai connu pire.

La Reine se redressa puis se pencha, tendant sa patte.

— Alors nous avons un deal, dit-elle.

Sal sourit puis se pencha, attrapa la patte rouge, la serra fermement dans la sienne... et arracha son collier.

Chapitre XX

Elfes, dragons
ou comment se retrouver dans un cauchemar
mythologique et ne pas trouver la sortie de secours...

Betty hurla et faucha Tara qui se retrouva à terre. Elles attendirent l'explosion qui allait tous les tuer, mais il ne se passait... rien. Du tout. Tara ouvrit un œil. Tous les dragons gris et les gardes avaient eu la même réaction que la jeune humaine. Ils étaient aplatis au sol ou abrités derrière le mobilier renversé de la loge.

Et la Reine rouge avait l'air vraiment surprise d'être encore en vie. Normalement, Sal et elle auraient dû être réduits en morceaux... en tout petits morceaux.

Santra, la petite dragonne verte, apparut alors. Elle tenait un boîtier dans les mains.

Et elle souriait.

— Tsss ! Tsss ! Tss ! fit-elle à la Reine stupéfaite, tu devrais faire plus attention. Sans nous, tu terminais dans une petite boîte, ça aurait été dommage, non ?

Sal hurla et voulut mordre la Reine mais celle-ci bloqua sa mâchoire sans effort. Chez les dragons, les femelles étaient souvent plus grosses que les mâles. Et, plus elles étaient grosses, plus elles étaient considérées comme belles. Vu la taille de la dragonne rouge, elle pouvait prétendre au titre de reine de beauté. Et sa force lui permit de détourner les crocs de Sal puis de le rejeter dans les pattes des dragons gris qui accouraient avec un temps de retard.

La Reine rouge était en colère et effrayée. Elle avait perdu la face, à défaut d'avoir perdu la vie.

340

— Très, très ingénieux, siffla-t-elle. Un... comment les Humains les nomment-ils... ? Un kamikaze, n'est-ce pas ? Quelqu'un qui n'a rien à perdre et se sacrifie. Fort... noble. Santra, ma chérie, viens ici.

Très décontractée, la dragonne verte s'approcha et fut extrêmement décontenancée lorsque la Reine la crocheta sous la mâchoire et la souleva quasiment du sol.

— Gue... gu'est-gue du fait ? s'étrangla Santra.

— Je n'aime pas beaucoup ce genre de surprise, chère enfant. Recommence ton petit jeu de pouvoir et je te mets un vrai collier, sans hésiter. Est-ce clair ?

— Voui ! gargouilla la dragonne verte, les yeux exorbités, luttant pour respirer.

— Bien.

La Reine rouge serra une dernière fois, histoire de souligner son extrême déplaisir, puis relâcha Santra, qui lui lança un regard haineux. Son jumeau, Chanvi, s'approcha et la soutint. Lui non plus n'avait pas l'air très heureux.

— Le geas que vous avez placé sur nous à notre naissance nous oblige à vous obéir, Mère, dit-il d'un ton furieux. Nous humilier n'est pas nécessaire.

Mère ? Comment cela, *mère* ? Tara n'était pas la seule à déglutir avec difficulté. Sal paraissait littéralement pétrifié.

— Mes enfants, je suis si contente de vous voir enfin, roucoula la Reine rouge comme si elle n'avait pas failli étrangler sa propre fille un instant plus tôt. Et merci encore de votre aide, si précieuse. Bravo surtout à toi, Santra, tromper ce petit dragon rouge pour voler la clef pendant son service, quelle intelligence, quelle magnifique sournoiserie !

La voix de la Reine était amplifiée et Mal, dans l'arène, entendit ce qu'elle venait de dire.

— C'est donc cela, gronda-t-il, profondément meurtri. Tu n'es sortie avec moi que pour m'utiliser. Tu n'es qu'une glavour, Santra, et une slevir[1] !

La dragonne verte sursauta mais ne répondit pas.

---

1. Deux injures typiquement dragonniennes, aucune idée de ce que cela veut dire, Tara a refusé de me traduire...

— Qu'est-ce qu'un geas ? murmura Tara à Betty.

La jeune Terrienne n'eut pas le temps de lui dire de se taire que la Reine rouge décidait de lui répondre.

— Lorsque mes œufs ont été pondus, j'ai décidé de les donner aux dragons de l'extérieur afin que mes enfants soient élevés en liberté. Ces idiots ont testé les œufs afin de s'assurer que mes embryons n'avaient pas hérité de ma soi-disant folie mais n'ont pas pensé un instant que je pouvais utiliser ma magie sur mes œufs. Mon geas était cette contrainte qui les obligeait à tenter tout ce qui était possible pour revenir sur le Continent interdit et me délivrer.

À leur façon, les deux jeunes dragons verts étaient aussi prisonniers qu'eux. Tara ne savait pas si elle devait les plaindre ou les maudire de les avoir trahis.

— Nous sommes entrés dans l'armée afin d'avoir accès aux clefs, expliqua Chanvi qui paraissait tenir à se trouver une excuse. Puis nous avons pris contact avec Magister afin de lui proposer notre plan : libérer notre mère, en échange d'un partage d'AutreMonde entre lui et elle. Il a accepté. Grâce aux limbes démoniaques, il a atterri directement sur la plage, s'est ouvert le passage grâce à notre clef, a remis Betty à notre mère puis est reparti. Celle-ci a refusé d'envahir AutreMonde avant d'être sûre d'avoir vaincu un autre dragon, Chaonvigrichuchivu, qui lui disputait l'hégémonie du continent. D'où le délai d'un mois avant que Magister ne délivre son message. Ensuite, nous faire engager n'a pas été difficile : seuls des volontaires étaient acceptés et tous les autres dragons pensaient que ce continent était dévasté et mis à feu et à sang par les dragons fous.

— Malheureusement, soupira la Reine, je n'ai pas encore tout à fait réglé ce problème avec Chaonvigrichuchivu. Cela prend un peu plus de temps que prévu. Mais ce n'est plus qu'une question de jours à présent, d'autant que j'ai un excellent moyen de négocier avec lui...

La dragonne se tourna enfin vers Sal et lui jeta un regard mauvais.

— Quant à toi, je vais te montrer ce qu'il en coûte de vouloir m'affronter. Tenez-le !

— Tu peux me tuer ! hurla le dragon noir, mais jamais tu ne vaincras les nôtres ! Ton plan ridicule, fruit d'un cerveau malade, n'a aucune chance d'aboutir !

— Oh, mais je ne veux pas te tuer, ironisa la dragonne. La fleur de kalir possède une particularité fort curieuse. À forte dose, au lieu de nous guérir, elle exerce un effet inattendu sur notre métabolisme. (Elle lança un ordre aux gardes :) Ouvrez-lui la gueule.

En dépit de la résistance farouche de Sal, les dragons gris l'immobilisèrent et bloquèrent sa mâchoire. La Reine rouge se haussa sur la pointe des pattes car le dragon noir était grand lui aussi, puis fit couler le contenu d'une fiole bleue dans le gosier de sa victime. Celui-ci s'efforça de ne pas déglutir mais la Reine rouge versa tout un baquet de vin dans sa gueule et il faillit s'étouffer. Il tenta de maîtriser son instinct et sa déglutition fut involontaire.

Dès que le produit se répandit dans ses veines, il hurla. Sur ses gardes, la Reine tressaillit mais le dragon était incapable de l'attaquer. Il tremblait de tous ses membres, au point que les Gris durent le lâcher lorsque les tremblements se transformèrent en convulsions. Puis il commença à... changer. Ses écailles noires s'éclaircirent et disparurent. Il rétrécit, ses ailes diminuèrent avant d'être avalées par son dos. Son museau s'aplatit, ses pattes s'amincirent et en quelques secondes se tenait devant eux non plus un dragon mais un tout jeune humain, presque un adolescent. Le collier, trop grand, glissa et tomba sans exploser. La Reine saisit le code correspondant à l'objet explosif sur le boîtier de commande et le désactiva.

Sal se redressa. Ses yeux, restés ceux d'un reptile, jaune doré, étaient emplis d'angoisse.

— Que m'as-tu fait ?

— Essaye de te retransformer ! ordonna la Reine rouge. Sans ton collier, vas-y sans crainte.

Encore secoué par ce qu'il venait de subir, Sal lui jeta un regard méfiant mais obéit. Il se concentra, encore et encore, en vain. Il comprit et tomba à genoux, dans un grand cri d'horreur.

— Noooon ! noooon ! sanglota-t-il. Je ne peux plus me retransformer ! Noooon !

— C'est exactement cela, souligna la Reine d'un ton satisfait. Tu ne peux plus. La potion est irréversible. Tu resteras dans cette forme chétive pour le restant de tes jours, incapable de reprendre ta forme originelle. Tous les dragons qui ne se soumettront pas à ma loi subiront le même sort. Betty ?

Betty était restée impassible mais Tara lisait de la compassion dans l'œil brillant de larmes contenues que la jeune Terrienne posait sur l'ex-dragon.

— Fais-lui placer un collier à sa taille puis qu'il aille se reposer dans l'une des chambres des esclaves. Mets-le au travail dès demain.

— Oui, Majesté.

— Tous ces événements m'ont creusé l'appétit. Allons déjeuner ! s'exclama la dragonne rouge, enjouée, en se frottant les pattes.

Les deux dragons verts se placèrent à ses côtés et la petite famille, dominée par la masse énorme de la dragonne, partit se restaurer.

Betty se chargea de Sal qui gémissait, à demi inconscient, et avec une force étonnante le fit se lever et marcher à son côté.

Chem, Charm et Mal furent reconduits sans ménagement dans leurs cellules, à la vive contrariété de Tara qui avait besoin de leur parler. Elle servit à table, tendant l'oreille. La dragonne rouge expliqua ses plans à la princesse et au prince héritiers et, à plusieurs reprises, Tara aurait juré les voir frissonner. La Reine ne parlait que conquêtes, sang et pillages, grappillant dans les plats tandis que Santra et Chanvi ne mangeaient presque rien.

Tara emmagasina soigneusement toutes les informations, y compris celle que ni Santra ni Chanvi ne semblaient partager l'enthousiasme de leur mère.

L'après-midi s'écoula à la vitesse de l'éclair et elle n'eut pas l'occasion de croiser ses amis sauf, dans un couloir, Robin et V'ala travaillant côte à côte, et elle fronça les sourcils lorsqu'elle vit la belle Violette apporter de l'eau à Robin puis lui essuyer tendrement la bouche où quelques gouttes perlaient encore. Les deux elfes se sourirent, inconscients de sa présence, et elle tourna les talons. Elle s'efforça de juguler la vague de jalousie qui montait soudain en elle. Elle savait que Robin l'aimait. Mais la jeune commandante était incroyablement belle et faisait probablement des choses que Tara ne pouvait qu'imaginer. Et si Robin la choisissait à cause de cela ? Elle dut s'arrêter et s'appuyer contre le mur, tout tournait autour d'elle. Non. Elle ne devait pas faiblir.

Ce ne fut pas une très bonne journée pour Tara, non pas parce qu'elle était prisonnière mais parce que toutes sortes d'interrogations rongèrent son esprit sans relâche. En rentrant dans ses appartements, Tara fit un crochet par les serres de la Reine et déracina plusieurs plants de kalir sous l'œil vigilant du dragon jardinier. Elle transplanta les fleurs et leurs racines dans des pots et les plaça dans sa chambre. Jubilante, elle se lava les mains. Elle venait d'accomplir un grand pas vers la libération de son père... enfin, si elle parvenait à s'enfuir !

Ils se retrouvèrent au dîner. Betty les quitta tôt car elle dînait et dormait dans les appartements de la Reine.

Fatigués, surtout Xandiar dont les quatre bras n'avaient pas chômé et qui trouvait les écuries sales, malodorantes et mal entretenues, ils parlèrent peu au début, conscients de la surveillance incessante des scoops. Même si Tara, comme Fabrice, brûlait de leur rendre compte des événements, ils attendirent que tous aient terminé leur plat principal. Toutefois, quand ils furent rassasiés, ce ne fut pas ce qu'elle avait vécu dans la loge de l'arène qui jaillit de la bouche de Tara, plus rapide, mais une question absurdement banale :

— Alors, Robin, ta journée s'est bien passée ?

Le demi-elfe leva les yeux de son bol de soupe où flottaient des machins non identifiés.

— V'ala et moi avons nettoyé le couloir sud. En dépit des filtres antipoussière, les dragons salissent vraiment le sol, je crois que nous en avons pour quelques jours pour venir à bout de cette tâche. Et toi ?

Moi, j'ai failli vomir parce que le sang, ce n'est vraiment pas mon truc et je n'arrive pas à rester rationnelle à l'idée que tu pourrais couch... sortir avec V'ala. Que je ne peux même pas traiter de traînée, parce que ce genre de chose n'existe pas chez les Elfes. La barbe !

— J'ai assisté aux combats dans l'arène, répondit-elle d'un ton neutre. Des loups contre des dragons.

Le demi-elfe se redressa, inquiet. Puis il désigna les scoops.

— Nous avons le droit d'en parler ?

— J'ai posé la question à Betty, la réponse est oui. Nous pouvons dire ce que nous voulons, y compris sur la Reine, le seul sujet dont nous n'avons pas le droit de débattre concerne une éventuelle révolte, rébellion ou évasion. Certains mots-clés, dont ces trois-là, attirent l'attention des scoops.

Effectivement, trois caméras étaient en train de se braquer sur eux. Tara leur sourit et agita la main puis replongea ses yeux dans ceux de Robin.

— Et alors ? Qu'as-tu vu ?

— Notre cher et vénérable Chem a combattu, lui aussi.

— Nooon ? souffla Cal. Décidément, entre le dragon rené... (il jeta un coup d'œil aux scoops et se reprit) entre son dernier combat et celui-ci, il va finir par traîner une sérieuse réputation de bagarreur ! Il va bien ? Il n'est pas blessé ?

— Il a été blessé mais pas au point de menacer sa vie. Il a été attaqué par cinq loups, s'est transformé en loup-garou, mais plus gros et plus rapide, et leur a flanqué une pâtée.

— Excellente tactique de combat, apprécia Robin. Si nous pouvons utiliser la magie, il faudra que nous nous en souvenions.

— Et nous savons qui sont les traîtres, ajouta Tara. Ceux qui nous ont vendus : Santra et Chanvi, les deux dragons verts jumeaux, sont les enfants de la Reine rouge, tous ses renseignements venaient d'eux. Ils lui ont révélé où et comment nous piéger.

— Comment as-tu découvert cela ? questionna Eleanora, ouvertement admirative pour une fois. En espionnant la Reine rouge ?

Tara secoua la tête.

— Je n'ai pas eu besoin de jouer au Voleur Patenté. Sal a tenté de la tuer en retirant son collier dans la loge, ce qui nous aurait tous détruits, mais son plan a été déjoué par Santra et Chanvi qui avaient entre leurs mains le boîtier de contrôle. Ils ont neutralisé le collier avant qu'il explose.

Robin, atterré, prit la main de Tara et V'ala se renfrogna.

— Par tous les dieux d'AutreMonde, Tara ! Sal est malade de t'avoir fait courir un risque pareil, tu aurais pu mourir !

Tara hocha la tête comme si cela n'avait aucune importance alors qu'elle avait eu la trouille de sa vie, et jeta un regard satisfait vers V'ala tout en refermant ses doigts sur les longs doigts fins de Robin.

— De plus, la Reine possède une mixture qui contraint les dragons à se transformer en humains et les empêche ensuite de reprendre leur forme ordinaire, continua-t-elle. Elle en a administré à Sal, qui a failli devenir fou. Il se repose en ce moment dans l'une des chambres... Le reste de ma journée a été plus routinier, si l'on peut dire : nettoyer les appartements de la Reine pendant qu'elle travaillait puis la préparer pour le dîner et la nuit. Elle nous a dit qu'elle allait continuer une bonne partie de la nuit et comme elle sait que les humains sont moins résistants que les loups-garous, elle nous a remplacées, Betty et moi, par ses servantes anazasies. Betty est retournée dans les appartements de la Reine rouge pour y dormir et moi, je suis venue ici.

— Wow ! fit Cal, impressionné. Ta journée a été nettement plus chargée que la nôtre. Tu ne veux pas qu'on échange nos places ? Parce que moi, gratter et nettoyer, nettoyer et gratter, ben ça ne me passionne pas des masses. Robin a raison, ces reptiles sont vraiment crades.

— Mais bien sûr ! s'écria Moineau, les faisant sursauter. J'aurais dû m'en douter ! Leur nom formait la clé !

— Le nom de qui ?

— Celui de Santra et de Chanvi ! Une *sanchanvi* est une clef, en dragonnien.

Tout s'expliquait. Trop tard comme d'habitude, Tara comprenait l'avertissement de la kidikoi. La clef qui allait la trahir n'était pas un objet mais les deux dragons !

— D'ailleurs, nous ne savons toujours pas comment se nomme la Reine, poursuivit Moineau.

— Elle ne s'appelle pas, déclara une voix claire derrière eux. C'est « Majesté » et puis c'est tout.

Catherine, qui leur apportait de l'eau et du café, venait de répondre. Elle semblait se soucier des scoops aussi peu que de son premier collier. La Reine ne devait pas la considérer comme dangereuse car aucune petite caméra volante ne se rapprocha pour mieux écouter ce qu'elle disait.

— Notre Reine refuse de donner son nom, précisa-t-elle en souriant à Jeremy qui sentit son cœur accélérer. Elle prétend que les noms ont du pouvoir et qu'avec l'anneau quiconque connaîtrait son véritable nom pourrait la contrôler. Car c'est un anneau de pouvoir. Elle ne veut pas courir de risque.

Allons bon ! Il ne manquait plus que le Seigneur des Anneaux dans cette aventure. Tara sentit que si un Hobbit arrivait à ce moment dans la pièce, elle allait se mettre à hurler. Heureusement pour les oreilles voisines, ce qui pénétra dans la vaste cantine fut un banal loup-garou. Elle soupira. Depuis quand le mot « banal » lui venait-il à l'esprit en voyant un loup-garou ?

— Cet... anneau, interrogea-t-elle, qu'est-ce que c'est ?

— Je l'ignore, répondit sincèrement Catherine. Je sais seulement qu'il est ce qui a causé la relégation de notre Reine sur le continent.

Tara se raidit en revoyant l'anneau au doigt de la Reine puis un dessin sur une liste d'objets tendue par maître Chem deux ans plus tôt, dans la forteresse grise de Magister. Une liste de treize objets démoniaques forgés par les démons, assortie de descriptions précises... Il y avait le Trône de Silur, que Tara avait détruit, le Sceptre maudit qui avait subi le même sort, et... bon sang ! L'Anneau de Kraetorvir ! Oui, c'était cela ! Par tous les diables de l'univers ! Comment la dragonne avait-elle eu accès aux objets démoniaques, gardés par les incorruptibles Gardiens ? Si Magister avait vu l'anneau, et Tara n'espérait même pas qu'il n'en fût rien, il allait tout faire pour s'en emparer.

Elle jeta un regard paranoïaque autour d'elle. Il se pouvait même qu'il soit, en ce moment même, sur le Continent interdit, incognito. Après tout, elle n'avait aucune idée de ce à quoi il ressemblait.

Donc, elle avait trois missions à présent. S'emparer de l'anneau avant Magister, cueillir, voler, emprunter deux ou trois fleurs de kalir et s'enfuir de cet endroit avec ses amis. Ah, et aussi empêcher son petit copain de tomber dans les bras d'une intrigante à la peau violette.

Facile. Elle faisait ça tous les matins pour le petit-déjeuner.

— ... et le plus bizarre restait à venir, expliquait Fabrice en agitant les mains.

Zut ! elle avait raté un bout de la conversation. Et ne pas pouvoir partager ses pensées avec ses amis était... crispant. Elle afficha donc un sourire crispé. Et écouta la suite des aventures de Fabrice.

— ... Ils n'ont pas retrouvé G'il, le loup qui gardait ma porte. Du coup, j'ai désormais deux gardes, comme si j'allais m'enfuir par un mystérieux moyen. Ce n'est pas ma faute si la scoop a été écrasée. Moi, je dormais.

Moineau leva un sourcil surpris.

— Tu dormais ? Toi ? Mais je croyais que faire la sieste te déplaisait. Que cela te donnait mal à la tête et qu'après tu avais un mal fou à te réveiller ?

Fabrice se frotta le front comme si une sérieuse migraine le menaçait.

— Tu as raison, c'est étrange, je ne me rappelle pas non plus m'être endormi. Tu crois que j'ai servi de cobaye à la Reine rouge pour un truc bizarre qu'elle m'a fait ensuite oublier ?

— Et pourquoi se cacher pour nous torturer ? releva Cal. Elle peut agir au grand jour !

Tara se toucha rapidement le visage à plusieurs endroits, ce qui agaça vivement le jeune Voleur.

— Non, répondit Xandiar après avoir attentivement étudié la jeune fille. Ce n'est pas le cas. Et je ne vois pas pour quelle raison la personne en question s'en prendrait à votre ami. Il s'agit d'autre chose.

Tara gesticula de nouveau.

— Oui, affirma Xandiar, je le ferai.

Puis il attendit mais Tara n'ajouta rien.

— Tara ?

— Oui, Cal ?

— Rappelle-moi, la prochaine fois que tu me charges d'une mission, de te demander ce-que-tu-sais des secrets de qui-tu-sais. Je déteste quand tu fais ça.

— Pardon ! Je suis désolée.

Ils terminèrent sur quelques miams mais sans véritable appétit. À leur grande surprise, ils virent Betty traverser la salle et pénétrer dans l'une des chambres, ignorant les gardes. Curieux, ils la suivirent.

Sal était allongé sur un lit, fiévreux et le front brûlant. Betty lui pressait un linge frais aux tempes. Elle leva un œil angoissé vers Tara et Fabrice lorsqu'elle sentit leur présence.

— Ce n'est pas la première fois que notre Reine punit un dragon, murmura-t-elle. Certains font de mauvaises réactions, ce qui semble le cas de votre ami. Il faut le tenir au frais sans quoi la fièvre endommagera son cerveau. Pouvez-vous le faire pour lui ? Je ne pourrai revenir qu'en seconde partie de nuit.

— Bien sûr, répondit Tara, je vais m'en occuper avec mes amis, nous nous relaierons. Va te reposer.

Betty lui adressa un sourire crispé puis, après une dernière caresse au visage trempé de sueur, elle s'enfuit.

— Elle... a l'air de bien l'aimer, fit remarquer Moineau, soulagée de voir s'éloigner le spectre de « l'ancienne petite amie terrienne ». Même si Betty n'était jamais sortie avec Fabrice, elle savait qu'ils s'entendaient très bien et que, parfois, il n'y a qu'un pas entre l'amitié et l'amour.

Fabrice haussa les épaules.

— Je préfère cela, je commençais à croire que la Reine avait tué toute compassion chez Betty. Elle est si froide avec nous !

Tara grinça des dents, frustrée. Avec la scoop qui les surveillait, elle ne pouvait rien dire à Fabrice.

Elle se penchait pour mettre le linge frais sur le front de Sal lorsqu'elle maîtrisa un sursaut de justesse.

— *Tara*, dit une voix dans son cerveau, *c'est Betty.*

Oui, ça, elle s'en était doutée.

— *Cette nuit, il faudra que tu viennes dans les appartements de la Reine. Les gardes en faction devant ta porte te laisseront passer. La coalition qui lutte contre les dragons est bien plus étendue que ne le pense la Reine rouge. Nous devons parler et je veux te présenter celui qui la dirige. Étire-toi si tu es d'accord.*

Évidemment qu'elle était d'accord ! Elle s'étira puis se rassit sur la chaise au chevet du lit. Elle n'allait pas beaucoup dormir cette nuit.

Ils décidèrent de se relayer à intervalles réguliers et Tara demanda à commencer. Robin, au grand dépit de V'ala, proposa de lui tenir compagnie.

Le grand demi-elfe resta silencieux un instant, regardant avec tendresse la jeune sortcelière prodiguer ses soins au pauvre Sal.

— Je suis bien plus elfe que je ne le voudrais, dit-il soudain dans le silence paisible de la chambre. Je n'ai pas pensé un instant que je pouvais heurter ton humaine sensibilité. Je suis un idiot. Excuse-moi ! Même si j'avoue n'avoir pas compris ce que tu as dit au sujet des lapins.

Il soupira :

— Lapins, pigeons[1], vous en avez des comparaisons curieuses sur votre planète, tout de même...

Tara se tourna vers lui et ne put s'empêcher de rire. Rire qui mourut sur ses lèvres, lorsqu'elle plongea ses yeux bleu marine dans ceux de Robin.

— C'est que, dit-elle timidement, notre relation, toi, moi, tout ceci est nouveau pour moi. Comme un pays inconnu que je dois découvrir. Si tu vas trop vite, je risque d'avoir peur et je me passerais bien de cette angoisse, vu tout ce qui me tombe dessus régulièrement sur cette planète.

— Ma courageuse guerrière, souffla Robin, je n'irai pas trop vite. Et je ne ferai rien dont tu n'aies pas envie.

Et il se pencha sur les lèvres douces de Tara. Leur baiser fut plus qu'un baiser. Un échange, une promesse. Quoi qu'il arrive, ils seraient ensemble.

Sal gémit et, à regret, Tara s'arracha à l'étreinte de Robin. Bon sang, elle adorait quand l'elfe l'embrassait. Puis la vision d'une peau violette et d'un beau visage s'imposa dans son esprit et elle ne put se retenir.

— Et pour V'ala ?

Ils ne virent pas l'elfe violette qui allait entrer dans la chambre et, à l'énoncé de son nom, stoppa net puis recula.

— V'ala ? répéta Robin, surpris. Pourquoi me parles-tu d'elle ?

— C'est une elfe adulte, je n'ai pas pu m'empêcher de remarquer qu'elle s'intéressait à toi.

Le demi-elfe ouvrit de grands yeux étonnés.

— V'ala ? Elle est gentille mais c'est la chef de ta garde, elle peut avoir tous les elfes qu'elle veut juste en claquant des doigts. Pourquoi veux-tu qu'elle ait des vues sur moi ?

— Parce que je suis un peu vicieuse ? fit une voix dans son dos.

Il sursauta et V'ala surgit de l'ombre.

---

1. Voir *Tara Duncan. Le Dragon renégat* : Fabrice lui ayant expliqué que les tourtereaux roucoulaient, Robin a un peu de mal avec les expressions terriennes et ne comprend pas pourquoi Tara ne roucoule pas. Alors cette histoire de lapin, évidemment, c'est un mystère total pour lui...

— L'Héritière a raison. Je te trouve bien plus intéressant que les autres elfes. Ton sang humain a développé en toi des potentialités qui te rendent... exotique. J'aime ce qui est exotique.

Les elfes rougissaient peu mais la partie humaine de Robin ne s'en privait pas.

— Ah, euh, balbutia-t-il, euh, oui ?

Tara se leva.

— Robin est mon petit ami, annonça-t-elle d'un ton inflexible.

— Oh ? Je croyais qu'il avait publiquement renoncé à ton amour. Ce n'est plus le cas ?

— E'rée m'a menacé de mort, ainsi que toute ma famille, à cause de mon alliance avec une humaine, fût-elle future impératrice d'Omois. J'ai dû faire semblant pour mettre les miens à l'abri.

— Intéressant, ronronna V'ala. Ma *mère* sera certainement ravie d'apprendre que tu l'as trompée.

Robin se leva à son tour, troublé.

— Tu es la fille d'E'rée ?

— En personne, s'inclina V'ala. Ma mère a estimé qu'il fallait que quelqu'un te surveille, petit Elfe, et comme je l'ai déçue lors d'une mission que j'ai dû effectuer pour elle, cette escorte sur le Continent interdit est la punition qu'elle a trouvée. Et puis, de tous mes frères et sœurs, je suis probablement celle dont elle peut le mieux se passer. Ma mort ne l'affecterait pas beaucoup.

Tara discerna la fêlure dans sa voix et vibra en retour. Elle qui avait souffert du manque d'affection de son implacable grand-mère était bien placée pour comprendre ce que ressentait l'elfe.

— C'est... une illusion, murmura-t-elle doucement. La seule reconnaissance qui soit importante est celle que l'on s'accorde à soi-même. Rechercher celle de gens qui sont incapables de donner conduit le plus souvent à la souffrance et à la frustration et peut te briser le cœur. Cela fait longtemps que je ne tombe plus dans ce piège...

Un peu moins de deux ans en fait. Et à la suite de conversations avec des gens bien plus sages qu'elle... dont un certain dragon bleu.

V'ala la dévisagea. L'humaine était plus fine qu'elle ne l'avait pensé.

352

— Quoi qu'il en soit, précisa-t-elle, je mets une option sur Robin. Et toi ?

— Je ne connais pas vos règles, répondit Tara, curieuse. Qu'est-ce qu'une option ?

— Chez les elfes, les individus de sexe masculin sont en plus grand nombre que ceux de sexe féminin. Aussi, afin d'éviter les inévitables frustrations, les elfes femelles ont-elles droit à plusieurs compagnons. Un maximum de cinq, en fait. Mettre une option sur un elfe signifie que V'ala a un an pour me séduire de toutes les façons qu'elle pourra imaginer. Et que je n'ai pas le pouvoir de lui refuser ce droit.

Ho ! Ho ! Pas drôle. Tara fit la grimace.

— Sur Terre, nous sommes monogames. Un seul petit ami, indiqua-t-elle. Enfin, pour la plupart des peuples.

— Mais tu n'es pas sur Terre, argua V'ala, et Robin n'est pas seulement humain. S'il est juridiquement sujet du Lancovit, les lois de la reine de l'Air et des Ténèbres s'appliquent pour lui comme pour nous. Crois-tu pouvoir lutter contre le poids de la tradition ?

— Euh, les filles, j'aimerais avoir mon mot à dire, s'il vous plaît ! protesta Robin.

— C'est entre nous ! répliquèrent en même temps V'ala et Tara, qui se firent face.

Les étincelants yeux verts affrontèrent les brillants yeux bleus.

— Très bien ! fit Tara entre ses dents. Tu as un an. Et comme j'ai déjà pris de l'avance, je te le laisse pour que vous veilliez Sal ensemble. Moi, je vais me coucher.

Ils ne pourraient pas faire grand-chose avec Sal à soigner et elle voulait dormir un peu avant de partir en expédition nocturne.

Avant que Robin n'ait le temps de protester, elle lui plaqua sur les lèvres un baiser brûlant et sortit de la chambre.

Le garde de service se tenait dans le sas distribuant les chambres, indifférent à leurs allées et venues.

Une fois dans le couloir, elle s'adossa un instant au mur, le cœur et l'esprit en déroute. Ses démêlés avec V'ala étaient pour le moins contrariants. Elle avait besoin d'alliés, non d'adversaires. Elle soupira. Rien n'étant simple sur ce monde, il était inévitable que sa première histoire d'amour soit parfaitement embrouillée. Elle se ressaisit pour repartir, lorsqu'elle vit une ombre toquer discrètement à la porte de Jeremy. Le battant pivota sur ses gonds, la fine silhouette de Catherine se découpa un instant dans la lumière. Elle sourit et souhaita bonne chance aux deux adolescents.

Jeremy allait s'endormir lorsque quelqu'un frappa à sa porte. Méfiant, après ce qui était arrivé à Fabrice, il alla ouvrir. Et son visage s'éclaira lorsqu'il vit qui se tenait devant lui.

— Cat ! s'exclama-t-il, que fais-tu là ?

— Puis-je entrer ? demanda la jeune fille.

— Bien sûr ! Je t'en prie !

Il referma la porte derrière elle.

Elle se retourna et aborda aussitôt le sujet qui l'intéressait.

— Tu connais bien AutreMonde, n'est-ce pas ?

— Euh, « bien » est un grand mot. Je ne suis sur votre planète que depuis huit mois. J'ai passé mon enfance et mon adolescence sur Terre, dans un pays nommé l'Angleterre, où des fermiers m'ont élevé, mes parents biologiques, des sortceliers, étant poursuivis par un dragon qui voulait faire de moi une sorte d'arme pour tuer les démons. Je suis sur AutreMonde pour les rechercher mais ils restent introuvables.

Expliqué ainsi, cela pouvait paraître confus mais la jeune fille s'efforçait de suivre... enfin, plus ou moins.

— Des fermiers ? Comme nos loups qui cultivent les terres ?

— Oui, sauf que sur Terre, tout le monde ou presque est humain...

— Et tu dois travailler pour des dragons, aussi ?

— Non. Les dragons ne sont pas les maîtres d'AutreMonde. Et je ne travaille pas, bien que, depuis que j'ai récupéré ma magie, je puisse enfin l'étudier et la pratiquer. Pour l'instant, tout mon temps libre a été consacré à la recherche de mes parents. Dès que je les aurai trouvés, je voudrais entrer comme Premier sortcelier au service de l'impératrice d'Omois.

— Raconte-moi comment c'est, dehors.

Jeremy la fit asseoir, déçu qu'elle s'intéresse à lui uniquement pour ce qu'il pouvait lui apprendre. Il se lança toutefois de bon cœur dans une description souvent cocasse de ses démêlés avec les AutreMondiens. Il raconta ce qu'il avait dû apprendre, ce qu'il avait découvert. De son côté, Catherine lui décrivit la vie sur le Continent interdit, les attaques des dragons fous contre les villages, l'incertitude, le danger constant en dépit du travail de la Reine rouge pour éradiquer ces accès de violence ou, du moins, les canaliser.

Elle était née sur le continent où ses parents avaient été déportés pour un crime dont ils refusaient de parler. Elle en souffrait mais s'était adaptée, même si elle ne déplorait le refus de la Reine rouge de l'autoriser à devenir une louve-garou, comme les autres. Ils parlèrent longtemps et la jeune fille sentit comme une pierre dans son ventre qui se dissolvait lentement au contact du jeune garçon. Un instant de paradis dans une tranche d'enfer.

De son côté, Jeremy se départait de sa gravité coutumière. Il oubliait la prison, les dragons, pour ne voir que les grands yeux noirs de la jeune fille et écouter son rire cristallin.

Enfin, au bout de deux heures, elle soupira et se leva.

— Merci, dit-elle. Tu ne sais pas à quel point je te suis reconnaissante pour les instants que je viens de passer grâce à toi. Je dois partir à présent, avant que mes parents ne s'inquiètent de mon absence. À demain !

Et, avant que le garçon ne puisse protester, elle se pencha et posa sur ses lèvres un délicat baiser.

Elle sourit puis se dirigea vers la porte. Celle-ci s'ouvrit brutalement devant elle. Un inconnu de haute taille, âgé d'une quarantaine d'années, se tenait dans l'embrasure et il n'avait pas l'air content du tout.

Ses traits prématurément marqués révélaient un passé de souffrances morales et physiques. Les teintes de ses cheveux bruns et de ses yeux noirs rappelaient, en plus assourdies, celles de la jeune fille.

— Catherine ! rugit-il, combien de fois devrai-je te répéter de ne pas circuler dans les couloirs la nuit. C'est dangereux !

— Papa ?

Son père ? Jeremy jeta un coup d'œil inquiet à la scoop. Houlà ! les choses se compliquaient.

Il lui revint soudain à l'esprit que cet homme avait été condamné pour un crime si inavouable qu'il avait provoqué sa déportation et celle de sa famille dans cet enfer. Il avala sa salive et se levait d'un bond, avec aux lèvres un flot d'excuses et de protestations toutes prêtes à s'échapper, lorsqu'il se rendit compte que la fureur du nouveau venu n'était pas dirigée contre lui mais contre Catherine. Courageusement, il s'avança.

— Je suis terrien, dit-il, ou du moins j'ai été élevé par des fermiers sur Terre, en Angleterre, près de Salisbury, jusqu'au jour où j'ai appris qu'en fait j'étais un sortcelier. Catherine voulait seulement en apprendre un peu plus sur la Terre et AutreMonde. Ne lui en veuillez pas.

L'homme le regarda avec agacement.

— Vous ne savez rien de ce qui se passe ici, jeune homme. Je ne laisserai pas ma fille jouer avec sa vie pour assouvir une banale curiosi...

Soudain il se raidit et regarda attentivement le jeune garçon.

— Dans la plaine de Salisbury, près de Stonehenge ? Des fermiers ? Comment vous appelez-vous ?

— Jeremy'lenvire Bal Dregus, répondit Jeremy. Et vous ?

L'homme pâlit puis se précipita vers le jeune Terrien. Effrayé, celui-ci recula, prêt à parer un éventuel coup de poing mais l'homme, tout en balbutiant des mots sans suite, l'enveloppa au contraire dans une chaude étreinte.

Catherine et Jeremy échangèrent des regards stupéfaits.

L'homme s'écarta enfin, essuya les larmes sur son visage puis, une main sur l'épaule de Jeremy, il se tourna vers sa fille.

— Ma chérie, ce jour est à la fois heureux et très triste car Jeremy est prisonnier avec nous. Cependant, je ne peux m'empêcher de me réjouir.

— Mais enfin, Papa ! s'écria Catherine, excédée, pourrais-tu nous expliquer ce qui t'arrive ?

— Catherine, annonça l'homme, rayonnant, j'ai l'immense bonheur de te présenter ton frère !

Chapitre XXI

Le plan
ou le meilleur est celui où on peut battre l'ennemi, sans avoir à combattre ses troupes...

Alia avait reconnu Chemnashaovirodaintrachivu dès qu'elle l'avait aperçu et la haine l'avait envahie, au point qu'elle avait peine à respirer. C'était lui ! Le monstre qui avait poursuivi sa famille, modifié leurs gènes, fait de leur vie un enfer en les enfermant sur ce continent maudit[1]. Celui qui les avait obligés à abandonner leur premier-né adoré, Jeremy. Et condamné leur fille chérie à une vie d'esclavage.

Lorsqu'ils s'étaient enfuis d'Angleterre, croyant laisser leur fils à l'abri chez les fermiers où l'avait découvert Tara, Alia et Del s'étaient réfugiés sur Madix, l'un des deux satellites d'AutreMonde. Hélas ! le dragon qui avait modifié le patrimoine génétique de leur lignée afin de faire de leur fils une arme vivante ne s'était pas laissé tromper. Il les avait retrouvés et enlevés. Alia avait craint qu'il ne les torture pour apprendre où était caché leur fils mais le dragon le savait déjà. Leur fuite n'avait servi à rien. Le monstrueux reptile les avait emprisonnés sur ce continent où Catherine était née.

Maintenant était venu le temps de la vengeance. Alia souleva le seau vide, l'Élémentaire d'eau voletant à ses côtés. Dans le fond, elle glissa le poison subtilisé au jardinier puis l'emplit de vin, afin d'en cacher le goût astringent. La dose était surpuissante.

---

1. Dans *Tara Duncan. Le Dragon renégat*. Évidemment, Alia ne peut pas savoir que Chem n'est pas le coupable. Elle est donc sur le point de commettre une lourde erreur. Dommage...

Chemnashaovirodaintrachivu payerait enfin pour ses crimes.

Ombre silencieuse, elle se glissa jusque dans la prison où les gardes gris, pensant qu'elle venait nettoyer les cellules, la laissèrent pénétrer : son Élémentaire d'eau constituait le meilleur des alibis.

Ils avaient enfermé le monstre avec un autre dragon et Alia hésita. Esclave anonyme, son capuchon protégeait jusque-là son identité. Mais, en donnant le vin empoisonné à Chemnashaovirodaintrachivu, elle devrait montrer son visage au second dragon, qui deviendrait un témoin et pourrait la dénoncer.

Si sa vengeance était prioritaire, elle se refusait à assassiner un dragon innocent en lui donnant également du vin. Puis Chemnashaovirodaintrachivu baissa ses yeux jaunes sur elle et la haine revint la ronger. Tant pis, elle allait courir le risque.

Elle s'avança et puisa une louche de liquide qu'elle tendit à travers les barreaux.

— La Reine vous envoie un peu de vin pour vous aider à dormir, annonça-t-elle d'une voix blanche.

Chemnashaovirodaintrachivu cligna des yeux.

— Ho ho ! fit-il d'un ton ironique. Du vin pour mes vieux os ! Très gentil de sa part mais je ne boirai certainement rien venant de cette femelle démente. Rapporte-lui son vin et dis-lui qu'elle se le mette où je pense.

— Chem ! s'exclama la dragonne pourpre qui partageait sa cellule, tu devrais avoir honte. Et éviter de provoquer la Reine.

— Charm, ma chérie, cette dragonne a l'intention de nous faire tuer dans son arène. Alors, tu sais, la traiter de grosse bruiiit[1] et de sale grouiv[2] n'est pas un problème pour moi. Tu as vu ce qu'elle a fait à Sal ? J'aimerais mieux mourir que de subir un sort identique.

Alia sentit la louche trop lourde trembler au bout de son bras. Puis ce que venait de dire le dragon la frappa. Ah ? Il préférait mourir plutôt que d'avaler la fameuse potion de la Reine ? Intéressant.

Charm s'avança alors vers la louche.

---

1. *No comment.*
2. Ça, c'est vraiment vulgaire, je trouve... pas vous ?

— Eh bien, moi, je vais en prendre un petit peu. Qu'elle soit une bruiiit ou une grouiv n'empêche pas que son vin sente bon.

Son museau touchait l'ustensile lorsqu'Alia tourna la main. Le récipient se vida sur le sol en glougloutant.

— Parfait, dit-elle. Je transmettrai le message à ma Reine.

Et, sans plus se préoccuper des protestations indignées de Charm, elle tourna les talons. Avant qu'il meure, elle allait faire souffrir le dragon. Souffrir autant qu'elle avait souffert. Ensuite seulement, elle le tuerait. Maintenant, elle devait se procurer une certaine potion... qui ne se trouvait que dans les appartements de la Reine rouge...

Tara se glissait dans l'ombre jusqu'aux appartements de la Reine. Sur son chemin, curieusement, les scoops étaient systématiquement dirigées dans une direction opposée à celle qu'elle empruntait et les gardes occupés à lui tourner le dos. La conspiration avait l'air efficace. Cela dit, mieux valait qu'il en soit ainsi. Ici, les opposants qui n'étaient pas efficaces se retrouvaient très vite... morts.

Elle frappa avec appréhension à la porte de l'appartement de la Reine, prête à inventer une excuse si c'était celle-ci qui lui ouvrait. Mais, à son vif soulagement, ce fut Betty qui apparut.

— Viens ! dit la jeune fille en la faisant entrer. *Il* est là.

— Qui est ce *Il*, et où est la Reine ? questionna Tara, prudente.

— Elle a dû partir en urgence. L'une des principales factions qui luttent contre elle a appris qu'elle possédait la clef de la barrière. Ils veulent négocier avec elle. C'est la raison pour laquelle je t'ai contactée. Ce sera probablement notre unique occasion de parler sans contrainte. Quant au *Il*, laisse-moi te présenter notre chef, le général T'eal. Général, voici l'héritière d'Omois, Tara Duncan.

L'homme-loup s'inclina devant elle, sans la quitter du regard. Grand, l'œil doré comme beaucoup de ses congénères, il avait les cheveux presque blancs. Et, vu la largeur de ses épaules, il devait avoir du mal à passer par les portes... du moins celles destinées aux humains.

— Betty m'assure que vous êtes fiable, commença-t-il sans autre préambule. Et que votre équipe et vous êtes venus pour la sauver.

— C'est entièrement par ma faute qu'elle est prisonnière, répondit franchement Tara. Et depuis que j'ai pris connaissance de la situation, disons que ma mission s'est... élargie. Votre peuple n'a pas à souffrir pour une faute qui n'est pas la vôtre.

— Bien parlé, jeune Humaine, souligna le général. Aviez-vous un plan en venant sur ce continent ?

— Nous ignorions votre existence. Nous devions nous borner à localiser Betty et à l'extraire. Nous avons été trahis par deux des nôtres et notre plan a échoué. Tant que je ne peux pas utiliser ma magie pour nous délivrer, je reste impuissante. Voyez-vous un moyen de nous débarrasser des colliers ?

Elle fronça les sourcils en prononçant ces mots. Il était étrange d'admettre qu'elle était diminuée sans magie.

— Seuls les gardes gris peuvent les ouvrir. Croyez-moi, nous avons tout essayé, y compris avec l'aide de dragons amis qui ont accepté de nous aider. Bien des nôtres ont payé ces tentatives de leur vie. Et jamais nous n'avons réussi à nous assurer la complicité d'un garde gris. Ils craignent trop la Reine qui les contrôle strictement.

— Hmm ! Et s'enfuir du palais déclenche-t-il le mécanisme ?

— Oui, dans un rayon d'un kilomètre autour de la ville, sauf si le collier est désactivé, notamment pour les loups fermiers. Il se réactive dès qu'il rentre dans le champ d'énergie du palais. La tuer ou l'empoisonner serait sans effet. Tous les colliers explosent si elle meurt. Sauf si elle meurt suffisamment loin du palais pour que le signal de destruction ne soit pas activé...

Tara hocha la tête, admirative malgré elle.

— Elle a pensé à tout, hein. C'est une garce dangereusement psychotique mais hélas, elle est aussi très intelligente.

Betty et T'eal opinèrent à regret, la mine grave.

— Bon, notre premier souci est donc de désactiver nos colliers. Je suppose que la Reine conserve les boîtiers de contrôle avec elle ?

Betty fit quelques pas et toucha une paroi décorée d'une délicate marqueterie de fleurs. Celle-ci glissa sur le côté, dévoilant une pièce contenant non seulement des milliers de boîtiers noirs mais également une dizaine de flacons de potions. Tara s'avança et promena le bout de ses doigts sur les fascinantes fioles.

— On peut désactiver un boîtier d'ici ?

— Malheureusement, non, répondit Betty. Si un humain ou un loup le touche sans qu'il ait été préparé dans ce but, il explose ainsi que le porteur du collier correspondant. Chaque boîtier contrôle plus d'un millier d'esclaves, chaque collier possédant un code qui y est inscrit.

Elle lui montra son propre collier. Ce que Tara avait pris pour des symboles décoratifs était en réalité des chiffres, bien visibles pour que la Reine rouge ou ses lieutenants puissent les utiliser.

— Et avec la magie ?

Le loup eut un rictus dépité.

— Les Anazasis ne font pas de magie. Nous sommes changelins depuis tant de générations que le gène responsable de notre métamorphisme se transmet héréditairement à nos descendants. Nos savants pensent que cela a inhibé nos facultés magiques. Les rares sortceliers présents sur notre continent sont équipés de colliers, comme les dragons qui ont voulu nous aider. Il leur est de facto impossible d'utiliser leur pouvoir.

Tara contempla la pièce, songeuse. Elle revit le combat dans l'arène, le châtiment de Sal et dans son cerveau se bousculèrent une demi-douzaine de solutions, qu'elle rejeta une à une, pour ne retenir que celle qui semblait la plus opportune.

Lorsqu'elle s'ouvrit de son plan à Betty et T'eal, leurs yeux s'écarquillèrent. Cette idée ne les avait, apparemment, pas effleurés. Cela dit, ils n'avaient pas le Magicgang sous la main non plus.

— Tu crois qu'ils en sont capables ? souffla Betty. Et toi ? Cela te mettra en très grand danger. La Reine n'hésitera pas un instant à te tuer si elle te soupçonne.

— Nous avons affronté bien pire, cela nous a donné une grande imagination pour nous sortir des pièges que cette planète s'obstine à mettre sous nos pieds. Je n'ai pas p...

Elle s'interrompit.

— J'allais dire que je n'ai pas peur mais ce serait faux : *j'ai peur*. Disons que la répétition de ce genre de situation a fini par émousser mon potentiel d'anxiété.

Betty tritura machinalement sa cicatrice.

— Tu veux dire que les aventures écrites par cette auteure, Audouin je ne sais plus comment, sont vraies ? Le Mintus que vous m'aviez lancé s'est brisé lorsque le dragon m'a attaquée et je me suis souvenue de tes pouvoirs... et de ces bouquins que j'avais trouvés amusants.

La lèvre supérieure de Tara se retroussa en un rictus ironique.

— Tout ce qu'il y a de plus vraies. Et c'est certainement amusant pour les lecteurs mais nettement moins pour les acteurs. En face du Ravageur d'Âme, crois-moi si je te dis que ta dragonne n'aurait pas résisté deux secondes. Et puis, de toutes les façons, je n'ai pas le droit d'échouer. Telle que je connais ma tante, elle est sûrement en train d'essayer de briser la barrière pour venir me récupérer à l'heure qu'il est. Quant aux Dragons, nul doute qu'ils résistent de toutes leurs forces... Je n'ai pas envie qu'ils mettent AutreMonde à feu et à sang. Une guerre entre le Dranvouglispenchir et nous serait horriblement meurtrière. Il faut que je sorte d'ici !

Le général la dévisagea puis grimaça.

— Je pensais jusqu'à présent que nous autres Anazasis avions des problèmes mais auprès des vôtres, Damoiselle, ils ne me semblent plus aussi terribles. Une guerre entre deux mondes ! Pffffuit ! quel beau comb... (Surprenant le regard de Tara, il refréna son enthousiasme :) quelle catastrophe !

— Ne m'en parlez pas, soupira Tara.

— Je vois quelques améliorations à apporter à votre plan, indiqua T'eal. Que penseriez-vous de...

Il pointa les défauts du plan et les combla rapidement. Brillant guerrier, il n'avait pas, comme elle, été formé par l'Imperator qui était un stratège hors pair mais il avait affronté toutes sortes d'ennemis pour sa reine folle et s'en était sorti. Premier bon point. Le second était un indéniable instinct de survie et un formidable sens du détail. Lorsqu'ils levèrent leur séance de travail, leur plan n'était plus aussi bancal. Même s'il dépendait encore d'un tas de « si » et de « peut-être », il tenait la route.

Le général fit appeler l'un des gardes, à qui il confia la mission d'avertir les amis de Tara.

— J'entrevois une lueur d'espoir pour mon peuple, finit-il par dire alors qu'elle allait repartir. Bonne chance.

— Merci, Général, à vous aussi ! répondit Tara avec sincérité.

Cal dormait du sommeil du just... du sommeil de l'innoc... dormait, lorsqu'une bouche chaude se posa sur la sienne. Pendant quelques secondes, il crut à un rêve. Il ouvrit les yeux mais l'obscurité dans sa chambre était si dense qu'il ne pouvait identifier la mystérieuse séductrice.

— Laisse-moi me glisser sous tes couvertures ! murmura une voix rauque qu'il reconnut instantanément.

Eleanora !

Incapable de croire à ce qui lui arrivait, il pria pour que son rêve ne s'arrête surtout pas.

Il serra le corps chaud dans ses bras et se raidit lorsqu'elle lui emprisonna les deux mains.

— Arrête, Cal ! Je ne suis pas venue pour ça, chuchota la voix avec indignation... et une nuance de regret, lui sembla-t-il. Un garde est venu me voir. La résistance a pu mettre hors service le réseau audio des scoops mais pas les images. Nous devons donc faire semblant de nous embrasser, la Reine se fiche de ce que font ses esclaves du moment qu'ils ne conspirent pas contre elle.

Cal se pencha vers elle et l'embrassa, profitant honteusement et sans aucun regret de la situation. À sa grande surprise, Eleanora fondit dans ses bras et lui rendit ses baisers avec fougue. Wow, si c'était comme ça lorsqu'elle faisait semblant, qu'est-ce que ce serait lorsqu'elle serait sincère !

Des étoiles plein les yeux et un sourire stupide aux lèvres, Cal écouta attentivement Eleanora. Ah ! Xandiar avait un joker dans sa... dans ses... dans l'une de ses quatre manches, et Tara savait comment l'exploiter. Bien, bien ! ils allaient enfin avoir un peu d'action.

— Le garde ne pouvait pas aller dans toutes les chambres sans susciter la méfiance. Il est venu chez moi, chez Moineau, Jeremy et Robin. Je me charge de toi, Moineau de Fabrice, Tara expliquera le plan à Robin lorsqu'il viendra la rejoindre. Grâce à son joker, Xandiar sait déjà tout. Et Jeremy se charge de Fafnir.

Cal sursauta.

— Quoi ?

— Chuuuut ! murmura Eleanora, étouffant le sursaut de Cal sous ses baisers.

— Tu veux dire que Jeremy doit embrasser Fafnir ? Il va se faire assommer !

— Il y a de fortes chances ! souffla Eleanora pendant que Cal respirait l'odeur de sa peau chaude avec délices.

Ils essayèrent de se contenir mais ce fut difficile. Et Cal espéra très fort que leur fou rire passerait pour les assauts d'une fougueuse passion...

Fafnir ouvrit les yeux. Les nains, comme les elfes, voyaient parfaitement dans le noir. Aussi, lorsque Jeremy s'approcha, la respiration hésitante, elle le reconnut à temps pour éviter de l'assommer.

Et lorsqu'il se pencha pour l'embrasser, elle fut tellement surprise qu'elle ne réagit pas tout de suite. La bouche du garçon se posa sur la sienne et la naine fit un bond de carpe dans son lit.

— Par mes ancêtres ! Que fais-tu ! s'époumona-t-elle.

Jeremy plaqua ses mains sur ses oreilles.

— Chut ! Chuuut ! Surtout, ne hurle pas ! Tu vas réveiller tout le palais. Laisse-moi venir dans ton lit, s'il te plaît !

Contrairement à elle, Jeremy ne la voyait pas. Fafnir eut un mauvais sourire. Puis, sur la pointe des pieds, elle le contourna, parfaitement silencieuse, et prit position derrière lui.

— Je veux juste qu'on passe un moment ensemble, dit le garçon en s'adressant au lit. C'est... très important.

— Ah oui ? interrogea une voix dans son dos. En quoi est-il important de me réveiller au milieu de la nuit ? Avec un baiser ?

Tu as vraiment de la chance qu'ils m'aient piqué toutes mes armes !

Il sursauta et se retourna. Malicieuse, la naine passa devant lui comme une ombre et se replaça dans son dos.

— Parce que, dit-il en s'adressant au mur, une nuance de désespoir dans la voix, je... je suis totalement fou de toi.

Dans le noir, les sourcils de la naine se haussèrent haut sur son front.

— Dis-moi, Jeremy, interrogea-t-elle d'un ton soupçonneux en reniflant, aurais-tu bu ?

Jeremy fit de nouveau volte-face vers le lit, perturbé.

— Ce... n'est pas juste de jouer avec moi, souffla-t-il. Je ne te vois pas.

— Mais moi, si ! souligna la naine. Alors il n'est pas question que tu bouges avant de m'avoir donné une explication valable de ton intrusion. Et si je n'ai plus mes armes, souviens-toi de ce qui t'est arrivé récemment... mes poings aussi sont efficaces.

Jeremy soupira. La scoop ne pouvait pas entendre ses paroles mais il n'était pas difficile, pour un espion entraîné, de lire sur ses lèvres. Il ne pouvait donc rien expliquer tant qu'il ne serait pas sous l'abri des couvertures. Il fit un pas vers le lit. Le Tss ! Tss ! Tss ! de Fafnir l'arrêta net.

— Moineau est avec Fabrice en ce moment ! indiqua-t-il, pris d'une soudaine inspiration, Robin est avec Tara et, surtout, Eleanora est avec Cal ! Tous réunis. Il ne restait que toi et moi !

La naine inspira bruyamment lorsqu'elle comprit enfin. Ce n'était donc pas une tentative de séduction ! Il avait un message pour elle et quelqu'un, quelque part, avait eu l'idée tordue de camoufler cela en un accès aigu de passion.

Ces humains !

Mais bon, elle préférait encore cette explication. Elle sourit dans le noir et tapota sa couverture.

— Il fallait le dire plus tôt ! Viens et montre-moi ce que tu sais faire.

Dans le noir, le garçon rougit et Fafnir sourit de plus belle. Il se glissa dans son lit puis plaça son nez dans le cou de la naine. À sa grande surprise, Fafnir sentait... les fleurs. Elle venait sans doute de se laver car sa peau avait encore l'odeur du savon. Il lui expliqua le plan de Tara, ainsi que les détails de la résistance. Puis, pour faire vrai sous l'œil de la scoop, il l'embrassa.

À leur vif étonnement mutuel, ce fut parfaitement agréable. Les lèvres de Fafnir étaient chaudes et douces et son corps, loin d'être dur et compact, comme l'imaginait Jeremy, était au contraire confortablement élastique et moelleux.

— Par... mes ancêtres ! s'étrangla Fafnir lorsqu'il s'arrêta, je comprends pourquoi Moineau et Fabrice passent leur temps à s'embrasser ! Ce n'est pas si désagréable après tout !

— Euh, merci, répondit Jeremy, qui ne savait pas très bien comment prendre le compliment.

— Hum ! Je n'aurais peut-être pas dû assommer R'oric lorsqu'il a essayé de faire la même chose. Mais bon, je n'avais que cent cinquante ans à l'époque, j'étais un peu jeune pour ce genre de batifolage. Combien de temps dois-tu rester ?

— Tara pense qu'une demi-heure suffira. Elle m'a fait avertir par le garde que le plus dur serait d'éviter que tu ne me réduises en bouillie.

— Elle me connaît bien ! confirma la naine. Si je n'avais pas été aussi curieuse de savoir ce que tu faisais chez moi, c'est probablement ce que j'aurais fait. Allez, montre-moi encore ce « baiser », histoire que je me fasse une idée plus précise...

Robin avait laissé V'ala s'occuper de Sal et se trouvait dans sa chambre lorsque le garde avait ouvert sa porte.

Il écarquilla les yeux, regardant le loup devant lui comme s'il avait des cornes.

— Vous voulez que je *quoi* ?

— ... que vous alliez chez votre petite amie, Tara, et que vous l'embrassiez sous les couvertures de son lit. Nous avons un plan, elle vous en parlera. Je ne peux rester, nous avons déconnecté les scoops le temps que je passe le message. Hâtez-vous !

Et il s'éloigna promptement. Le demi-elfe se leva d'un bond et fonça dans la salle de bain. Une petite douche ne lui ferait pas de mal. Et se laver les dents aussi, d'ailleurs.

Quelques minutes plus tard, il était devant la chambre de Tara. Le cœur battant.

Sous les couvertures. Yes !

La porte s'ouvrit et Tara ne lui laissa pas le temps de parler. Elle lui cloua la bouche sous ses baisers, éteignit la lumière et l'entraîna dans son lit. Dès qu'ils furent à l'abri, elle cessa de l'embrasser.

En quelques minutes, elle lui expliqua son plan. La respiration manqua au demi-elfe. C'était... horriblement risqué pour elle. Mais avaient-ils le choix ? Soudain il se redressa.

— Et qui va prévenir les elfes violets ?

Tara se blottit contre lui et murmura :

— On ne les inclut pas dans le plan. Ils n'ont pas l'habitude de lutter avec nous, de plus je n'ai pas confiance en V'ala. Même si elle paraît t'apprécier, ne négligeons pas qu'elle est la fille d'E'rée. Donc, soyons prudents.

Le demi-elfe eut l'air soulagé.

— Ouf, je n'avais pas envie d'être celui qui allait lui annoncer ton plan. D'autant qu'elle est au chevet de Sal, cela n'aurait pas été très pratique... même si je doute que la présence d'un dragon malade la gêne beaucoup...

— Quoi ? Tu as peur de l'embrasser ? le taquina Tara. Je ne soupçonnais pas que tu le considérerais comme une corvée.

Robin frissonna.

— Je ne suis pas aussi... entreprenant que les elfes. Ma part humaine est, disons, plus timide. Et V'ala a tout d'une mangeuse d'elfes.

Tara poussa un petit soupir d'aise et l'embrassa de plus belle. Le demi-elfe répondit avec passion mais ses mains restèrent sagement immobiles. Il avait compris. Si Tara disait « pas touche », on ne touchait pas.

Il attendait avec impatience le moment où elle dirait : « OK » !

Et il était prêt à attendre cent ans si nécessaire.

Moineau s'étira. Fabrice sourit dans le noir. Cela faisait presque un an qu'ils étaient petits copains et il aimait de plus en plus la ravissante AutreMondienne. La Terre lui manquait rarement sauf lorsqu'il devait se battre contre un monstre et risquer sa vie. Ou qu'il se retrouvait prisonnier d'une dragonne psychotique.

Puis il eut le sentiment bizarre de voir double comme si quelqu'un d'autre observait Moineau avec attention. Et les mots qui sortirent de sa bouche n'étaient pas les siens.

— Ce plan est débile. Elle va se faire découper en morceaux ! Tout cela ne m'arrange pas du tout. Il va falloir que je fasse quelque chose pour éviter trop de dégâts...

Moineau se raidit.

— Faire quelque chose ? répéta-t-elle. Moi, je pense, au contraire, que c'est notre unique chance de nous en sortir. À moins que tu n'aies un autre plan ?

Son ton n'impliquait aucun sarcasme. Moineau était profondément gentille et, l'espace d'un instant, il en fut agacé. Avec le pouvoir qu'elle possédait, bien supérieur au sien, en sus de ses capacités de Bête, elle pouvait se permettre un soupçon d'ironie.

Ces pensées s'estompèrent, le laissant vide, avec une vague impression de souillure et un persistant mal de cœur.

— Je... ne me sens pas très bien, se plaignit-il.

Moineau mit vivement sa main sur le front du garçon. Il était brûlant.

— Par mes ancêtres ! jura-t-elle, tu as de la fièvre !

Fabrice crut entendre un bref ricanement dans sa tête. Et il fut pris d'un besoin très urgent d'éloigner Moineau.

— Tu devrais retourner dans ta chambre, dit-il en se levant. Je vais aller prendre une douche froide pour abaisser la température.

— Je viens avec toi ! imposa Moineau.

— Sous la douche ? sourit Fabrice. Chic !

— Bien sûr que non ! protesta Moineau. Je veux dire...

Elle s'interrompit, incapable de préciser. Fabrice eut pitié :

— Tu veux dire que tu restes près de moi au cas où je m'évanouirais, n'est-ce pas ? Inutile, ma jolie Gloria, retourne dans ta chambre, nous aurons une journée chargée demain. Et si je ne me sens pas mieux, Betty a dit que nous pouvions demander de l'aide à Endora à toute heure. Je te promets que je n'hésiterai pas.

Moineau voulut discuter mais Fabrice, sans lui en laisser l'occasion, l'entraîna dehors et attendit qu'elle s'éloigne, restant dans l'angle mort de la scoop.

Une ombre se faufila à ses côtés puis le toucha. Et Fabrice ne réagit pas lorsque la vampyr plongea ses yeux rouges dans les siens.

— Voici mes instructions. Tu ne suivras pas le plan de Tara mais tu feras ce que je te dis.

Comme un murmure empoisonné la voix de la vampyr lui emplit le cerveau.

— J'obéis, dit-il. Maîtresse.

— Roooohn, « maîtresse » ? Toi, tu sais parler aux femmes, mon lapin, roucoula la vampyr. Aucune de mes petites proies ne m'a jamais appelée ainsi. Rien que pour cela, je crois bien que je vais te garder en vie. Allez, va ! Oublie-moi pour l'instant et fais ce que je t'ai commandé...

Fabrice retourna dans sa chambre. Il leva la main vers son front et constata sans se l'expliquer que sa fièvre était presque tombée. Encore moite, il prit une douche, obsédé par le sentiment agaçant d'avoir oublié quelque chose et incapable de se rappeler la raison qui l'avait poussé à se débarrasser de Moineau alors que sa présence lui manquait tant.

Le lendemain matin fut difficile pour tout le monde. Ils s'étaient relayés pour maintenir la température de Sal à un niveau qui ne menaçait pas sa vie et Betty avait passé le reste de la nuit à son chevet. Alia, une des sortcelières, humaine comme elle, lui avait proposé d'aller chercher certaines plantes appartenant à la Reine afin de lui préparer une potion. Betty lui avait accordé l'autorisation de pénétrer dans les appartements de la dragonne rouge. Alia était promptement revenue, l'air radieux, avec un assortiment d'herbes qu'elle avait malaxé. La mixture ainsi obtenue avait été administrée à Sal et, à la grande satisfaction des deux humaines, le dragon avait survécu. Betty avait remercié Alia qui avait passé tant de temps avec elle sans même prévenir son mari, Del, et sa fille, Catherine. Alia l'avait quittée quelques minutes plus tôt, afin d'aller prendre un petit déjeuner mérité avec sa famille.

— Sal va mieux, annonça Betty. Nous avons parlé ce matin. Il est... C'est un garçon... un dragon... très intelligent. Il... il s'est agrippé à moi et n'a pas voulu me lâcher, je suis un peu en retard.

On sentait dans sa voix un étonnement ravi. Humaine au cœur d'un peuple de loups-garous tous plus puissants qu'elle, quelqu'un avait besoin d'elle pour la première fois, au point de pleurer lorsqu'elle avait dû partir. Son cœur, emmuré derrière une forteresse de glace, avait fondu sous la douleur de Sal. Et il ne voyait pas son visage mutilé. Non, il ne le voyait pas...

Avant qu'ils ne puissent émettre le moindre commentaire, elle décampa. Étonnés de sa déclaration, ils avalèrent leur petit déjeuner dans un silence morne puis se hâtèrent d'aller recevoir leurs ordres auprès d'Endora, la gouvernante louve-garou.

Tara, elle, se rendit dans les appartements de la Reine, le cœur battant. Et si celle-ci s'était aperçue de quelque chose ?

Elle poussa un soupir soulagé lorsque Betty l'accueillit sans signe d'alarme. La Reine rouge ne s'était manifestement pas rendu compte de ce qui s'était passé au palais en son absence car elle était d'une humeur radieuse.

— J'ai magnifiquement négocié, se vanta-t-elle en souriant de tous ses crocs et en brandissant un parchemin paraphé. Ils acceptent de me prêter leurs troupes pour envahir AutreMonde en échange d'une partie du continent d'Omois.

— Vous en êtes déjà à vous partager le monde ? demanda avec humeur Tara, lançant la première phase du plan. C'est vendre la peau de l'ours un peu tôt, non ?

La Reine lui jeta un regard perçant.

— Vendre la peau de l'ours ?

— Un animal sur Terre, très difficile à attraper et à tuer. Dire qu'on vend la peau de l'ours avant de l'avoir tué signifie que vous n'avez aucune assurance de succès. Les troupes d'AutreMonde sont nombreuses et nous sommes des millions d'humains, d'elfes, de nains, centaures et autres tatris ou cahmboums. Vous ne nous vaincrez pas si aisément.

— Nous verrons, nous verrons ! répondit la Reine, nullement impressionnée. Tu as d'autres conseils à me donner ?

— Restez sur votre continent. Permettez-moi d'aller voir les Dragons et de leur expliquer ce que vous avez réussi à faire ici. Donnez-moi le traitement, qu'ils puissent le tester sur des sujets malades. Libérez les loups-garous, laissez-les vivre leur vie. Avec la magie, vous n'avez pas besoin d'esclaves. Donnez-moi une chance de sauver des milliers de vies. Les guerres victorieuses et brèves n'existent pas. Il y a *toujours* des retombées.

C'était un beau plaidoyer. Et même si Tara savait pertinemment que la Reine rouge ne l'écouterait pas, elle y mit toute sa conviction.

La Reine éclata de rire.

— Et me priver de ma vengeance ? Tu plaisantes ! Non, les dragons vont saigner et ils mourront. Et moi, je les regarderai souffrir. Quant à régner sur ce continent avec votre autorisation, à vous, les Humains, pourquoi m'en contenter alors que je peux avoir deux planètes, le Dranvouglispenchir et AutreMonde ?

— Vous n'êtes pas assez forte, rétorqua Tara, impavide. Pas assez puissante. Je pourrais vous vaincre à moi toute seule si je ne portais pas ce collier.

Betty retint sa respiration. Tara y allait fort. La Reine étrécit les yeux et se pencha.

— Je te trouve bien téméraire pour une esclave. Tais-toi avant que je n'oublie que j'ai décidé de te garder en vie.

Tara ne baissa pas les yeux et soutint le regard jaune. Ce fut la Reine qui finit par détourner les siens, lorsqu'un garde approcha pour lui confier une missive. Ensuite, elle travailla sans se préoccuper de Tara mais cette dernière sentait régulièrement son œil perçant peser sur elle. Et dans son bain, la Reine resta anormalement silencieuse, ce qui mit Betty terriblement mal à l'aise.

Comme elle ne quittait pas Tara des yeux, la Reine rouge surprit son regard sur l'Anneau de Kraetorvir.

— Tu regardes mon anneau, dit-elle en agitant ses doigts griffus. Il a appartenu au roi des démons. Pas mal, n'est-ce pas ?

— Je croyais que Ceux-qui-gardent et Ceux-qui-jugent ne laissaient approcher que les descendants de Demiderus ou des Très Hauts Mages qui ont enfermé les objets démoniaques, risqua innocemment Tara.

— Ah, cela a énormément contrarié cet humain, Magister, de voir l'anneau à mon doigt, s'amusa la Reine. En fait, ce n'est pas l'anneau original. Avant de créer les objets et d'insuffler dedans toute leur magie démoniaque, les démons avaient réalisé des prototypes. Une partie est restée sur la Terre et une autre sur AutreMonde. Je suis biologiste de formation, je procédais à des recherches sur les gènes des ancêtres des humains et travaillais sur des squelettes lorsque j'ai découvert ce bijou au doigt d'un individu de sexe masculin, en effectuant des fouilles du côté de l'océan des Brumes, voilà quelques milliers d'années. Lorsque les dragons s'en sont aperçus, ils m'ont ordonné de le rendre afin qu'il soit enfermé comme les autres objets démoniaques. J'ai refusé. Et il était impossible de me retirer l'anneau sans me couper la patte. J'ai protesté avec la dernière énergie, bien sûr. Ils m'ont alors emprisonnée sur ce continent, après m'avoir décrétée folle. Au début, je crois bien que j'ai effectivement perdu un peu la tête sous l'effet de la rage, l'angoisse et la panique. Puis, grâce à la fleur de kalir, j'ai petit à petit repris mes esprits. Mais, entre-temps, j'avais massacré un grand nombre de dragons et les autres me craignaient. J'ai donc commencé à remettre de l'ordre sur cette partie du continent, à faire cesser les attaques contre les fermiers et, surtout, à travailler sur le métabolisme humain. J'ai retrouvé le gène du loup-garou, dormant chez beaucoup d'individus de cette espèce et je l'ai exploité. Puis j'ai infecté le plus d'humains possible afin d'en faire mon armée dans un double but : mettre fin aux massacres, ce dont mes loups me sont reconnaissants, ensuite les entraîner à lutter contre d'autres dragons, tout en les contrôlant pour qu'ils ne se retournent pas contre moi. Mes frères et mes sœurs vont regretter de m'avoir exilée, crois-moi, le regretter amèrement.

— Ainsi, dit Tara, la fleur de kalir n'attire pas les fantômes ? Il n'y en a pas sur le continent ?

La Reine la regarda sans comprendre.

— Quels fantômes ?

Tara lui rapporta ce qu'elle savait à propos des fantômes dévoreurs de chair humaine du Continent interdit. La Reine éclata de rire.

— Des fantômes ! se gaussa-t-elle. Mes compatriotes n'ont vraiment rien trouvé de mieux ? Non, rien de tel ici. Juste nos crocs et nos griffes !

Elle se plongea derechef dans ses délires de vengeance, de sang et de massacres.

Tara comprit alors pourquoi les autres dragons avaient refusé de laisser partir les dragons fous du Continent interdit, même s'ils semblaient guéris. La fleur de kalir leur redonnait un semblant de raison mais, chez certains, les pulsions meurtrières demeuraient, juste sous la surface, simplement jugulées...

À midi, elles se rendirent aux arènes, en compagnie du prince et de la princesse héritiers, Santra et Chanvi. La Reine avait décidé de comparer la force des elfes à celle de ses loups. Avant de partir, elle prit dans sa réserve plusieurs potions « réductrices » qu'elle fourra négligemment dans sa poche écailleuse.

Comme la veille, les changelins emplissaient les gradins et Tara estima que leur nombre était encore plus élevé. La Reine avait ordonné qu'un maximum de ses gardes et esclaves assistent au combat car les *Sluàghs Sidhes*, comme ils les appelaient, seraient leurs plus sérieux adversaires lors de l'invasion d'AutreMonde. La quasi-totalité du Palais était présente.

— Aujourd'hui, annonça-t-elle d'une voix amplifiée, j'ai le plaisir, mes loups, de vous offrir les meilleurs combattants d'AutreMonde, les elfes violets !

V'ala et ses onze Violets parurent dans l'arène, dans un silence impressionnant.

Respectueux.

On leur avait rendu leurs armes à l'exception de leurs arcs et ils portaient toujours les colliers qui bloquaient leur magie. En face d'eux, le même nombre de loups se posta calmement sur le sable vert mais eux ne portaient pas de colliers.

Les elfes sortirent leurs couteaux. Et le silence se fit plus pesant. Car toutes les armes étaient d'argent !

Les loups gladiateurs fixèrent les longs couteaux.

Puis se transformèrent. Les elfes ne bronchèrent pas. Les loups les encerclèrent puis à un invisible signal, bondirent. Avec une fulgurante vivacité, les elfes réagirent en même temps. Les loups n'eurent pas le temps de changer de trajectoire. Et douze hurlements retentirent lorsque douze loups atterrirent, un couteau planté dans la gorge, s'étouffant dans leur sang. Ils n'avaient même pas effleuré les elfes.

Ces derniers furent prompts à agir. Les loups-garous devaient se débarrasser des couteaux car l'argent interférait avec leur métabolisme, les brûlant et les empêchant de guérir en même temps. Ils étaient encore en train de hurler en se tenant la gorge que les elfes se déshabillaient avec une incroyable rapidité. Puis, utilisant leurs vêtements comme des liens, ils se mirent deux à deux pour immobiliser six de leurs adversaires.

En moins d'une minute, ne restaient libres que les six loups qui étaient parvenus à se débarrasser des couteaux d'argent. Leurs compagnons, soigneusement ligotés, étaient assommés par deux des elfes restés près d'eux dès qu'ils reprenaient conscience, tandis que les dix autres elfes affrontaient les adversaires restants. Tara ignorait de quel matériau était constitué le tissu des vêtements des elfes mais il se révélait incroyablement résistant et ni les crocs ni les griffes des loups ne parvenaient à le déchirer...

Tara ne l'avait pas encore discerné parmi les autres mais elle savait que la meute avait un chef, un loup alpha. Effectivement, celui-ci faisait partie de ceux qui n'avaient pas été ligotés. Il hurla quelque chose et les loups restés libres reculèrent. Puis se retransformèrent.

Puis se déshabillèrent !

— Allons bon, murmura Betty, que font-ils ?

— Pas mal, cria V'ala. Jolis abdos. Vous vous rendez, c'est cela ?

Mais ce n'était pas une tentative de séduction. Les loups enveloppèrent leurs mains dans leurs pagnes puis se penchèrent et attrapèrent les couteaux qu'ils avaient retirés de leur gorge et jetés au sol. Ils allaient tenter une autre tactique.

Tara remarqua que les gorges ne guérissaient pas. Seule la fauve vigueur des loups-garous leur permettait de continuer à combattre en perdant autant de sang.

Sous leur forme humaine, ils étaient moins lestes mais nettement plus intelligents. Le loup alpha avait vite compris que contre les elfes, il devait se servir de son esprit, pas uniquement de sa force. À présent, ils étaient à peu près à égalité.

Enfin, pas tout à fait car si les loups étaient plus forts, les elfes étaient bien trop rapides pour eux. À chaque fois qu'un loup s'élançait pour frapper un elfe, il ne touchait qu'une ombre, un fantôme violet qui s'évanouissait devant lui. L'arène était pleine d'elfes qui couraient, bondissaient et échappaient aux coups avec une incroyable vivacité. Et les loups gladiateurs se fatiguaient, commençaient à commettre des erreurs.

Les changelins dans les gradins faillirent devenir fous.

— Lâches ! hurlaient-ils à l'encontre des elfes, lâches ! Arrêtez de fuir, battez-vous !

Mais V'ala se fichait des insultes comme de sa première incantation. Elle fit signe à son second, F'lur, et en pleine fuite, ils effectuèrent une brusque volte-face, prenant appui sur le mur de l'arène pour retomber sur leurs pieds en un périlleux saut arrière. Ainsi placés, ils attaquèrent ensemble le loup alpha. Bientôt, celui-ci fut constellé d'estafilades et couvert de sang. Ses blessures ne cicatrisaient pas aussi vite qu'avec des lames en acier. Cela le ralentit, en dépit de son inhumaine résistance. Plus il perdait de sang, plus il s'affaiblissait. Soudain V'ala entendit un cri derrière elle et un craquement. L'un des loups avait réussi à attraper un elfe et lui avait cassé le bras. L'elfe devint presque blanc sous la douleur puis dans un effort surhumain réussit à éviter le couteau mortel.

Cela ne le sauva pas. Avant qu'un autre elfe ne puisse se porter à son aide, le loup avait bondi et sa main transformée en patte lui arracha la gorge. L'elfe violet s'abattit au sol. Les trois elfes les plus proches, furieux, allèrent au corps à corps avec les loups. Mauvaise idée. Les loups leur arrachèrent les membres puis la gorge, dès qu'ils purent les saisir.

Six loups neutralisés. Quatre elfes morts.

V'ala refusa de se laisser distraire. Elle fonça sous la garde de l'alpha et lui planta son couteau dans le cœur. Puis, pendant que le loup retirait l'arme mortelle en suffoquant de douleur, elle attrapa de l'autre main le couteau que lui lançait son second. Aussitôt, elle fut derrière son adversaire et posa sa lame sur son cou qui se mit à fumer. Elle cria :

— Ça suffit ! arrêtez ou je termine ce que j'ai commencé !

Les elfes étaient en train de l'emporter mais, en dehors de ceux qui avaient été tués, deux d'entre eux avaient été blessés pendant qu'elle affrontait le chef des loups. Leur sang presque bleu coulait sur le sable.

Les combattants se figèrent. Les loups hésitèrent. La Reine rouge se leva.

— Pas mal du tout ! lança-t-elle. Tu te doutais qu'en immobilisant le loup alpha les autres obéiraient. C'est une faille dont j'avais conscience mais que tu viens de confirmer. Très bien, le combat est terminé.

Elle se tourna vers Betty.

— Fais-moi penser à donner l'ordre aux bêtas de prendre immédiatement le relais de l'alpha si celui-ci est fait prisonnier ou en danger. Et de le sacrifier quoi qu'il arrive.

— Bien, ma Reine ! obéit Betty.

La Reine reporta son regard sur l'arène où V'ala attendait toujours.

— Tu as gagné. Pour cette fois. Tu peux lui trancher la gorge.

Si elle s'attendait à ce que l'elfe violette hésite, c'est qu'elle la connaissait mal. Celle-ci trancha la gorge du loup sans état d'âme. Elle évita toutefois de séparer la tête du corps. Peut-être que le loup guérirait. Ou non, elle s'en fichait.

— Cette petite est selon mon cœur, murmura la Reine rouge, j'aime bien.

Tara hésita mais elle devait provoquer la Reine. V'ala n'allait pas apprécier. Tant pis.

— Elle a fait exprès de ne pas vaincre vos loups aussitôt, annonça platement la jeune sortcelière. Les elfes ne feront qu'une bouchée de vos troupes. Nous sommes trop puissants pour vous. Vous croyez avoir vu une vraie bataille, là ? Vous rigolez ? Face à vos petits loups, les elfes violets ne sont pas en conditions de combat, juste en entraînement.

La Reine baissa sa tête de reptile jusqu'au niveau de Tara et son museau heurta la poitrine de la jeune fille, l'obligeant à reculer.

— Que veux-tu dire ? gronda-t-elle.

— Je ne comprends pas, ironisa Tara, refusant de se laisser intimider. Vous connaissez les elfes, vous n'êtes pas emprisonnée depuis si longtemps. Vous savez comment ils combattent réellement. Cela ne vous surprend pas, ce... succédané d'affrontement ? Si les elfes avaient voulu tuer les loups-garous, c'est dans l'œil de chaque loup que les lames d'argent se seraient enfoncées, pas dans leur gorge. V'ala est maligne, elle veut vous faire croire qu'elle est moins habile qu'elle ne l'est réellement.

— Lancer un couteau sur une cible en mouvement, et aussi petite qu'un œil, est quasiment impossible sans magie. Si tu me fais marcher pour me faire peur, cela va te coûter très cher, petite Humaine.

Tara haussa les épaules en un geste très insultant.

— Faites comme vous le voudrez, ce ne sont pas mes armées après tout.

La mâchoire de la Reine claqua et elle se redressa. Elle réfléchit un instant puis se tourna vers le centre de l'arène.

— Elfe violette ! rugit-elle. Tara me dit que tu as volontairement épargné mes loups, afin de me tromper sur ta force et ton habileté.

Ouille ! elle n'avait nul besoin de préciser qui avait eu cette idée. V'ala leva les yeux vers la loge et si un regard pouvait tuer, eh bien ! Tara serait morte sur place.

— Faites sortir les elfes violets, à l'exception de leur chef, ordonna la Reine. Et que cinq loups affrontent l'elfe femelle. Si elle veut s'en sortir, elle devra se défendre. Fini de jouer !

Les loups quittèrent l'arène tête basse, portant leurs blessés, suivis par les elfes qui emportaient leurs morts, psalmodiant un mélodieux chant funèbre, encadrés par les gardes. Les hommes-loups, dans les gradins, n'émirent pas un son, à part une sorte de soupir lourd et chaud.

Avant qu'ils ne partent et sans que la Reine intervienne, V'ala récupéra leurs couteaux d'argent. Qui prirent place dans divers endroits de son costume d'elfe, qu'elle avait réendossé après avoir libéré les loups prisonniers.

Elle s'étira, fit quelques génuflexions, tourna la tête deux, trois fois pour s'assouplir puis dégaina deux couteaux.

Les cinq loups désignés par la Reine firent irruption dans l'arène. Ils avaient vu le combat et écouté ce qu'avait dit leur souveraine. Prudents, ils se divisèrent en deux groupes. L'un resta sous forme humaine, avec des couteaux, et l'autre se transforma.

Cela ne servit pas à grand-chose. Ainsi que l'avait prédit Tara, l'elfe avait dissimulé sa force véritable. En une seconde, trois couteaux fleurirent sur les crânes des loups transformés et ils s'écroulèrent, le cerveau transpercé. Les deux survivants n'eurent pas plus de chance. Deux couteaux dans le cœur et ce fut la fin. Ils n'eurent pas le temps de les ressortir des blessures que l'elfe était derrière eux et les assommait. Ne pouvant retirer le couteau de leur cœur, ils moururent.

La Reine étouffa un hoquet de stupéfaction. Puis se rassit, l'air songeur.

— Je... vois. Mes excuses, Tara, tu avais raison. J'ignore pourquoi tu as décidé de m'aider mais je vais en profiter. (Elle haussa la voix :) Elfe, tu es une excellente recrue. Tes soldats et toi, vous entraînerez mon armée. Nous avons six mois avant de déferler sur ce monde, tu as donc six mois pour que mes soldats soient capables de t'affronter. Si tout se passe bien, tu pourras te tailler un empire à mes côtés.

V'ala lui jeta un regard sanglant puis tourna des talons et sortit. Sans un mot.

— Elle est trop rapide et puissante pour que je la laisse se balader dans le palais, même avec un collier, réfléchit la Reine. Garde ?

— Majesté ?

— Fais enfermer les elfes violets dans les cellules avec nos dragons prisonniers.

— Bien, Majesté.

Les gardes gris vinrent chercher les corps et nettoyèrent l'arène. Ils rajoutèrent du sable vert sur le sang et bientôt, ce fut comme si rien ne s'était jamais passé.

— Parfait. Tara ? dit la Reine rouge en regardant la jeune sortcelière.

— Votre Majesté ?

— Tu n'arrêtes pas de m'expliquer à quel point tu es plus forte que moi. Tu vas donc me le montrer.

— Comment ?

— Facile, répondit la Reine avec un rictus plein de crocs. C'est à ton tour de descendre dans l'arène.

Chapitre XXII

L'ARÈNE
ou comment combattre des gens qui ont des griffes et des crocs sans y laisser un bout de quelque chose au passage...

Tara en resta bouche bée. Elle voulut parler mais le bruit qu'elle émit évoquait le couinement d'une souris malade plutôt qu'une voix humaine.

— Allez ! ordonna Betty, je vais te montrer le chemin.

— Mais... mais, balbutia Tara, je... je...

— Mémé ! Jeje ! se gaussa la Reine. Laisse, Betty ! Je m'occupe de la descendre.

Et avant que Tara n'ait le temps de réagir, la Reine rouge incanta. Sa magie s'empara de la jeune fille et la déposa sur le sable vert plus sombre aux endroits où le sang encore frais faisait des taches humides.

Affolée, Tara tourna sur elle-même. Elle avait tout mis en œuvre pour créer cette situation mais, entre réfléchir à un plan et passer à l'action, il existe une grande différence.

À son grand plaisir, son collier se détacha avec un déclic.

Elle joua la confusion et la panique.

— Qu'est-ce que... ?

La Reine rouge se fit une joie de lui répondre de sa voix démesurément amplifiée. Elle brandissait quelque chose dans sa patte.

— Ceci est le boîtier qui commande les colliers de tes compagnons et amis, dragons, elfes, humains, thug et naine. Constate par toi-même leur absence : ils sont confinés dans leurs appartements, sous bonne garde. Tu es autorisée à faire appel à ta magie contre mes loups mais si tu essayes de me neutraliser ou de me lancer un sort, la commande agira et tes amis n'auront plus de tête. Et au cas où cela ne suffirait pas, j'ai également le boîtier qui contrôle les colliers de tous les loups de cette arène. Je compte sur ta stupide sensiblerie : les rapports que je possède sur toi m'indiquent que ton tendre cœur répugne aux vains massacres.

Un silence glacé figea les gradins emplis d'hommes-loups à l'annonce de la Reine et tous fixèrent leur regard sur la frêle silhouette au milieu des sables. Qui était cette jeune humaine pour que la Reine prenne autant de précautions ?

— Est-ce clair ? termina la Reine.

Tara s'assombrit. Elle la prenait pour une idiote, cette dragonne ? Elle s'était bien douté que ses amis serviraient d'otages. Tous avaient accepté de courir le risque. Maintenant, le moment était venu de vérifier si elle avait eu raison. Ou tort. Dans le second cas, des milliers de gens allaient mourir... dont l'amour de sa vie et ses meilleurs et plus fidèles amis.

Elle sentit le pouvoir affluer, comme furieux d'avoir été trop longtemps contenu. Ah, elle voulait du spectacle, la grosse bestiole ? Parfait ! Elle en aurait ! Au signal d'une trompe, cinq loups bondirent dans l'arène. Tara sentit son gosier s'assécher. Ouille ! De près, ils paraissaient nettement plus gros que vus de la loge. Et pourquoi toujours cinq ? Il avait une prédilection pour ce chiffre, le gros lézard, ou quoi ?

— Allez, ma jolie ! ronronna la Reine, tue pour moi !

Bon sang ! Pourquoi tous les psychopathes comme Magister ou la Reine étaient-ils tellement attirés par la mort ? Hein ? Pourquoi pas par le tricot ? Tellement plus calme, le tricot ! Bon pour les nerfs, excellent pour la coordination des doigts.

Sous le regard fasciné des loups et des dragons, Tara laissa la magie affluer dans ses poings. Ils s'illuminèrent de pouvoir. Et au moment où les cinq loups l'encerclèrent, elle agit.

Ses yeux devinrent totalement bleus, elle s'éleva, sa mèche blanche crépitant d'énergie, et sa magie frappa... tout le stade ! Y compris le collier à ses pieds.

Les protections mises en place autour de l'arène par les dragons furent transpercées en une fraction de seconde.

Les loups-garous et les dragons, illuminés de lumière, hurlèrent, effrayés, incapables de lutter, et commencèrent à se transformer en un stade plein de... louveteaux et de dragonnets !

Patauds, adorables, ils s'emmêlaient leurs petites pattes et les cinq qui étaient dans l'arène avec elle jappaient comme des fous en essayant de sauter pour l'attraper. Leurs colliers, trop grands, restaient inertes, comme celui de Sal lorsqu'il avait rétréci et tous les bébés-loups se dégageaient et les mordillaient de leurs petites dents. Les seules exceptions étaient la Reine rouge, les deux dragons verts et Betty, soigneusement épargnés par le sort, empêchant un massacre.

Par chance, la Reine avait été tellement surprise qu'elle n'avait pas appuyé sur le bouton fatidique. En fait, elle avait lâché le boîtier de saisissement. Ah ! Elle n'était donc pas infaillible. À son ordre, Betty s'accroupit pour le récupérer puis le lui tendit.

Tara redescendit au sol, attrapa un louveteau qui voulut lui lécher le visage et se tourna vers la Reine stupéfaite.

— Je n'assassine pas les gens. Et encore moins pour votre plaisir, *Majesté*.

Et son « Majesté » sonna comme une insulte.

Elle reposa le petit animal gigotant et se tint immobile, très digne.

— Très... impressionnant, convint la Reine rouge. Ton pouvoir est exceptionnel, je l'avoue. Rends leur apparence à mes loups. L'épreuve est terminée en ce qui te concerne.

— Je ne le peux pas, répondit calmement Tara.

La Reine se redressa.

— Que dis-tu ?

— J'ai été très malade. Ma magie a disparu pendant des mois. Santra et Chanvi vous le confirmeront.

La Reine regarda les jumeaux qui opinèrent.

— À présent, lorsque je l'utilise à pleine puissance, un long moment s'écoule avant qu'elle soit à nouveau disponible. Il m'est donc rigoureusement impossible d'inverser le sort. Vous autres dragons, vous possédez une sorte de sixième sens qui vous permet de savoir si quelqu'un ment ou non. Regardez-moi ! Je dis la vérité.

Tara jouait gros. Elle disait la stricte vérité en cela qu'elle ne *pouvait pas* rendre leur apparence aux loups car, si elle le faisait, elle bousillait son plan. Le temps que la Reine fasse venir d'autres loups adultes pour garder son palais était une donnée cruciale pour la réussite de leur évasion. Ensuite, elle misait sur le fait que la Reine était très intelligente mais folle. La flatter en lui disant qu'elle détectait infailliblement le mensonge était aussi un moyen de la tromper. Tara avait souvent menti à Chem lorsqu'il voulait l'empêcher d'aider ses amis et savait que cela n'avait rien de difficile.

— Amusant, concéda la Reine, qui décidément aimait bien ce mot. Combien de temps avant que ton pouvoir ne revienne ?

— Je l'ignore, Majesté, c'est la première fois que je l'utilise à fond depuis que j'ai failli briser la barrière, alors cela peut prendre entre vingt-six et cinquante-deux heures.

— Remets ton collier !

Tara se pencha et obéit. Le collier se referma avec un déclic froid. La Reine incanta et la magie s'empara de Tara pour la déposer dans la loge.

La souveraine murmura quelques mots dans une boule de cristal. L'instant d'après, une poignée de soldats adultes, les yeux écarquillés devant le spectacle de l'amphithéâtre empli de bébés animaux, déboulait au pas de course et commençait à rassembler les petites créatures. Ce ne fut pas facile. Et si Betty resta parfaitement impassible, Tara dut se mordre la joue à plusieurs reprises en voyant les grands soldats se casser la figure en essayant de s'emparer les louveteaux qui s'amusaient comme des fous.

Leur capitaine, rouge et suant, vint faire son rapport à la Reine qui tapotait l'accoudoir de son trône avec agacement.

— Votre Majesté, nous avons rassemblé les colliers et capturé une partie des louveteaux mais ils sont tout petits et certains d'entre eux se sont faufilés par des brèches, nous ignorons où ils sont passés.

Le tapotement sur le fauteuil s'accentua et le capitaine se raidit.

— Débrouillez-vous si vous ne voulez pas finir dans cette arène, répondit la Reine d'un ton glacial. Je veux que tous les loups et les dragons rajeunis soient parqués dans un même endroit jusqu'à ce que Tara les retransforme. Nous n'avons pas de colliers aussi petits. Rangez ceux-là dans l'un des magasins mais qu'ils soient prêts à être remis à leur cou. Est-ce clair ?

— Limpide, Votre Majesté. Je m'en occupe immédiatement.

Et, soulagé d'être encore vivant, il fila.

La Reine se retourna vers Tara.

— Bon, où en étions-nous, toi et moi ?

Elle plongea ses yeux dans ceux de Tara et articula soigneusement :

— *Je ne te crois pas.*

Le cœur de Tara se serra. Ces cinq mots pouvaient la condamner. C'était la partie du plan la plus dangereuse... En fait, non : toutes l'étaient mais, pour cette phase-ci, elle devait se contrôler et ne pas céder à la pression.

— Faites venir le dragon bleu, celui qui est un ami de Tara ! ordonna la Reine dans la boule de cristal. Et envoyez-moi d'autres gardes gris, ceux qui sont à l'arène ont eu un... petit accident.

Tara faillit déclencher la phase deux du plan mais l'instant n'était pas propice. Les loups étaient près des colliers. Si elle attaquait et tuait la Reine, des milliers de loups en paieraient le prix. Sans parler de ses amis et compagnons.

La mort dans l'âme, elle se résigna au pire, espérant que la Reine ne la placerait pas devant un choix atroce.

Chem fut amené par les dragons gris restés au palais pour garder les prisons. Il n'avait pas bonne mine, pourtant il se redressa et défia la Reine.

— Qu'avez-vous trouvé cette fois pour me torturer ? claironna-t-il d'un ton plein de morgue. Me contraindre à écouter vos délires à voix haute ?

Les yeux de la Reine étincelèrent et Tara faillit hurler. Chem ne savait rien du plan, l'avertir n'ayant pas été possible dans la prison. Et même s'il se doutait que la pagaille dans l'arène était due à Tara, il ignorait qu'il devait à tout prix adopter un profil bas.

La Reine plongea sa patte dans sa poche écailleuse et l'en retira. Les soleils étincelèrent sur une fiole emplie d'une potion verte.

— Tu connais cette mixture, n'est-ce pas ? dit-elle à Chem. C'est celle qui emprisonne notre essence dans un corps humain. Tara, je vais t'ôter de nouveau ton collier. Je répète : si tu ne rends pas immédiatement leur forme adulte à mes loups et à mes dragons, je fais avaler cette potion à ton ami. Certains des dragons estiment que c'est un sort pire que la mort.

Elle incanta, le collier de Tara tomba de nouveau au sol.

La dragonne rouge se pencha et affirma :

— Je sais à quel point l'amitié compte pour toi. Alors, quelle est ta réponse ?

Tara n'avait pas vraiment le choix, même si elle savait qu'elle se haïrait pour cela jusqu'à la fin de ses jours.

— Je suis désolée, Chem, murmura-t-elle. Mais je ne peux rien faire. Mon pouvoir n'est plus opérant, je viens de tout donner pour ma démonstration. Je... Pardonne-moi.

— Très, très mélodramatique, comme situation ! susurra la Reine. Bien, maintenez-le pendant que je lui administre la potion.

La peur qui flamboya dans les yeux de Chem retourna l'estomac de Tara. Les dragons gris eurent beaucoup de mal car il se débattit comme un beau diable. Mais la Reine lui bloqua la mâchoire et, en dépit de tous ses efforts, parvint à lui faire avaler la potion... qu'elle fit descendre d'une solide rasade de vin.

Chem hurla d'angoisse et commença à se transformer. Quelques minutes plus tard, son collier tombait et, à la place du dragon, se tenait un homme d'une trentaine d'années, aux yeux jaunes de reptile, qui s'écroula, évanoui.

— Tu n'as pas tenté de le sauver, remarqua la Reine, indifférente.

— Vous ne m'avez pas crue, répondit Tara en crispant les mains si fort que ses ongles entaillèrent sa paume. Je n'avais aucun moyen de le faire. Je n'ai plus de pouvoir... pour l'instant.

— Je te crois, déclara la Reine, satisfaite. Remets ton collier, emmène ton ami, mes gardes lui poseront un collier dès qu'il sera dans sa nouvelle chambre. Je dois superviser les opérations. (Elle se tourna vers Betty :) Je serai dans l'aile est du palais avec le nouveau commandant de la garde. Une fois que vous aurez laissé le dragon bleu, raccompagne Tara dans sa chambre, qu'elle reprenne des forces pour inverser au plus tôt son sortilège.

Et, sans attendre la réponse, elle sortit dans un grand envol de son manteau d'or, suivie par sa fille et son fils, ébranlés par tant de violence.

— Suis-moi ! ordonna Betty. Vous, prenez le dragon et portez-le.

Le dragon gris obéit.

Betty lui fit déposer Chem dans une chambre contiguë à celle de Sal puis elle conduisit Tara dans la sienne et la laissa sans ajouter un seul mot. Tara s'étira, essayant de chasser le désespoir qui l'avait envahie. Elle n'avait pas entièrement menti. Déployer une telle quantité de pouvoir l'avait effectivement fatiguée, pas autant toutefois que l'horrible choix qu'elle avait dû faire. Et l'expression des yeux de Chem la poursuivrait pour le restant de ses jours.

Elle éteignit la lumière, sachant que son visage serait moins visible en infrarouge, et attendit.

Ce ne fut pas long. La voix de Betty retentit dans son esprit moins de cinq minutes plus tard.

— *Tara ! Mon Dieu, Tara ! Comment as-tu fait une chose pareille !*

Tara évita de faire la grimace à cause de la caméra. Il était vraiment horripilant de ne pas pouvoir répondre.

— *C'était... incroyable ! À part celle de la Reine rouge, je n'avais jamais vu une magie aussi puissante. Je comprends mieux maintenant pourquoi elle se méfie de toi ! Tu nous as offert une occasion en or. Il va falloir agir très vite. Nous aurons deux heures pour profiter de la totale désorganisation du palais et te permettre de t'enfuir.*

Tara voulait surtout savoir ce que faisait la Reine rouge en ce moment. Heureusement Betty précisa ce point crucial.

— *La Reine est inquiète, elle est dans le palais, en train de renforcer la garde avec des loups de son armée. Ce ne sont pas les soldats habituels de la garde, ils ne sont pas encore orga- nisés. Profitons qu'elle ne soit pas devant les écrans pour te surveiller. On met la deuxième phase du plan en route. Maintenant !*

Avant d'obéir, Tara coupa les fleurs de kalir puis en fit un petit bouquet qu'elle glissa au fond de la poche de la Changeline.

Puis elle activa sa magie.

Et son collier explosa.

CHAPITRE XXIII

LA FUITE
ou lorsqu'on part de quelque part, bien s'assurer qu'on a tout nettoyé derrière soi...

L'explosion détruisit la scoop ainsi qu'une bonne partie de la chambre. Mais Tara resta au milieu, indemne et la tête sur les épaules. Lors de l'épreuve dans l'arène, elle avait ensorcelé son collier. La magie avait orienté la déflagration vers l'extérieur, tout en protégeant Tara. Si elle fut secouée, elle ne fut pas blessée.

Et comme la nouvelle garde, en nombre réduit, vaquait ailleurs, désorganisée, personne ne vint voir ce qui se passait. Aussitôt, elle étendit sa magie sur tout le palais, la ciblant avec une implacable précision : les louveteaux parqués par les gardes reprirent leur forme adulte mais pas les dragons gris.

Elle n'eut pas besoin de contacter ses amis. Ils attendaient la déflagration, preuve qu'elle avait déclenché le début de la révolution.

Robin, le premier, se précipita vers elle pour l'embrasser et écarquilla les yeux en découvrant l'état de sa chambre, à demi brûlée.

— Par tous les démons des Limbes, Tara, ton plan a fonctionné ! J'ai eu horriblement peur. Et j'ai vu que maître Chem avait été transformé, que s'est-il passé ?

Moineau, Eleanora, Jeremy, Fafnir, Xandiar et Cal accouraient à leur tour. Elle leur présenta un résumé succinct.

Jeremy l'interrompit.

— Je ne pouvais pas t'en parler ce matin mais trois personnes nous accompagneront : ma mère, Alia, mon père, Del et ma sœur, Catherine !

Tara, Moineau et les autres l'entourèrent, tout heureux de cette nouvelle sensationnelle, sauf Cal qui ne put retenir une remarque caustique, témoignant de sa bonne humeur :

— Catherine, la jolie fille qui en pinçait pour toi ? Elle est ta sœur ? Dooommaaage !

— Tu t'occupes d'organiser leur fuite, coupa Tara, ignorant Cal. Pour l'instant, il est urgent que nous désamorçions ces maudits colliers.

Soudain elle fronça les sourcils

— Où est Fabrice ? interrogea-t-elle.

— Je ne le sais pas, avoua Moineau. Il a eu un comportement vraiment bizarre ces derniers temps. Il n'était pas d'accord avec ton plan, ce me semble. Il n'est pas dans sa chambre. Je suis très inquiète.

— M... ! explosa Tara, qui pourtant détestait les jurons. Il savait qu'il devait venir au rendez-vous au signal, parce que le plus important était de nous débarrasser des colliers. Nous n'avons pas le temps d'attendre. La garde peut se réorganiser à tout instant et découvrir le complot. Tant pis. On commence par désactiver les colliers. Dès que ce sera fait, Moineau, tu te transformeras en Bête et tu iras à sa recherche.

Elle allait toucher les colliers avec sa magie lorsqu'Eleanora l'arrêta :

— Attends. Nous ignorons ce qui se passera si tu utilises la magie pour les ouvrir. Le tien était désactivé et par terre lorsque tu l'as ensorcelé. Mais une fois activés, peut-être qu'ils sont programmés pour exploser si la magie les touche.

— Zut ! jura Tara, tu as raison ! Vous ne l'avez pas entendu parce que vous n'étiez pas avec nous mais lorsqu'ils nous ont posé le collier, à Sal et à moi, le garde gris a dit que seules les pattes des dragons gris peuvent ouvrir la boucle des colliers sans qu'ils explosent quand on les retire...

— Magie, magie ! grommela Fafnir en foudroyant Eleanora des yeux, décidément, c'est tout ce que vous savez faire. Tara, peux-tu faire venir mes haches ?

— Euh, oui, pourquoi ?

— Tu verras.

Tara se concentra. Les haches étaient entreposées au même endroit que les armes de ses amis... et celles des soldats de la garde. Elle avait repéré tous les endroits stratégiques du palais et connaissait donc leur emplacement exact. Bon, tant qu'à faire, autant rapatrier tout ce qu'on leur avait confisqué.

Une pluie de ceintures Levitus Inc®, de Camouflus, d'armes, couteaux, arc, flèches, tricrocs et autres bidules tranchants, dont les deux fidèles haches de Fafnir, s'abattit soudain au centre de la pièce. Xandiar grogna de satisfaction en récupérant ses quatre épées. Et tous s'équipèrent avec le sentiment de redevenir maîtres de leur destinée.

— Bien, bien ! fit Fafnir, tout aussi ravie, un immense sourire aux lèvres. (Elle embrassa affectueusement le plat de ses haches) Vous m'avez manqué, mes chéries ! Xandiar ?

— Guerrière ?

Fafnir lui dédia un sourire, appréciant le formalisme du grand thug.

— Avec moi ! dit-elle en faisant quelques moulinets avec ses haches et en sortant de la chambre. Nous avons une course à faire.

Interloqué, le chef des gardes d'Omois lui emboîta le pas.

Quelques instants après, on entendit des hurlements puis un grand Boum ! Ils allaient sortir de la chambre lorsque Fafnir revint, deux pattes de dragon gris sous les bras, ses haches dégoulinantes de sang. Xandiar surgit sur ses pas et, après avoir refermé la porte derrière eux, s'adossa au chambranle, l'air assez halluciné.

— Les gardes à la porte t'ont prévenue que seules les pattes des dragons gris pouvaient défaire les colliers, n'est-ce pas ? fit la naine rousse avec un rictus sauvage. Voyons si cela fonctionne. Vas-y, Tara, anime-les avec ta maudite magie.

Tara referma la bouche. Fafnir avait des manières assez... expéditives. Elle dirigea sa magie vers les pattes et tout le monde s'écarta lorsqu'elles se mirent à voltiger maladroitement dans la pièce, dans un spectacle assez gore. Tara s'appliqua à ce que la magie se cantonne à l'intérieur des pattes et ne déborde pas à l'extérieur.

— Fafnir ? Tu es sûre de vouloir courir le risque ?

— Enlève-moi ce collier, grogna la petite guerrière, les nains ne sont pas faits pour être enchaînés.

Sous la direction de Xandiar, ils reculèrent et s'abritèrent derrière la table et le lit renversés en guise de pare-éclats tandis que Fafnir restait contre le mur, le plus loin possible.

Tara inspira profondément puis se lança. Les pattes du dragon touchèrent le collier et ouvrirent la boucle qui se défit avec un déclic docile.

Il y eut un instant de silence absolu, rompu par Cal qui poussa un vibrant « Youppeeeh ! » qui les fit tous sursauter.

— Bon sang, Cal ! gronda Eleanora, tu m'as fait peur !

— Vous voyez que ça fonctionne parfaitement ! lança joyeusement la naine. À votre tour.

En un clin d'œil ils furent débarrassés des colliers que Tara envoya prendre la place des armes qu'elle avait récupérées dans l'entrepôt. Si la Reine rouge décidait de les faire exploser, elle aurait une mauvaise surprise... et un arsenal de moins.

La porte s'ouvrit sur ces entrefaites et tous se figèrent. Mais il n'y avait... rien. Puis une forme se détacha du mur et Tara sourit. Les autres reconnurent la fameuse silhouette à quatre bras de Séné Sensass, la chef des Camouflés de l'Impératrice.

— J'ai fait comme tu me l'as demandé, Tara. Comme tu le craignais, les colliers sont protégés contre la magie (Moineau étouffa un hoquet, ils n'étaient pas passés loin de la catastrophe !) mais pas les boîtiers, du moins pas ceux qui se trouvaient dans les appartements de la Reine. Si elle veut les utiliser, elle ne le pourra pas, du moins pas sans avoir brisé mon sort. Malheureusement il en manquait un certain nombre, dont celui qui commande les vôtres. La Reine a dû le conserver avec elle. Désolée.

— Pas très grave, répondit Tara en montrant son cou nu et celui de ses amis. Nous nous en sommes débarrassés.

— Ça... fait longtemps que vous êtes là ? interrogea Cal, stupéfait.

— Je suis arrivée en même temps que Xandiar mais mon pouvoir de Camouflée m'a protégée contre le Revelus. En me rendant invisible, je me suis cachée dans le palais puis j'ai contacté Xandiar en restant toujours dans l'angle mort des scoops. Nous nous sommes retrouvés dans les écuries. Nous avons mis le plan d'évasion au point avec Tara et T'eal. Mon rôle était de neutraliser le plus grand nombre possible de boîtiers afin que la Reine ne massacre pas les hommes-loups rebelles du général T'eal. Ah ! Betty m'a confié aussi cela pour toi.

Et, de sous son manteau, la Camouflée sortit la Pierre Vivante qui, trop contente de retrouver son amie, s'éclaira comme une luciole au contact de la main de Tara ; les Familiers miniaturisés dans leurs cages, et un charivari éclata, tous se mettant à barrir, rugir, hennir et glapir avec un bel ensemble en voyant leurs compagnons d'Âme, Enfin, Séné lui tendit un dragon de cristal noir.

La clef du Continent interdit.

Fabrice se hâtait vers les appartements de la Reine et écoutait la voix dans sa tête. La voix qui le guidait sans le lâcher. C'était comme une étrange musique, un son presque inaudible, mais auquel il était incapable de résister.

— *Plan stupide, on s'en fout des loups, ils peuvent bien exploser ! Cette petite a le cœur trop tendre, c'est... crispant. Tu dois t'emparer de la clef, on assomme Tara et on file d'ici. Je lui ôterai son collier avec ma magie. Que les autres se débrouillent comme ils peuvent avec leur reine dingue.*

Fabrice arrivait à son but et il écarquilla les yeux de surprise lorsqu'il vit Séné sortir des appartements de la Reine avec un dragon de cristal dans les mains puis disparaître.

La vampyr, dans sa tête, jura.

— *La garce ! Je savais bien que je sentais une autre présence invisible dans ce palais crasseux. Elle a pris la clef. Tu dois la lui reprendre, vite !*

Mais Fabrice n'avait pas les facultés de la vampyr pour traquer une proie et encore moins une proie invisible. Il ne parvint pas à retrouver Séné.

— *Par les entrailles de Bendruc le Hideux ! File chez Tara et persuade-la de partir de suite. Dépêche-toi !*

Fouaillé par la voix, Fabrice obéit et courut. Il ouvrit la porte de la chambre de Tara et se jeta dans les bras de Moineau. Qui s'était transformée.

— Oouuuf ! fit la Bête, essayant de retrouver son souffle, Fabrice, où étais-tu passé ?

— Il faut que nous partions, tout de suite ! hurla Fabrice, les yeux brillants comme ceux d'un fou.

— Euh, oui ! confirma Cal, c'est plus ou moins ce qu'on avait l'intention de faire. Tu es sûr que tu vas bien, Fabrice ?

Le Terrien se passa les deux mains sur le crâne. Puis remarqua que ses amis ne portaient plus les colliers.

— Oui, oui ! Ça va. Je vois que vous avez réussi à vous libérer. Quand est-ce qu'on part ?

— Je vais chercher Chem et Sal pendant que Tara se charge de ton collier, dit Moineau. Betty est en train de délivrer Mal et Charm, ainsi que les autres elfes, que la Reine a fait de nouveau enfermer depuis leur petite démonstration dans l'arène. Tara, on se retrouve où exactement ?

— À la sortie sud du palais, la plus proche de la barrière sur la plage. C'est là que Betty doit nous retrouver avec les autres... et ceux qui voudront partir avec nous, ajouta-t-elle avec un sourire rassurant à Jeremy. Sois très prudente, nous ne savons pas quels sont les loups qui sont avec nous et ceux qui restent fidèles à la Reine rouge. Si nous n'arrivons pas, c'est que nous aurons échoué. Dans ce cas, va-t'en, cache-toi avec les deux dragons humains et essaye de survivre.

— Et si Betty n'est pas là ?

— Je devrai respecter le plan, s'obligea à répondre Tara, bien qu'à contrecœur. C'est la raison pour laquelle elle m'a confié la clef. Je partirai et reviendrai le plus vite possible avec les secours... en espérant très fort la trouver encore en vie.

— Bonne chance, mon amie.

— Bonne chance à toi.

La Bête la serra dans ses bras, embrassa Fabrice et sortit comme une gigantesque ombre rousse.

Tara envoya des pseudopodes de magie dans tous les recoins du palais, aveuglant les scoops et accentuant la pagaille. Des bruits de lutte leur parvinrent. Les loyalistes combattaient les rebelles. Ils n'avaient pas de temps à perdre.

— Je prends les pattes de dragon, déclara Fafnir après que Tara eut délivré Fabrice. Tout le monde est prêt ?

— Rendons leur taille à nos Familiers, suggéra Cal. À part Blondin, tous peuvent combattre contre les loups qui nous attaqueraient. Et eux ne sont pas sensibles, comme Robin d'ailleurs, aux risques de contamination par morsure.

Tara l'approuva. Elle n'avait pas pensé à cela. Ils brisèrent les cages et délivrèrent les Familiers puis sortirent dans le couloir qui, construit pour la forme massive des dragons, pouvait accueillir sans problème celles de l'hydre et du mammouth lorsque Robin et Fabrice les retransformeraient.

Avec l'hydre ouvrant le chemin, leur progression fut nettement simplifiée. Les loups, déjà affolés par la révolution, s'écartaient avec terreur devant ce monstre bavant et polycéphale, sorti de leurs pires cauchemars.

— Tu vois, Robin ? dit Cal avec un petit air satisfait, je t'avais prédit que Toto te serait utile un jour !

— Elle s'appelle Sourv et, pour l'instant, sa seule pensée est qu'elle a envie d'un poisson. Je lui ai dit qu'il y en avait dehors. C'est pour cette raison qu'elle va si vite !

Cal sourit discrètement. En dépit de ses railleries, il avait vu Robin caresser gentiment les têtes de l'hydre. Son ami s'habituerait vite à son Familier... si particulier.

Séné et Xandiar fermaient la marche, leurs épées prêtes à intervenir. Ils empruntèrent, autant que possible, les couloirs les moins passants, les raccourcis discrets. En quelques minutes, ils avaient franchi ou contourné les principales salles d'audience, après avoir assommé quelques téméraires, et parvenaient à la sortie sud.

Le spectacle, à proximité de la porte, était dantesque. Partout, les hommes-loups se combattaient entre eux, avec leurs griffes, leurs crocs et aussi une multitude d'armes bien tranchantes. Ça et là, dépassant de plusieurs mètres les autres, un dragon gris luttait contre des loups qui le harcelaient sans relâche. Ils avaient d'autres chats à fouetter que d'arrêter un groupe peu ordinaire se dirigeant vers l'extérieur.

Betty avait bien fait les choses. La porte immense ouvrait directement sur la campagne. Ici, le palais s'adossait à la muraille, permettant aux dragons d'aller chasser dans la forêt toute proche sans avoir à traverser les faubourgs.

Et nul garde ne leur barrait le passage. Betty était là, souriante, Moineau à ses côtés, en compagnie des elfes violets, de Mal, de

Charm, de Sal et Chem, enfin éveillé et qui devait le regretter. Jeremy, Alia, Del et Catherine se tenaient un peu en retrait.

Ce ne fut qu'en s'approchant que Tara aperçut le faible champ magique qui retenait le groupe et comprit que le sourire de Betty était en réalité un rictus épouvanté.

Elle fit volte-face. La Reine rouge sortit de l'ombre où elle s'était dissimulée et les portes s'ouvrirent sur une dizaine de dragons gris. Tara eut une désagréable impression de déjà-vu. C'était la parfaite reconstitution de ce qui s'était passé sur la place lors de sa capture.

À une exception près. Là, elle n'avait pas de collier. Et les dragons jumeaux verts, Chanvi et Santra, se tenaient derrière leur mère, l'air horrifié.

— Tiens ! Tiens ! Tiens ! Mes invités semblent avoir envie de prendre l'air. Amusant ! siffla la Reine rouge.

Tara activa sa magie mais la dragonne resserra le carcan qui retenait les autres prisonniers et ils hurlèrent en silence.

— Ne bouge pas, commanda-t-elle. Un seul geste et ils meurent. Donne-moi la clef.

Tara hésita et la dragonne se pencha :

— TOUT DE SUITE ! rugit-elle.

Tara ne broncha pas. Lui hurler dessus ne l'avait jamais fait obéir. Ce n'était pas maintenant que cela allait changer.

— J'ai donc deux possibilités, dit-elle, cherchant à gagner du temps. Vous donner la clef, et vous allez tous nous tuer. Ou alors refuser, laisser mourir mes amis et tenter tout de même de m'enfuir.

— Si tu te rends, je ne tuerai pas tes amis, négocia la dragonne rouge.

— C'est bizarre, répondit froidement Tara, mais *je ne vous crois pas*.

Elle avait repris exactement les termes de la souveraine dans l'arène. Celle-ci se raidit.

— Il y a une troisième option, enchaîna Tara en exhibant la clef de cristal et en la brandissant à bout de bras. Je peux aussi détruire la clef. C'est fragile, ce truc-là, très, très fragile.

La Reine souffla du feu par ses naseaux. Puis accentua l'étreinte mortelle sur ses prisonniers.

— Si tu brises ce cristal, tu verras tes amis mourir. Ensuite, je m'occuperai de toi. Et tu regretteras de n'être pas morte avec eux !

Soudain Alia, dans un effort surhumain, tourna la tête vers Chem et lui murmura fébrilement quelque chose. Elle tourna péniblement sa main dans laquelle brillait une fiole exactement semblable à celle que la Reine rouge avait versée dans la gueule de Chem. Un espoir insensé brilla dans les yeux du dragon. Tara nota qu'il ne portait pas de collier, Betty avait sans doute évité de lui en poser un pendant qu'il se remettait de sa traumatisante expérience.

Alors, avec une incroyable violence, il se transforma et reprit son aspect de dragon bleu, celui que la Reine était censée lui avoir ôté à jamais. Le champ magique ne résista pas à l'augmentation brutale de la masse corporelle qu'il avait à contenir. Il explosa littéralement et se dissipa, libérant les prisonniers.

— Mais... qu'est-ce que...

Ce fut tout ce que la Reine rouge eut le temps de prononcer avant que Chem ne lui saute à la gorge. Elle lâcha le boîtier de contrôle des colliers de Del, Alia, Catherine, des elfes et des dragons, qui s'écrasa au sol, sans se déclencher par bonheur.

L'affrontement dégénéra aussitôt en une bagarre générale.

Tara incanta et immobilisa l'un des dragons gris tandis que l'hydre de Robin en saisissait deux dans quatre de ses gueules. À l'exception de Fafnir qui jouait de ses haches, les membres du Magicgang et Eleanora lançaient jet de magie sur jet de magie, auxquels ripostaient d'autres dragons. Les elfes violets blessaient et tuaient en un ballet rapide et mortel. Galant, Sheeba et Barune écrasaient et griffaient, le pégase et la panthère protégeant leur compagnon, plus lent. Alia, Del et Catherine, couverts par Jeremy, les aidaient de leur mieux mais, contrairement au Taragang, n'osaient pas utiliser leur magie, atrocement conscients qu'au moindre effleurement sur le boîtier de contrôle ils perdraient la tête.

Il ne restait plus que trois adversaires devant eux, sans compter la Reine rouge, aux prises avec Chem. Les deux dragons verts se serraient l'un contre l'autre, évitant tout geste menaçant. Ils étaient restés immobiles, refusant de prendre part aux combats.

Charm voulut secourir Chem. En effet la Reine, revenue de sa surprise, utilisait à fond sa masse plus importante pour infliger une raclée au pauvre dragon bleu. Mais la puissante dragonne rouge la balaya d'un coup de queue et l'envoya s'écraser contre une colonne qui s'écroula sous le choc, clouant Charm au sol.

Le plafond émit un sinistre craquement et Tara hurla :

— Tout le monde dehors ! Vite !

Sans discuter, ses amis et les Familiers rompirent l'affrontement et s'égaillèrent par la porte dans la campagne environnante. À présent qu'elle avait le champ libre, Tara jeta un Immobilisus sur les trois gardes gris restants, qui se figèrent. Cela ne tiendrait pas très longtemps mais elle n'avait besoin que de quelques minutes.

Elle ne vit pas venir la patte de la dragonne, qui la frappa avec une puissance inouïe et la projeta sur Charm. Heureusement, la masse de la dragonne pourpre amortit le choc, sinon Tara serait morte sur le coup. La Changeline, écrasée par la violence du contact, se déconnecta un instant et des tas d'objets jaillirent des poches de Tara, dont la carte magique, des mouchoirs, des bonbons et deux kidikois, la clef « ouvretout », la dent de dragon, ses lunettes de soleil, bref, tout ce que la dragonne rouge lui avait rendu. Mais également le bouquet de kalir. À demi assommée, elle allait le récupérer lorsque Charm gémit sous elle et ouvrit un œil jaune.

— Par mes aïeux ! grogna-t-elle, que s'est-il passé ?

— Tu as été frappée par la Reine, expliqua Tara sans préciser qu'elle lui avait également servi de matelas amortisseur. Je vais te dégager, sors tout de suite, je te rejoins.

— Non, je veux aider Chem ! Elle va le tuer !

— Pour l'instant, il ne se débrouille pas si mal.

Effectivement, le dragon avait utilisé une ruse très humaine, proscrite absolument dans tous les combats, qui consiste à mettre les doigts dans les yeux de son adversaire. Celle-ci hurlait de fureur mais refusait de lâcher sa proie. Tara frémit. Des pas lourds dans le couloir lui apprenaient que les renforts approchaient. Ils devaient filer d'ici au plus vite.

Grâce à un Levitus, elle souleva la lourde colonne de marbre et délivra la dragonne, qui se replia à regret.

Puis elle se pencha pour récupérer ses biens et se figea. Le bouquet avait disparu !

La bataille entre la dragonne et Chem l'avait balayé au loin dans l'une des salles avec suffisamment de force pour qu'elle ne le voie nulle part. Gémissant, Tara se précipita mais un jet de magie l'effleura et elle recula. Les gardes gris arrivaient en renfort. Elle n'avait plus le temps. Elle lança une vague de magie contre les boucliers des gardes, qui explosèrent, mais ne parvint pas à blesser les dragons. Sa magie faiblissait.

— Chem ! hurla-t-elle. Merlin l'Enchanteur ! Maintenant !

Elle avait fait projeter le dessin animé au palais et Chem avait beaucoup ri du combat entre Merlin et madame Mime.

Chem comprit l'allusion. Il se transforma. L'instant d'après, la Reine rouge, ahurie, tenait du vide dans ses pattes, tandis qu'une petite souris filait à toute vitesse vers Tara et sautait dans ses bras. Tara bondit sur le seuil puis lança un jet de magie contre le plafond. Déjà fragilisé par la perte de l'une de ses colonnes porteuses, il ne lui restait qu'une seule chose à faire.

Il s'écroula, ensevelissant la Reine, Chanvi, Santra et les gardes gris sous des tonnes de gravats.

— Fafnir, hurla Tara, les pattes !

Fafnir lui lança les pattes du dragon gris, Tara les anima à toute vitesse et délivra tout le monde. Ils balancèrent les colliers sur le palais. Si la Reine rouge était encore vivante et faisait exploser les colliers, le reste de la bâtisse allait lui tomber sur le crâne.

— Chem ! Charm ! Mal ! Prenez autant de passagers que vous le pourrez ! ordonna Tara. Je me transforme ! (Elle subvocalisa à l'intention de la Pierre :) *Pierre Vivante ?*

— *Jolie Tara ?*

— *Symbiose. Maintenant. En dragon, s'il te plaît. Avec des sièges et, surtout, des tas de ceintures pour mes passagers... ce sera plus prudent.*

— *Pouvoir tu veux ? Pouvoir je te donne.*

Tara grossit, grandit et, quelques secondes plus tard, une magnifique dragonne dorée, énorme, se tenait à sa place, la Pierre Vivante enchâssée entre ses deux yeux.

— C'est pas vrai, grommela la naine, ça va pas recommencer ! Je refuse de monter sur ton dos. La dernière fois, tu as failli tous nous tuer !

— Fafnir, rugit Tara, nous n'avons pas le temps de discuter. Je ne suis pas du tout sûre que recevoir le palais sur le crâne était suffisant pour tuer la Reine. Alors monte sur qui tu veux, mais fais vite !

Mal se chargea de quatre des elfes et de Xandiar. Chem prit la famille l'envire Bal Dregus sur son dos et un elfe. Charm s'occupa de Séné, Moineau, Fabrice, Eleanora et Fafnir. Tara étant la plus forte et la plus grande, Cal, Robin, V'ala et l'un de ses elfes montèrent sur son dos avec Betty et Sal qui s'accrochait à cette dernière comme un enfant. À part Galant, qui se chargea du dernier elfe, les Familiers furent miniaturisés de nouveau. Et tout le monde fila aussi vite que possible.

Le décollage de Tara ne fut pas aussi catastrophique que ses deux premières tentatives, un an et deux ans plus tôt. Cal et Robin avaient prévenu les elfes, Betty et Sal. Et tout le monde avait bouclé les ceintures quatre points haute sécurité que la magie avait créées.

— C'était... intéressant, remarqua V'ala lorsqu'elle put récupérer sa voix. Je ne savais pas que les dragons avaient besoin de courir aussi longtemps pour prendre l'air !

Le champ qu'ils avaient traversé à fond la caisse pendant que les autres dragons les encourageaient des airs était ravagé sur une bande large de dix mètres. Ils avaient décollé juste avant la lisière de la forêt. Et V'ala comprit tout à fait Fafnir lorsque la cime des arbres les rata d'un tout petit centimètre.

— Et encore, elle s'améliore ! cria Cal. La dernière fois, c'est la moitié de la forêt qu'elle a fauchée !

Tara décida d'ignorer les railleries de ses amis. Après tout, ils étaient en l'air, ils volaient le plus vite possible, c'était le plus important.

— Chem, cria-t-elle, je n'ai aucun sens de l'orientation, saurais-tu retrouver la bonne direction ?

— Bien sûr ! répondit Chem en se mettant à côté d'elle, je me demandais aussi pourquoi tu volais vers le nord alors que la sortie se trouve au sud.

— Très drôle ! grommela Tara, je fais ce que je peux, hein ? Guide-nous, s'il te plaît.

— Suivez-moi.

Le grand dragon bleu vira sur l'aile. Tara vola un moment dans son sillage puis, dévorée de curiosité, le rattrapa.

— Est-ce que quelqu'un peut m'expliquer ce qui s'est passé au palais ? s'égosilla-t-elle, lorsque vous avez échappé au sort de la Reine, parce que même si je trouve le résultat formidable, je n'ai pas encore compris le pourquoi du comment...

— Tout est entièrement ma faute ! cria Alia, à sa grande surprise. J'ai empoisonné le vin de maître Chem. Je voulais le tuer !

— Quoi ?

— Mais je ne le lui ai pas donné ! Je voulais venger ma famille. Je croyais qu'il était le dragon renégat, qui s'était toujours présenté à nous sous l'apparence de Chem pour nous tromper. J'allais l'empoisonner dans sa cellule lorsqu'il a affirmé qu'il ne craignait pas tant la mort que la transformation en humain par les potions de la Reine. J'ai donc modifié mon plan, mon seul désir était qu'il souffre à la mesure de ce que nous avions souffert. Ayant vidé le vin par terre, j'ai cherché le moyen de pénétrer les appartements de la Reine pour y subtiliser la fiole qui m'offrirait ma revanche. Je suis allée voir Betty qui avait besoin d'aide pour soigner le dragon noir, Sal. Elle m'a autorisée à m'y rendre afin d'y prendre quelques herbes. J'en ai profité pour voler deux des potions de la Reine et je les ai remplacées par une autre mixture, un laxatif.

— Très efficace, grogna Chem. Je n'ai jamais été aussi malade de ma vie. Je croyais que c'était dû à la transformation.

— Mais il s'est tout de même transformé ! souligna Tara. Comment ? Si ce n'était que du laxatif ?

— Il restait des résidus de la véritable potion dans les flacons, c'est la raison pour laquelle la métamorphose a tout de même eu lieu. Mais ses effets n'étaient pas suffisants pour emprisonner maître Chem dans un corps d'humain pour l'éternité.

— La Reine avait pris quatre flacons dans sa réserve, claironna Betty, stupéfaite de la coïncidence. Vous aviez une chance sur je ne sais combien qu'elle choisisse l'un des deux qui contenaient le laxatif d'Alia et qu'elle tombe ensuite sur le bon flacon parmi les quatre, Maître dragon. Quel que soit votre dieu, vous pouvez lui adresser un grand merci.

Le dragon sourit de toutes ses dents et se tapota les écailles avec satisfaction.

— Dame Chance a été douce envers moi, confirma-t-il. Mais j'avoue que j'ai eu la peur de ma vie !

— Après avoir aidé Betty à soigner Sal, je suis rentrée me changer et prendre une douche puis un petit déjeuner, termina Alia. J'avais prévu d'aller verser la potion de la Reine dans celui de maître Chem. Mon mari m'attendait, très inquiet parce que j'avais disparu toute la nuit et que j'avais éteint ma boule de cristal, ce qui faisait qu'il n'avait pas pu me joindre. Il m'était impossible de parler de mes projets et du vol que j'avais commis pour notre cause, avec les scoops qui nous surveillaient. J'ai donc seulement décrit la partie de la nuit que j'avais passée au chevet de Sal. Del m'a alors interrompue et m'a raconté une stupéfiante histoire. Nous venions de retrouver notre fils ! Et maître Chem n'était pas le coupable ! Le monstre qui nous avait pourchassés et persécutés était mort, de la patte même de celui que j'avais failli assassiner !

La jeune femme en frissonna rétrospectivement.

— Vous avez sauvé mon esprit, Dame Alia, assura gravement Chem. Sans votre projet de vengeance, je serais prisonnier de mon propre corps. Alors, croyez-moi si je vous affirme que je vous suis infiniment reconnaissant.

— Moi aussi, approuva Charm. J'aurais détesté perdre mon *fiancé* de cette façon.

Chem faillit percuter Tara qui évita de justesse le carambolage.

— Ton... ton fiancé ? balbutia-t-il, mais...

— Mais quoi ? demanda Charm d'un ton glacial.

— Euh, mais, rien du tout ! Ton fiancé, bien sûr. Pas de problème !

Le dragon bleu afficha un sourire contraint qui n'ébranla en rien la détermination de la dragonne pourpre.

Ils étaient un peu ralentis par Mal, plus petit qu'eux, et par Galant qui peinait à soutenir leur allure, avec son cavalier. En revanche, aucun dragon fou ne se risqua à affronter leur groupe. En moins de dix minutes de vol, ils furent en vue de la falaise qui ouvrait sur la sortie du dôme.

— Encore un petit effort ! cria Tara, nous arrivons presque !

— Tara ! cria Fabrice, qui ne cessait, pour une mystérieuse raison, de regarder en arrière. Nous sommes suivis !

Tara tourna son long cou de reptile et souffla d'irritation.

— Je me disais bien qu'elle ne lâcherait pas prise aussi facilement. Et zut ! Plus vite !

Effectivement, un point rouge grossissait à l'horizon, battant furieusement des ailes.

Ils redoublèrent d'efforts mais la Reine et son groupe gagnaient sur eux. Ils n'arriveraient pas au dôme à temps.

Ils ne purent se préparer à l'affrontement. Les dragons gris et la Reine rouge fondirent sur eux comme des faucons, toutes serres en avant.

Si Tara avait adopté un corps de reptile géant et ailé, elle ne savait pas se battre à la manière des dragons. Et, vu la compétence guerrière de la Reine rouge, elle allait se faire tailler en pièces.

Soudain, elle se raidit et ses passagers grognèrent lorsque ses écailles se hérissèrent.

— Par mes aïeux ! cria Moineau qui l'avait vue aussi. C'est le Chasseur !

En effet, juchée sur le dos d'un des dragons gris, Selenba braquait ses prunelles de sang sur eux.

— Mais qu'est-ce qu'elle fiche ici ? cria Cal. Elle s'est alliée aux dragons fous ?

— Cela t'étonne ? grogna Chem. Moi, je trouve qu'ils vont plutôt bien ensemble. Mal, Charm, il faut protéger Tara, c'est elle qui a la clef. En formation derrière elle.

Ils firent de leur mieux mais les dragons gris avaient l'habitude de traquer les fugitifs. Ils furent d'une impitoyable efficacité, d'autant plus qu'ils ne portaient pas de passagers. Et, handicapés par l'altitude, ceux de Charm, Mal et Chem ne les aidaient guère. Les dragons gris évitaient leurs jets de magie avec habileté et, très vite, les trois dragons furent contraints d'atterrir.

Alors, Tara prit la fuite. La dragonne s'était débrouillée pour lui barrer le chemin du dôme mais l'espace était grand, elle pourrait toujours la contourner plus tard.

Furieuse, Betty jeta un couteau sur la dragonne qui... l'avala ! V'ala fit de même avec un tricroc et, cette fois-ci, la Reine l'évita. Mais elle absorba les flèches imparables de l'arc de Llilandril sans que cela lui fasse le moindre effet, à leur grande déception.

Soudain Tara eut une idée. Si la Reine avalait tout ce qu'on lui lançait...

— Donnez-moi toutes vos armes, ordonna-t-elle, je vais les mettre dans la Changeline et la programmer pour qu'elle expulse tout en même temps. Cela devrait faire assez de trous dans la dragonne pour nous donner le temps de fuir.

— Ce ne sera pas suffisant, dit alors Sal d'une voix faible. Laissez-moi entrer dans votre Changeline, Votre Altesse impériale, et tuer ce monstre.

— Impossible, Maître Sal ! répondit Tara en évitant un jet de feu furieux de la Reine rouge. Il n'y a pas d'air dans la Changeline, vous ne pourriez pas respirer !

— Non ! renchérit Betty, je t'ai sauvé la vie, ce n'est pas pour te voir te sacrifier !

— Nous autres dragons pouvons retenir notre respiration, contra Sal, et vivre ou mourir est sans importance pour moi. Mon devoir est de vous sauver et d'épargner à ma race les plans de cette démone. Ne me retirez pas ce qui me reste de dignité. Je vous en prie.

Tara n'hésita pas. Elle n'allait pas résister très longtemps aux attaques de la dragonne rouge. Elle sortit de la Changeline ses affaires, dont la précieuse clef.

— OK, Sal, vas-y ! Prends l'épée de V'ala.

V'ala la lui donna et le salua en même temps.

— Vous êtes courageux, Maître dragon. Mon respect.

Sal eut un faible sourire et s'accrocha de toutes ses forces tandis que Tara virait sur l'aile, évitant de justesse de percuter la Reine rouge et filant de nouveau à toute vitesse vers le dôme.

— Merci, Damoiselle Elfe. J'essayerai d'en être digne.

Tara donna ses ordres à la Changeline qui n'apprécia pas qu'elle la détache de sa nuque après l'avoir fait se dilater pour permettre à Sal de prendre place dans sa poche aux profondeurs insondables. Mais, obéissante, elle se réduisit en une boule de la taille d'un gros ballon, que Tara donna à Betty. Tara savait que Sal ne serait pas compressé car le volume intérieur de la Changeline pouvait contenir des palais entiers.

À son signal, Betty hurla après la dragonne rouge pour attirer son attention puis lança la Changeline.

Cela faillit ne pas marcher. Puis la dragonne ricana et attrapa la Changeline qu'elle avala d'un seul coup.

— Voilà ce qui t'attend, Betty ! Je vais festoyer avec tes os pour m'avoir trahie ! hurla-t-elle.

Et elle lança un trait de feu qui roussit la queue dorée de Tara. Celle-ci rugit d'indignation et battit des ailes encore plus vite.

Betty compta les secondes mais il ne se passait rien. Soudain la Reine rouge parvint à crocheter l'une des ailes de Tara. Ses passagers hurlèrent lorsque, sous la douleur, Tara cessa de voler et tomba, perdant brusquement de l'altitude. Heureusement, aucun ne fut éjecté de son dos. Tara haletait, forçant sur son autre aile pour compenser la déchirure.

— Tu vas te faire tuer ! hurla Robin, pose-toi ! Reprends ta forme ! Tu lutteras bien mieux en étant Tara que sous forme de dragon !

Leur plan avait échoué et Sal était sans doute mort. Robin avait raison. Il ne leur restait qu'un espoir : parvenir à rester en vie suffisamment longtemps pour que Tara redevienne humaine.

— D'accord ! Accrochez-vous, ça va secouer !

Tara fit volte-face et, repliant ses ailes, piqua sur la dragonne rouge qui pila net mais eut un réflexe terrible. Elle agrippa de ses deux pattes antérieures Tara, l'arrêtant brutalement. Les deux commencèrent à tomber ensemble vers le sol, la dragonne rouge lacérant Tara qui hurlait, incapable de réagir. Son adversaire lançait sa gueule vers la gorge sans protection de sa victime pour porter le coup de grâce lorsque, soudain, elle eut un hoquet. Puis un second, si violent qu'elle lâcha Tara.

Celle-ci s'écarta à toute vitesse et fit bien.

Car soudain, la dragonne... explosa !

Des bouts de dragon, divers objets, dont l'Étoile de Zendra, la boule de cristal de Magister, la carte vivante, Sal et la Changeline, volèrent dans les airs. Tara plongea et récupéra Sal et la Changeline à toute vitesse. Puis, du coin de l'œil, elle vit deux objets tomber en même temps. L'Anneau de Kraetorvir ou plutôt son prototype et... son bouquet de fleurs de kalir ! La Reine avait dû le ramasser.

Elle n'avait pas la possibilité de rattraper les deux. Elle n'hésita pas et choisit les fleurs de kalir. L'anneau tomba et se perdit dans la forêt, en dessous d'eux.

Les dragons gris étaient morts. Le sort qui entourait leurs colliers à proximité de la Reine s'était déclenché à sa destruction et leurs têtes surprises jonchaient les alentours.

— Bon sang, jura Chem, ce n'est pas passé loin ! J'espère que la mort de la Reine n'a pas entraîné celle de tous les loups-garous sous collier !

— Elle était trop loin, le rassura Betty. Si elle avait été tuée dans le palais, oui, cela aurait pu déclencher les leurs mais aussi ceux des elfes violets, des dragons, des l'envire Bal Dregus et le mien.

Tara frissonna rétrospectivement. Elle avait oublié ce « détail » lorsqu'elle avait détruit le palais.

— Comment va Sal ?

— Un peu commotionné, il sent très mauvais mais il va bien, répondit Betty avec un énorme sourire.

— Super ! grogna Tara, qui avait mal et n'en pouvait plus. Posons-nous, alors, et activons cette clef pour sortir de ce fichu continent.

Ils s'appliquèrent des Reparus mutuels.

Puis Tara s'approcha de Betty.

Sans que la jeune fille, qui lui tournait le dos, ne s'en rende compte, Tara incanta doucement. Sa magie entoura la tête et le côté droit de Betty, la faisant sursauter. Elle plaqua sa main sur sa joue mutilée.

— Ehhhh ! Mais qu'est-ce que...

— Regarde, dit Tara en lui tendant un miroir que la Changeline, de nouveau en place, venait de lui fournir.

Betty n'osait pas décoller sa paume de son visage et Sal s'approcha puis lui prit la main.

— Ensemble, dit-il. Faisons ceci ensemble.

Betty eut une inspiration tremblante puis ouvrit ses doigts et laissa tomber son bras. Tara sourit. Le visage de son amie était de nouveau intact. Retrouver sa vision binoculaire fit vaciller la jeune fille et elle s'affaissa, secouée de sanglots.

Soudain une ombre se matérialisa derrière Tara et la lame d'un couteau se posa sur sa gorge. Elle sentit contre son dos un corps dur et osseux.

— Très, très sentimental ! Félicitations. Mais mon maître m'a demandé de lui ramener la petite, la clef et l'anneau. Pour l'anneau, ce sera difficile, je crois bien qu'il a disparu, du moins pour l'instant. En revanche, la clef et la petite sortcelière, on devrait y arriver.

Robin et Galant firent un mouvement vers Tara mais Selenba appuya sur la gorge de la jeune fille et le sang coula.

— Non. Personne ne bouge ou la petite va souffrir. Fabrice ?

— Maîtresse ? répondit Fabrice qui n'arrêtait pas de se frotter les yeux et le front comme s'il allait exploser.

Les autres se tournèrent vers lui, les yeux ronds. La vampyr lui lança des bâillons et des cordes. Puis un solide gourdin en bois de Géant d'Acier.

— Prends la clef. Nous allons ouvrir le passage un peu plus loin, je n'ai pas envie d'affronter toutes les armées d'Omois. S'ils protestent, assomme-les.

— Mais... vous n'allez pas nous abandonner ici ? supplia Alia, qui ne connaissait pas la vampyr. Prenez mes enfants, au moins, rendez-leur la liberté !

— J'adorerais les prendre avec moi, répliqua lentement Selenba avec un sourire caustique, mais je n'ai pas de temps pour des casse-croûte, aussi délicieux qu'ils paraissent... Fabrice ! Obéis-moi !

Stupéfaits, ils virent Fabrice obtempérer et prendre la clef dans la poche de Tara, impuissante.

— Bien. À présent, ligote les humains, la naine, les thugs et les elfes, j'immobiliserai les dragons avec de la magie ensuite.

— Je ne peux pas te laisser faire, Fabrice, protesta fermement Moineau en se transformant. Personne ne me ligotera.

Elle se mit en position de combat.

Fabrice ne lui laissa aucune chance. Gourdin en main, il frappa avec une force démentielle et Moineau roula, assommée.

— Ha ! Ha ! rit la vampyr. Très, très efficace, mon lapin. Attache-les maintenant.

Ils ne pouvaient rien faire. Fabrice les garrotta avec rapidité et efficacité puis se redressa.

Le dernier bâillon trouva sa place sur la bouche de Cal, qui rencontra les yeux de Fabrice et écarquilla les siens de stupeur.

Fabrice se releva puis, les yeux toujours baissés, se planta devant la vampyr.

— Que fais-tu ? interrogea Selenba d'un ton glacial.

— Maîtresse ?

— Oui, quoi ?

— Allez au diable.

Il releva la tête et Tara vit ses yeux. Dorés. Des yeux de loup.

Avant que Selenba n'ait le temps de réagir, la main de Fabrice, transformée en griffe, lui arracha le couteau. De son autre main, Fabrice attrapa le bras de Tara et la projeta au loin, avec une force colossale. Puis ses vêtements se déchirèrent, il se transforma en un énorme loup doré et se jeta à la gorge de la vampyr. Elle tomba et il la plaqua sur le sol. Au même moment, Eleanora, comme Cal, se dégagèrent des liens et se précipitèrent.

Selenba, immobilisée par Fabrice, luttait pour sa vie. Elle n'eut donc pas le temps de réagir. Et ne vit jamais le poignard d'Eleanora la heurter à la tempe, l'expédiant au pays des songes... ou des cauchemars.

— C'est bon, Fabrice ! dit calmement Robin au loup qui tenait encore la vampyr à la gorge, tu peux la lâcher maintenant, El l'a assommée, nous ne risquons plus rien.

Le loup eut comme un frisson puis, à regret, se dégagea. Il se redressa et reprit forme humaine.

Cal avait l'impression que son cœur allait lâcher après tous ces retournements de situation. Il délivra ses amis puis incanta un Reparus sur Moineau afin de la sortir de son inconscience. Fabrice, encore désolé de l'avoir estourbie, la soutint gentiment pendant qu'elle gémissait que sa tête allait tomber. Cal dévisagea son ami.

— Comment ? demanda-t-il d'un ton stupéfait. Comment as-tu été contaminé ? Tu n'as jamais été mordu !

Fabrice haussa les épaules.

— Mordu, non. Mais le chien qui gardait les spatchounes devait être un jeune loup-garou. Il rongeait un os et se léchait les griffes constamment. Sa salive m'a contaminé lorsqu'il m'a griffé, quand je suis tombé sur lui. La vampyr ne peut pas contrôler les loups-garous. Mais lorsqu'elle m'a mordu, la métamorphose n'était pas encore complète et je suis tombé sous sa coupe. Le stress de la bataille puis ce qu'elle m'a demandé ont parachevé le processus. Je lui ai échappé.

Il s'étira, à la fois gracieux et farouche.

— Je suis cent pour cent loup-garou maintenant et crois-moi, Gloria, je comprends à présent pourquoi tu aimes tant ta forme de Bête... Cette sensation de puissance, quel bonheur !

La Bête lui lança un sourire incertain en se tenant la tête. Ben mince, alors ! Son petit copain était devenu un loup-garou ! Il allait falloir un peu de temps pour qu'elle s'habitue au changement ! Quand sa tête aurait fini de résonner comme un bourdon, peut-être qu'elle pourrait y réfléchir calmement.

— Enfin ! jubila Eleanora. Nous tenons l'un des plus importants lieutenants de Magister. Elle va nous révéler ses secrets, ses manigances et ses contacts à Tingapour. Je connais un certain ministre qui a du souci à se faire.

— Elle ne parlera jamais, affirma Tara qui avait souvent eu affaire à la vampyr.

— Tu paries ? contra El en faisant craquer ses doigts d'un air sinistre. Qu'on me laisse seule avec elle et tu verras si elle ne crache pas tout sur sa vie depuis sa naissance jusqu'à nos jours. Merci, Fabrice ! Même si je suis navrée que tu aies été contaminé, c'est ce qui nous a sauvés.

— On ne peut pas le guérir ? questionna Jeremy qui n'arrivait pas à lâcher la main de sa mère.

— Il n'existe aucun remède, les renseigna Betty. Ma Reine... euh, la Reine avait fait des études très poussées à ce sujet, afin d'être sûre que personne ne viendrait contrarier son programme de mutation. Loup-garou il restera.

— Huummph ! Voilà qui va être un peu compliqué à expliquer à mon père, commenta Fabrice, soudain nettement moins sûr de lui.

Cal sourit et lui envoya une tape sur l'épaule.

— Je peux venir avec toi pour lui parler, si tu veux.

— Non ! Surtout pas. Je me débrouillerai tout seul, merci, se défendit Fabrice, paniqué.

Cal sourit de plus belle.

— Bon, et si on activait cette clef, ce serait bien non ?

Chem opina.

Ils ouvrirent le dôme, tous côte à côte... et tombèrent dans l'enfer.

CHAPITRE XXIV

ENTRE DRAGON ET VAMPYR, LEQUEL CHOISIR ?

C'était la guerre et les parties en présence ne rigolaient pas. Le dôme était bombardé à partir de l'armada d'Omois et les rescapés faillirent bien connaître une fin aussi tragique que désolante. Heureusement Tara avait prudemment activé un bouclier, au cas où. Les missiles s'y écrasèrent et explosèrent sans les atteindre. Les défenseurs, des centaines de dragons, rugirent de surprise lorsque le dôme s'ouvrit derrière eux et que Tara et ses amis en émergèrent, l'air ahuri devant le spectacle apocalyptique.

Les généraux d'Omois devaient veiller au grain car un cessez-le-feu bienvenu mit fin à la cascade de missiles.

— Ben dis donc, souffla Cal, elle tient vraiment à toi, l'Impératrice !

— Mes compagnons sont fous ! s'écria Charm. Enfin... irresponsables, rectifia-t-elle. Se battre pour préserver ce monstrueux secret est insensé. Nous allons régler le problème. Tout de suite. Sans la Reine rouge pour les mener, les armées des loups-garous ne déferleront pas sur AutreMonde. Chem, Mal ! venez avec moi, nous ferons cesser immédiatement ceci. Je suis fatiguée de toutes ces simagrées.

Et la dragonne pourpre se dirigea d'un pas ferme vers l'état-major dragonnien.

L'Impératrice, l'Imperator, Isabella, Selena, Manitou et une partie des généraux omoisiens débarquèrent bientôt sur la plage. Heureusement, les médias avaient été tenus à distance et Tara put révéler l'ensemble de ses découvertes sans aucune censure.

Les Humains et les Elfes furent stupéfaits d'apprendre ce à quoi ils avaient échappé.

À la grande surprise de Tara, une escouade entière de vampyrs était là. Telle une sombre menace, l'air glacé, ils se présentèrent comme la redoutable Brigade noire, qui traquait les vampyrs comme Selenba. L'adjointe de Magister, encore inconsciente, leur fut remise et Tara poussa un soupir de soulagement. Elle savait à quel point il était difficile de garder un vampyr prisonnier et ignorait comment elle s'en serait sortie sans l'aide de la fameuse Brigade noire. Magister venait de perdre l'un de ses plus précieux atouts.

Eleanora discuta ferme et obtint l'autorisation d'accompagner la Brigade noire en Krasalvie, pays des Vampyrs, pour y interroger Selenba.

Les parents de Cal se précipitèrent sur leur fils et la mère de Cal lui fit un gros câlin devant tout le monde. Le garçon, très gêné, devint tout rouge mais lui rendit son étreinte. Il ne s'attendait pas du tout à les voir ici.

— Un mot ! grogna son père. Tu nous as laissé seulement un mot ! Cal, la moitié au moins de mes cheveux blancs a une relation directe avec toi. Par les mânes de nos ancêtres, partir sur le Continent interdit ! Tu es encore plus dingue que ta mère !

Mais son ton affectueux démentait la véhémence de ses paroles.

Lisbeth salua Séné et Xandiar. La Camouflée fut la première à lui remettre son rapport, précisant comment elle avait suivi Xandiar, avait pris pied sur le Continent interdit et s'était introduite derrière lui dans la ville.

Elle décrivit ce qu'elle y avait trouvé. Et l'Imperator se raidit en apprenant qu'un continent entier de loups-garous se cachait derrière le dôme bleu... dont il jugea soudain l'existence nettement plus indispensable.

— Séné m'a fait la peur de ma vie en apparaissant dans l'angle mort de la scoop, raconta Xandiar après avoir décrit le système de surveillance de la Reine rouge et les colliers. En plus, je ne pouvais lui parler à l'intérieur du palais. Comme j'étais affecté au nettoyage des écuries, c'est là que nous nous sommes retrouvés. Je n'ai jamais vu autant d'araignées de ma vie, il y en avait partout et les scoops étaient engluées dans la poussière et les toiles. Du coup, quelques-unes ne fonctionnaient pas et Séné a pu me tenir au courant de ce qui se passait dans le palais. Elle a été remarquable, Votre Majesté impériale, tout à fait remarquable.

Séné lui sourit puis, sans faire cas du regard surpris de l'Impératrice... et de Xandiar, glissa deux de ses petites mains dans les mains du thug.

— Il s'est battu comme un draco-tyrannosaure, Votre Majesté impériale, roucoula-t-elle, enfin sans la bave et les rugissements. Et c'est grâce à lui que nous avons pu mettre au point le plan qui nous a permis de nous enfuir !

— Bien, bien ! soupira l'Impératrice qui sentait poindre une gigantesque migraine, vous serez récompensés tous les deux, même si Xandiar était censé partir en week-end...

Xandiar baissa la tête. C'était tout ce qu'il avait trouvé pour voler au secours de Tara, excuse dont l'Impératrice n'avait pas été dupe une seconde, d'ailleurs.

— C'est effectivement grâce à eux que j'ai pu agir, confirma Tara. Je me suis rendu compte que les colliers ne s'activaient pas lorsque leur porteur rapetissait. Puis, une fois dans les appartements de la Reine rouge, j'ai réalisé qu'elle laissait les boîtiers commandant les colliers à la merci d'une personne possédant un pouvoir magique. Nous n'étions pas sûrs que la magie permette de les désactiver sans provoquer de dégâts car les conjurés n'avaient jamais eu l'occasion d'essayer. Mais c'était notre seule chance. Il fallait courir le risque. Aucun de nous ne pouvait utiliser sa magie, à cause des colliers, mais grâce à Xandiar et à notre code secret, je savais que Séné évoluait librement dans le palais et pouvait donc les désactiver le moment venu car elle possédait encore son pouvoir. De plus, elle avait également accès au cabinet secret de la Reine où était conservée la clef de la barrière. Elle a neutralisé tous les boîtiers restés dans la cache royale, sauf ceux que la Reine avait gardés avec elle, dont malheureusement les nôtres. Par chance, Fafnir avait trouvé, entre-temps, le moyen de nous débarrasser de nos colliers. Xandiar de son côté a utilisé Séné pour faire passer les détails de notre plan auprès de mes amis, tandis que T'eal, le chef des loups-garous, complétait l'information grâce à ses gardes. La première phase du plan était de libérer un maximum de loups-garous au cas où Séné ne pourrait pas neutraliser les colliers. La deuxième était de nous libérer, ce que j'ai fait en activant mon collier dans ma chambre, signal du début de notre plan. La troisième était de nous enfuir pendant l'insurrection et les combats qui ont empêché les dragons et les loups-garous loyalistes de nous poursuivre.

Et Tara expliqua à Lisbeth et à ses experts l'usage du Continent interdit, l'informant que, si les Dragons savaient lesquels d'entre eux y étaient emprisonnés, ils ignoraient que le dragon renégat y avait enfermé tout un peuple, victime des dragons fous et de la Reine rouge.

Lisbeth et tous les autres écoutaient, bouche bée, ces incroyables nouvelles. Et les dragons, derrière, se dandinaient, horriblement gênés sous les regards interrogateurs de leurs ex-alliés. Puis deux personnes s'avancèrent et Tara fronça les sourcils en les reconnaissant.

Deria et Medelus.

Si la jeune femme aux yeux verts restait impassible, sa pie, Mani, s'agitait sur son épaule, trahissant la peur de sa compagne. Et Medelus n'avait pas l'air plus rassuré.

— Merci d'avoir contacté la Brigade, leur dit-elle. J'ai bien fait de ne pas raccrocher la seconde fois que vous m'avez appelée.

Fabrice tressaillit.

— Quoi ? Tu savais que la vampyr était sur le Continent interdit ?

— Medelus et Deria m'ont avertie que Magister avait envoyé son Chasseur. Ils m'ont expliqué que la salive empoisonnée de Selenba était probablement la raison pour laquelle Medelus s'était attaqué à moi. Ce dernier détail m'a persuadée de les croire : j'avais tout de même du mal à comprendre comment un homme plutôt pacifique pouvait changer à ce point et tromper ma mère sur sa véritable nature.

— Tu aurais pu nous avertir, gronda Fabrice. Cela m'aurait peut-être évité de me faire mordre par le Chasseur !

Lisbeth s'écarta, le regard soudain aux aguets.

— Vous... avez été mordu par la vampyr ? Cela signifie que vous pouvez tomber en son pouvoir !

— Ah ! Ben non, répondit Cal, devançant son ami. Aucun risque : il a été transformé en loup-garou ! Elle ne peut plus le contrôler. C'est d'ailleurs grâce à cela qu'il nous a sauvés.

L'Impératrice s'éloigna un peu plus.

— Mais c'est très contagieux, comme maladie ! s'exclama-t-elle.

— Merci, Cal ! souffla Fabrice. Je sens que ma vie sociale va devenir franchement épanouissante, d'un seul coup !

— Uniquement s'il vous mord sous sa forme de métamorphe. Mais il le gère super bien, rajouta très vite Cal. Promis, il ne bavera pas dans vos plats. Et en plus, cela fera un formidable guerrier pour nous.

— Hum, pour le *Lancovit,* certainement, fit remarquer Lisbeth, pas pour Omois. Bon, revenons à cette vampyr. Continue, Tara.

— J'avoue avoir été trop sûre de moi, concéda la jeune fille. Comme aucun d'entre nous n'avait été tué, saigné, mordu ou découpé, j'ai cru qu'elle n'était pas parvenue à entrer sur le continent. J'avais demandé à Medelus et Deria de prévenir la Brigade Noire afin qu'ils nous aident à la capturer, au cas où. (Elle se tourna vers les deux ex-sangraves et annonça à voix haute pour eux et pour ses amis :) Et, en échange de la localisation de la planque de Magister, j'ai demandé et obtenu la grâce de nos deux traîtres.

Medelus et Deria cillèrent mais ce fut leur unique réaction. Après tout, c'était ce qu'ils avaient fait : trahir Tara.

La jeune fille se tourna vers sa tante.

— Avez-vous réussi à l'emprisonner ?

— Non, grogna Lisbeth, perdant momentanément toute sa gracieuse prestance. Ce sale bruik [1] nous a échappé. Tant qu'il

---

1. Et hop, un autre juron, z'êtes super contents, hein ? Vous en avez appris plein ! Un bruik est un petit animal puant, aux mœurs douteuses, dont la spécialité est d'investir le terrier des autres espèces dans l'espoir de se faire passer pour un petit inoffensif à nourrir. Sa forte mâchoire le fait ressembler à une sorte de rat bleu et sale.

sera aidé de sa magie démoniaque, il sera impossible à capturer, du moins vivant ou lorsqu'il est conscient. Toutefois nous avons démantelé son repaire et nous nous sommes emparés de certains de ses lieutenants. Ils sont questionnés en ce moment même...

Tara frissonna. Vu la tête du bourreau impérial, elle ne voulait même pas imaginer ce qui se passait au palais.

— Je vous conseille de... disparaître, ajouta froidement Lisbeth à l'intention de Medelus et Deria. Nous avons porté un rude coup à l'organisation de Magister. Il ne laissera pas un tel affront impuni et cherchera probablement à se venger. À votre place, je me ferais discrète. Très discrète.

Medelus opina mais Deria eut l'air pensif. Elle avait certainement mieux à faire que de se cacher. Et l'ambition qui brilla soudain dans son œil n'échappa pas à Séné qui se promit de conserver un contact avec la jeune femme.

Selena n'avait manifesté aucun regret en revoyant Medelus. Elle était bien trop occupée à câliner sa fille pour s'intéresser à son ancien amour. À son crédit, elle ne broncha *presque* pas lorsque Tara lui raconta ses aventures, enjolivées par les commentaires caustiques de Cal. Elle se contenta de la serrer dans ses bras, anesthésiée par l'habitude.

Tara s'adressa ensuite à sa tante :

— Merci ! Je savais que tu ne nous abandonnerais pas.

— Je t'en prie, répondit l'Impératrice avec un sourire ravi. Les Dragons avaient renforcé le dôme mais plusieurs contingents de sortceliers étaient sur le point d'arriver et nous allions le briser. C'est magnifique que tu aies réussi à t'en sortir seule. Je suis fière de mon héritière.

Les négociations avec les Dragons furent longues et douloureuses. Ils durent avouer ce qu'ils avaient fait et tout AutreMonde ne parla que de cela. Les dragons fous furent pris en charge par les savants du Dranvouglispenchir et, à leur grande surprise, la fleur de kalir se révéla efficace pour juguler les instincts destructeurs des dragons.

Toutefois, elle ne pouvait les guérir, simplement contenir leur violence. La crise fut longue et profonde, tant sur le Dranvouglispenchir que sur AutreMonde. Les dragons fous repartirent sur leur planète d'origine et seuls restèrent sur le Continent interdit ceux qui en demandèrent l'autorisation... Ils y vécurent sous l'étroite surveillance de leurs ex-esclaves.

Il s'avéra que, bien évidemment, jamais la Reine rouge n'avait dévoilé aux envoyés du Dranvouglispenchir les effets thérapeutiques de son traitement lors des échanges d'œufs dragonniens contre des technologies. Elle avait sciemment menti sur ce point pour rallier à ses projets déments les dragons prisonniers.

Chanvi et Santra furent emprisonnés mais leur peine fut allégée du fait du geas qui avait pesé sur eux. Ils avaient été contraints d'obéir à la Reine rouge et leur responsabilité en était considérablement atténuée.

Chavalugironchiva, la Reine rouge, avait un rapport de parenté lointain avec Charm, qui fut traumatisée de l'apprendre. Avant d'être prise d'un délire de puissance (peut-être sous l'effet du prototype de l'Anneau de Kraetorvir) elle avait été une biologiste respectée dont les travaux furent poursuivis par les savants dragonniens, en dépit de sa folie.

Tara et ses amis rentrèrent à Omois. Lisbeth n'apprécia pas de voir Robin rester au côté de Tara mais ne protesta pas. Elle avait trop à faire et avait donné sa parole. Un nouveau continent était ouvert à la colonisation, bien que peu de gens soient attirés par une installation dans un pays peuplé de loups-garous. Ces derniers furent autorisés à circuler sur AutreMonde et découvrirent la vie sans esclavage, ce qui leur plut beaucoup.

Jusqu'au moment où ils durent se frotter aux termes délicieux d'« économie de marché », de « mondialisation », de « démocratie » et former leur gouvernement. Cela ne fut pas facile mais excepté quelques mystérieuses disparitions et de soudains désistements, il y eut peu de morts à déplorer...

Le général T'eal, élu président, devint chef de meute d'une grande partie des territoires libérés. Vu la vigueur avec laquelle il jugula quelques rébellions, Tara sut qu'il ne lui faudrait pas beaucoup de temps pour conquérir l'ensemble du continent. Et elle se demanda sérieusement si ouvrir le Continent interdit avait été une si bonne idée.

À sa grande horreur, des statues à son effigie fleurirent un peu partout sur le Continent interdit, ce qu'elle trouva de fort mauvais goût mais ne put empêcher. Surnommée « la Grande Libératrice », elle reçut tant de médailles et de récompenses de la part des peuples reconnaissants qu'elle leur ait épargné un bain de sang qu'il lui aurait fallu la poitrine de Gilgamesh[1] pour pouvoir les porter toutes. Ses amis ne furent pas oubliés et, lorsque Xandiar bombait le torse, des lunettes de soleil étaient nécessaires pour se protéger de son éclat.

Various Duncan déclara que les relations diplomatiques entre sa baronnie et Omois étaient rompues. Tara découvrit que Lisbeth avait transformé leur lointain cousin en spatchoune parce qu'il avait osé demander Selena en mariage et que, prise par la guerre contre les Dragons, elle avait oublié de lui rendre sa forme avantageuse. Le malheureux eut envie de vers de terre pendant des mois et lui en voulut beaucoup.

Betty retourna sur Terre dès que l'Amémorus jeté par Magister sur le village put être dissipé par une confrérie de Hauts Mages. Normalement, il était quasiment impossible de rompre le sortilège d'un autre sortcelier mais, ensemble, les Hauts Mages y parvinrent, sous la houlette de Tara, qui avait insisté encore et encore, voulant rendre à Betty sa vie normale.

Une toute nouvelle branche de la physique magique fut ouverte grâce à cet exploit et des pans entiers de magie durent être révisés.

Et Sal accompagna la jeune Terrienne. Voir des dragons était une cause de souffrance constante, en outre il était étroitement dépendant de Betty, qui seule l'aidait à conserver son esprit intact. Ils montèrent une petite fiction à l'égard de la famille de la jeune fille qui accepta la présence de ce cousin, sorti de nulle part et dont les supposés parents étaient censés avoir disparu en mer. Il dut porter des lentilles pour cacher son étrange regard mais, ce détail mis à part, s'habitua promptement à la vie sur Terre.

---

1. Puissant roi considéré comme un demi-dieu, Gilgamesh régnait en Mésopotamie, 2 650 ans avant notre ère. Il est considéré comme l'équivalent oriental d'Hercule.

Grâce à un sort léger mais efficace, les parents de Betty se montrèrent ravis de l'abriter sous leur aile et encore plus heureux de la transformation physique de leur fille, devenue une magnifique jeune femme.

Tara promit à Betty et à Sal qu'elle viendrait les voir souvent et qu'aucun Mintus ne serait mis en place sur eux.

En dépit de toutes leurs recherches, ils ne parvinrent à retrouver ni l'Étoile de Zendra ni le prototype de l'Anneau de Kraetorvir. Les Dragons en furent vraiment contrariés et Tara se garda bien de leur dire dans quelles circonstances il avait été perdu.

Car à présent, elle possédait enfin tous les ingrédients, dont les fameuses fleurs de kalir. Encore une année de patience, pour mener à bien les phases de macération et de préparation, et bientôt, très bientôt, elle pourrait serrer son père dans ses bras.

V'ala annonça qu'elle prenait une option sur Robin, ce qui fit sensation aux deux cours et la brouilla définitivement avec sa mère, E'rée. Tara en fit autant et la vie du demi-elfe devint... mouvementée.

Enfin, la jeune sortcelière termina une dernière chose qu'elle s'était promis de faire.

Lorsqu'elle entra dans sa chambre des quartiers de sécurité, Boudiou ne put s'empêcher de reculer.

— Vous êtes venue m'achever ? la défia-t-il avec amertume.

Tara le dévisagea. C'était par cet homme que tout avait commencé trois ans auparavant. Par cet homme qu'elle avait été plongée dans un univers de monstres et de merveilles.

Curieusement, elle ne parvenait pas à lui en vouloir... enfin, presque pas.

Sa magie était toujours à l'œuvre. Le shaman avait déconnecté les nerfs et le sangrave souffrait moins mais il était impressionnant de voir les chairs fondre et se reconstituer en fumant. Elle leva la main. Une lueur de panique dansa dans les yeux du sangrave. Sans incanter, elle laissa sa magie couler, tel un bain qui enveloppa le prisonnier en dépit de ses cris d'horreur. Puis la magie disparut et l'homme, incrédule, porta les mains à son visage. Intact.

— Je... n'ai plus mal ! s'exclama-t-il. Par tous les dieux et les démons d'AutreMonde ! Je n'ai *plus mal* !

Pendant quelques instants, il fut incapable de faire autre chose que se palper la figure, sans arriver à y croire tout à fait. Puis il prit une grande inspiration et regarda Tara.

— Pourquoi ?

Ah ! Si Tara avait attendu des remerciements, elle en était pour ses frais. Heureusement, elle avait acquis une certaine froideur qui lui dicta une réponse objective :

— Je ne suis pas Magister. Faire souffrir les gens ne m'apporte aucun plaisir.

Elle se tournait pour sortir, lorsque l'homme la surprit.

— Merci !

Elle hésita un instant puis franchit le pas de la porte, écartant l'homme de sa vie. À jamais, espérait-elle.

À peine avait-elle fait quelques pas, plongée dans ses pensées, encore étonnée par la réaction du sangrave (ben, ça alors ! où allait-on si les ennemis devenaient polis !), qu'elle était heurtée par une masse chaude, écailleuse et très agitée.

Une patte griffue et pourpre la rattrapa juste avant qu'elle ne tombe très inélégamment sur ses fesses.

— Charm ? Mais que... ?

— Tu dois le sauver, Tara, tu dois le sauver !

— Quoi ? Sauver qui ?

La dragonne était complètement affolée et Tara commençait à paniquer elle aussi.

— Chem ! explosa Charm. Il *faut* que tu sauves Chem !

— Chem ? Mais pourq...

— Le Grand Conseil des Dragons vient de le condamner à mort !

Tara ouvrit la bouche pour répondre, lorsque quelqu'un hurla son nom dans son dos. Sur le qui-vive, elle se retourna.

C'était maître Dragosh.

D'un rouge tout à fait improbable pour un vampyr, échevelé et suant, il se précipita sur elle. Tara activa discrètement sa magie, à tout hasard, car il paraissait hors de lui.

— Tara !

Il la saisit par le bras et plongea ses prunelles rouges dans les yeux bleus de la jeune fille.

— Vous devez m'aider ! Vous devez la sauver ! Vous devez venir en Kraslavie !

— Quoi ? Mais qui ? Pourquoi ?

— Pour ma fiancée, Selenba ! Le Grand Conseil des Vampyrs l'a condamnée à mort !

Fin

Aïe ! Aïe ! Non, non, pas taper, la suite dans :
La Planète des Dragons !

LEXIQUE DÉTAILLÉ D'AUTREMONDE
(Et d'ailleurs)

L'ÉTONNANTE AUTREMONDE

AutreMonde est une planète magique, plutôt dangereuse pour les innocents touristes (qui se font plumer par les marchands et dévorer par les bestioles). Elle fait le tour de ses deux soleils en quatorze mois. Les jours durent vingt-six heures et l'année compte quatre cent cinquante-quatre jours. Il y a sept saisons : Kaillos, Botant, Trebo, Faicho, Plucho, Moincho et Saltan. Le climat y est incertain, la faune et la flore agressives ; pourtant ses habitants n'iraient ailleurs pour rien au monde, car elle est magnifique. Sur AutreMonde vivent des peuples venus souvent d'autres planètes : dragons, elfes, humains, lutins, fées, licornes, pégases, gnomes, diseurs, tatris, géants, nains, vampyrs, etc.

AUTRES PLANÈTES

La **Terre**, peuplée d'humains et de quelques sortceliers en mission secrète.

Le **Dranvouglispenchir**, planète des dragons, dirigée jus-qu'à une date récente par Chandouvarilouvachivu, leur roi. Les énormes reptiles peuvent prendre la forme de leur choix, souvent humaine, et se battent aux côtés des sortceliers contre les démons des Limbes.

Les **Limbes**, univers parallèle, composé de planètes dirigées par des êtres appelés « démons ». Les sept principales sont appelées « cercles ». Le but des démons est extrêmement simple : conquérir les univers et manger tout le monde.

Santivor, planète glaciale des Diseurs de Vérité, végétaux intelligents et télépathes.

PRINCIPAUX PEUPLES ET PAYS D'AUTREMONDE

Edrakins. Capitale : Kikrok. Emblème : oiseau de feu porté par un Élémentaire de Vent. Habitants : Edrakins.

Peuple vivant sur la grande île de Patrok, les Edrakins sont de puissants sortceliers, ils ressemblent à des humains mais leurs oreilles sont pointues et velues, leurs cheveux ne poussent qu'à la moitié de leur crâne, ils n'ont quasiment pas de nez et détestent les autres peuples avec qui ils commercent par obligation. Ils ont essayé à quatre reprises de conquérir AutreMonde.

Hymlia. Capitale : Minat. Emblème : enclume et marteau de guerre sur fond de mine ouverte. Habitants : Nains.

Aussi hauts que larges, les nains sont connus pour leur amour de la bagarre, leur haine de la magie (bien qu'ils soient capables de passer à travers la pierre, ce qu'ils considèrent comme un don), leur passion des mines et leurs chants longs, compliqués et souvent difficiles à entendre, pour cause d'oreilles bouchées.

Krankar. Capitale : Kria. Emblème : arbre surmonté d'une massue. Habitants : Trolls.

Souvent utilisés comme gardes du corps du fait de leur taille imposante, les trolls sont végétariens mais peuvent devenir des ogres s'ils absorbent involontairement de la viande.

Krasalvie. Capitale : Urla. Emblème : astrolabe surmonté d'une étoile et du symbole de l'infini (un huit couché). Habitants : Vampyrs.

Les vampyrs d'AutreMonde se nourrissent du sang des animaux qu'ils élèvent. Ceux qui se nourrissent d'humains, ou d'êtres conscients que leur salive devenue empoisonnée transforme en leurs esclaves, sont impitoyablement éliminés par les « Brigades noires », les brigades vampyrs.

Lancovit. Capitale : Travia. Emblème : licorne blanche à corne dorée, dominée par le croissant de lune d'argent. Habitants : Humains.

Puissant royaume humain, le Lancovit est la patrie de Tara et de sa famille du côté de sa mère, Selena.

Le Mentalir, vastes plaines de l'Est sur le continent de Vou. Habitants : Licornes et Centaures. Pas d'emblème.

Les licornes se divisent en deux clans : les penseurs et les animaux. Les centaures sont farouches et chassent ceux qui tentent de venir sur leur territoire.

Omois. Capitale : Tingapour. Emblème : paon pourpre aux cent yeux d'or. Habitants : Humains.

Fort de deux cents millions d'habitants, Omois est situé sur le continent de Tû. Ses dirigeants sont Lisbeth et Sandor, impératrice et imperator, tante et demi-oncle de Tara et descendants de Demiderus, le Très Haut Mage fondateur de l'empire.

Salterens. Capitale : Sala. Emblème : grand ver dressé tenant un cristal de sel bleu dans ses dents. Habitants : Salterens.

Les salterens sont les esclavagistes d'AutreMonde. Terrés dans leur impénétrable désert, mélange bipède de lion et de guépard, ce sont des pillards et des brigands qui exploitent les mines de sel magique (à la fois condiment et ingrédient magique). Ils sont dirigés par le Grand Cacha et par son Grand Vizir, Ilpabon, et divisés en plusieurs puissantes tribus.

Selenda. Capitale : Seborn. Emblème : lune d'argent pleine au-dessus de deux arcs opposés flèches d'or encochées. Habitants : Elfes.

Yeux de cristal, cheveux d'argent, bien que pouvant se croiser avec les humains, les elfes mâles ont des poches qui poussent après la conception pour pouvoir aussi porter le bébé. Grands guerriers, très dangereux et susceptibles, ils pratiquent le zegroudril ou suicide rituel lorsqu'ils ont failli gravement lors de missions mettant en jeu leur honneur. Sinon, ils sont quasiment immortels, raison pour laquelle ils ont peu d'enfants.

Robin, le demi-elfe, souffre de son métissage qui le fait rejeter par les autres elfes.

Smallcountry. Capitale : Small. Emblème : globe stylisé entourant une fleur, un oiseau et une aragne. Habitants : Gnomes, Lutins p'abo, Fées et Gobelins.

Les gnomes sont bleus, les lutins verts, les gobelins gris et les fées multicolores. Adorant les oiseaux, les habitants de Small-country en les mangeant ont tué les prédateurs des insectes. Aussi à Smallcountry se trouvent les plus gros insectes d'Autre-Monde, au point qu'ils servent de montures ou de tisseurs.

Tatran. capitale : Cityville. Emblème : équerre, compas et boule de cristal sur fond de parchemin. Habitants : Tatris, Cahmbooms, Tatzbooms.

Travailleurs, organisés, les tatris sont les administrateurs d'AutreMonde. On les retrouve souvent aux postes de ministres ou de gouverneurs. Leurs deux têtes sont probablement à l'origine de leurs prodigieuses facultés de réflexion. Les cahmbooms, sortes de grosses mottes jaunes aux yeux rouges et tentacules, sont également des administratifs, souvent bibliothécaires. Les tatzbooms sont en général des musiciens et jouent des mélodies extraordinaires grâce à leurs tentacules.

FAUNE, FLORE ET PROVERBES D'AUTREMONDE

Aragne
Araignées à huit pattes et queue de scorpion, les aragnes aiment les charades et dévorer les imprudents qui ont peu d'imagination.

Astophèle
Les astophèles sont des petites fleurs roses qui ont la propriété de neutraliser l'odorat pendant quelques jours. Les plantes ont développé cet astucieux procédé pour échapper aux herbivores, qui dépendent de leur odorat pour détecter les prédateurs.

Balboune
Rouges, les baleines d'AutreMonde chantent des mélodies inoubliables et produisent un lait très apprécié de tous. « Chanter comme une balboune » est un compliment extraordinaire.

Bééé

Moutons à la belle laine blanche, les bééés se sont adaptés aux saisons très variables de la planète magique et peuvent perdre leur toison ou la faire repousser en quelques heures. Les éleveurs utilisent d'ailleurs cette particularité au moment de la tonte : ils font croire aux bééés (sur AutreMonde, on dit « crédule comme un bééé ») qu'il fait brutalement très chaud et ceux-ci se débarrassent alors immédiatement de leur toison.

Bendruc le Hideux

Divinité des limbes démoniaques, Bendruc est si laid que même les autres dieux démons éprouvent un certain respect pour son aspect terrifiant. Ses entrailles ne sont pas dans son corps mais en dehors, ce qui, lorsqu'il mange, permet à ses adorateurs de regarder avec intérêt le processus de digestion en direct.

Bizzz

Grosses abeilles rouge et jaune, les bizzz, contrairement aux abeilles terriennes, n'ont pas de dard. Leur unique moyen de défense, à part leur ressemblance avec les saccats, est de sécréter une substance toxique qui empoisonne tout prédateurs voulant les manger. Le miel qu'elles produisent à partir des fleurs magiques d'AutreMonde a un goût incomparable. On dit souvent sur AutreMonde : « Doux comme du miel de bizzz ».

Blll

Les bllls sont des poissons ailés qui passent une partie de leur temps dans l'eau et l'autre, lorsqu'ils doivent se reproduire, en dehors. Très gracieux et magnifiques par leurs couleurs chatoyantes, ils sont souvent utilisés en décoration, dans de ravissantes piscines.

Blurps

Étonnante preuve de l'inventivité de la magie sur AutreMonde, les blurps sont des plantes insectoïdes. Dissimulées sous la terre, semblables à de gros sacs de cuir brun, elles s'ouvrent pour avaler l'imprudent. Les petites blurps ressemblent à des termites et s'occupent d'approvisionner la plante mère en eau et en victimes. Une fois grandes, elles s'éloignent du nid et plantent leurs racines, s'enfonçant dans la terre, et le processus se répète. On dit souvent sur AutreMonde : « S'égarer dans un nid de blurps » pour désigner quelqu'un qui n'a aucune chance de s'en sortir.

Bobelle

Splendides oiseaux d'AutreMonde, les bobelles ressemblent à des perroquets chatoyants et adorent la magie dont elles se nourrissent, ce qui donne une couleur particulière à leur plumage.

Brillante

Cousines des fées, les minuscules brillantes, comme leur nom l'indique, brillent dans l'obscurité comme des lampes de 100 watts. En échange de petits nids faits par les hommes, sous forme de lampadaires ou de lampes transparentes, elles éclairent tous les foyers d'AutreMonde. Pourvues d'ailes, elles ont la forme de petits humains.

Brrraaa

Énormes, lents, têtus, les brrraaa sont l'une des principales productions de Gandis, le pays des géants. Les brrraaa, très ombrageux, chargent tout ce qu'ils voient, jusqu'à épuisement. On dit souvent « têtu comme un brrraaa ».

Brumms

Variété de gros navets à la chair rose et délicate très appréciés sur AutreMonde.

Bulle-sardine

La bulle-sardine est une sorte de poisson qui, quand il a peur, enfle pour éviter d'être mangé.

Camelle brune

Plantes en forme de cœur, dont les feuilles sont comestibles. Beaucoup de voyageurs ont pu survivre sans aucune autre alimentation que des feuilles de camelle. On l'appelle aussi « plante du voyageur ».

Chatrix

Souvent utilisés comme chiens de garde, les chatrix sont de grosses hyènes noires aux dents empoisonnées.

Crochien

Chacals du désert du Salterens, les crochiens chassent en meute.

Crogroseille

Le jus de crogroseilles est désaltérant et rafraîchissant. Légèrement pétillant, il est l'une des boissons favorites des AutreMondiens.

Discutarium

Entité intelligente recensant tous les livres, films et autres productions artistiques de la Terre, d'AutreMonde, du Dranvouglispenchir mais également des Limbes démoniaques. Il n'existe quasiment pas de question à laquelle la Voix, émanation du Discutarium, n'ait la réponse.

Diseur de Vérité

Végétaux intelligents, originaires de Santivor, glaciale planète située près d'AutreMonde. Les Diseurs sont télépathes et capables de déceler le moindre mensonge. Muets, ils communiquent grâce aux gnomes bleus, seuls capables d'entendre leurs pensées.

Draco-tyrannosaure

Croisement de reptiles et de dinosaures, ils sont l'une des raisons pour lesquelles le tourisme est peu développé dans les forêts d'AutreMonde.

Effrit

Race de démons qui s'est alliée aux humains contre les autres démons lors de la grande bataille de la Faille. Pour les remercier, ils ont reçu de la part de Demiderus l'autorisation de venir dans notre univers sur simple convocation d'un sortcelier. Ils ont décidé d'utiliser leurs pouvoirs pour aider les humains sur Autre-Monde. Les moins puissants d'entre eux sont utilisés comme serviteurs, messagers, policiers, etc.

Élémentaire

Il existe plusieurs sortes d'Élémentaires : de feu, d'eau, de terre et d'air. Ils sont en général amicaux, sauf les Élémentaires de feu qui ont assez mauvais caractère, et aident volontiers les AutreMondiens dans leurs travaux ménagers quotidiens.

Gambole (racorni de)

Les gamboles sont de petits rongeurs qui fouissent les sols d'AutreMonde, si profondément qu'ils sont imprégnés de la magie de la planète, véhiculée par les veines de quartz. Les sortceliers attrapent les gamboles et les font sécher pour obtenir du racorni de gambole, très employé dans la confection des sorts.

Géant d'Acier

Arbres indestructibles sauf en utilisant la magie, les géants poussent jusqu'à trois cents mètres de hauteur et servent de support aux gigantesques nids des pégases sauvages.

Gélisor

Divinité mineure des Limbes démoniaques dont l'haleine est si violente que ses adorateurs ne peuvent entrer dans son sanctuaire que le museau/gueule/visage couvert par un linge aromatisé. Même les mouches ne peuvent survivre dans le temple de Gélisor. Et lors des réunions avec les autres dieux, il est prié de se laver les crocs avant de venir, histoire que l'atmosphère soit un minimum supportable. Il est également interdit de fumer à proximité de Gélisor.

Glouton étrangleur

Comme son nom l'indique, le glouton étrangleur est un animal velu et allongé qui utilise son corps comme une corde pour étrangler ses victimes.

Glurps

Sauriens vert et gris. Rendent les cours d'eau peu propices aux baignades.

Jourstal (pl. : jourstaux)

Diffusés par la télécristal, les jourstaux sont les nouvelles d'AutreMonde, que les sorceliers et nonsos reçoivent sur les panneaux de cristal et autres boules de cristal.

Kalorna

Ravissantes fleurs des bois, les kalornas sont composées de pétales rose et blanc légèrement sucrés qui en font des mets de choix pour les herbivores et omnivores d'AutreMonde. Pour éviter l'extinction, les kalornas ont développé trois pétales capables de percevoir l'approche d'un prédateur. Ces pétales, en forme de gros yeux, leur permettent de se dissimuler très rapidement. Malheureusement, les kalornas sont également extrêmement curieuses, et elles repointent le bout de leurs pétales souvent trop vite pour pouvoir échapper aux cueilleurs. Ne dit-on pas « curieux comme une kalorna » ?

Kax

Son surnom est la « molmol » tant cette tisane est relaxante. « Toi t'es un vrai kax », ou encore « Oh le molmol ! » sont des injures précisant que la personne est peu dynamique.

Keltril

Très souple, léger et résistant, de couleur argentée, le keltril est façonné par les Nains qui le vendent (très cher !) aux Elfes et aux Humains.

Kidikoi

Bien des mages se sont penchés sur les étranges propriétés des sucettes prophétiques kidikoi, sans récolter d'autre réponse que des kilos en trop et des caries. Leur cœur annonce le futur mais il est souvent difficile de comprendre leurs prédictions, malicieusement créées par les lutins p'abo.

Krakdent

Les krakdents ressemblent à d'adorables peluches roses aux grands yeux innocents. Gare cependant à celui qui voudrait les caresser, car ce sont d'impitoyables prédateurs. Bien des touristes ont perdu la vie en disant : « Oh, regarde chéri, comme il est mign... » Plusieurs meurtres déguisés en accident ont d'ailleurs été réalisés grâce à des krakdents.

Kraken

Gigantesque pieuvre aux tentacules noirs, on la retrouve, du fait de sa taille, dans les mers d'AutreMonde, mais elle peut également survivre en eau douce. Les krakens représentent un danger bien connu des navigateurs.

Kré-kré-kré

Petits rongeurs au pelage jaune citron ressemblant au lapin, les kré-kré-kré, du fait de l'environnement très coloré d'AutreMonde, échappent assez facilement à leurs prédateurs. Bien que leur chair soit assez fade, elle nourrit le voyageur affamé ou le chasseur patient. Sur AutreMonde, les kré-kré-kré sont également élevés en captivité.

Krel doré

Arbres sensitifs d'AutreMonde, ils reflètent en d'impression-nantes débauches de couleur les sentiments des animaux ou des gens qui les frôlent ou les traversent.

Kri-kri

Sorte de criquets violet et jaune.

Krouse

Sorte de grosses roses sauvages de toutes les couleurs déli-cieusement parfumées.

Mangeur de boue

Les mangeurs de boue vivent dans tous les marais d'AutreMonde, ils se nourrissent de boue dont ils prélèvent les éléments nutritifs. Grands fouisseurs, ils creusent de profonds tunnels.

Miam

Variété de cerises de la taille d'une pomme.

Mmroum

Fruits particulièrement juteux cultivés dans les plantations d'AutreMonde, et dont le goût évoque un mélange d'abricot très sucré et de banane. Les mmroumiers ont la caractéristique de pouvoir s'enfoncer dans le sol dès qu'un intrus approche.

Mooouuu

Ce sont des élans sans corne à deux têtes. Quand une tête mange, l'autre reste vigilante pour surveiller les prédateurs. Pour se déplacer, les mooouuus font comme les crabes, ils courent sur le côté.

Mouche à sang

Ce sont des mouches dont la piqûre est très douloureuse. Intrépides, elles s'attaquent à tout ce qui bouge sans distinction. La majorité des sorts insecticides concernent ces fichues bestioles.

Mouchtique

Bestiole très agaçante qui pique et qui suce le sang des AutreMondiens.

Mrrr

Le mrrr est une sorte de gros chat orange à oreilles vertes qui est capable de se téléporter physiquement d'un endroit à un autre pour attraper les pouics, petites souris rouges dotées de la même capacité.

Nonso

Humain, elfe ou toute autre entité intelligente ne possédant pas la magie.

Oiseau de feu

Curieuse forme de vie sur AutreMonde dont les plumes flambent continuellement et se renouvellent. Les oiseaux de feu nichent sur les igniteurs, les seuls arbres ignifugés d'AutreMonde, qui peuvent supporter leurs nids.

Oiseau-roc

Oiseaux géants qui peuvent vivre dans le vide de l'espace et sont utilisés pour placer les satellites en orbite ou voyager entre Autre-Monde et Tadix ou Madix, les deux lunes de la planète magique.

Pégase

Les pégases sont des chevaux ailés argentés. Leurs os sont creux et ils n'ont pas de sabots, peu pratiques pour se percher sur les arbres ou faire des nids, mais de redoutables griffes/serres, rétractiles.

Piqqq

Comme leur nom l'indique, les piqqq sont des insectes d'AutreMonde qui, comme les mouches à sang, se nourrissent du sang de leurs victimes. La différence c'est qu'ils injectent un venin très puissant pour fluidifier le sang de leurs proies et que de nombreux traducs, mooouuus ou bééé se sont littéralement vidés de leur sang après avoir été attaqués par des piqqq. Heureusement, ils restent surtout aux alentours des marais où ils pondent leurs œufs.

Pllop

Ce sont de petites grenouilles bleu et blanc, très venimeuses, que l'on trouve dans les plaines du Mentalir.

Pouf-pouf

Petites boîtes animées sur six pattes, les pouf-pouf sont les nettoyeurs d'AutreMonde. Gare à celui qui fait tomber quelque chose, les pouf-pouf se précipiteront pour l'avaler.

Pouic

Petites souris rouges capables de se téléporter physiquement d'un endroit à un autre et munies de deux queues. Leur ennemi naturel est le mrrr, sorte de gros chat orange à oreilles vertes qui bénéficie de la même capacité.

Prroutt

Plantes carnivores d'AutreMonde d'un jaune morveux, elles exhalent un fort parfum de charogne pourrie pour attirer les charognards et les prédateurs. Qu'elles engloutissent dès qu'ils s'approchent à portée de leurs tentacules.

Saccat

Insectes belliqueux, rouge et noir, qui ont une forte tendance à piquer tout ce qui bouge. Les guêpes et les frelons, à côté, c'est de la douce rigolade. Les nains aiment particulièrement les larves de saccats, mais il est déconseillé de suivre leur exemple, car seule cette race résistante peut les digérer, les autres risquent de se retrouver bêtement avec un essaim furieux dans l'estomac...

Scoop

La scoop est une caméra dotée d'ailes, qui ne vit que pour filmer. Elle se nourrit de cellulose.

Scrogneupluf

Petit animal particulièrement stupide dont l'espèce ne doit sa survie qu'au fait qu'il se reproduit rapidement. Ressemble à un croisement entre un ragondin et un lapin sous anxiolytiques. « Scrogneupluf » est un juron fréquent sur AutreMonde pour désigner quelqu'un ou quelque chose de vraiment stupide.

Sèche-corps

Entités immatérielles, sous-Élémentaires de vent, les sèche-corps sont utilisés dans les salles de bains, mais également en navigation sur AutreMonde où ils se nomment alors « souffle-vent ».

Shaman

Les shamans sont les guérisseurs, les médecins d'Autre-Monde. Car si tous les sortceliers peuvent appliquer des Reparus, il est de nombreuses maladies qui ne peuvent pas être soignées grâce à ce sort si pratique.

Snuffy rôdeur

Ressemblant à un renard bipède, vêtu le plus souvent de haillons, un grand sac sur le côté, le snuffy rôdeur est un pilleur de poulailler et de spatchounier, ce qui fait qu'il n'est pas très aimé des fermiers d'AutreMonde. Il a la particularité, peu connue, de pouvoir se dédoubler, ce qui lui permet de se libérer des prisons où il est souvent enfermé.

Sopor

Plantes pourvues de grosses fleurs odorantes, elles piègent les insectes et les animaux avec leur pollen soporifique. Une fois l'insecte ou l'animal endormi, elles l'aspergent de pollen afin qu'il joue le rôle d'agent fécondant. Raison pour laquelle on voit souvent aux alentours des champs de sopors des carnivores ayant appris à retenir leur souffle le temps d'attraper leur proie et de la sortir du champ. On dit souvent sur AutreMonde : « Ennuyeux comme un champ de sopor. »

Sortcelier

Humain, elfe ou toute autre entité intelligente possédant l'art de la magie.

Spalendital

Sorte de scorpions, les spalenditals sont originaires de Smallcountry. Domestiqués, ils servent de montures aux gnomes qui utilisent également leur cuir très résistant. Les gnomes adorant les oiseaux (dans le sens gustatif du terme), ils ont littéralement dépeuplé leur pays, ouvrant ainsi une niche écologique aux insectes et autres bestioles. En effet, débarrassés de leurs ennemis naturels, ceux-ci ont pu grandir sans danger, chaque génération étant plus géante que la précédente. Le résultat pour les gnomes est que leur pays est envahi de scorpions géants, d'araignées géantes, de mille-pattes géants.

Spatchoune

Dindons géants et dorés, les spatchounes ne doivent leur survie en tant que race qu'au fait qu'ils sont très prolifiques. On dit souvent sur AutreMonde « bête comme un spatchoune », ou « vaniteux comme un spatchoune ».

Spatchounier

Équivalent d'un poulailler sur AutreMonde.

Stridule

Les stridules sont une sorte de petit criquet.

Taludi

Les taludis sont de petits animaux à trois yeux en forme de casque blanc qui sont capables d'enregistrer n'importe quoi. Ils se nourrissent de pellicule ou d'électricité et voient à travers les illusions, ce qui en fait des témoins précieux et incorruptibles. Il suffit de se les mettre sur la tête pour voir ce qu'ils ont vu.

Taormis

Redoutables souris à tête de fourmis dont la piqûre est horriblement douloureuse, les taormis sont capables de décimer une forêt entière lorsque l'une des fourmilières/nids décide de migrer. Elles produisent également un miel très sucré, apprécié des animaux d'AutreMonde, mais particulièrement difficile à obtenir sans y laisser la vie.

Tatroll

Les mesures terriennes et autreMondiennes étant différentes, j'ai directement converti les mesures que me donnait Tara, les tatrolls en kilomètres et les batrolls en mètres. Un troll faisant trois mètres de haut, un batroll fait donc un mètre cinquante et un tatroll un kilomètre et demi.

Tolis

L'équivalent des amandes sur AutreMonde.

Tricroc

Armes enchantées trouvant immanquablement leur cible, composées de trois pointes mortelles, souvent enduites de poison ou d'anesthésique, selon que l'agresseur veut faire passer sa victime de vie à trépas ou juste l'endormir.

T'sil

Minuscules vers vivant dans le désert de Salterens, les t'sils attaquent tout ce qui bouge, et tendent un piège mortel à celui qui met un pied dans leur désert et qui ne sait pas comment s'en protéger.

Traduc

Gros herbivores élevés pour leur chair délicieuse et leur poil très long, dru et solide, ils ont des glandes sudoripares qui émettent une odeur atroce. « Puer comme un traduc malade » est l'une des insultes quotidiennes d'AutreMonde.

Tzinpaf

Délicieuse boisson gazeuse à base de cola, de pommes et d'oranges ou de cerises, le tzinpaf est une boisson très appréciée sur AutreMonde.

Velours (Bois de)

Bois fort prisé sur AutreMonde pour sa solidité et sa magnifique couleur dorée, très utilisé en marquetterie et pour les sols.

Sa texture particulière fait qu'à la vue il semble glacé et qu'au toucher il est comme une profonde moquette moelleuse.

Ver taraudeur

Le ver taraudeur se reproduit en insérant ses larves sous la peau des animaux pendant leur sommeil. Bien que non mortelle, sa morsure est douloureuse et il faut la désinfecter immédiatement avant que les larves ne se propagent dans l'organisme.

 Vrrir

Redoutables félins blancs à six pattes, les vrrirs sont les compagnons ensorcelés de l'Impératrice. Ils circulent librement dans son palais, aveugles à la présence des autres.

AutreMonde
Par Lucie Pitzalis

Capes grises qui virevoltent autour de moi,
Masques sans visage qui dictent leur loi,
Tout près, partout, terreur et menace
Nourrissent courage et haine tenace.
Qui m'a pris mon père ?
Qui m'a volé ma mère ?
Qui est la cause de mes tourments ?
Qu'il soit réduit à néant.

Si ma mère est maintenant sauvée,
Mon père m'est toujours arraché.
Je rêve d'un peu de paix et de tranquillité,
Mais sur Autremonde : Autre Réalité.

Bien que je ne l'aime pas,
J'ai décidé de l'utiliser pour toi.
Ma magie guide mes pas,
Qui te ramèneront vers moi, papa.

Il m'a pris mon père,
Il m'a volé ma mère,
Il est la cause de mes tourments,
Il sera réduit à néant.

Mais que dire des dragons nos alliés ?
Par quels secrets suis-je à eux liée ?

Amis ou ennemis,
Ils veillent tapis dans la nuit.

Sur qui ? Sur moi ? Sur lui ?
Pourquoi ce masque toujours surgit ?
Pourquoi faut-il ici à chaque instant
Risquer de perdre celui qu'on aime tant ?

Ils m'ont pris mon père,
Ils menacent encore ma mère,
Et tous ceux qui me sont chers.

Préparez-vous à en payer le prix,
Dragons, Sangraves et vous, mes amis,
Rendez-vous sur le Continent interdit.

FILLE DE PAPIER
Par Julien DESTRES

Je suis née d'encre et de papier,
Mariage subtil d'estime et d'amitié,
J'ai franchi doucement cette effigie,
Et j'y ai fait fleurir ma vie...

Les paysages autour de moi regorgent d'illusions,
Autremonde est la huitième des merveilles,
Dignement, sous la férule des Dragons,
Toute une armée de Sortceliers s'éveille...

Ils restaient là, aux lèvres un sourire,
Mon nom ancré dans leurs cœurs,
Robin, Cal, Manitou, Moineau et Fafnir,
« Frères » de sang, archanges de « sœurs »...

Je suis ta fille de papier,
Les mots glissent sur mon corps,
Une enfant délicate et dotée
De tout espoir, de tes trésors.

Hélas on m'a lacérée, décimé ma famille !
Pris une partie de moi : mon père !
Magister, cruauté qui fourmille,
Côtoie pour toujours ton amie l'*Enfer* !

Urbi et orbi, ce masque s'illumine,
Telle une flamme qui me ronge les doigts,
Elle nous rappelle nos origines,
Aide à comprendre le sens de notre voie.

Découvrirai-je un jour son identité ?
Y apporter la lumière, rompre cette obscurité.
Il reste en tous la gravure d'un espoir,
Des lettres, une à une, nimbées de noir,
De faire de ce monde et de la vie une chimère,
D'oublier ainsi le sens du mot « guerre ».

Je suis ta fille de papier,
Colombe blanche, qui vole à tes côtés,
Peut-être « têtue comme un brrraaa »,
Et « curieuse comme une kalorna » !

Sur le dos argenté et éclatant de Galant,
Si haut dans le ciel, je vois la vie déferler,
Cette magie qui me boit impunément le sang,
Cette magie qui guide les pas de nos alliés...

Un empire m'a été gracieusement confié,
Ils voient dans mes yeux... La Lueur,
Celle qui permet d'imposer la paix,
Et de leur offrir un monde meilleur.

Je suis ta fille de papier,
J'accompagne ton amour,
J'y ai lié à double tour
Un message de fraternité.

Tout simplement merci Sophie,
De m'avoir ainsi donné la vie,
D'écrire mon histoire, celle que je te dis,
Et de me suivre sur le Continent interdit.

Tara... ta fille de papier...

Remerciements

À Teresa Cremisi et Gilles Haéri qui permettent chaque année à Tara d'exister et de grandir.

À la ravissante Stéphanie Chevrier, qui a corrigé mon texte en un temps record, avec, comme d'hab, des remarques pertinentes qui m'ont évité d'écrire n'importe quoi et bisous à son Olivier et à son Roman. À Virginie Plantard qui s'est levée à cinq heures du matin pour surveiller la couverture de la réédition du tome 3 et celle du tome 5, et veille comme un aigle sur les répétitions et les fôtes d'aurtografes, tu es adorable, merci. À ma Charlotte qui a « cornaqué » nos supers illustrateurs, Stan et Vince, les gars, vous avez déchiré avec cette nouvelle couverture, bravo ! Et à Sébastien dont le logo Tara Duncan est vraiment superbe.

À Gilles Paris et Laurent, surnommés « gilou et lolo », mes formidables attachés de presse-que-j'adore et leur équipe, Lucie, Youssef et les autres. Merci, vous faites vraiment un boulot incroyable !

À Agnès Panquiault, directrice marketing Flammarion, qui avait dû subir mes foudres l'année dernière et se révèle en réalité efficace et organisée, merci et pardon, je ne te connaissais pas.

À Marie Rajaonavah qui fait un travail formidable au marketing, à Patricia Stanfield qui est en train de conquérir le monde entier avec Tara aux droits étrangers, and special thanks to the adorable Lori Marie Carlson, her husband the tremendous Oscar Hijuelos, and my amazing americain agent, Jennifer Lyons.

À Alain Cahen, le meilleur des directeurs commerciaux.

À Cécile Grenouillet et Patrick Hoffmann qui traquent producteurs et cinéastes.

À Nicolas Galy qui a fait des merveilles avec l'invitation à la soirée de « Tara Duncan et le Continent interdit ». Et à Fabrice Lejean de chez TF1/Les éditions du Toucan de nous l'avoir prêté.

À Tomoko Yamamoto, ma fidèle traductrice japonaise qui fait un travail formidable en dépit de mes terribles métaphores et autres jeux de mots.

À Stéphane Legrand qui a fait de ce site l'un des plus visités en France et est le meilleur des webdesigners, à mon ami Brice qui ne répond jamais au téléphone et pour qui je songe sérieusement à inventer la télépathie. À Benoit Di Sabatino qui va faire de Tara une star mondiale grâce à ses dessins animés, à mon ami Alain Barsikian, le meilleur des avocats et le plus fidèle des soutiens.

À Laurent Bertail qui m'accueille dans ses librairies et m'encourage, à Euridyce Montrebert qui fait de même, et à tous ces merveilleux libraires qui m'invitent partout en France pour le plus grand bonheur de mes fans... et le mien.

À ma famille à présent. Bien sûr, à mon mari Philippe, le plus beau, le plus gentil, le plus adorable, le plus merveilleux des maris... euh, surtout le plus patient, ce qui est sa qualité principale et qui permet de calmer le Taz qui sommeille en moi. À mes deux filles, Diane et Marine, dont les talents m'émerveillent chaque jour un peu plus, qu'est-ce que je suis fière de vous ! Et à Rémi fidèle à Marine depuis déjà un an... ouaaaah !

À ma meilleure amie, Martine Mairal, talentueuse écrivain de *L'Obèle* et *Loin de moi*, qui fait de chacune de nos rencontres un moment aussi délicieux que magique, et à son merveilleux Jacques, (bravo pour ta nomination au ministère des Affaires étrangères, je suis super fière de l'annoncer partout autour de moi !).

À ma mère, avec qui je passe de longues heures au téléphone et me fait toujours rire avec ses anecdotes aussi croustillantes que bien informées... À côté de toi, maman, les services de renseignement, c'est de la rigolade ! T'm !

À mon oncle, Francis Veber, ma tante, Françoise, et mes deux cousins, Gilles et Jean, sans oublier toute la merveilleuse famille Audouin, Jean-Luc, Corinne, Lou, Thierry, Marylène, Léo. Gros bisous à Papy Gérard, fidèle fan de Tara depuis longtemps. Les z'Audouins, vous êtes une famille d'adoption comme il en existe peu.

À Fabrice Florent, Catherine et Lyna, fidèles amis lillois, et fier créateur de « futur Papa » et Mad'moizelle.com.

À mon amie trop lointaine Michèle Schwartz et à Théo Klein.

À tous mes fantastiques fanatiques taraddicts, et blogeurs acharnés : Honyasama et Milora qui sont en train d'écrire une saga dérivée d'AutreMonde, ma jolie chanteuse Tiloti, Crystal et ses dessins magnifiques, Guillaume et ses dessins tout aussi magnifiques qui ouvrent mon site d'ailleurs, mon Tomlou à moi qui arrive, ô miracle, à me rendre presque jolie à l'écran, et qui lui aussi écrit sur AutreMonde avec Tiloti et Gwen-Ystra, à Steffyzen et Hitoshi, l'adorable couple qui s'est formé grâce à Tara (niarf !) et à Clem, Tampopo et ses chaussettes, Elfée et sa légendaire bonne humeur, Tassou notre Belge aux yeux verts autreMondienne, à Gwen-Ystra notre étoile danseuse et Arwen, Julien notre merveilleux poète, Méline, Lalex superbe illustratrice, Camille, Manon, Margot, Margaux, Océane, Doris, Alexandre (et non je ne te dirai pas qui est Magister ! lol !), Clémentine, Salomée, Siah qui m'a dessiné le logo de Génération Taraddict et a beaucoup de talent, Ciarialla et Taratyl, les deux sœurs fans, à la brillante Soizicquiparleplusvitequesonombre, Charlotte, Maëlle, Lou-Andréa, Elora, Eric, Said, Axina et ses redoutables cadeaux, l'adorable Polgara et ses chocolats suisses, Loéva-mat toujours aussi enthousiaste, Kallilou, Perrine et son papa, CédricquiressembleàCal et me fait de superbes bandes annonces, Angel JP notre informaticien de choc, Sillevi, Delphine qui a eu son BTS, Joseph qui veut aussi le rôle de Cal, Sabine, Amélie, Flavien, Juliette, Clémentine, Alexandra, Sarah, Lala, Cloriane, Léa, Meeee, sarah02, Erolas, Calia, Nonampissam, la fameuse guimauve, et son amie Soniafan, Marion86, Chem Junior, Mylady à qui il arrive plein d'aventures, Emmasanes et sa gazette d'AutreMonde, Eowyn, Nirnaeth, Orodreth, Tuihauhau, Selena, et notre Nee-lahn (prononcer Né, pas Ni, lol !), Oksana, Snake, Nyra, Rixie et Gabrielle, les Canadiennes, Khyra dite Kiki, Osi, Alizou, Les Larmes de Tara, Motus, Bouclettes, Fanny, l'autre Lucie, Motus, Lorelei et Malak avec leur super forum, Fiora, bon, je sais que j'en oublie, mais à tous, vous le savez déjà, je vous aime autant que vous aimez AutreMonde !

WAAAAAAAAZZZZZZZZZAAAAAAAAAAAAAAAAAAAAAA AAAAAAAAAA (cri de guerre des nains et des fans de Tara)

Gagnants et gagnantes du concours de dessin
« Tara Duncan : dessins des animaux et
plantes d'AutreMonde » :

Mrrr : Marie Giannoni, 10 ans
Blll et géant d'acier : Christine Le Borgne, 13 ans
Kalorna : Samantha Castaing, 13 ans
Chatrix : Kim Fontaine, 14 ans
Mooouuu : Caroline Vincent, 14 ans
Spachoune : Astrid Schnelzauer, 14 ans
T'sil : Elodie Friess, 15 ans
Pégase : Julie Tonetto, 16 ans
Vrrir : Gaëlle Lemarchand, 17 ans
Krakdent : Hélène Dieumegard, 18 ans
Bulle-sardine, kraken, pllop, stridule et spalendital : Cécile Primault,
20 ans.
Camelle Brune, mangeur de boue et taludi : Cédric Derval, 24 ans

Table